qu'est-ce que
la sculpture moderne
?

qu'est-ce que la sculpture moderne ?

Centre Georges Pompidou
Musée national d'art moderne

3 juillet-13 octobre 1986

Commissaire général :
Dominique Bozo

Commissaire :
Margit Rowell, assistée de Nathalie Brunet

Administrateur :
Jean-François Chougnet

Secrétariat :
Anne-Marie Héricourt, Naïma Kadri, Christiane Rojouan

Architectes :
Jacques Loupias et Katia Laffite
avec la collaboration de Diane Chollet

Régie des espaces :
Gérard Herbaux
et les ateliers du Musée national d'art moderne

Régie des œuvres :
Élisabeth Galloy et Corinne Bocquet
assistées de Liliane Decaen et Ghislaine Gillet

Relations publiques et service de presse :
Catherine Lawless et Servane Zanotti

L'affichage a été réalisé avec la collaboration
des sociétés d'affichage et de publicité:
Aéroports Publicité, France Rail Publicité,
Ledermann Guironnet et Associés, Métrobus

Conception du catalogue :
Margit Rowell

Coordination :
Nathalie Brunet

Secrétariat de rédaction :
Jeanne Bouniort

Biographies et bibliographie : Bénédicte Ajac
Anthologie établie par Noëlle Réveillaud-Chabert,
conservateur des musées de la Ville de Paris,
présentée par Giovanni Lista, Noëlle Réveillaud-Chabert
et Margit Rowell

Traductions :
Pierre Bourlis
Nathalie Brunet
Jean-Pierre Criqui
Didier Don
Claude Gintz
Catherine Habib
Antoine Jaccottet
Yves Lelong
Martine Reyss

Maquette :
Bruno Pfäffli

Couverture :
Visuel Design Jean Widmer
Graphisme réalisé d'après *L'Objet du couchant* de Joan Miró

Fabrication :
Patrice Henry

Sommaire

Préface

Paradoxalement, Paris qui offre une des plus extraordinaires suites de collections et de musées consacrés à la sculpture du XXᵉ siècle depuis Rodin, n'a pas su ou n'a pas pu organiser les bilans qui s'imposaient depuis la Seconde Guerre mondiale. A côté des musées Rodin, Bourdelle et tout récemment Zadkine et Picasso, le Musée national d'art moderne est sans doute le seul où la sculpture tient une place aussi prépondérante grâce aux ensembles remarquables qui y ont été réunis, de Duchamp-Villon à Gaudier-Brzeska, de Laurens à Lipchitz, de González à Calder, de Pevsner à Kemeny, sans parler de ce sanctuaire que constitue l'« atelier Brancusi ». Malgré cette place particulière qu'occupe aujourd'hui la sculpture dans les collections nationales, on se plaît à répéter que les Français seraient plus enclins à considérer la peinture comme un « art plus intellectuel », qu'ils n'ont pas de dispositions à comprendre la sculpture ou du moins, ce qui est plus juste, qu'ils la regardent avec « des yeux du XIXᵉ siècle ». Il est vrai, comme beaucoup l'ont noté récemment encore, que la sculpture a été quelque peu délaissée par l'État depuis la fin du siècle dernier et que faute de commandes elle a dû se contenter de l'espace, sinon du musée ou de la collection privée, bien plus souvent du seul atelier. Pourtant jusqu'aux années soixante/soixante-dix la France organisait encore des expositions internationales de sculpture en plein air. Aujourd'hui survivent quelques salons de plus en plus deshérités, condamnés faute de place à installer à l'extérieur, en des parcs ou jardins, des œuvres dont les dimensions, les matériaux, l'échelle, comme le projet, sont essentiellement ceux d'espaces intérieurs.

Paradoxalement aussi, c'est à Paris qu'est né et s'est développé l'essentiel de la sculpture moderne depuis 1912, « date majeure », celle de la *Guitare* de Picasso, tandis que plus tard, çà et là, ponctuellement en Europe centrale, Russie, Allemagne, Pologne notamment, naissaient et se développaient d'autres expressions de la forme et de l'espace, du volume et du lieu. Cette richesse confidentielle de la création, sans autre objet qu'elle-même, c'est-à-dire sans possibilités d'expressions publiques, explique en partie cette réputation de la sculpture; mais pas seulement. Car c'est tout l'art moderne, on le sait, qui fut négligé. Bien plus, la sculpture coûte cher, elle est encombrante et il est plus difficile de s'en « débarrasser ». On s'y risque donc moins. Car c'est bien de méfiance qu'il s'agit en partie au XXᵉ siècle vis-à-vis d'un art durable, solide, affiché publiquement au XIXᵉ siècle, commandité par le pouvoir, avec les bonnes, mais surtout mauvaises fortunes que l'on sait. Ainsi à quelques exceptions de qualité près, Rude, Carpeaux, Rodin, Gauguin, Degas, la sculpture du XIXᵉ illustra le goût et les ambitions des pouvoirs successifs, envahissant monuments, ouvrages d'art, cimetières, jardins et places publiques au point que l'on ne sut, plus tard, comment la « liquider », ni quelle place lui trouver encore.

Cette mal aimée ou plutôt cette mal traitée connaît aujourd'hui un regain d'intérêt. Tout le monde, historiens et muséographes, se penche sur elle à peu près au même moment, tandis qu'elle s'affirme chaque jour davantage comme expression majeure de la création contemporaine. Aujourd'hui on la sollicite de nouveau en une débauche de projets bien souvent contradictoires, velléitaires ou provocateurs parce que systématiques. Aussi le lieu trouve-t-il difficilement l'œuvre. Tandis que l'œuvre trouve le plus souvent tant mal que bien son lieu.

Il y a quelques années déjà que nous pensons à ce bilan que d'autres avaient déjà fait sous d'autres formes, aux États-Unis, en Angleterre, puis en Allemagne et en Suisse et plus récemment à la Fondation Maeght, avec il est vrai cette éducation du regard « reçue du XIXᵉ siècle ».

« Qu'est-ce que la sculpture moderne ? » : ce titre quelque peu racoleur pour certains, pédagogique aussi, indique surtout que l'exposition n'ambitionne pas d'être un panorama complet de la sculpture du XXᵉ siècle mais qu'elle tente de dégager l'essentiel des apports et contributions qui ont modifié profondément notre regard ou notre perception de l'espace, à travers l'œuvre de quelques artistes seulement, puisque Margit Rowell insiste surtout sur ce que la sculpture, non pas du XXᵉ siècle mais *moderne,* a opéré de transformation et d'éducation du regard et du comportement. Si la sculpture du XIXᵉ siècle, de Rude à Carpeaux et à Rodin, s'est en effet prolongée au-delà de la guerre de 1914 avec ce sculpteur classique mais parfait qu'est Maillol, celle du XXᵉ siècle amorcée en partie dans l'œuvre de Gauguin et celles de Degas et Rodin, n'est réellement devenue moderne qu'après 1912 avec les conséquences que l'on sait. A partir de là naît la sculpture moderne. A partir de là tout change. Sans en exagérer la portée, on peut dire que la *Guitare* de Picasso, œuvre de peintre vérifiant un problème de peinture, met fin aux catégories traditionnelles de *peinture* et *sculpture,* permet l'apparition d'un nouveau vocabulaire formel, institue la liberté des pratiques et l'invention permanente des signes, comme elle autorise de nouvelles attitudes, de nouvelles expressions et de nouveaux sentiments jusqu'à l'humour même. Elle dépasse les notions de bloc, de taille et de modelage, privilégie les nouveaux matériaux, tous les matériaux, de l'objet aux déchets, des métaux aux résines, des textiles à l'électricité, à l'« immatériau ». La sculpture moderne rejoint la peinture non seulement en termes d'espace mais de picturalité et de polychromie naturelle ou peinte, comme elle donne au vide ses qualités de matière. Cette expérience des matériaux divers et de l'assemblage la conduit à l'œuvre unique au détriment de la duplication jugée bâtarde.

La sculpture moderne s'empare de l'espace et du lieu comme expérience vécue et sort ainsi l'œuvre de sa condition traditionnelle d'objet que l'on regarde. Elle devient expérience du réel. Car c'est bien, à l'origine, de la recherche de la représentation du réel que vient cette rupture, et de l'expérience confrontée peinture-sculpture conduite le plus souvent par des peintres : Picasso, Matisse, Miró.

Toutefois le XXᵉ siècle ne vit pas pour autant la disparition des techniques et expressions traditionnelles de la taille, du modelage et de la fonte. Le rôle justement des peintres fut essentiel et sans doute pour la première fois une exposition indiquera çà et là cette problématique de l'espace et de la représentation du réel. La *Guitare* de Picasso sans mettre fin au bloc et au modelage, objet absolu dont on connaît les conséquences sur la peinture et le collage, abolit la notion de pesanteur, de socle comme celle de destination ou de position.

Cette diversité, cette richesse sans précédent de la sculpture moderne se prolongent au-delà des années soixante-dix dans de nouveaux horizons, ceux du land-art et des interventions dans la nature. Le projet initial était optimiste, puisque nous pensions pouvoir sortir l'exposition des espaces du Centre et présenter in situ dans quelques parcs parisiens les œuvres monumentales ou faites spécialement pour un site. Nous n'avions pas prévu le coût considérable d'une telle entreprise. Nous pensions que des commandes auraient pu entre-temps être passées aux artistes, et qu'ainsi un itinéraire serait possible aussi dans la ville. Ce chapitre de l'histoire de la sculpture moderne est à lui seul une exposition qu'il faudra bien réaliser prochainement tout comme le bilan de la sculpture plus contemporaine, celle apparue tout récemment, devra être entrepris avec suffisamment d'espace et de moyens. Mais il ne faut pas tomber dans le piège du « parc » ou musée de sculpture en plein air, ce ghetto où se nuisent le plus souvent des œuvres contradictoires ou en trop grand nombre. La sculpture en plein air doit au contraire trouver individuellement son site, son lieu, son espace.

C'est dans cette optique que nous avons tenté de faire le point sur la sculpture dans la ville. Paris, curieusement, n'a pas su commander de sculptures aux artistes de ce siècle. Ni le projet prévu par André Malraux d'un hommage à Baudelaire, confié à Picasso pour l'île Saint-Louis, ni celui d'une figure en béton porte Dauphine, par Picasso aussi, n'ont vu le jour. Seules des institutions plus autonomes comme l'établissement public de la Défense et l'Unesco ont su prendre des initiatives de qualité.

On constate aujourd'hui l'insertion difficile de tels projets dans une ville ancienne. La commande, comme la mise en place d'œuvres de sculpture contemporaine, exige la connaissance du lieu — le lieu a-t-il besoin de l'œuvre ? — mais plus encore une connaissance sérieuse de l'art du créateur à qui l'on s'adresse. Ainsi le projet commandé à Jean-Pierre Raynaud à Vénissieux, au quartier des Minguettes, nous paraît exemplaire et incontestable. Puisque cette année est celle de la sculpture, souhaitons que celui-là parmi d'autres ne soit pas abandonné.

Ne nous y trompons pas. Ceux qui pensaient que cette exposition serait un panorama exhaustif de la sculpture de ce siècle seront bien sûr déçus. Comme nous l'avons dit, ce n'était ni notre projet, ni dans nos possibilités. Dans une dédicace portée sur son livre *What is Modern Sculpture ?* à qui ce titre est en partie emprunté, Robert Goldwater souhaitait que son ouvrage permette de connaître, certes, ce qu'est la sculpture moderne, mais aussi d'en suivre et d'en comprendre le développement futur. C'est ce que doit permettre cette exposition pour laquelle nous avons reçu le soutien amical de bien des collectionneurs et nombre d'institutions. Que tous ceux qui nous ont aidés, et tout particulièrement M. et Mme Raymond D. Nasher, la Georges Pompidou Art and Culture Foundation et sa présidente Mme de Ménil, trouvent ici l'expression de notre profonde gratitude. A ces noms j'aimerais associer celui de Jean Riboud qui nous a toujours confortés dans les moments difficiles de la préparation de ce projet qu'hélas il n'aura pu voir.

Dominique Bozo

Cette exposition n'aurait pu être réalisée sans le soutien des musées, institutions, galeries et collectionneurs auxquels nous avons fait appel et qui, malgré les problèmes de conservation et de transport que pose la sculpture, nous ont accordé généreusement leur concours.

Nous tenons à remercier tout particulièrement M. William S. Rubin, directeur du département de peinture et de sculpture du Museum of Modern Art de New York pour l'important prêt d'œuvres qu'il nous a consenti et l'attention qu'il a portée à notre projet dès sa conception, Mme Michèle Richet, conservateur honoraire, M. Pierre Georgel, conservateur en chef du Musée Picasso ainsi que Mme Hélène Seckel, conservateur, qui n'ont pas hésité à se séparer d'œuvres exceptionnelles de leur collection malgré l'ouverture récente du musée.

Nous remercions également :

Danemark
J.F. Willumsens Museum, Frederikssund, Mme Leila Krogh.

Espagne
IVAM, Centre Juli González, Valence, M. Thomas Llorens; Museo español de arte contemporáneo, Madrid, M. Aurelio Torrente, M. Alvaro Martinez Novillo; Leandre Cristòfol, Lérida; Paco Muñoz, Madrid.

États-Unis
The Chrysler Museum, Norfolk (Virginie), M. David W. Steadman; The Minneapolis Institute of Arts, Minneapolis, M. Alan Shestack; The Museum of Modern Art, New York, M. Richard Oldenburg, M. William S. Rubin; The Philadelphia Museum of Art, Philadelphie, Mme Anne d'Harnoncourt; The Solomon R. Guggenheim Museum, New York, M. Thomas Messer; The Walker Art Center, Minneapolis, M. Martin Friedman; The Whitney Museum of American Art, New York, M. Thomas Armstrong; Yale University Art Gallery, New Haven (Conn.), M. Michael Komanecky.
Leo Castelli Gallery, New York; Paula Cooper Gallery, New York; Xavier Fourcade Inc., New York; Knoedler and Co. Inc., New York; Margo Leavin Gallery, Los Angeles; Pierre Matisse Gallery, New York; The Pace Gallery, New York; Sidney Janis Gallery, New York; Sonnabend Gallery, New York.
Famille Abrams, New York; M. John Chamberlain, Sarasota (Floride); M. James Corcoran, Los Angeles; M. George Costakis (Art Co. Ltd); M. Richard L. Feigen, New York; M. et Mme Victor W. Ganz, New York; Stephen Hahn, New York; M. et Mme Morton Janklow, New York; Mme Yulla Lipchitz, New York; Howard et Jean Lipman, New York; M. Royal S. Marks, New York; M. Robert Morris, New York; M. et Mme Raymond D. Nasher, Dallas; M. Isamu Noguchi, Long Island; Collection Mary A.H. Rumsey, New York; Michael et Ileana Sonnabend, New York; Rebecca et Candida Smith, New York.

France
Fondation Arp, Clamart, Mme Marguerite Arp-Hagenbach, Mme Greta Ströh; Fondation Jean Dubuffet, Perigny-sur-Yerres, Mme Armande de Trentinian; Fondation Maeght, Saint-Paul, M. Jean-Louis Prat; Musée d'art moderne de la Ville, Paris, Mme Bernadette Contensou; Musée d'art moderne, Villeneuve-d'Ascq, M. et Mme Jean Masurel, M. Pierre Chaigneau; Musée des beaux-arts, Rennes, M. Jean Aubert; Musée Henri Matisse, Nice, M. Xavier Girard; Musée de l'Homme, Paris, M. Jean Guiart, Mme Francine N'Diaye; Musée municipal d'Angoulême, Mme Monique Bussac; Musée national des arts africains et océaniens, Paris, M. Henri Marchal; Musée d'Orsay, galerie du Jeu de paume, Paris, M. Michel Laclotte; Musée Picasso, Paris, M. Pierre Georgel; musée Saint-Pierre-art contemporain, Lyon, M. Thierry Raspail.
Liliane et Michel Durand-Dessert, Paris; Mme Sylvie Balthazar, Paris; Mme Henriette Gomès, Paris; M. et Mme Claude Laurens, Paris; M. Marcel Lefranc, Paris; M. et Mme Michel Leiris, Paris; M. et Mme Adrien Maeght, Paris; Mme Susi Magnelli; Mme Juliet Man Ray; M. Alain Peyrissac, Paris; M. Bernard Picasso, Paris; M. Claude Picasso, Paris; Vassilakis Takis, Paris; M. Lucien Treillard, Paris.

Grande-Bretagne
City Art Galleries, Leeds, M. Christopher Gilbert, M. Terry Friedman; The Trustees of the Tate Gallery, Londres, M. Alan Bowness; Succession Barbara Hepworth, Londres. Annely Juda Fine Art, Londres; Marlborough Fine Art Ltd., Londres.
M. et Mme Owen Franklin; The Saatchi Collection, Londres, Mme Julia Ernst.

Israël
Musée de Tel-Aviv, M. Marc Scheps, Mme Nehama Guralnik.

Italie
Collection Peggy Guggenheim, Venise, M. Thomas Messer, M. Philip Rylands; Galleria Museo Depero, Rovereto, M. Enrico Moiola; Galleria nazionale d'arte moderna, Rome, M. Eraldo Gaudioso, M. Bruno Mantura; Museo provinziale d'arte, Trente, Mme Gabriella Belli.
Galleria Blu, Milan; Galleria L'Isola, Rome.
M. Fausto Melotti, Milan; Mme Carla Panicali, Rome; M. Fabio Sargentini, Rome; M. Christian Stein, Turin; M. Gilberto Zorio, Turin.

Pays-Bas
Museum Boymans-Van Beuningen, Rotterdam, M. Ter Molen; Rijksmuseum Kröller-Müller, Otterlo, M. R.W.D. Oxenaar; Stedelijk Museum, Amsterdam, M. E. de Wilde,

M. Wim Beeren; Stedelijk Van Abbemuseum, Eindhoven, M. Rudi Fuchs.

Pologne
Muzeum Sztuki, Lódź, M. Ryszard Stanislawski.

R.F.A.
Bayerische Staatsgemäldesammlungen, Munich, Mme Carla Schulz-Hoffman; Brücke Museum, Berlin, M. L. Reidemeister, Mme Eva Schneider; Kunsthalle, Bielefeld, M. Ulrich Weisner; Museum für moderne Kunst, Francfort, M. Peter Iden, M. Rolf Lauter; Sprengel Museum, Hanovre, M. Joachim Büchner, M. Norbert Nobis; Stiftung Sammlung Bernhard Sprengel, Hanovre, M. Hans-Peter Albrecht; Staatsgalerie, Stuttgart, M. Peter Beye, Mme Karin von Mauer; Städtisches Museum Abteiberg, Mönchengladbach, M. Dierk Stemmler; Wilhelm-Lehmbruck Museum, Duisbourg, M. Christoph Brockhaus.
Galerie Gmurzynska, Cologne; Karsten Greve Galerie, Cologne; Kunsthandel Wolfgang Werner KG, Brême.
M. Heiner Bastian, Berlin; Collection Hanna Bekker vom Rath.

Suisse
Kunsthaus, Zurich, M. Felix Baumann; Kunstmuseum, Bâle, M. Christian Geelhaar.
M.W.A. Bechtler, Zollikon; Tudor Administration.

Yougoslavie
Musée national, Belgrade, M. Jevta Jevtović, Mme Irina Subotić.

Ainsi que tous les prêteurs qui ont souhaité conserver l'anonymat.

Nous avons bénéficié dans nos recherches et dans nos démarches de l'aide de :

M. Sergi Aguilar; M. Baranoff-Rossiné; M. Heiner Bastian; Mme Frances F.L. Beatty; M. Gianfranco Benedetti; M. Germano Celant; Mme Elise Coutarel; Mme Marcel Duchamp; M. Claude Duthuit; M. Michel Durand-Dessert; M. André Emmerich; M. D. Evrard; Mme Gladys Fabre; M. Xavier Fourcade; M. Klaus Gallwitz; Mme Carmen Gimenez; M. Ludovic de Ginguay-Beaugendre; M. Claude Gintz; M. Arnold Glimcher; M. Siegfried Gohr; M. Herbert F. Gower Jr.; M. Thomas D. Grischkowsky; Mme Michèle Janezic; M. Caroll Janis; Mme Hannelore Kerstyng; Mme Rosalind Krauss; M. Giovanni Lista; M. Gilbert Lloyd; Mme Susi Magnelli; Mme Laurence Marcilhac; Mme Jean Matisse; Mme Liliane Meffre; M. Robert Morris; musée départemental du Prieuré, Saint-Germain-en-Laye; Mme Regina O'Bryen; M. le comte Panza di Biumo; Mme Krisztina Passuth; M. Claude Picasso; Mme Claude Quinet; M. Alexandre Rasor; M. Jean-Paul Robin; Mme Fanette Roche-Pézard; Mme Cora Rosevear; M. Lawrence Rubin; Mme Angelica Zander Rudenstine; M. Charles Cary Rumsey Jr.; M. Fabio Sargentini; M. Eudald Serra Güell; Mme Mariane Stein-Steinfeld; M. Peter Stevens; Mme Irina Subotić; Mme Cherie Summers; M. Alain Tarica; M. John Weber; Galerie Zabriskie; M. Gilberto Zorio.

Qu'ils trouvent ici l'expression de notre reconnaissance.

Margit Rowell

Avant-propos

Le « moderne » appartient par définition à l'époque présente. Par principe, il n'a pas d'attaches dans le passé. Il n'a pas de mémoire, pas d'histoire. Parler de la sculpture moderne revient donc à évoquer une sculpture qui a rompu avec les traditions antérieures pour s'ancrer résolument dans un « présent » que nous avons choisi de situer entre 1900 et 1970. La première date, toute symbolique, fait coïncider le début de la période moderne avec le début du siècle, même si certains aspects de la sensibilité qui la caractérise se sont manifestés plus tôt, et d'autres un peu plus tard. La date limite 1970 est également symbolique, mais moins arbitraire qu'il n'y paraît. C'est en effet entre 1968 et 1974 environ que la sculpture a entamé une autre métamorphose structurelle et conceptuelle, étendant son domaine aux *earthworks,* aux « sites », à l'art conceptuel, et jusqu'à la lisière où « les attitudes deviennent forme ». Elle annonçait déjà l'éthique et l'esthétique du postmodernisme dont les objets s'éloignent quelque peu des critères adoptés ici pour distinguer les formes de la sculpture « moderne ». En somme, nous supposons au départ l'existence d'une sculpture moderne qui a un commencement et peut-être même une fin, et qui présente certaines constantes fondamentales dans ses diverses incarnations.

Du reste, l'expression « sculpture moderne » est à strictement parler un pléonasme. Parce que la sculpture est par essence de ce siècle, parce qu'elle exprime dans chacun de ses aspects la sensibilité singulière par quoi se définit la modernité. Auparavant, qui disait forme artistique en trois dimensions disait statuaire. Il s'agissait toujours d'une image destinée à remplir une fonction décorative, religieuse, politique ou commémorative, qui appartenait à un système iconographique soumis à une série de normes préétablies. « Statue : figure entière et de plein relief, représentant un homme ou une femme, une divinité, un animal, un dieu, un cheval, un lion », lit-on dans le Littré (1964). Ses techniques de production et de reproduction, ses matériaux, ses dimensions variables étaient adoptés et adaptés de manière à appliquer ces normes conformément aux principes de la permanence et de la perfection esthétique.

Pour la sculpture, le dictionnaire donne une définition moins limitative. C'est d'abord une technique (ou une forme d'activité productrice qui suppose a priori un objet unique), et ensuite le produit de cette technique, sans mention d'une quelconque imagerie ou fonction commémorative. Dans son acception du XXe siècle, le mot *sculpture* (du moins en français et en anglais) désigne plus précisément l'interprétation moderne de la forme artistique en trois dimensions. Ainsi entendue, la sculpture n'est pas la statuaire; elle ne remplit aucune fonction déterminée. C'est une création autonome, dont l'iconographie, les techniques, les matériaux et les dimensions peuvent de ce fait varier à l'infini.

Cette conception de la sculpture comme création autonome d'un artiste individuel est une invention proprement occidentale, diamétralement opposée à la pensée et la pratique artistiques orientales. Dans les cultures extrême-orientales, la tradition des arts plastiques se confond avec celle de la peinture, autrement dit avec un art en deux dimensions. Certes, on trouve partout en Orient une statuaire religieuse, mais il n'y a pas dans la tradition extrême-orientale de système de conventions qui permette l'expression de la sensibilité personnelle. Et si la coutume autorise certaines interventions de l'homme sur la nature (ainsi, il peut tailler et greffer des branches pour modifier la silhouette naturelle d'un arbre, ou dévier un cours d'eau pour obtenir un relief d'érosion à sa convenance), tout cela reste très éloigné de notre conception occidentale de la sculpture. Cette façon d'objectiver une subjectivité particulière que nous appelons sculpture est fille de la tradition occidentale qui accorde une si large place à l'individu, et singulièrement à la vie séculière. Par conséquent, il serait vain d'en chercher un équivalent dans les cultures africaines également. Cette notion issue des traditions philosophiques et sociales européennes trouve tout naturellement son expression la plus authentique en Europe et sur le continent américain tout entier.

Considérée dans une perspective philosophique et esthétique, cette redéfinition de la forme en trois dimensions que représente l'avènement de la sculpture moderne correspond à certaines transformations radicales observées dans l'ensemble de l'art occidental au tournant du siècle. De toutes ces transformations, la plus considérable par son ampleur et par ses répercussions profondes fut ce que l'on peut appeler le passage du mode perceptif au mode conceptuel. L'apparence extérieure a cédé le pas aux idées, au terme d'une évolution amorcée conjointement par Cézanne et par le symbolisme : le premier dans son analyse plastique de la planéité, le second dans son aspiration à incarner une essence spirituelle. De sorte que l'on peut rattacher la mutation de la statuaire en sculpture à un changement des priorités et des objectifs dans les arts plastiques en général. Pour simplifier, disons que d'un bout à l'autre de la période moderne, le sculpteur moderne a renoncé à représenter des personnages humbles ou illustres pour s'efforcer de présenter des idées abstraites ou une vision intérieure sous une forme concrète. Cependant, il ne suffit pas d'affirmer ex abrupto qu'il s'agit là d'une rupture avec des siècles de tradition pour rendre compte de ce phénomène et de ses conséquences.

Quand le sculpteur moderne a tourné le dos à toutes les pratiques conventionnelles, à leur iconographie, leurs techniques et leurs matériaux, il lui a fallu trouver un autre cadre de références pour créer des formes signifiantes. Finalement, il semble avoir eu le choix entre deux stratégies qui lui permettaient de gommer ou d'oublier la tradition historique et, par là, de récuser le mécanisme historique de la progression par évolution ou par accumulation. La première consistait à se placer dans un système de références transversal, ou transculturel, axé exclusivement sur le présent immédiat ou sur un avenir imaginaire. La deuxième solution était de se dégager complètement du mouvement linéaire de l'histoire par des renvois aux formes intemporelles des cultures populaires, primitives et archaïques ou au substrat mythique de certaines philosophies de la nature, de manière à inscrire son activité créatrice dans un schéma temporel circulaire. Grosso modo et pour plus de commodité, on peut ramener ces deux cadres de référence à la bipolarité anthropologique nature/culture, et leurs paramètres temporels respectifs à l'opposition immédiat/éternel. Dans les deux cas, l'artiste renie le passé et toute idée d'une continuité entre le passé et le présent. Il désavoue les modes conventionnels de la sculpture hérités de l'Antiquité. S'il doit chercher des exemples ou des indications, ce sera en dehors des traditions de la théorie et la pratique sculpturales, dans d'autres disciplines, d'autres doctrines philosophiques, d'autres systèmes de croyances ou de connaissances. C'est là, dirions-nous, une composante fondamentale de la sensibilité sculpturale moderne.

Les artistes dont le travail se situe du côté « culture » dans notre topologie bipolaire ont puisé leur inspiration dans les découvertes contemporaines et les percées scientifiques, philosophiques, mathématiques, techniques ou même technologiques. Ils ont cherché des procédés formels aptes à traduire leur vision du monde toute moderne dans la peinture, la poésie et la littérature. Ces artistes croyaient aux valeurs de la civilisation moderne et du progrès, ils avaient foi en l'époque présente et en un avenir idéalisé, voire utopique. Aussi n'avaient-ils aucune raison de se retourner vers des temps révolus. Ils croyaient également que l'abstraction (et, partant, un certain rationalisme) était ce que l'homme avait inventé de plus élaboré et de plus parfait pour appréhender tous les aspects de la vie moderne.

Étant donné la grande diversité de leurs sources d'inspiration, ces artistes pouvaient choisir leurs matériaux et leurs techniques sans idées préconçues. Et comme leur art visait à objectiver une idéation ou une construction de l'esprit, ils devaient employer des matériaux malléables et aléatoires afin de transmettre cette thématique fluctuante et de recréer ces formes abstraites mouvantes ou même fugitives. Quant à la technique, ils ont très logiquement privilégié celle de l'assemblage, qui permettait de matérialiser spontanément les fragments évanescents d'une perception de la réalité en perpétuel renouvellement.

Jusqu'à la Seconde Guerre mondiale, ces artistes ont incarné une certaine idée de l'avant-garde. Ce n'est pas un hasard si les premières manifestations de cette attitude d'esprit se sont fait jour ou ont pris de l'ampleur en France, en Italie et dans la Russie présoviétique. L'avant-garde a trouvé un de ses premiers et plus éminents porte-parole en la personne de Guillaume Apollinaire, dont la sphère d'influence était particulièrement étendue en France et en Italie. En Russie, la situation politique a joué un rôle de catalyseur dans une très importante recherche de formes qui s'écarteraient complètement de la tradition pour traduire une nouvelle vision utopique de la société. L'interpénétration des domaines culturels, qui donnait lieu par exemple à des échanges entre les sciences, la poésie et l'idéologie, persista après la Seconde Guerre mondiale. Mais dans un monde transfiguré, les thèmes ne pouvaient plus être les mêmes : c'étaient à présent les technologies de pointe, les philosophies existentialistes, les images de la société contemporaine, la peinture et les nouvelles conceptions de l'être et de la perception.

Les artistes qui gravitaient autour du pôle « nature » cherchèrent ailleurs leurs sources d'inspiration. Dès lors qu'ils se préoccupaient avant tout de se placer hors du temps, ils n'éprouvaient aucun intérêt pour l'aventure moderniste et ne croyaient pas que le progrès ou l'abstraction correspondaient à un stade supérieur dans l'évolution de l'humanité. Leur attention se portait au contraire sur les manifestations intemporelles de l'univers, les phénomènes cycliques du cosmos, les phases biologiques de la nature et les vérités pérennes du mythe et du mysticisme. Par conséquent, ils nourrirent leur travail des enseignements plastiques et sémantiques tirés des formes d'art primitives, archaïques et populaires qui correspondent à de tout autres schémas culturels et restent étrangères à l'évolution stylistique. Les formes organiques les inspirèrent également, car ils étaient sensibles à leur dimension universelle et éternelle. Tous ces modèles les incitèrent à adopter les techniques traditionnelles de la taille directe et du modelage pour communiquer la spiritualité qui anime les formes. Ils optèrent aussi pour les matériaux traditionnels (la pierre, le bois et l'argile) qui évoquent une notion conventionnelle de permanence, mais possèdent en même temps une durée de vie déterminée par les lois de la croissance et de l'usure naturelles.

Dans un premier temps, cette vision du monde s'est surtout exprimée en dehors des pays mentionnés plus haut, et plus particulièrement dans l'Allemagne et la Grande-Bretagne des premières décennies de ce siècle. En Allemagne, les conditions n'étaient guère propices à l'implantation de l'avant-gardisme au sens où on l'entendait ailleurs en Europe. Bien au contraire, et c'était peut-être une retombée du romantisme allemand, depuis la fin du XIXe siècle des philosophes tels Tönnies, Spengler, Sombart, Lipps et Riegl déploraient le déclin de l'Occident. Selon eux, le progrès entraînait dans son sillage une déshumanisation de la civilisation, et l'abstraction représentait la fin des relations qualitatives entre l'homme et la nature, l'homme et son prochain, l'homme et l'objet, supplantées par des rapports quantitatifs abstraits avec la production, la distribution et le profit. De sorte qu'au début du XXe siècle en Allemagne le climat était à la nostalgie d'une harmonie presque préculturelle, comprise comme une espèce de symbiose traditionnelle et intemporelle avec la nature, une communion avec les autres hommes, et une ontologie fondée sur l'instinct et la foi.

Là encore, cette mythologie de la nature s'exprima dans l'entre-deux-guerres par des formes primitives, archaïques ou organiques et par des allusions à des gestes et des objets rituels ou magiques. Cette dimension devait subsister elle aussi, non sans subir quelques infléchissements liés aux transformations des structures et des systèmes de croyances, dans les notions mythiques de vitalité, de créativité humaine et de mécanismes irrationnels, et dans l'expression de mythologies personnelles et collectives que l'on observe dans la sculpture « gestuelle » de l'après-guerre, chez Beuys ou dans l'Arte povera.

Ces deux courants, et la dialectique entre des systèmes de connaissance rationnelle et de croyance irrationnelle qui semble sous-tendre toute la sculpture moderne, font penser au célèbre ouvrage de Wilhelm Worringer publié en 1907, *Abstraktion und Einfühlung.* Le fait est que, si Worringer n'est pas parti des mêmes hypothèses que nous, il n'en a pas moins établi des distinctions qui rejoignent tout à fait notre propos. Pour Worringer, l'abstraction renvoie à un univers inorganique. La peinture l'illustre par la surface plane, la géométrie par la ligne droite et le « style » par une élaboration artificielle des formes. L'*Einfühlung,* ou appréhension intuitive, renvoie en revanche à un univers organique, et la sculpture (la statuaire) la traduit par des volumes en trois dimensions, des contours arrondis et des formes naturalistes.

Il faut préciser que dans l'optique de Worringer l'abstraction était anti-humaniste et inacceptable. Mais dans la perspective actuelle qui est la nôtre, il ne s'agit plus d'opposer les deux termes dans une dichotomie bien tranchée. Le sculpteur du XXe siècle peut s'inspirer d'une construction de l'esprit, d'une production de son imaginaire ou d'une forme naturelle. Il peut aboutir à des configurations fragmentées et ouvertes sur l'espace environnant ou à des volumes organiques homogènes. Dans l'un ou l'autre cas, il ne fait que manifester une même attitude selon des modalités différentes. On peut même dire que ces deux démarches représentent la contradiction fondamentale qui traverse toute expression de l'avant-garde : la négation du passé s'accompagne paradoxalement d'une nostalgie de l'état originel. Quand certains artistes créent une nouvelle histoire moderne en esquissant une progression discontinue et néanmoins linéaire, tandis que d'autres recréent les schémas circulaires de la mentalité mythique, tous cherchent en fait à se soustraire au déterminisme historique. Les uns et les autres gomment le passé pour répondre au besoin impérieux de vivre le présent immédiat. Les uns et les autres témoignent de l'amnésie historique qui engendre ces formes de culture que l'on appelle le « moderne ».

Note liminaire

S'agissant d'expression artistique, il ne saurait être question d'une quelconque vérité, et nous ne dévierons pas de ce principe fondamental. Les opinions esthétiques sont affaire de jugement, et peuvent se fonder sur des critères qui vont du plus objectif au plus subjectif en passant par toutes les nuances intermédiaires. Les choix faits ici reposent sur l'examen d'un très grand nombre d'objets du XXe siècle effectué dans le but de déterminer ce qui constitue une sensibilité véritablement moderne, par opposition aux sensibilités d'autrefois. Cependant, cette objectivité que l'on visait au départ, en l'étayant par une étude des objets, de leur contexte et de leurs motivations sous-jacentes, est forcément teintée de son contraire, une subjectivité singulière. Aussi cette exposition et ce livre se présentent-ils comme une proposition, un cadre pour la réflexion, ou comme une des lectures possibles de la sculpture moderne. Si cette tentative aspire à l'honnêteté, elle ne prétend en aucun cas à la vérité.

Comme nous l'avons dit ailleurs, nous avons la conviction que l'art moderne se situe en rupture avec son passé historique et se fonde sur des principes totalement nouveaux que nous définirons succinctement comme une approche conceptuelle, et non plus perceptive, de la représentation. Dans le domaine de la sculpture, on peut tenter d'analyser cette démarche en la rapportant à deux systèmes de références : un système transversal axé sur les découvertes intellectuelles d'une époque donnée (scientifiques, idéologiques ou encore littéraires ou picturales, par exemple) et un schéma circulaire plus élastique, en principe axé sur les phénomènes temporels et spatiaux du monde naturel et sur les valeurs spirituelles éternelles. Si l'on s'en tient à cette analyse pour les besoins de la cause, on peut avancer que les premiers sculpteurs à avoir exprimé une sensibilité moderne furent Gauguin, Picasso et Matisse, dans leurs œuvres de la période 1890-1913.

Paul Gauguin
Arearea : Joyeusetés (1892)
Cat. n° 16

Henri Matisse
Le Luxe I (1907)
Cat. n° 17

Pablo Picasso
Le Bock (1909)
Cat. n° 18

Ces artistes si radicalement différents ont des points communs qui caractérisent précisément la sensibilité moderne. Si leurs œuvres en trois dimensions de cette période présentent à première vue les apparences d'une conception traditionnelle des techniques et de l'iconographie sculpturales (dans leur exécution par la taille ou le modelage, et dans la représentation anthropomorphique), elles se distinguent fondamentalement de la pratique sculpturale conventionnelle du fait même que ces trois artistes se consacraient auparavant à la peinture, et n'avaient donc pas engrangé dans leur mémoire des formes et techniques sculpturales traditionnelles. Tous trois ont essayé de traduire un état d'esprit ou une optique que nous qualifions de « modernes ».

Cette référence à la peinture, à la vision et l'interprétation du peintre, représente un aspect essentiel de la liberté qui est une composante de la sensibilité moderne. Le peintre placé devant son modèle est obligé de le déformer pour en transposer les volumes sur son support bidimensionnel. Jadis, on ne pouvait atteindre au prétendu naturalisme pictural que par des artifices. Mais à l'aube de l'époque moderne, les artifices de l'illusionnisme ont cédé la place à la « réalité » de la surface plane du tableau. Et la recherche de la ressemblance a été supplantée par une expression inhérente au fait plastique ou par une expression symboliste et mystique.

Gauguin, par exemple, est parvenu à son mode d'expression unique par une organisation hiératique de la surface picturale, une palette tout à fait personnelle et, bien sûr, le choix de ses sujets. Mais ce furent l'immobilité et la frontalité de ses personnages, plus encore que leurs traits et leurs vêtements exotiques, qui frappèrent les regards occidentaux. La planéité, la frontalité et les couleurs pures de ses peintures correspondaient à sa volonté de retrouver une spiritualité perdue, selon lui, dans les sociétés occidentales « évoluées ». Ces procédés picturaux lui permettaient de sublimer les formes sensuelles de ses modèles en de pures manifestations de l'esprit désincarné.

Les sculptures de Gauguin traduisent les mêmes ambitions. Et son retour à la taille directe, une méthode qui était pour ainsi dire abandonnée dans la sculpture occidentale conventionnelle, témoigne de la même volonté de renouer avec le spirituel dans l'art. La taille d'un matériau donné, telle qu'on la pratiquait encore dans les sociétés « primitives » ou traditionnelles, conférait à ce matériau un esprit sacré ou magique. En outre, les proportions non conventionnelles et antinaturalistes ainsi que les détails emblématiques utilisés par Gauguin contribuaient à rappeler au spectateur que ces représentations sculptées n'étaient pas de simples portraits d'êtres humains, mais l'incarnation d'un esprit ou d'une divinité. En d'autres termes, elles étaient l'esprit fait matière, et cette idée qui n'avait plus cours en Europe, depuis l'époque romane sans doute, allait exercer une énorme influence sur la sculpture moderne grâce à l'exemple de Gauguin (révélé par sa rétrospective au Salon d'automne de 1906).

Picasso fut parmi les artistes les plus vivement impressionnés par la sculpture de Gauguin. Mais c'étaient Cézanne et la peinture qui devaient avoir sur lui l'influence la plus profonde en fin de compte. Il trouva chez Cézanne une façon d'envisager la perception qui rompait avec la pratique picturale séculaire de la perspective centrale à un point de fuite. Pour Cézanne, l'œil percevait un réseau cristallin de points ou de plans juxtaposés et la sensation de profondeur lui était donnée par la couleur et la lumière, et non par le modelé, les hachures ou les ombres, qui étaient arbitraires et étaient devenus des procédés d'école enseignés aux peintres.

Pablo Picasso
Tête de Fernande (1909)
Cat. nº 19

C'est ce voile scintillant de plans lumineux déployés sur une surface que Picasso allait essayer d'introduire dans ses sculptures de 1909, en le transposant dans les trois dimensions. La *Tête de Fernande* n'est pas un portrait, mais une présence : la présence d'une nouvelle vision de la réalité et d'une nouvelle conception de la représentation des sujets humains. Ces expériences dans les trois dimensions, on le sait, ont permis à Picasso de reconsidérer ses problèmes et ses objectifs picturaux. Elles devaient déboucher sur la fragmentation en facettes du cubisme analytique, et sur les sculptures d'assemblage en métal que Picasso a commencé à réaliser en 1912.

La singularité de Matisse réside dans le fait qu'il représente une synthèse de ces deux démarches : il alliait le désir d'exprimer une essence spirituelle qui transcende l'image peinte ou sculptée à la liberté d'interprétation qu'il avait déjà atteinte dans sa peinture. Mais si dans la peinture la mise à plat et les déformations qu'elle entraîne se font presque sans y penser, ce ne sont pas les mêmes procédés qui permettent d'éviter la ressemblance pour obtenir l'expression voulue dans la sculpture. On peut supposer que l'intérêt que Matisse manifesta très tôt pour l'art africain a contribué à l'orienter vers les sortes de libertés qu'il allait prendre dans son œuvre en trois dimensions : l'étirement ou la concentration des proportions humaines et la stylisation ou l'exagération de certains détails à des fins expressives. Surtout, la fréquentation de la peinture et de l'art africain a conforté Matisse dans son mépris pour les images idéalisées et les conventions de la sculpture occidentale traditionnelle. D'une certaine façon, Matisse est le peintre-sculpteur par excellence.

Ainsi ces trois artistes se rejoignaient dans leur liberté d'interpréter le sujet en prenant des cadres de références divers en dehors des normes sculpturales traditionnelles. Il semble évident en outre que leur modèle n'était pas une personne bien précise. C'était plus exactement une vision, déjà le fruit d'une transformation, à des lieues de la réalité observable. Qu'ils aient cherché à donner une forme concrète à une idée rationnelle ou à une idée irrationnelle, ils devaient de toute façon aboutir à une présence. Leurs sculptures ne pouvaient donc prêter à confusion avec la réalité puisque le modèle ou vision était déjà abstrait de la réalité. Et comme aucune ressemblance n'était en jeu, toutes les libertés plastiques étaient autorisées. En somme, ces artistes ne visaient pas la mimesis mais la metexis, l'expression sous une forme concrète d'une vision, d'une spiritualité ou d'une idée.

Paul Gauguin
1 La Luxure (1890-1891)
Chêne peint
H.: 70 cm

Paul Gauguin
2 L'Idole à la perle (1891-1893)
Bois peint et doré
23,7 × 12,6 × 11,4 cm

Paul Gauguin
3 L'Idole de pierre (1902)
Pierre calcaire grise
H.: 115 cm

Pablo Picasso
4 Figure (1907)
Buis sculpté avec traces de crayon; peinture sur le dessus de la tête
32,5 × 12,2 × 12 cm

Pablo Picasso
5 Tête de femme: Fernande (1909)
Bronze
40,5 × 24 × 26 cm

Pablo Picasso
6 Pomme (1909)
Plâtre
11,5 × 10 × 7,5 cm

Henri Matisse
7 **La Vie: torse avec tête** (1906)
Bronze
H.: 23 cm

Henri Matisse
8 **Nu assis, main droite à terre** (1908)
Bronze
H.: 18,7 cm

Henri Matisse
9 **Deux négresses** (1908)
Bronze
H.: 47 cm

Henri Matisse
10 **La Serpentine** (1909)
Bronze
H.: 56,5 cm

Henri Matisse
11 **Jeannette I** (1910-1913)
Bronze
H.: 60 cm

Henri Matisse
12 **Jeannette II** (1910-1913)
Bronze
H.: 26,5 cm

Henri Matisse
13 **Jeannette III** (1910-1913)
Bronze
H.: 60 cm

Henri Matisse
14 Jeannette IV (1910-1913)
Bronze
H.: 61,5 cm

Henri Matisse
15 Jeannette V (1910-1913)
Bronze
H.: 58 cm

Esthétique de la culture

Cubisme, futurisme

Quand on aborde la sculpture cubiste, c'est en général pour évoquer un vocabulaire et une syntaxe plastiques, mais l'on s'interroge rarement sur leurs origines. Les œuvres cubistes rassemblées ici sont assurément diverses par leurs formes, leurs sources d'inspiration et les intentions qu'elles expriment. Elles ont tout de même pour dénominateur commun d'aller à l'encontre des conventions d'une certaine conception traditionnelle de la sculpture. Les plus grands sculpteurs cubistes, que ce soit Picasso, Laurens, Lipchitz ou Archipenko, maîtrisaient parfaitement ces conventions, mais ils ressentaient le besoin d'un mode d'expression différent. Et la réponse, ils l'ont cherchée en dehors des paramètres de leur discipline. La sculpture cubiste constitue de ce fait l'une des premières expressions achevées de la sensibilité moderne.

L'exemple de Picasso est tout à fait éclairant pour qui veut comprendre cette sensibilité. Picasso a commencé à réaliser ses premières sculptures d'assemblage en 1912, alors qu'il cherchait à résoudre des problèmes picturaux. Au départ, son optique et sa démarche étaient celles d'un peintre. Son thème de prédilection, la nature morte, était aussi un motif de peintre dont le traitement excluait la formule du monolithe clos. De même, sa méthode de travail, une sorte d'improvisation spontanée, était celle d'un peintre. Et pour donner libre cours à cette spontanéité, il a choisi des matériaux tels que le bois, le carton, la tôle et la ficelle, qu'il assemblait en procédant par addition d'éléments.

Cependant, Picasso restait libre de désassembler et de réassembler sa maquette, de sorte qu'un motif statique par nature devenait mobile. Mieux encore, ce motif changeait de signification au gré d'une vision des choses apparemment arbitraire et de la volonté du moment. C'est là sans doute l'aspect cardinal de l'aventure où s'était lancé Picasso. Il correspond du reste à une transition fondamentale intervenue dans l'art occidental à l'époque du cubisme : le passage d'un art de la perception à un art de la conceptualisation, d'une apparence extérieure à la structure interne d'une situation spatiale complexe. Cette mutation impliquait un renouvellement complet de l'objet, qui allait prendre des formes multiples.

Toutefois, les innovations formelles et conceptuelles que Picasso a introduites dans la sculpture occidentale n'ont pas pris leur source uniquement dans la peinture, car il y a eu aussi l'impulsion donnée par l'art africain (*cf.* la section « primitivisme »). A ce propos, William Rubin[1] a fait valoir que la « découverte » de l'art « tribal » au début du siècle correspondait à un « besoin ». Sans doute le « besoin » en question n'était-il pas exactement de même nature chez Matisse, Kirchner et Picasso, pour ne citer qu'eux, mais si l'on s'en tient au point de vue le plus général, on peut l'interpréter comme un désir de trouver un répertoire de formes et une résonance spirituelle à l'écart des grands courants de la tradition européenne. Il est à noter en outre que les trois artistes cités avaient une expérience de peintre. Et dans leur œuvre picturale ils avaient appris notamment à prendre des libertés par rapport à leur modèle, en aplatissant les volumes pour les transposer sur leur support bidimensionnel. Dès lors, il semble logique que la fidélité au modèle ne soit pas devenue leur principal souci quand ils ont commencé à faire de la sculpture. L'important pour eux était de s'exprimer par le biais d'une stylisation analogue à celle qu'ils effectuaient dans leurs peintures. A partir de là, chacun d'eux a réagi différemment devant l'art tribal, en fonction de son tempérament personnel et de ses objectifs prioritaires.

1 *Cf.* le texte de William Rubin dans *Primitivism in 20th Century Art* (sous la direction de W. Rubin), New York, Museum of Modern Art, 1985, tome 1, p. 11.

Masque-heaume kota, Gabon
Cat. n° 51

Couple d'ancêtres dogon, Mali
Cat. n° 52

Picasso s'est montré particulièrement sensible à la force d'expression que l'art africain tirait de ses conventions formelles et syntaxiques. Il s'est surtout intéressé à la prédominance de la frontalité, aux volumes simplifiés, presque cubiques et agencés selon une hiérarchie subtile, à l'introduction de substances et d'objets hétérogènes et enfin à l'inversion syntaxique des volumes en creux et en saillie.

Autrement dit, dans ses premières sculptures réalisées par assemblage, Picasso a associé une technique héritée de la peinture (l'assemblage improvisé d'éléments bidimensionnels) avec les ressources expressives et les procédés syntaxiques que lui avait révélés l'art tribal. Ces références à d'autres disciplines, à d'autres codes conceptuels et à d'autres contextes culturels semblent des facteurs déterminants pour la compréhension de la sensibilité sculpturale moderne et de son évolution au cours du XXᵉ siècle. Si le début de ce siècle fut marqué dans le domaine de la peinture par l'abandon de la perspective théorisée à la Renaissance, les sculptures d'assemblage de Picasso représentent une rupture encore plus radicale avec une conception occidentale de la sculpture qui remonte à l'Antiquité. Les assemblages de Picasso, dont les minces formes planes irrégulières, ajustées de façon précaire et parfois couvertes de peinture ou d'un dessin, circonscrivaient et délimitaient des vides dans l'espace, ces assemblages sapaient dans ses fondements l'idée de la sculpture comme volume ou masse placée dans une relation déterminée avec son espace environnant, exigeant l'emploi de certains matériaux et techniques et vouée à des thèmes et sujets donnés. Ces frêles objets sortis des mains de Picasso ont pratiquement fait table rase de toute l'histoire de la sculpture occidentale, et présidé à la naissance de l'époque moderne.

Le projet de Picasso ne fut pas une tentative isolée. Il s'inscrivait en fait dans le contexte d'une activité artistique parisienne qui se caractérisait par une remise en cause fondamentale de la représentation narrative et descriptive. Ainsi Henri Laurens et Jacques Lipchitz, par exemple, qui avaient tous deux une formation de sculpteur, étaient enclins à respecter la spécificité de la sculpture et du volume en tant que tels. Pourtant, cela ne les a pas empêchés de reprendre à leur compte des procédés syntaxiques empruntés à la peinture et à l'art africain pour parvenir à l'expression recherchée. Tandis que Laurens était surtout attentif aux formes et à l'espace, Lipchitz était plutôt séduit par la dimension spirituelle que pouvait atteindre la frontalité stylisée. Les premières œuvres d'Archipenko révèlent aussi tout ce que cet artiste devait à la peinture cubiste et à l'art africain, encore qu'elles reflètent également l'attrait exercé par les couleurs vives, les curieuses compositions en relief et les incrustations métalliques des icônes de sa jeunesse en Ukraine.

Il semblerait donc que les sculpteurs cubistes les plus inventifs aient jeté les bases d'une redéfinition radicale des notions, méthodes et objets sculpturaux. Désormais, la sculpture ne serait plus conçue comme la représentation d'un personnage observé dans le monde réel ou idéalisé. Elle ne pourrait plus se caractériser par des formes monolithiques ou des matériaux monochromes. Ses capacités d'expression résidaient ailleurs, dans une configuration plastique et spatiale complexe qui n'avait pas grand-chose à voir avec une vision du monde axée ou focalisée sur le corps humain et sa représentation. Un sujet humain ne pouvait être qu'un moyen, et non une fin. Les meilleurs exemples de sculpture cubiste témoignent d'une liberté d'interprétation absolue et d'une foi dans les mécanismes conceptuels de l'abstraction appliqués depuis peu à la sculpture. Ils traduisent la relativité extrême et l'incertitude fondamentale d'une vision « moderne » du monde.

Les futuristes italiens, qui étaient les contemporains des cubistes, n'avaient pas pour autant les mêmes sources d'inspiration et les mêmes objectifs. Une différence capitale tient au fait que les préoccupations des cubistes étaient avant tout plastiques, de l'ordre du perceptif et du conceptuel à la fois : les artistes cubistes étaient d'« avant-garde » presque malgré eux. La sculpture futuriste italienne en revanche était tout entière sous-tendue par une idéologie du modernisme et de l'avant-garde. Le futurisme ne peut être assimilé à un style ou un vocabulaire plastique bien précis. Il correspondait à une doctrine, à une attitude d'esprit, qui se manifestait dans la peinture, la sculpture, la poésie, l'architecture et, plus encore, par un comportement général. Afin d'exprimer cette idéologie dans sa volonté de déterminer le présent et de préfigurer l'avenir, les artistes de toutes les disciplines se trouvaient dans l'obligation de se conformer à certains codes dont la finalité était précisément de subvertir et de renverser les conventions et traditions existantes.

Comme la plupart des mouvements idéologiques, le futurisme a établi les fondements de son monde nouveau dans une série de manifestes. Le *Manifeste technique de la sculpture futuriste*[2] d'Umberto Boccioni en 1912, puis la préface rédigée pour sa propre exposition à Paris en 1913 énonçaient les principes directeurs de la sculpture selon l'optique futuriste, en écartant expressément la plupart des conventions en vigueur jusque-là. Boccioni réclamait l'abandon du sujet traditionnel (la représentation anthropormorphique et plus particulièrement le nu), des matériaux traditionnels (marbre ou bronze) et des notions traditionnelles (la statue, le monument). La nouvelle sculpture, déclarait-il à peu près, pouvait représenter n'importe quoi dans n'importe quel matériau puisque ni le sujet ni la technique n'avaient une importance primordiale. Le nouvel objectif de la sculpture était d'abolir la frontière entre le perçu et le vécu, et de mettre en évidence les notions abstraites de mouvement, de rythme, et de « lignes-forces » ainsi que la « compénétration » ou interaction des objets avec leur environnement. Tout cela donnerait une sorte d'architecture spatiale dynamique, « apparaissant et disparaissant simultanément ».

Les premières sculptures de Boccioni, sortes de montages de plâtre et matériaux hétéroclites (la plupart sont perdues), illustraient clairement la notion d'interpénétration des volumes, des plans et de l'espace environnant. Leur hétérogénéité devait se résorber quelque temps plus tard dans les images plus synthétiques de *Développement d'une bouteille dans l'espace par la forme* (1912) et *Formes uniques de la continuité dans l'espace* (1913). Comme l'indiquent les titres, le sujet n'est pas une bouteille ou un corps humain, mais un mouvement hélicoïdal autour d'un axe ou le déplacement de volumes dans une continuité fluide et instable.

La glorification du dynamisme de la vie moderne et l'exaltation concomitante de la machine ont abouti à une identification des énergies organiques avec les énergies mécaniques, une dimension que met en évidence la fonte en métal des plâtres de Boccioni, même si cela peut sembler en contradiction avec les théories futuristes. En témoignent aussi les œuvres de maturité de Duchamp-Villon qui, sans être futuriste, adhérait implicitement à certains des principes de ce mouvement. Duchamp-Villon pour sa part n'avait rien contre le bronze, bien au contraire. Il comprenait sans doute que les surfaces réfléchissantes et les volumes fuselés des fontes offriraient une traduction exemplaire de ses idées en icônes de cette modernité qu'il cherchait à saisir et à exprimer.

L'idéologie futuriste orthodoxe exaltait l'éphémère, en réaction contre les anciennes formes de sculpture prétentieuses et rhétoriques, et en étroite relation avec la nature fugace et trépidante de la vie moderne. La plupart des premières constructions de Balla et de Depero (tous deux peintres de formation, et donc exempts de préjugés à l'égard de la sculpture) réalisées en bois, carton, fil métallique et corde, n'ont pas failli à leur vocation puisqu'elles sont toutes détruites ou perdues. Les *Complexes plastiques* abstraits de Depero et le *Poing de Boccioni* de Balla, exécutés à l'origine avec du carton, étaient destinés à exprimer les fameuses « lignes-forces » et « action des corps » de Boccioni, par le biais de fragiles constructions de lignes et de plans dans l'espace. Le texte que Balla et Depero ont publié en 1915, *Reconstruction futuriste de l'univers,* expose les mêmes objectifs : « Nous

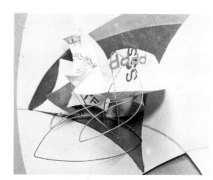

Fortunato Depero
Construction spatiale (1915)
Œuvre probablement détruite

trouverons des équivalents abstraits pour toutes les formes et pour tous les éléments de l'univers, puis nous les combinerons ensemble, selon les caprices de notre inspiration, et nous en formerons des complexes plastiques auxquels nous communiquerons le mouvement. »[3] Les fleurs de Balla en 1915, et les jouets, marionnettes et autres objets de Depero entre 1914 et 1917 correspondaient à cette nouvelle vision du monde, imaginative, mécanisée et aléatoire.

Le cubo-futurisme russe (dont peu d'œuvres sont visibles de nos jours) présente certaines affinités avec le futurisme italien, malgré un contexte politique fort différent. Ces deux mouvements se caractérisaient par des fondements idéologiques, des chefs de file et des manifestes. Tous deux aspiraient à transformer le monde pour le modeler sur une nouvelle vision utopique. Tous deux tablaient sur les pouvoirs de la poésie, de l'irrationnel et des pulsions naturelles de l'homme. Tous deux appelaient à une rupture complète avec le passé, qui signifiait pour la sculpture l'abandon des matériaux et sujets traditionnels et de tous les principes sur lesquels reposait cette discipline du temps où elle était l'un des beaux-arts « bourgeois ».

Pour les cubo-futuristes russes comme pour leurs cousins d'Europe occidentale, la sculpture devait être ouverte, fragmentée, colorée, dénuée de masse et de volume. Elle devait s'inspirer de sujets ordinaires, et utiliser des matériaux banals, voire récupérés, assemblés sans aucun souci de la logique ou de l'esthétique. Plus encore que la sculpture futuriste italienne, la sculpture cubo-futuriste est foncièrement picturale, ou conçue dans une veine plus spécifiquement iconique, comme le démontrent les armatures de plans inclinés, l'omniprésence de la couleur et l'utilisation des techniques d'assemblage.

Même si bon nombre de leurs œuvres ont disparu, les artistes futuristes et cubo-futuristes ont joué un rôle capital dans l'évolution de la sculpture du XXe siècle. Leur activité et sa philosophie sous-jacente (le refus des conventions plastiques en vigueur et la conviction que la poésie et l'art seraient des instruments de la transformation du monde) devaient frayer la voie à Dada et au constructivisme.

2   Cf. l'anthologie, infra.
3   Cité en français dans Giovanni Lista, Futurisme, Lausanne, L'Age d'homme, 1973, pp. 202-204.

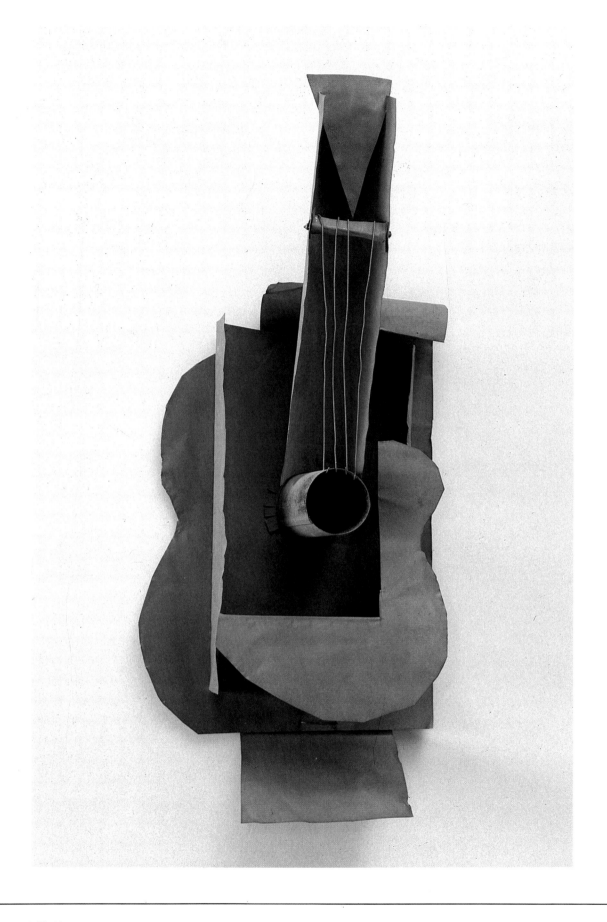

Pablo Picasso
24 **Guitare** (1912)
Construction: tôle et fil de fer
77,5 × 35 × 19,3 cm

Pablo Picasso
25 **Mandoline et clarinette** (1913)
Construction: éléments en sapin avec peinture et traits de crayon
58 × 36 × 23 cm

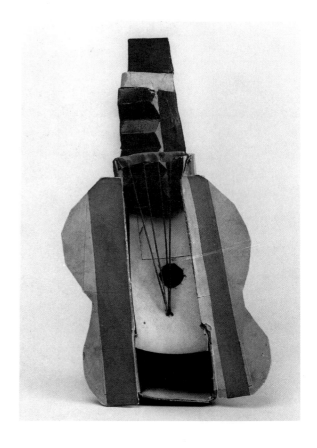

Pablo Picasso
26 **Le Verre d'absinthe** (1914)
Bronze polychrome et cuillère métallique
21,6 × 16,5 × 6,5 cm

Pablo Picasso
Le Verre d'absinthe (1914)
Bronze polychrome et cuillère métallique
21,6 × 16,5 × 6,5 cm

Pablo Picasso
23 **Guitare** (1912)
Construction: carton, papier collé, toile, ficelle, huile et traits de crayon
33 × 18 × 9,5 cm

Pablo Picasso
28 Guitare (1924)
Construction: tôle, boîte en fer blanc et fil de fer peints
111 × 63,5 × 26,6 cm

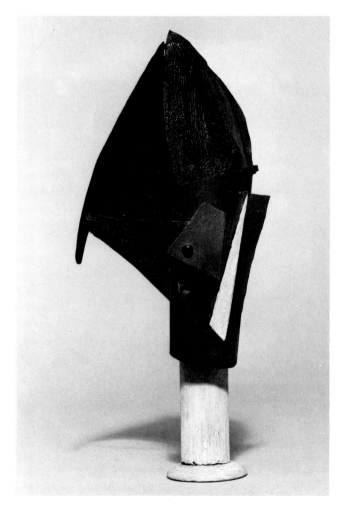

Henri Laurens
31 **Tête** (1915)
Bois et métal peints
15 × 17,5 × 11 cm

Henri Laurens
29 **Danseuse espagnole** (1914)
Bois peint
34 × 14 × 11,5 cm

Henri Laurens
30 **Construction** (1915)
Bois et métal peints
30 × 13 × 10 cm

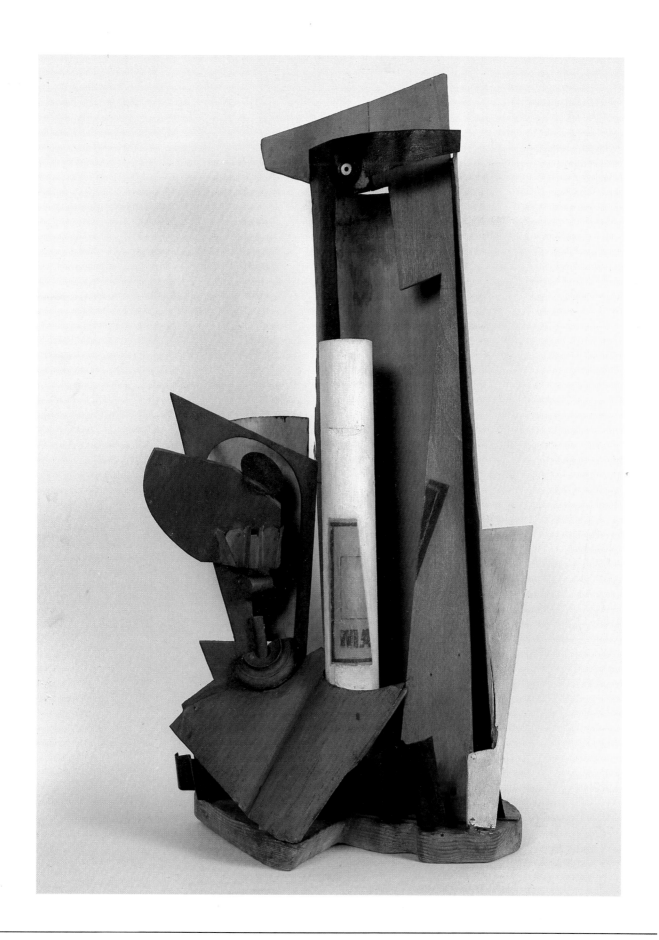

Henri Laurens
32   Bouteille et verre (1918)
Construction : bois et tôle polychromes
61,5 × 31,5 × 19,5 cm

Henri Laurens
33   Le Compotier de raisins (1918)
Tôle et bois peints
68 × 62 × 47 cm

Alexander Archipenko
34 Femme à l'éventail (1914)
Bois et métal peints et verre, sur toile de jute et toile cirée
108 × 61,5 × 13,5 cm

Alexander Archipenko
35 **Femme** (1920)
Tôle et tôle peinte sur toile de jute
187 × 82 × 13 cm

Alexander Archipenko
36 Deux femmes (1920)
Bois, métal et peinture sur bois
177 × 97 × 9 cm

Jacques Lipchitz
38 Personnage (1916)
Plâtre
109,2 × 27,4 × 20,2 cm

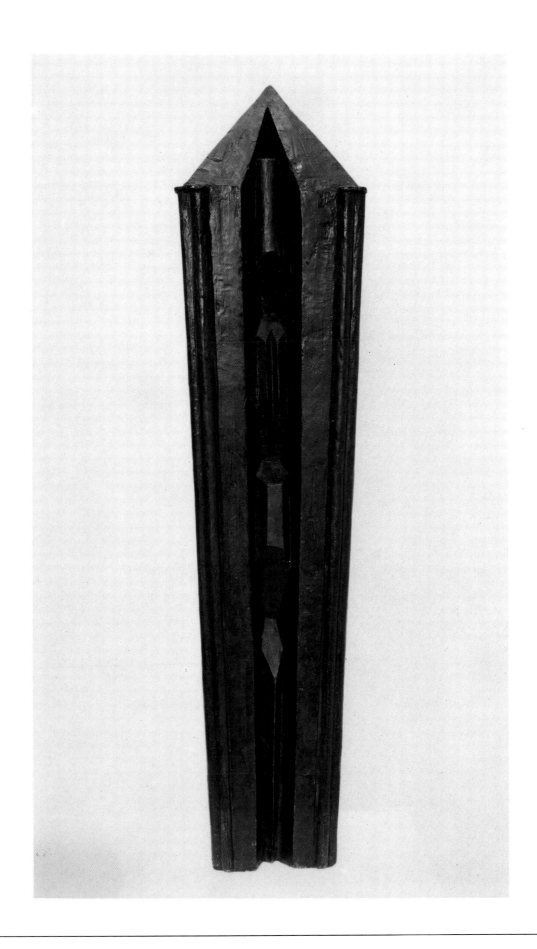

Jacques Lipchitz
39 Sculpture (1916)
Plâtre peint
94 × 22,8 × 19 cm

Jacques Lipchitz
37 Figure démontable: Danseuse (1915)
Bois naturel et peint
87,6 × 22,8 × 14 cm

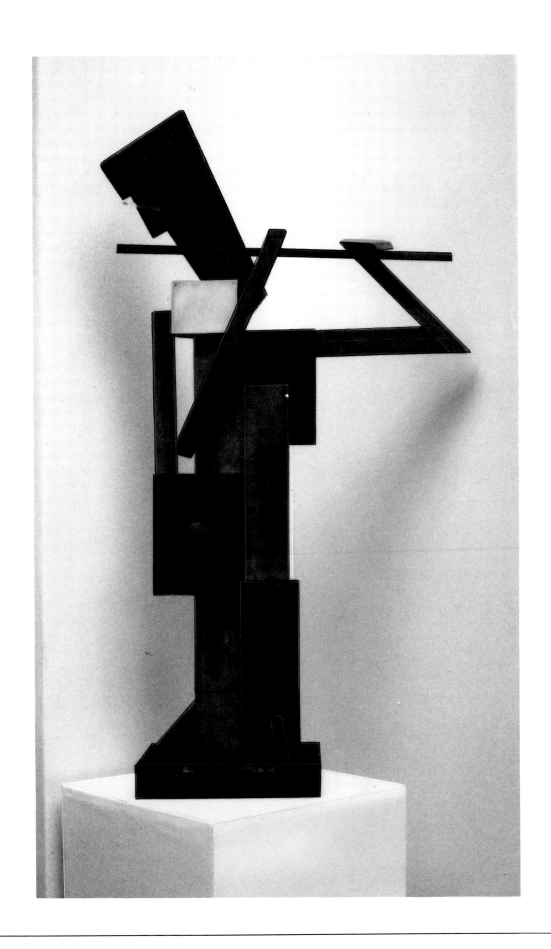

Ivan Vassilievitch Klioun
40 **Le Musicien** (1917)
Bois, métal, celluloïd et verre
H.: 95 cm

Umberto Boccioni
41 Développement d'une bouteille dans l'espace par la forme (1912)
Bronze
39 × 60 × 30 cm

Umberto Boccioni
42 Formes uniques de la continuité dans l'espace (1913)
[Forme uniche della continuità nelle spazio]
Bronze
112,2 × 88,5 × 40 cm

Fortunato Depero
43 La toga e il tarlo (1914)
[La Toge et le ver]
Bois et carton vernis
65 × 27 × 39 cm

Fortunato Depero
44 Costruzione di bambina (1917)
[Construction de petite fille]
Bois vernis
47 × 24 × 14 cm

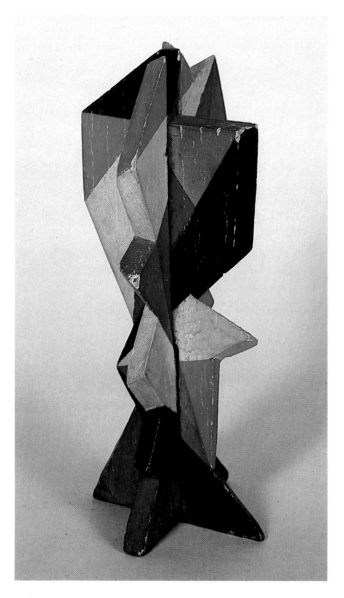

Giacomo Balla
45 Fiore futurista (1918)
[Fleur futuriste]
Bois peint à la détrempe
29,5 × 12,6 × 13,2 cm

Giacomo Balla
46 Fiore Futurista (1917)
[Fleur futuriste]
Bois peint à la détrempe
H.: 30 cm

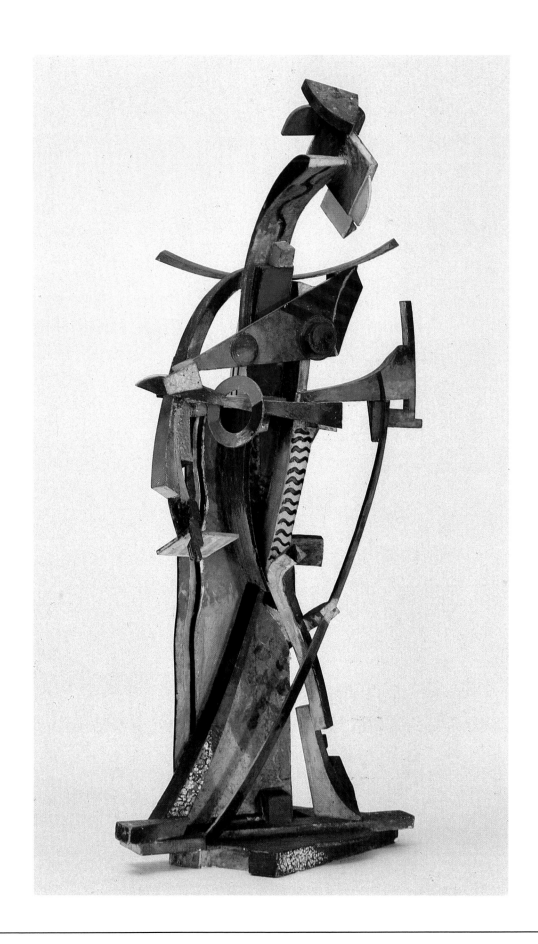

Vladimir Baranoff-Rossiné
47 Symphonie nº 1 (1913)
Bois polychrome, carton peint et coquilles d'œufs écrasées
161,1 × 72,2 × 63,4 cm

Raymond Duchamp-Villon
48 **Cheval** (1914)
Plâtre
100 × 110 × 110 cm

Raymond Duchamp-Villon
49 **Tête de cheval** (1914, fonte 1976)
Bronze
48 × 49 × 39,5 cm

Raymond Duchamp-Villon
50 **Cheval** (v. 1914, fonte 1976)
Bronze
43,5 × 44 × 26 cm

Dada

Faisant suite au mouvement futuriste, le mouvement dada qui se manifesta vers 1918 à Zurich d'abord, à Paris ensuite, pour enfin gagner New York, se fondait sur une idéologie du modernisme. Mais alors que la vision futuriste de la modernité était positive et quelque peu utopique, celle de Dada était négative et nihiliste. Pour les artistes et les poètes dada, la modernité n'avait pas tenu ses promesses. Puisque le progrès de l'humanité se traduisait par la mort et la dévastation engendrées par la Première Guerre mondiale, il n'y avait pas lieu de croire aux capacités et aux valeurs des systèmes rationalistes qui le sous-tendaient.

Dada fut un anti-mouvement, ce qui faisait autant sa force que sa faiblesse. Sa force résidait dans le feu convergent de ses attaques contre les valeurs sacrées de la pensée rationnelle, de l'action morale, de la vérité et de la beauté. Mais le fait qu'il s'agissait d'un art de réaction, de destruction ou de subversion plutôt que d'invention véritablement libre constituait sa faiblesse. D'autant qu'il fonctionnait dans un contexte culturel extrêmement limité : celui du discours littéraire ou poétique. Dada, même dans les arts plastiques, reposait sur des mots et des idées.

La liberté à laquelle Dada aspirait était relativement illusoire, car Dada opérait à l'intérieur d'un circuit fermé. Dans l'idée de démanteler les systèmes signifiants conventionnels au moyen d'une déconstruction des modèles linguistiques en vigueur, les poètes dada créèrent de nouveaux modèles grâce à l'inversion syntaxique, à la répétition, au déplacement, à la fragmentation, l'allitération, la dissociation, et au rapprochement fortuit, ou en jouant sur les homonymies. Ces procédés, les peintres et sculpteurs dada se contentaient de les emprunter et les modifier en fonction de leur moyen d'expression artistique. Autrement dit, aucun d'eux ne s'éloignait du domaine linguistique.

Il semble évident que des artistes comme Marcel Duchamp ou Man Ray se préoccupaient davantage d'un déplacement de sens que d'inventions purement plastiques. Tout simplement, les nouvelles formes, les nouvelles façons d'appréhender l'espace, ou les images vraiment nouvelles ne faisaient pas partie de leurs priorités. Leur propos était de déstabiliser la relation entre le langage et la vision, entre le mot et l'objet, et par là de remodeler le sens et la teneur d'objets familiers bien précis. Ce travail de « dé-familiarisation » fut mené à bien au moyen d'altérations de la syntaxe, de rapprochements cocasses entre différents objets, entre un objet et un texte ou un objet et un titre. De façon générale, leurs « readymades » suscitaient des types d'attentes qu'ils détruisaient en même temps.

Une comparaison entre l'objet dada et l'objet surréaliste qui lui a succédé est d'ailleurs tout à fait révélatrice. L'objet dada peut surprendre, car il bouleverse les modèles conceptuels convenus, mais il ne choque pas de la même façon que l'objet surréaliste. Il n'est pas érotique ni scabreux, il n'exprime pas des tabous profondément enracinés et inavouables. Il n'a pas une portée symbolique universelle, et il n'est pas mystérieux ni énigmatique. Il est intellectuel, spirituel, ironique et non magique ou dérangeant. L'objet dada n'évoque pas des craintes profondes, des vérités ou des fictions collectives et ne représente pas une incursion dans l'inconnu.

Ces différences entre l'objet dada et l'objet surréaliste sont inhérentes aux philosophies et aux méthodes de ces deux groupes d'artistes et, encore une fois, à cette idée de liberté si essentielle pour l'un et l'autre. Les surréalistes cherchaient à échapper aux systèmes de valeurs traditionnels de la culture occidentale par une exploration du domaine de l'inconscient ou par des allusions aux thèmes et aux schémas rituels propres à des cultures non européennes, alors que les poètes et les artistes dada se cantonnaient dans les systèmes préétablis de la pensée logique et rationnelle, à seule fin de les manipuler et de les subvertir de l'intérieur. Le seul artiste à avoir proposé une solution de rechange aux schémas convenus de la pensée rationnelle fut peut-être Jean Arp, par ses renvois aux phénomènes biologiques et à leur cristallisation ou « concrétion » en des formes biomorphiques éparses.

Hannah Höch
63   Die Dada-Mühle (v. 1920)
Collage sur carton, construction en métal, bois et objets divers
24 × 10,5 × 6,2 cm

Marcel Duchamp
54 Roue de bicyclette (1913, éd. 1964)
Ready-made: roue de bicyclette fixée sur un tabouret de cuisine
H.: 126,5 cm

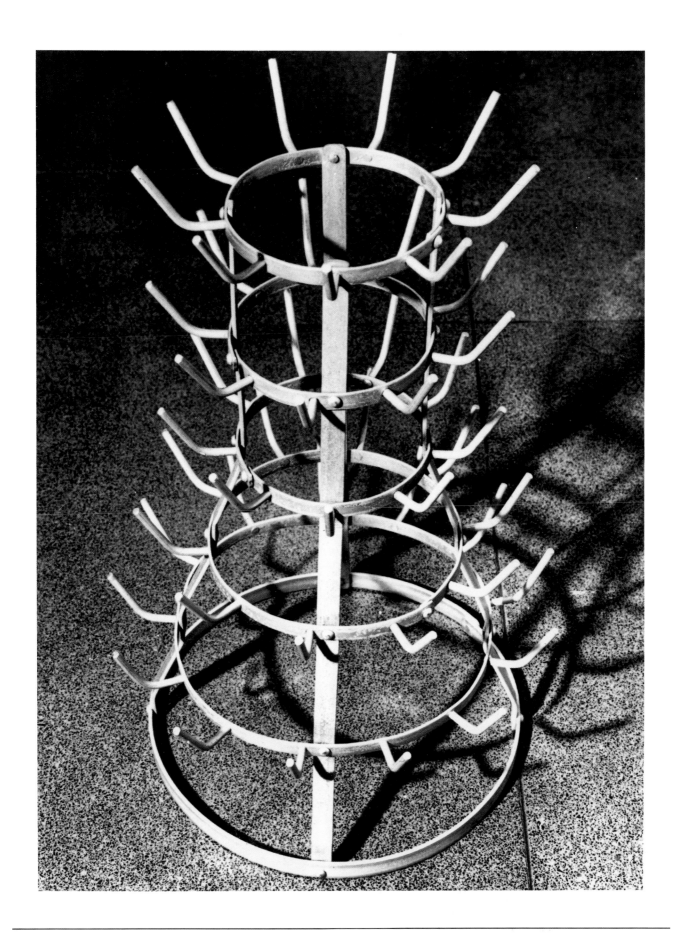

Marcel Duchamp
55 **Porte-bouteilles** (1914, éd. 1964)
Ready-made: porte-bouteilles en fer galvanisé
H.: 64,2 cm

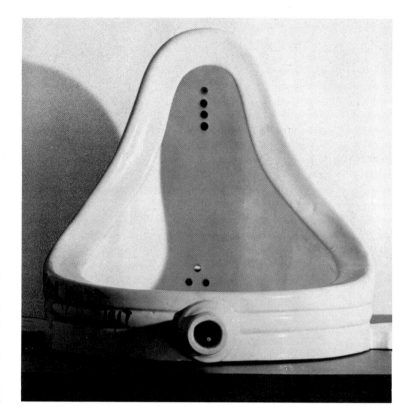

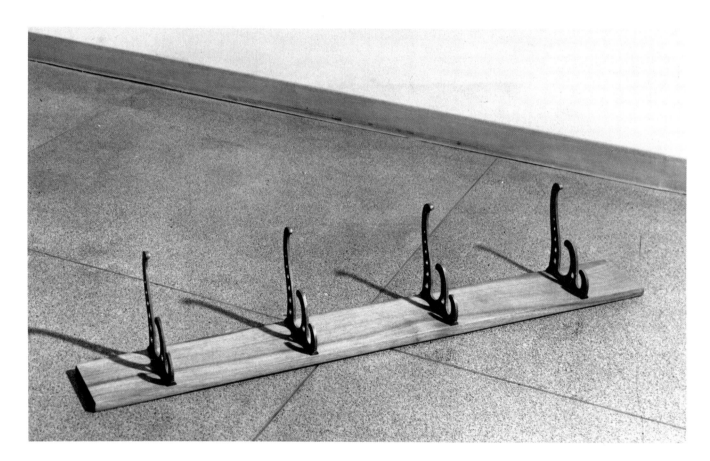

Marcel Duchamp
56 Traveller's Folding Item (1916, éd. 1964)
[Pliant de voyage]
Ready-made: housse de machine à écrire
H.: 23 cm

Marcel Duchamp
58 Trébuchet (1917, éd. 1964)
Ready-made: portemanteau mural fixé au sol
11,7 × 100 cm

Marcel Duchamp
57 Fontaine (1917, éd. 1964)
Ready-made: urinoir en porcelaine
H.: 62,5 cm

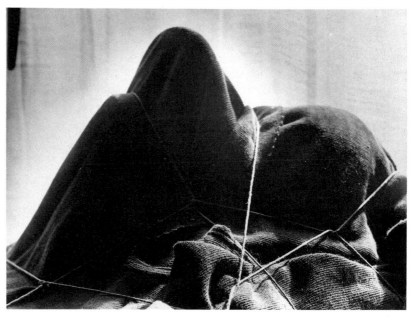

Man Ray
60 **Obstruction** (1920, éd. 1961)
63 cintres en bois

Man Ray
61 **L'Enigme d'Isidore Ducasse** (1920, éd. 1972)
Assemblage: toile, corde et machine à coudre
30,5 × 40,5 cm

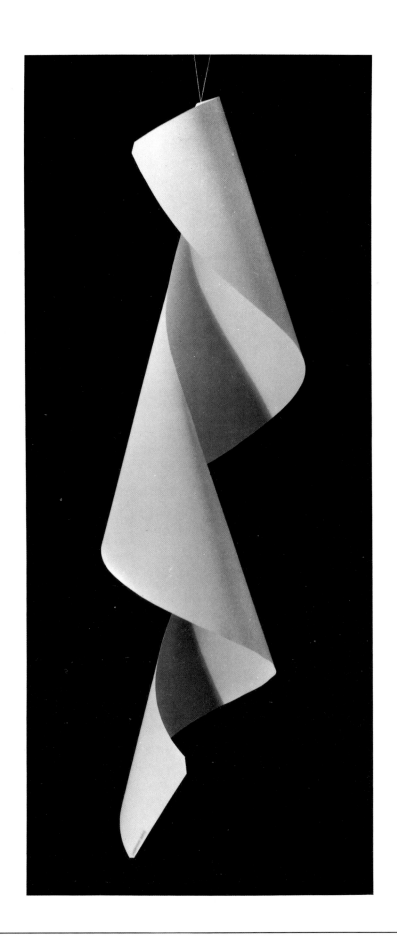

Man Ray
62   Abat-jour (1921, rép. 1956)
Aluminium peint
152,5 × 62,4 cm

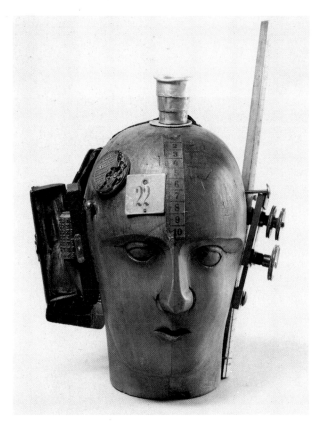

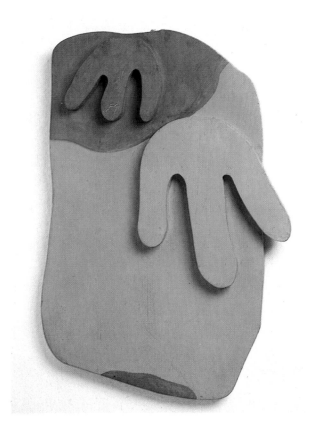

Sophie Taeuber-Arp
59 **Tête dada** (v. 1918-1919)
Bois peint
34 × 20 × 20 cm

Jean Arp
65 **Les Larmes d'Enak, formes terrestres** (1916-1917)
Bois peint
86,2 × 58,5 × 6 cm

Raoul Hausmann
64 **Der Geist unserer Zeit** (1919-1929)
[L'Esprit de notre temps]
Assemblage: tête de mannequin en bois et éléments en matériaux divers
32,5 × 21 × 20 cm

Jean Arp
66 **Tête-paysage** (1924-1926)
Huile sur bois
58 × 40,5 × 4,5 cm

Jean Arp
67 La Planche à œufs (1922)
Bois peint
98 × 73 cm

Jean Arp
68 Un grand et deux petits (1931)
Bois peint
H.: 63; ∅: 45 cm

Kurt Schwitters
70 Merz 1926, 3. Cicero (1926)
Bois peint et plâtre
68,1 × 49,6 cm

Kurt Schwitters
Blau (1923-1926)
[Bleu]
Bois peint
53 × 42,5 cm

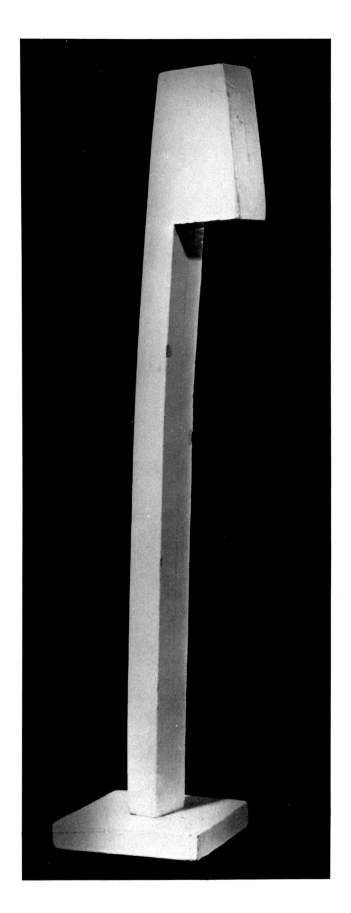

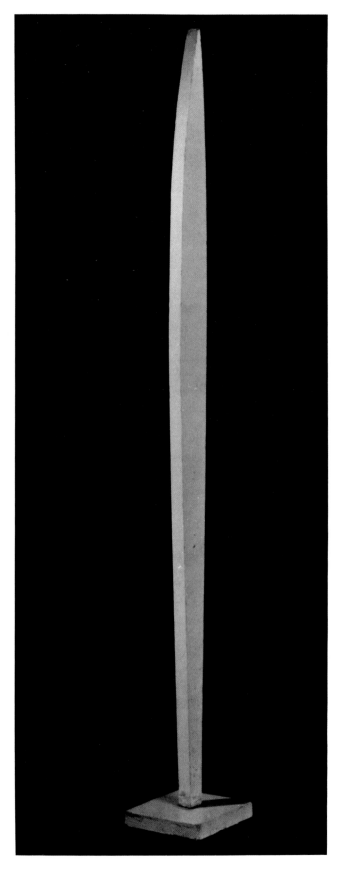

Kurt Schwitters
71 **Schlanker Winkel** (1930)
[Angle étroit]
Bois peint
H.: 48,2 cm

Kurt Schwitters
72 **Schwert** (1930)
[Épée]
Bois peint
H.: 82,5 cm

Constructivisme

La notion de constructivisme au sens strict se définit selon deux axes fondamentaux : d'une part son idéalisme social, de l'autre son vocabulaire plastique. Né en Russie vers 1915 avec les premiers contre-reliefs de Tatline, le constructivisme était, en théorie et en pratique, l'expression d'un idéal politique foncièrement utopique. Pour les constructivistes, la société du futur appelait un nouveau langage artistique, débarrassé des symboles ou illusions, qui se fonderait sur un principe de réalité : des matériaux « réels » existant dans un espace « réel ». Ces matériaux ainsi que leurs formes seraient porteurs de sens dans leur substance même et dans la dynamique de leurs relations concrètes. En véhiculant ainsi des valeurs abstraites dans des formes concrètes, ils prépareraient les foules à l'avènement d'un monde nouveau. De sorte que le constructivisme ne saurait se laisser réduire à l'abstraction géométrique, même s'il est le plus souvent géométrique et abstrait.

L'ambition de « transformer le monde » manifestée par Tatline n'était pas sans rapport avec les idées des futuristes italiens et des cubo-futuristes russes, mais elle s'inscrivait dans un contexte socio-culturel plus critique. L'accent sur les matériaux réels ou ordinaires n'était pas nouveau en soi, et la notion de « vérité du matériau » n'était pas non plus totalement inédite. Toutefois la philosophie sous-jacente à cette « vérité du matériau » préconisée par Tatline était plus complexe que celle du sculpteur qui s'efforce de respecter et de mettre en valeur le support de son expression. Dans l'esprit de Tatline, l'artiste qui se conformerait à la spécificité d'un matériau donné se laisserait guider par des lois naturelles et donnerait naissance à des « formes nécessaires » dotées d'une signification universelle, tout comme l'étaient autrefois celles des peintres d'icônes. A cela près que ces nouvelles icônes incarneraient l'avenir.

Les matériaux « réels » que choisit Tatline étaient le bois, le métal et le verre. C'étaient leurs caractéristiques inhérentes qui dictaient à l'artiste son répertoire de formes. Pour Tatline, la forme « naturelle » du bois était la planche plate ou le panneau au contour géométrique, celle du métal, débité en feuilles minces, le cylindre ou le plan courbe, et celle du verre le carreau plat ou le cône. Ainsi s'est constitué le lexique de formes fondamentales qu'il utilisait systématiquement pour agencer le contenu de ses œuvres. Ses reliefs ne recèlent aucune iconographie au sens traditionnel du terme. Ils visent à démontrer comment un matériau fonctionne selon ses propres lois de construction : les volumes qu'il engendre, les espaces qu'il organise ou façonne, les contrastes, les rythmes et les tensions particulières qu'il produit. Tatline voyait dans ces lois scientifiques et naturelles les fondements sur lesquels devait s'édifier la nouvelle réalité sociale, déterminée par les propriétés et les fonctions spécifiques de chaque partie par rapport à l'ensemble.

Naum Gabo et Antoine Pevsner ont publié leur *Manifeste réaliste* à Moscou en 1920, quelque temps après les premières expériences de Tatline mais en prenant un cadre de référence socio-politique à peu près identique. Même si les deux frères ont toujours établi une distinction entre « réalisme » et « constructivisme », ces deux doctrines présentent des analogies évidentes.

Comme le projet constructiviste, le projet « réaliste » revendiquait les matériaux réels et l'espace réel pour le nouvel art; il stigmatisait le symbolisme ou l'illusionnisme des peintures et des sculptures traditionnelles. Cependant Gabo et Pevsner devaient aller plus loin encore : la véritable substance de la sculpture serait l'espace lui-même. En 1937, Gabo reformulerait ainsi ce principe :

« Jusqu'à présent, les sculpteurs ont privilégié la masse [...] L'espace ne les intéressait que dans la mesure où ils pouvaient y disposer ou y projeter des volumes. L'espace devait environner les masses. Nous l'envisageons d'un point de vue totalement différent. Nous le considérons comme un élément sculptural absolu, dégagé de tout volume clos, et nous le représentons de l'intérieur avec ses propriétés caractéristiques [...] Nous ressentons cette impression comme une réalité, à la fois intérieure et extérieure. Notre mission est de pénétrer plus avant dans sa substance [...] Dans notre sculpture l'espace n'est plus une abstraction logique ou une idée transcendantale; il est devenu un élément matériel malléable. Il est devenu une réalité. »[1]

Si les premières expériences de Gabo en 1915 étaient d'inspiration anthropomorphique, son mode d'appréhension du volume était déjà révolutionnaire. Les torses et les bustes de ses débuts se composent d'alvéoles qui s'articulent autour de plans sécants en bois ou en métal aussi fins que des membranes. Cette ossature membranée délimite en creux les volumes virtuels du sujet, selon une conception et un procédé « stéréométriques », et non « volumétriques ». Vers le début des années vingt, l'artiste utilisait des volumes et des plans abstraits et des matières plastiques translucides, en donnant encore plus d'importance à la structure, la transparence et la lumière. Ces volumes sans ombre, presque impalpables, ont porté à son plus haut degré la dématérialisation du volume sculptural. Simultanément, les progrès de la technologie et les matériaux nouveaux ont permis à ces artistes d'assouvir leur désir de recréer l'environnement urbain. Mais la plupart de leurs projets d'architecture ne furent jamais réalisés. Ils demeurèrent au stade du rêve sans atteindre la dimension et la portée « réelles » pour lesquelles ils étaient conçus.

Assez paradoxalement, la sculpture constructiviste en général, avec ses volumes ouverts sur l'espace, ses agencements architectoniques et son souci de la transparence, répond à l'objectif déclaré de Boccioni : l'interpénétration de l'espace intérieur et extérieur. Toutefois ces œuvres procédaient d'autres idéaux et revêtaient une autre signification. Pour Gabo, par exemple, comme pour Tatline et Katarzyna Kobro, la notion de transparence n'était pas uniquement une expression importante de la modernité et des progrès technologiques qui permettaient sa mise en œuvre. Elle correspondait à un idéal politique lié à des données historiques bien précises. Aux yeux de ces artistes, la rigidité hiérarchique et sociale qui caractérisait le monde ancien reposait sur des barrières infranchissables, tandis que la transparence constituait une métaphore de la société sans classe, en évolution constante, du monde nouveau.

1   Naum Gabo, « Sculpture : Carving and Construction in Space », *Circle : International Survey of Constructive Art*, Londres, 1937, pp. 106-107.

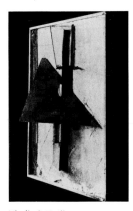

Vladimir Tatline
Assemblage de matériaux : contre-relief (v. 1914)
Œuvre détruite

Naum Gabo
Torse (1917)
Œuvre détruite

Vladimir Lebedev
75 **Contre-relief** (1920)
Bois
85 × 53 cm

Vladimir Tatline
73 **Contre-relief d'angle** (1915, rec. 1979)
Fer, zinc et aluminium
78,7 × 152,4 × 76 cm

Vladimir Tatline
74 **Contre-relief** (1916)
Palissandre et zinc
100 × 64 × 24 cm

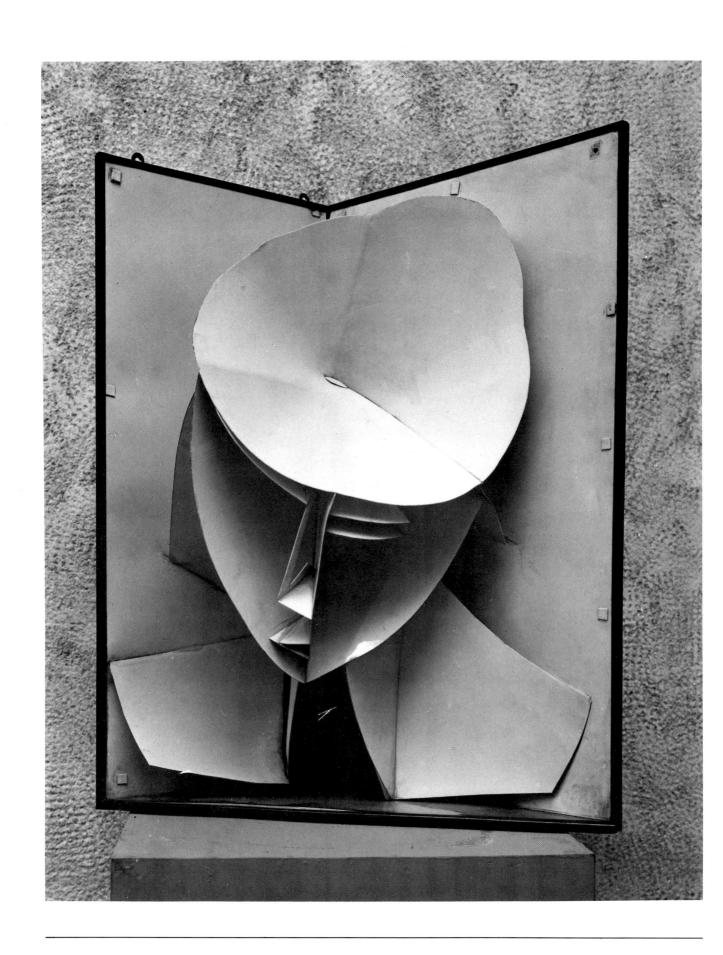

Naum Gabo
76 **Tête de femme** (1916, rép. 1917-1920)
Celluloïd et métal
62,2 × 48,9 cm

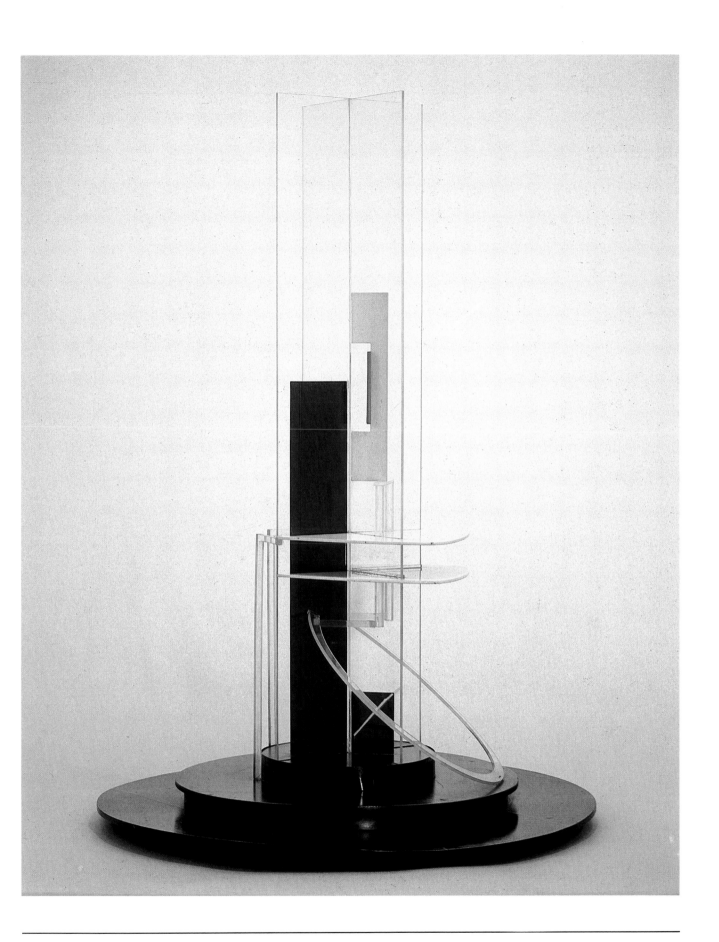

Naum Gabo
Colonne (1923, rép. 1937)
Plexiglas, bois, métal et verre
105,3 × 73,6 × 73,6 cm

77

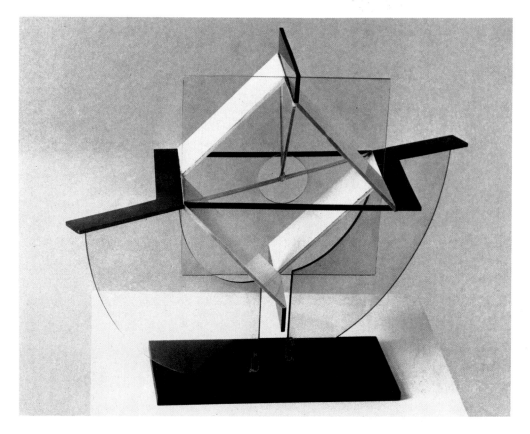

Antoine Pevsner
79 **Masque** (1923)
Celluloïd et métal
33 × 20 × 20 cm

Naum Gabo
78 **Construction dans l'espace équilibrée sur deux points** (1925)
Celluloïd
H.: 26 cm

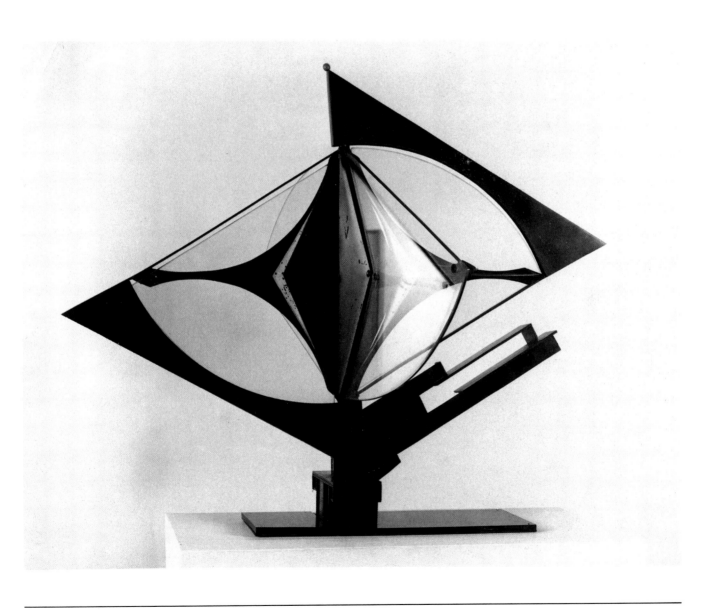

Antoine Pevsner
Construction dans l'espace (1923-1925)
Métal et cristal
64 × 84 × 70 cm

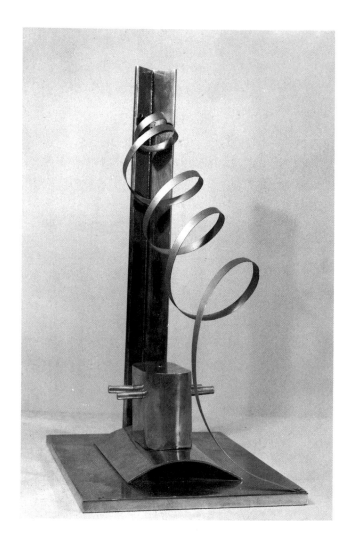

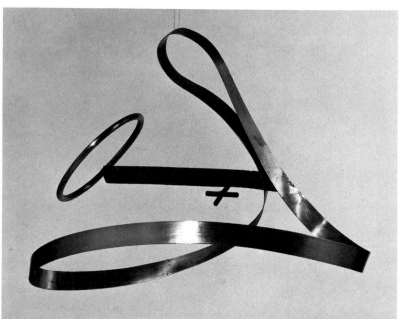

Konstantin Medounetsky
82 Construction n° 557 (1919)
Laiton, fer blanc et fer peint
45,1 × 17,8 × 17,8 cm

Katarzyna Kobro
84 Composition suspendue n° 2 (1921-1922, rec. 1971)
Acier
43 × 28 cm

László Moholy-Nagy
83 Nickel Construction (1921)
Fer nickelé et soudé
35,6 × 17,5 × 23,8 cm

Alexandre Rodtchenko
81 Construction ovale suspendue (1919)
Contre-plaqué peint et fil de fer
83,5 × 58,5 × 43,3 cm

Kurt Schwitters
86   Merzbild 1924,1. Relief mit Kreuz und Kugel (1924)
[Merz 1924,1. Relief avec croix et sphère]
Huile et carton sur bois
69 × 34,2 cm

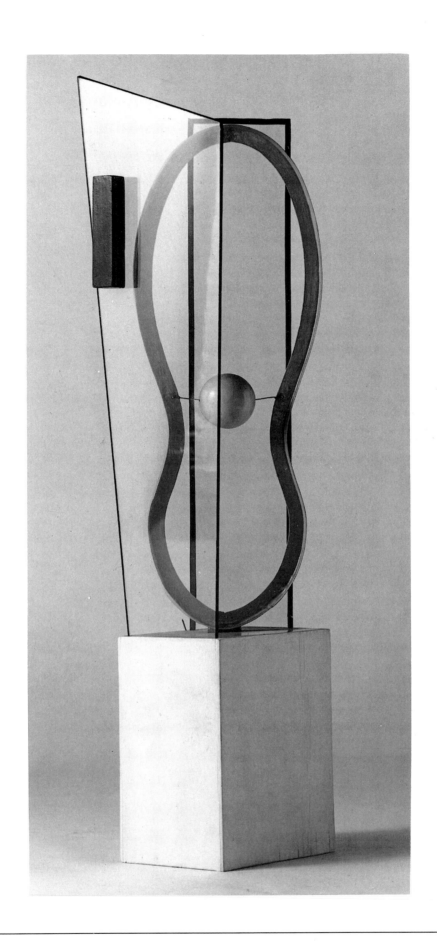

Katarzyna Kobro
87 Sculpture abstraite 1 (1924)
Verre, métal et bois
72 × 17,5 × 15,5 cm

Laszlo Peri
85 Construction spatiale en trois éléments (1924)
Béton peint
Élément 1: 60 × 68 cm
Élément 2: 55,5 × 70 cm
Élément 3: 58 × 68 cm

Katarzyna Kobro
88 Composition spatiale 2 (1928)
Acier peint
50 × 50 × 50 cm

Katarzyna Kobro
89 Composition spatiale (v. 1927-1931)
Acier soudé et peint
31,8 × 60,3 × 26,2 cm

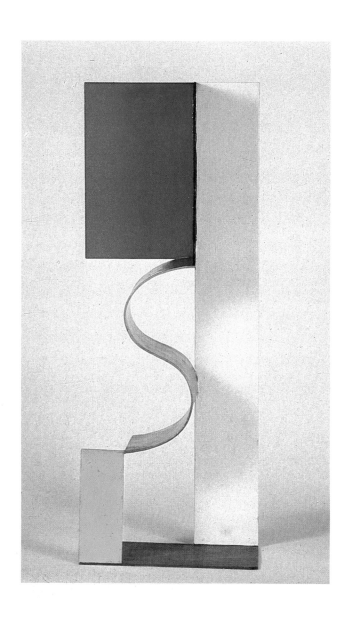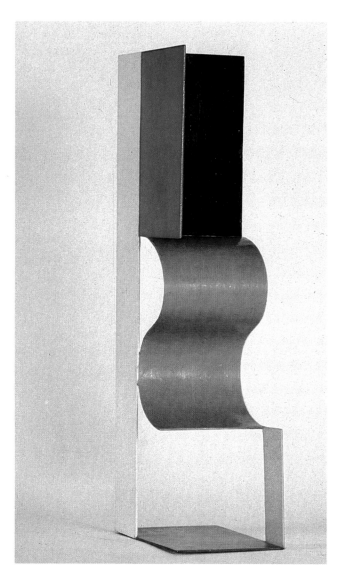

Katarzyna Kobro
91 **Composition spatiale 6** (1931)
Acier peint
64 × 25 × 15 cm

Katarzyna Kobro
Composition spatiale (v. 1928)
Acier soudé et peint
44,8 × 44,8 × 46,7 cm

Cesar Domela
92 Composition II (1932)
Plexiglas et métal sur bois
77,6 × 65,4 cm

László Moholy-Nagy
93 Modulateur spatial (1922-1930, rec. 1970)
Métal, verre et bois
151 × 70 × 70 cm

Références à la peinture 1

La période qui s'étend de la fin des années vingt à la fin des années trente ne peut être caractérisée par aucun style dominant dans la production sculpturale. C'est au cours de ces années-là que la sculpture constructiviste est entrée dans ses phases architecturale (à distinguer de l'architectonique) et productiviste, tandis que Brancusi affinait son style organique « classique ». A la fin des années vingt, le surréalisme exerçait son emprise autocratique. Or, ce mouvement essentiellement littéraire et pictural s'accommodait mal des techniques et matériaux traditionnels de la sculpture, favorisant en revanche la création d'objets éphémères, exotiques ou ambigus. Ce fut aussi la période d'épanouissement de l'abstraction géométrique, tendance qui privilégiait la peinture et l'architecture au détriment de la sculpture, parce qu'elles étaient plus aptes à véhiculer ses idéaux utopiques. L'un des apports les plus marquants de cette période est représenté par les premières sculptures d'assemblage en métal de Picasso et González, mais l'importance de ces œuvres ne devait être pleinement mesurée que beaucoup plus tard.

La fin des années vingt et les années trente furent également placées sous le signe d'un néo-classicisme imprégné d'une mentalité de l'« âge d'or », qui se traduisait par une architecture, des meubles et des objets « art déco » luxueux (mais pas vraiment novateurs), par le réalisme châtié ou « objectivité » équivoque qui faisait un retour dans la peinture, et par l'œuvre néo-classique de sculpteurs comme Maillol, Gerhard Marcks ou leurs innombrables épigones. Ces artistes, qui à certains égards remettaient en question le sens et la fonction de leur discipline par rapport à leur époque, assuraient néanmoins la perpétuation nostalgique d'attitudes esthétiques antérieures.

Un certain nombre d'artistes allaient tenter de reformuler la notion de sculpture en lui donnant une extension beaucoup plus grande, et l'on constate encore une fois que c'étaient soit des peintres, soit des sculpteurs qui puisaient leur inspiration dans la peinture. Cela peut sembler paradoxal à première vue, quand on songe que les modes d'expression artistique les plus neufs étaient incontestablement à cette époque la peinture surréaliste et la peinture géométrique abstraite, toutes deux aussi peu conciliables avec la sculpture. Pourtant, certaines contradictions fondamentales entre la démarche du peintre et celle du sculpteur ont contribué à la genèse de nouvelles formes de sculpture. Comme nous l'avons noté ailleurs, le peintre a toujours disposé d'une grande liberté vis-à-vis de son sujet (qu'il soit de l'ordre du réel, de l'imaginaire ou du mental). La nature même de son activité l'oblige à transcrire les volumes réels, l'espace réel, la couleur réelle, la lumière et l'ombre réelles dans un vocabulaire et une syntaxe bidimensionnels. Lorsqu'un peintre vient à la sculpture, il est évidemment libre de toutes les inhibitions qu'inculque une formation classique de sculpteur, et, surtout, il ignore les règles tacites qui imposent une relation de volume à volume entre une sculpture et son modèle. Un peintre qui fait de la sculpture s'en réfère aux procédés expressifs (artificiels) de la peinture pour interpréter l'espace, le volume et les couleurs d'un motif donné.

On pourrait dire qu'un peintre qui s'oriente vers la sculpture, ou un sculpteur qui emprunte des idées à la peinture, accomplit à rebours le cheminement « naturel » : à partir de la planéité dont il s'inspire, il crée des volumes. Au début, son sujet est insaisissable, immatériel, abstrait et il n'a d'existence que dans le regard du peintre. La situation devient encore plus contradictoire ou aléatoire lorsqu'il s'agit de la peinture surréaliste ou géométrique abstraite, laquelle ne porte même pas trace d'une réinterprétation des volumes, dans la mesure où ces peintres travaillaient sans modèle, ou alors avec un modèle en quelque sorte jamais vu. Tandis que les surréalistes cherchaient leur inspiration dans les images oniriques, automatiques et subconscientes, leurs collègues de l'abstraction géométrique s'efforçaient de fixer sur la toile et de concrétiser des idées philosophiques abstraites et des constructions de l'esprit.

La sculpture inspirée de ces sortes d'images témoigne d'une liberté à l'égard de l'interprétation plastique, de la couleur et des matériaux, qui est en fait l'apanage du peintre. Les formules de réalisation dans l'espace peuvent être très diverses, allant du monolithe abstrait géométrique à l'objet bidimensionnel et à la structure à claire-voie. Quant au style, l'œuvre peut porter la marque d'une personnalité singulière ou comporter des formes anonymes dépersonnalisées, elle peut être subtilement fuselée ou à peine dégrossie selon la volonté de l'artiste. Elle peut être polychrome, réalisée en métal, fil de fer, ciment, bois, plâtre ou matériaux industriels. Elle peut même évoquer l'idée que se fait un peintre de la forme ou de l'ornement en architecture.

Le dénominateur commun sous-jacent à toutes ces œuvres serait donc la conjonction de l'indépendance du peintre par rapport aux priorités de la sculpture, et de son indifférence à la notion de fidélité au modèle. En créant une sculpture dont le fonctionnement à la fois sémantique et syntaxique s'apparente à celui de la peinture, ces artistes ont brouillé les cartes et estompé une fois de plus le clivage traditionnel.

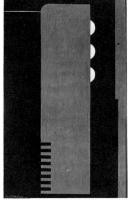

Victor Servranckx
Opus 6 (1924)
Cat. n° 104

Joan Miró
Le Catalan (1925)
Cat. n° 105

Jean Hélion
Composition orthogonale (1930)
Cat. n° 106

Auguste Herbin
Sculpture (v. 1921)
Bois polychrome
46 × 28,8 × 29 cm

 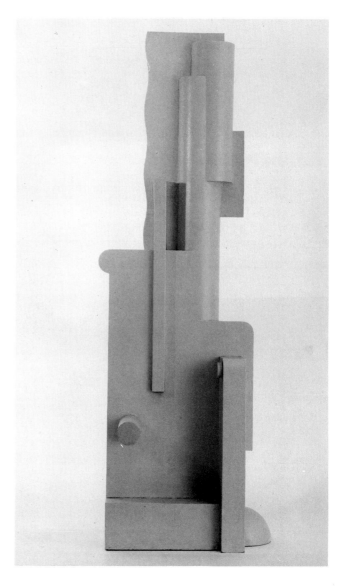

Auguste Herbin
94 **Sculpture** (1921)
Ciment peint
H. : 53; Ø : 16,5 cm

Victor Servranckx
96 **Opus 1** (1924)
Bois et métal
82 × 28 × 24 cm

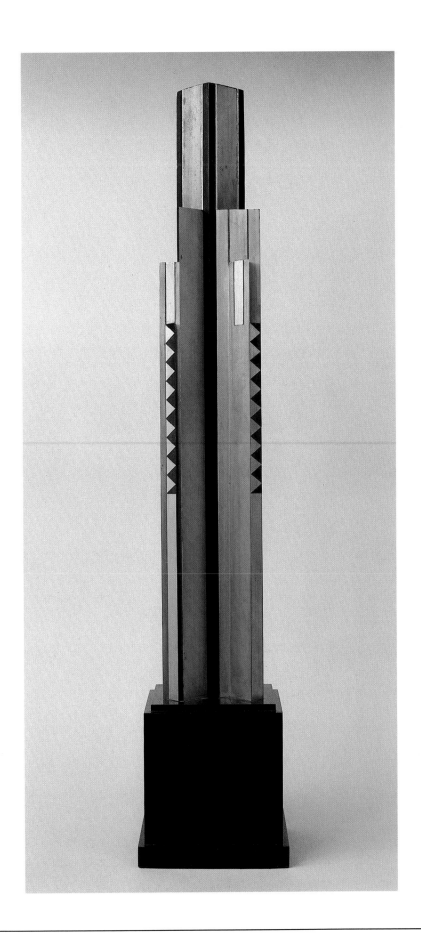

John Storrs
97 Forms in Space (v. 1924)
[Formes dans l'espace]
Aluminium, laiton, cuivre et bois sur socle en marbre noir
72,5 × 14 × 13,4 cm

Joaquín Torres-García
99 **Constructivo** (1935)
[Constructif]
Bois polychrome
44,5 × 20,5 cm

Joaquín Torres-García
98 **Estructura en blanco y negro** (1930)
[Structure en blanc et noir]
Bois polychrome
49 × 39,5 cm

Lucio Fontana
Sculpture abstraite (1934)
Ciment coloré
59 × 50 × 2,2 cm

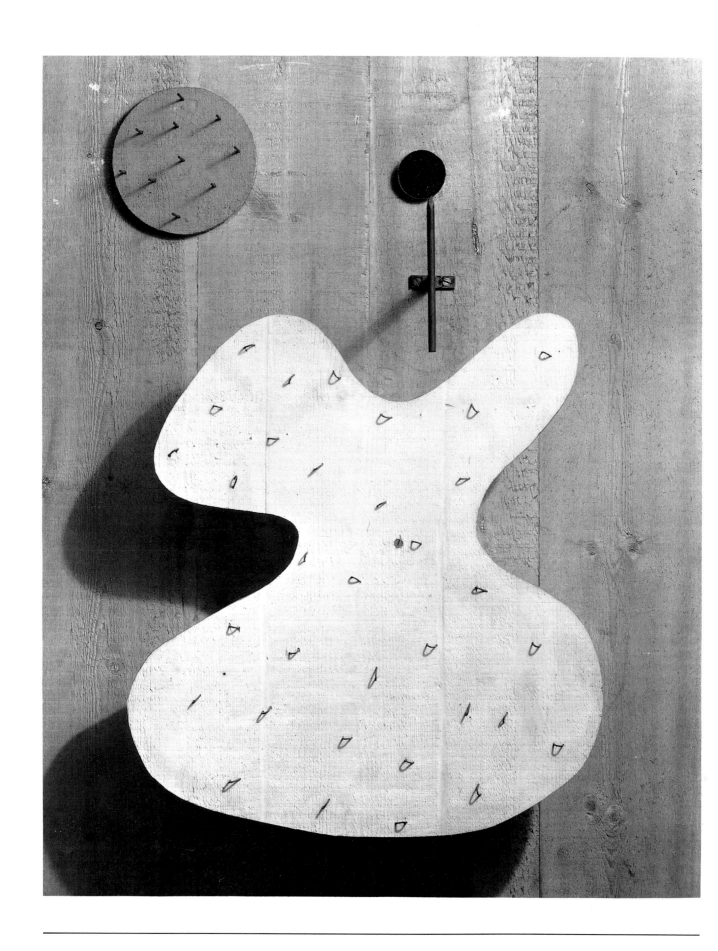

Joan Miró
100 Construction-relief (1930)
Métal et bois peint
91,1 × 70,2 cm

Alexander Calder
Constellation (1943)
Bois peint et fil de fer
61 × 72 × 53 cm

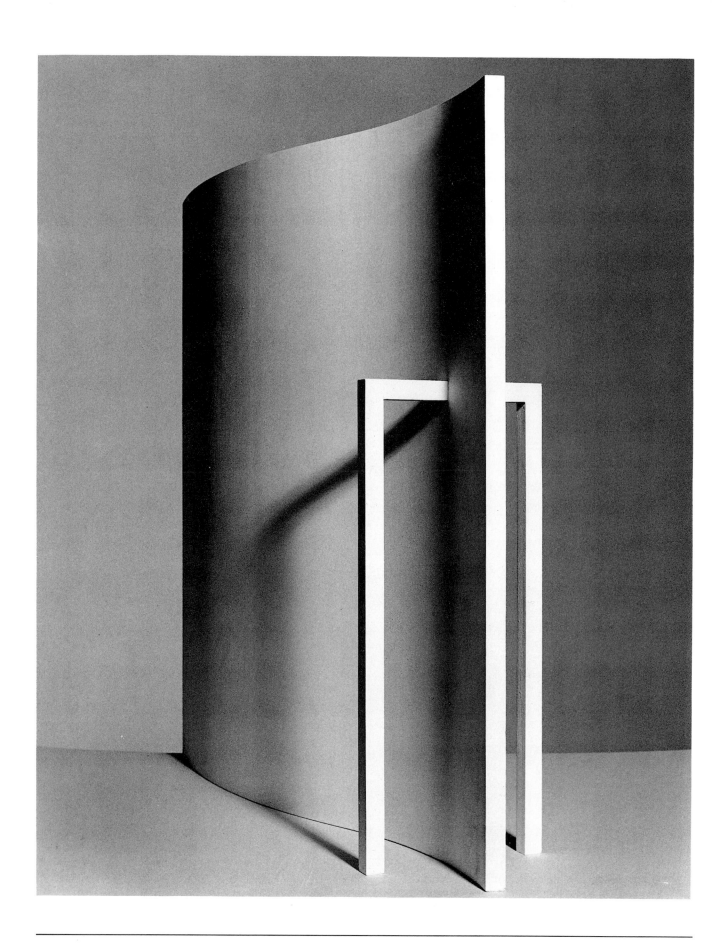

Fausto Melotti
102 **Scultura 12** (1934)
Plâtre
55 × 55,5 × 15 cm

Premières sculptures en métal soudé

Les œuvres réalisées dans la période 1928-1937 par Gargallo, González et Picasso ne sont pas les premières sculptures en métal, ni même les premières sculptures en tôle. Picasso avait fait dès 1912 des assemblages de tôle; et en Russie Naum Gabo l'avait utilisée à titre expérimental en 1915. Mais si ces dernières œuvres étaient effectivement en métal, le matériau n'y jouait qu'un rôle secondaire : par rapport à l'image pour Picasso, ou en tant que support spatial pour Gabo. Le bois ou le carton auraient pu remplir la même fonction, ce qu'ils firent bien souvent.

Les constructions en métal de la fin des années vingt et jusqu'à la fin des années trente n'étaient pas axées sur l'analogie picturale, sur la rapidité d'exécution, sur des théories scientifiques ou des idéaux utopiques. C'était sur le métal même que l'on insistait, sur ses propriétés, ses techniques et sur les innovations syntaxiques qu'il permettait. Le travail direct du métal autorisait la spontanéité la plus franche, d'où cet aspect manuel brut que l'on allait désigner pendant cette période pionnière par l'« écriture dans l'espace ».

On peut distinguer à cette époque différentes façons d'« écrire dans l'espace ». La première, probablement la moins révolutionnaire, s'inspirait encore des collages cubistes. Au lieu d'employer un crayon ou des ciseaux, l'artiste dessinait à l'aide d'un instrument à couper le métal, puis il pliait et rivait plusieurs formes planes profilées de façon à obtenir une image dont les différentes strates superposées créaient des zones d'ombre et de lumière, instaurant un dialogue entre surface et profondeur. Contrairement aux précédents assemblages cubistes de Picasso, ces œuvres étaient destinées à enclore et à créer des volumes dans l'espace. De ce point de vue, elles présentaient davantage d'analogies avec les constructions de Laurens. La différence résidait dans le degré de malléabilité plus faible de métaux comme le fer, et dans l'iconographie fruste, aléatoire et abrupte qui découlait de cette résistance à la manipulation.

La seconde manière d'« écrire dans l'espace » consistait à amincir, forger et souder des fils et des tiges métalliques, voire des morceaux de ferraille, pour les transformer en signes, en traits ou en arabesques qui cernent et délimitent l'espace. Paradoxalement, la matérialité de la sculpture se réduisait à une ligne délicate, voire au vide ainsi délimité lui-même. Ainsi les notions de masse ou de volume étaient pratiquement abolies, vidées de leur sens.

Pour ses premières images « écrites dans l'espace », Picasso s'inspira de ses tableaux de la même époque 1926-1931, où il associait des motifs plans et une armature de lignes. Sculpteur par vocation, Gargallo chercha à se maintenir dans une tradition volumétrique en cernant des volumes d'espace vide. Le style de González allait atteindre à sa plénitude en se nourrissant plus de considérations et d'expériences techniques que d'idées préconçues quant à l'espace ou à la peinture. Alors que Picasso dans un premier temps, et Gargallo tout au long de sa carrière, ont préféré les raccords invisibles parce que la technique du métal était pour eux un moyen et non une fin, González, initié au métier d'orfèvre dès son enfance, aspirait à un mode d'expression propre au métal, et plus particulièrement au fer. Les bords et les arêtes volontairement irréguliers, les lignes brisées, les surfaces non polies et les raccords précaires, tels les repentirs d'un dessinateur, ajoutent à l'expressivité de ses formes. Cela dit, lorsqu'il optait pour une technique soignée et « invisible », il pouvait le faire sans effort. Même s'il élaborait ses sculptures à partir d'un thème, c'était bien souvent en cours d'exécution qu'il trouvait une syntaxe et une iconographie éminemment personnelles, ce qui n'arrive qu'aux artistes possédant un métier très sûr. Aussi a-t-il abouti dans ses œuvres les plus singulières à une synthèse judicieuse de l'image figurative et de la construction abstraite. Aucun point de vue n'est priviligié, et, tandis que le spectateur contourne l'œuvre, l'image et sa transposition abstraite se dissocient et se fondent tour à tour.

Gonzáles aimait à affirmer la nécessité d'une sculpture transparente, que l'observateur pourrait appréhender intégralement sous un point de vue unique. Pourtant les contradictions inhérentes à son style et son iconographie ne se laissent pas saisir en un coup d'œil. En lui donnant cette valeur d'expérience perceptive et conceptuelle qui déjoue constamment les attentes du spectateur, Gonzáles a élevé le principe de l'« écriture dans l'espace » au rang d'un langage tridimensionnel authentique qui allait revêtir une importance capitale pour la sculpture du XXe siècle.

Pablo Picasso
L'Atelier (1928)
Cat. nº 121

Julio González,
Masque-souvenir de Pilar (v. 1929)

Pablo Picasso
110 **Femme** (1930)
Fer
81 × 25 × 32 cm

Pablo Picasso
108 **Figure** (1928) proposée comme projet pour un monument à Guillaume Apollinaire
Fil de fer et tôle
50,5 × 18 × 40 cm

Pablo Picasso

109 **Figure** (1928) proposée comme projet pour un monument à Guillaume Apollinaire
Fil de fer et tôle
60,5 × 15 × 34 cm

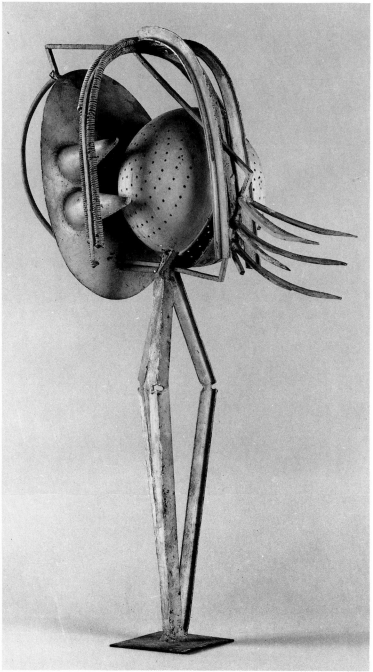

Pablo Picasso
111   Tête de femme (1929-1930)
Fer, tôle, ressorts et passoires peints
100 × 37 × 59 cm

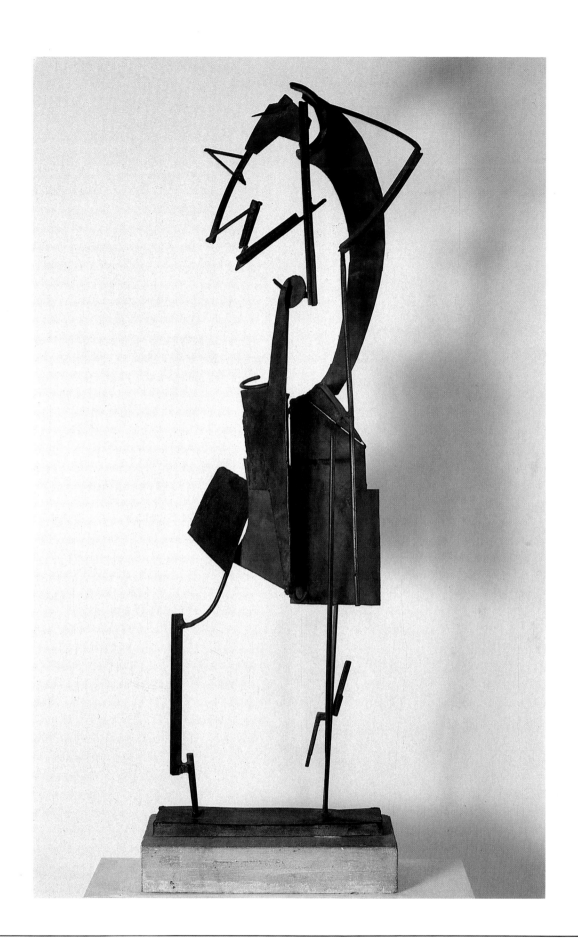

Julio González
114 **Femme se coiffant** (v. 1931)
Fer
170 × 55 × 20 cm

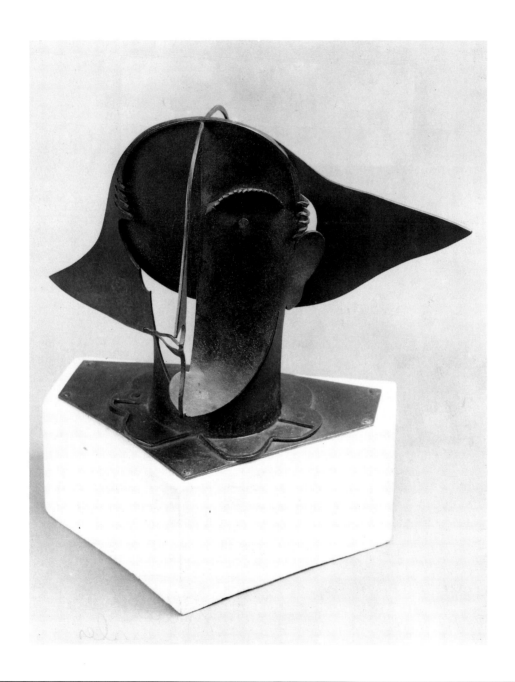

Pablo Gargallo
107 Tête d'arlequin (1929)
Cuivre
21 × 31 × 16 cm

Julio González
3 **Petite Danseuse** (v. 1929-1930)
Fer
17,5 × 10 × 4 cm

Julio González
8 **Personnage allongé** (v. 1936)
Fer forgé
45,6 × 94 × 42,5 cm

Julio González
117 **Tête dite «La Suissesse»** (v. 1934)
Fer et socle de pierre
38 × 21 × 19 cm

Pablo Picasso
112 Tête d'homme (1930)
Fer, laiton et bronze
83,5 × 40,5 × 36 cm

Julio González
16 **Tête dite «La Grande Trompette»** (v. 1932-1933)
Fer
113,5 × 62 × 45 cm

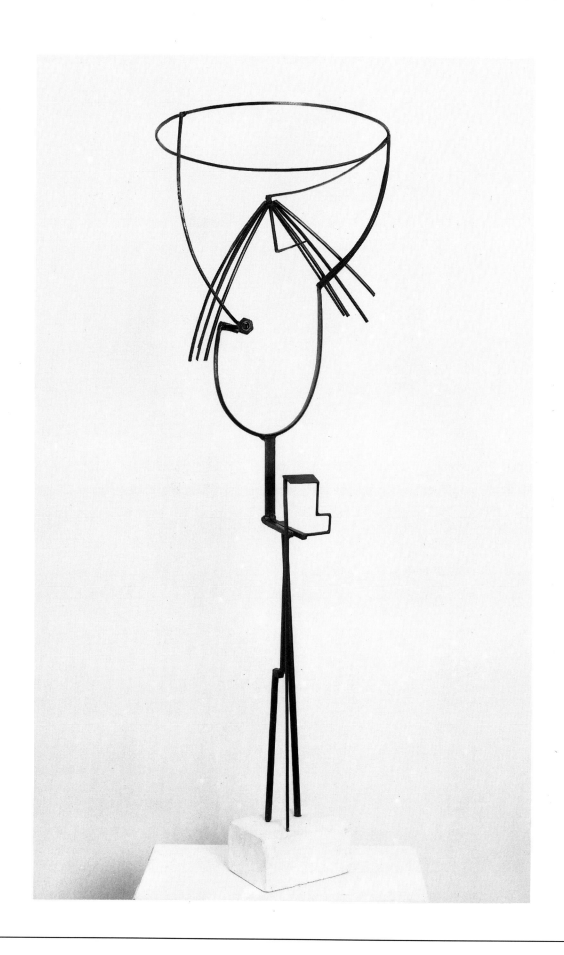

Julio González
115 Femme à la corbeille (v. 1930-1933)
Fer
194 × 63 × 63 cm

Julio González
9 Petite Vénus (v. 1936)
Fer
20,5 × 6 × 9,5 cm

Julio González
120 Danseuse à la marguerite (v. 1937)
Fer
48,3 × 29,2 × 10 cm

Métaphysique de la modernité

L'abstraction géométrique s'est imposée comme une forme d'expression artistique originale et riche de sens au cours des premières décennies de ce siècle. Elle exprimait une certaine idée de la modernité, une attitude optimiste vis-à-vis du présent et de l'avenir, et l'assurance confiante que l'homme avait des facultés créatrices et intellectuelles qui le rendaient apte à bâtir des mondes nouveaux. En outre, ses formes abstraites traduisaient une foi dans les valeurs de la pensée abstraite. Pour les artistes qui avaient fait le choix de ce langage (les suprématistes et constructivistes russes, De Stijl ou encore les artistes du Bauhaus, par exemple), l'abstraction géométrique était la seule expression de la modernité acceptable du point de vue plastique et même moral. Au demeurant, ces artistes prenaient parfois des accents messianiques quand ils proclamaient leur optimisme, leur idéalisme et leur foi.

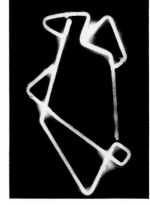

Gyula Kosice (groupe Madi)
Structure lumineuse Madi (1946)

Cette tendance expressive et formelle en prise sur les idéaux philosophiques et les découvertes scientifiques s'est perpétuée sous une forme ou sous une autre jusqu'à nos jours, même si elle a pu changer de signification ou varier dans ses intentions et ses formules plastiques d'une période à l'autre. De fait, cette tendance a subi les caprices de l'histoire comme tous les autres courants stylistiques du XXe siècle, et traversé des périodes d'oubli pour resurgir périodiquement avec une vigueur renouvelée, selon le schéma cyclique habituel.

Dans l'Europe de l'après-guerre et dans divers points du globe durant toutes les années cinquante et soixante, l'abstraction géométrique a occupé une place de premier plan, de manière plus évidente en Europe, mais aussi en Amérique du Sud. Indépendamment de la nostalgie d'un certain ordre (en réaction contre les « désordres » de la Seconde Guerre mondiale) qui s'exprimait sans doute à travers le répertoire de formes rationnelles rigoureuses, ces artistes manifestaient leur confiance inentamée dans le progrès, la science et la technologie. Cela vaut aussi bien, semble-t-il, pour le groupe Madi en Argentine (qui n'est malheureusement pas représenté ici), le groupe Zero en Allemagne, le mouvement Art and Technology aux Etats-Unis, des phénomènes comme l'art cinétique, l'art modulaire, l'art systémique, etc. Si à quelques exceptions près l'inspiration formelle n'était pas vraiment nouvelle pour l'essentiel, l'accent sur les matériaux industriels et sur la technologie (qui donna lieu à l'introduction de l'eau, de l'électricité, du son, de la lumière et du mouvement dans les œuvres) devait engendrer une iconographie plus « scientifique » et une idée de la modernité entièrement réactualisée.

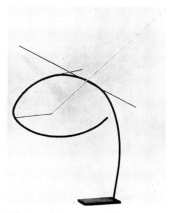

Enio Iommi (groupe Madi)
Directions (1945)
Fils de fer de trois couleurs (noir, blanc et rouge)

Il semblerait toutefois que l'on puisse rarement faire appel aux percées technologiques en tant que telles pour véhiculer les formes forcément ambiguës et l'expression sublimée qui font la spécificité de l'univers esthétique. Et de fait, si la majorité des œuvres de cette période furent l'expression authentique de leur époque, elles ne donnent pas l'impression de l'avoir transcendée. Avec le recul, elles paraissent stériles, sans âme et plutôt datées.

Les artistes qui ont su éviter le piège de la stérilité sont en premier lieu ceux qui n'ont pas cessé d'affirmer une foi sincère dans la valeur expressive et la pertinence philosophique des formes de l'abstraction géométrique, et qui croyaient également à la capacité de l'humanité à façonner son propre destin par le biais de l'art. Ce sont ensuite des artistes plus jeunes qui, conscients des limites de la technologie, l'ont considérée comme un moyen et non comme une fin ; un moyen utilisé paradoxalement pour atteindre à une sorte de poésie diamétralement opposée à la fonction première de la technologie.

Ainsi, le terme « métaphysique », entendu dans le sens qu'illustrent les exemples présentés ici, désigne deux conceptions différentes de la modernité. La première se fonde sur l'idée originelle de l'abstraction géométrique comme expression d'une réalité spirituelle d'un ordre supérieur, dégagée des considérations bassement matérielles, voire des mécanismes de représentation. C'était celle de Gabo et Moholy-Nagy, deux pionniers du mouvement constructiviste dont les expériences n'étaient toujours pas périmées après la Seconde Guerre mondiale. C'est encore celle du sculpteur basque Oteiza, qui appartient à une autre génération mais continue à percevoir dans l'objet géométrique une manifestation concrète de lois métaphysiques. La seconde est axée sur une transformation et une sublimation de phénomènes scientifiques ou physiques, et sur leur adaptation à des fins plus universelles ou plus poétiques. Autrement dit, le terme *métaphysique* renvoie à des démarches qui mettent la science ou la technologie, l'abstraction ou la géométrie, au service d'une expression artistique transcendante de la modernité.

Jorge de Oteiza
124 Caja metafisica (1958)
[Boîte métaphysique]
Fer et cuivre
30 × 30 × 32 cm

László Moholy-Nagy
123   Double Loop (1946)
[Torsion double]
Plexiglas
41,1 × 56,5 × 44,5 cm

Naum Gabo
122   Construction linéaire dans l'espace nº 1 : Variation (1956-
1957)
Plexiglas avec fil de nylon
45,3 × 45,3 × 17,9 cm

Jorge de Oteiza
125 **Homenaje a Mallarmé** (1958)
[Hommage à Mallarmé]
Fer forgé
60 × 40 × 54 cm

Vassilakis Takis
126 White Signals (1966)
Onze signaux lumineux : acier peint, verre coloré et transformateur électrique
H. : de 2,40 m à 3 m

La récupération d'idées et d'images

La sculpture de la fin des années quarante et du début des années cinquante témoigne du climat d'inquiétude que ne pouvait manquer d'engendrer la Seconde Guerre mondiale encore toute proche. Elle traduit aussi une réaction aux valeurs de la nouvelle société en gestation dans l'immédiat après-guerre, et cette réaction était plutôt critique, voire négative, marquée par la nostalgie de l'idéalisme et de l'innocence de l'avant-guerre. Cette génération fut sans doute la dernière à s'attacher aux valeurs humanistes de l'avant-guerre. Les artistes de la génération suivante allaient considérer la Seconde Guerre mondiale comme une cassure, un terme final. Nés pour la plupart dans les années vingt ou trente, ils n'avaient nul souvenir d'un âge d'or antérieur. Ils ne connaissaient qu'une réalité : le temps présent. Ils prenaient les valeurs de l'époque contemporaine et le cadre dans lequel elles s'inscrivaient pour ce qu'ils étaient, à savoir un système tout entier tourné vers la communication de masse, la production et la consommation. C'était dans cette réalité que s'ancraient leur propre hiérarchie des valeurs et leurs critères de jugement. C'était vers elle que se portaient leur attention et leur affection.

Si l'on a pu démontrer l'importance de l'« objet » dans le Nouveau Réalisme européen comme dans le pop'art américain, il faut bien voir que pour ces deux mouvements l'objet était un prétexte et non une fin en soi. Des Nouveaux Réalistes comme Arman, Christo et César ne s'intéressaient pas à l'objet pour lui-même, mais à notre rapport à l'objet si singulièrement modifié dans la réalité contemporaine. Le travail d'Arman sur le phénomène de l'« accumulation » reflète la primauté accordée dans la vie moderne à la notion abstraite de quantité, devenue une réalité plus tangible que l'objet unique : il se fait l'écho du fameux « toujours plus ». Les empaquetages de Christo signalaient à l'origine le glissement de l'attention et du désir, qui s'étaient reportés de l'objet à l'emballage, du contenu à une présentation superficielle, provisoire et délibérément séductrice. L'enveloppe remplaçait désormais la chose elle-même. Les voitures comprimées de César nous parlent de la désuétude et la destruction auxquelles sont vouées toutes choses sous le règne de la modernité, et il y a ajouté la métamorphose comme suite logique. Si l'on ne peut nier que ces œuvres traduisent implicitement une attitude critique, elles dénotent tout de même une ambivalence, car ces artistes étaient foncièrement en accord avec les réalités de leur temps, même s'ils avaient choisi de les traiter sur le mode ironique.

Le pop'art représente une autre façon d'envisager la nouvelle situation sociale, culturelle et économique des années cinquante et soixante. La tradition du nouveau est née aux États-Unis et le moderne ne posait pas de problèmes aux Américains. Au contraire, c'était leur élément naturel et ils y adhéraient profondément. Ce qui ne les empêchait pas toujours d'en percevoir les côtés absurdes comme l'atteste Claes Oldenburg, sans doute le principal représentant du pop'art américain dans le domaine de la sculpture. Oldenburg traquait les icônes de la culture de masse américaine et les désacralisait en les convertissant en images monumentales emphatiques. Les nouvelles valeurs dominantes de la vie moderne américaine avaient trait à l'alimentation (d'où le syndrome du « fast food ») et à l'hygiène (d'où la sacralisation de la salle de bains et, par extension, des sanitaires qui devenaient les attributs d'une nouvelle aristocratie et des signes exemplaires de la mobilité sociale et de l'opulence). Le système de valeurs associé au syndrome du « fast food » repose sur l'équation plus gros = meilleur (c'est-à-dire en avoir plus pour son argent). Celui qui se résume dans l'éthique ou l'esthétique de la salle de bains correspondrait plutôt à l'axiome : « plus c'est à la mode, plus ça brille et ça chatoie, plus il y a de chrome et de doré, et plus ça fait riche ». Ainsi, les pommes de terre frites et les hamburgers « géants » d'Oldenburg, ses cuvettes de W.C. et ses lavabos en carton ou en toile cirée molle, sont des pieds de nez aux sacro-saintes icônes américaines des années cinquante. Ils représentent aussi de toute évidence une offensive dirigée contre la conception traditionnelle de la sculpture comme expression de valeurs humaines nobles et intemporelles passant par des matériaux nobles et durables. Les sculptures d'Oldenburg sont drôles, touchantes et absurdes. En même temps, elles illustrent de manière éclatante la banalité, la vulgarité et l'inconstance des valeurs sacrées de la vie américaine.

Les personnages en plâtre de George Segal s'insèrent dans le même contexte socio-économique et dans le même système de valeurs dominant. Mais Segal occupe une position très particulière au sein du pop'art, et même dans l'art américain en général, parce que son œuvre est expressément critique, voire parfois porteuse d'un message politique. Ses personnages anonymes, saisis dans des situations d'une banalité extrême, expriment l'insignifiance et la vacuité effroyables, et apparemment irrémédiables, du monde moderne.

Ces artistes pouvaient être européens ou américains, utiliser des objets réels ou des matériaux incongrus, ordinaires et sans attrait, ils étaient tous animés par la même volonté de mettre l'art au niveau de la vie, d'une vie sans grandeur, sans beauté et sans idéaux.

Arman
127 Home Sweet Home (1960)
Accumulation de masques à gaz
160 × 140 × 20,3 cm

Jean Tinguely
128 **Baluba** (1961-1962)
Assemblage : plastique, métal, fil de fer et fil électrique, tuyau en plastique
et plumeau avec moteur sur tonneau Shell
187 × 56,5 × 45 cm

Christo
129 **Table empaquetée** (1961)
Guéridon empaqueté dans du velours rose et de la toile à sac, et ficelles
134,5 × 43,5 × 44,5 cm

César
130 **Ricard** (1962)
Compression dirigée d'automobile
153 × 73 × 65 cm

 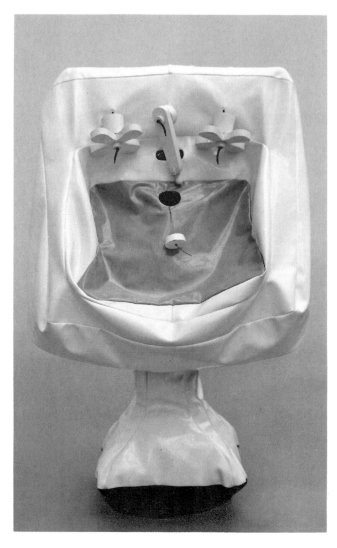

Claes Oldenburg
132 **Washstand - Hard Model** (1965)
[Lavabo dur]
Laque sur carton ondulé, structure en bois
123 × 91,5 × 74, 5 cm

Claes Oldenburg
131 **Soft Washstand** (1965)
[Lavabo mou]
Vinyle et kapok, structure métallique
137 × 106 × 57 cm

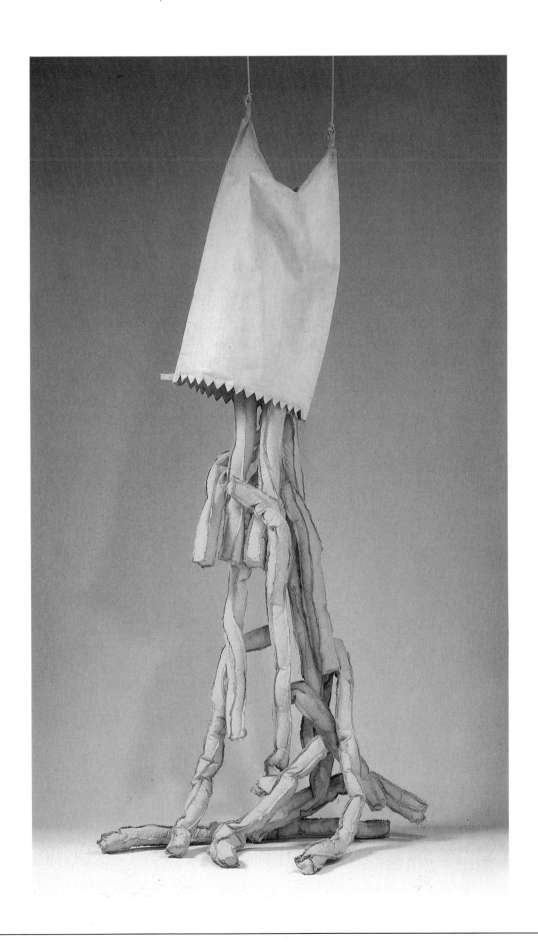

Claes Oldenburg
133 Falling Shoestring Potatoes (1966)
[Cascade de pommes frites]
Toile peinte et kapok
203 × 116,8 × 106,7 cm

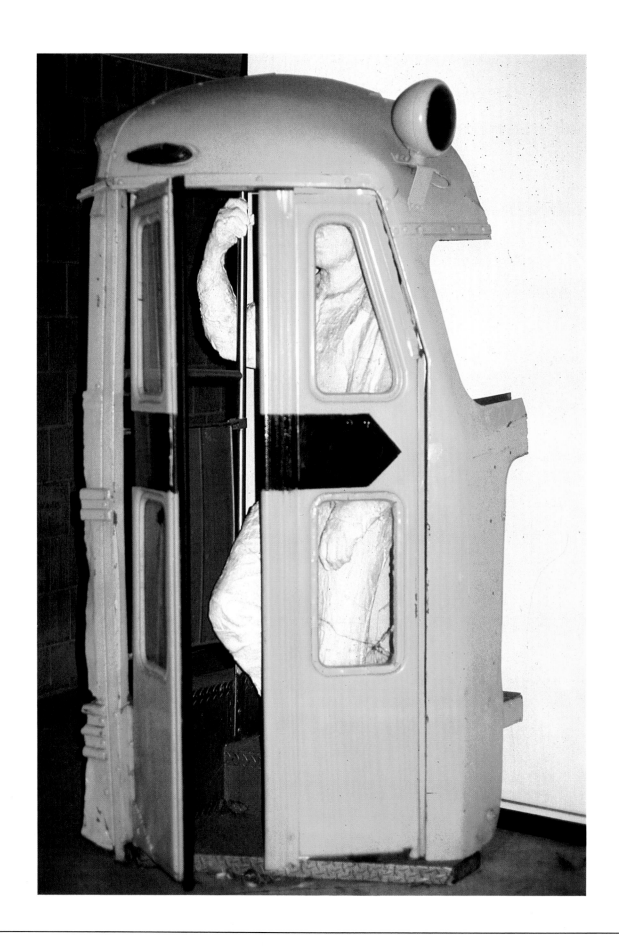

George Segal
134 **Man Getting off a Bus** (1967)
[Homme descendant d'un autobus]
Plâtre, métal peint, verre, chrome et caoutchouc
226,2 × 99 × 83,9 cm

Références à la peinture 2 :
surface, espace, couleur

C'est vers le milieu du XXᵉ siècle que l'art moderne a commencé à exister aux yeux de tous, ou plus exactement que les formes « modernes » de l'art ont commencé à se doter d'une histoire et d'une crédibilité. En outre, comme les moyens d'information étaient considérablement accrus par diverses publications, reproductions et expositions de grande envergure, l'artiste pouvait se montrer à la fois plus sélectif et plus éclectique puisqu'il disposait d'un éventail de sources d'inspiration beaucoup plus large. Les années cinquante et soixante furent aussi la période où l'art américain se fit reconnaître, dès lors que les artistes américains en quête d'une identité propre cherchaient à prendre leurs distances par rapport aux exemples européens. Malgré toute l'importance qu'avaient pu revêtir ces modèles étrangers pour une nation dépourvue d'une tradition solide (*cf.* le texte de Barbara Rose, *infra*), dès les années cinquante les artistes américains avaient suffisamment d'assurance et d'expérience pour suivre une voie indépendante.

Parmi eux, les peintres affirmèrent leur autonomie plus tôt que les sculpteurs. Leurs convictions et leur ascendant relatif infléchirent le travail des sculpteurs américains (en les éloignant du surréalisme pour les rapprocher de l'abstraction) et leur fournirent un certain nombre d'orientations plastiques. L'une des pistes ainsi indiquées traduisait un intérêt pour le geste, l'écriture, l'énergie qui se manifestait également dans la peinture et la sculpture européennes à cette époque (*cf.* p. 178). D'autres se rattachaient à l'organisation spatiale anti-illusionniste et plus totalisante, à l'iconographie purement abstraite et à la facture dépersonnalisée des tendances picturales des « champs colorés » et du « hard edge ».

Alexander Calder, un artiste américain marqué à l'origine par des influences européennes et surréalistes, fut paradoxalement l'un des premiers à donner des exemples d'une sculpture inspirée des plans uniformes et de la syntaxe anti-illusionniste de la peinture. A partir des années trente, l'œuvre de Calder, avec les éléments plats découpés de ses « stabiles » et ses disques en suspens, obéit aux lois de l'espace pictural. Les sculptures en morceaux de tôle découpée réalisées par Picasso dans les années cinquante renvoient de même à la planéité des images picturales.

Mais c'est en Amérique que s'est réellement imposée cette idée de la sculpture comme forme d'expression bidimensionnelle et abstraite, et que les références à la peinture ont été soulignées par la couleur et par l'échelle. Si le sculpteur David Smith, qui avait une formation de peintre, fut probablement le premier à franchir cette frontière entre peinture et sculpture, il ne fut certainement pas le seul. La nouvelle conception de la sculpture en plans de couleur (qui rappellent parfois, de manière tardive et paradoxale, l'organisation de l'espace post-cubiste), devait avoir des répercussions sur les œuvres de peintres américains tels qu'Ellsworth Kelly et Jack Youngerman, du sculpteur canadien Robert Murray et des Anglais Anthony Caro et Philip King. Certains de ces artistes plus jeunes ont attribué la paternité spirituelle de leur inspiration à Henri Matisse et ses papiers découpés. Mais quelles qu'aient pu être les sources d'inspiration immédiates, et les innovations introduites dans le traitement de l'espace par la superposition ou l'échelonnement des formes planes aux couleurs vives, l'effet produit reste fondamentalement pictural.

On trouve une autre forme d'espace pictural, interprété cette fois comme un espace de très faible profondeur déterminé par une ligne graphique, dans les premières sculptures de David Smith et dans les œuvres de jeunesse de Robert

Jacobsen. Là encore, Calder avait montré l'exemple avec ses constructions de fil de fer tout en lignes, mais c'est dans les années cinquante et soixante que ce mode d'expression tridimensionnel caractérisé par la transparence est parvenu à des dimensions plus considérables et à une véritable autonomie. On a pu comparer les sculptures exécutées par Jacobsen durant cette période aux peintures de son confrère et compatriote Mortensen. Les lignes nettes et les superpositions d'espaces resserrés évoquent là aussi une syntaxe picturale. Mais malgré les ressemblances superficielles, ces sculptures en fer sont très éloignées par leur esprit et leurs ambitions de celles de Chillida, par exemple, qui a cherché à donner une expression à l'énergie gestuelle brute dans l'espace libre.

L'œuvre de Tony Smith procède d'une démarche quelque peu différente. Architecte de formation, Smith était très lié aux milieux de la peinture (et plus particulièrement au maître de la formule réductrice que fut Ad Reinhardt). Son travail peut se situer entre la peinture et l'architecture par le registre sur lequel il joue : les *Gestalten* de la perception ou de l'expérience picturale sont transposées dans des volumes monolithiques à l'échelle humaine dégagés de toute espèce de description ou de représentation.

En Europe comme aux États-Unis, les peintres abstraits de cette période aspiraient à susciter une perception immédiate et globale par la couleur, la lumière et des pans d'espace sans profondeur. Les sculpteurs de cette génération, en puisant en partie leur inspiration dans la peinture, ont abouti à une forme d'expression réductrice et ambivalente, à savoir une sculpture où il est autant question de surface et de transparence (et donc d'un phénomène perceptif) que de volume ou d'espace (en tant que présences physiques). Du même coup, ils ont rompu avec certaines traditions sculpturales et frayé la voie à l'art minimaliste de la seconde moitié des années soixante.

Robert Jacobsen
137   Graphisme en fer (v. 1951)
Fer soudé et peint
70 × 35 × 35 cm

Alexander Calder
135 Mobile en deux plans (s.d.)
Métal peint
200 × 120 × 110 cm

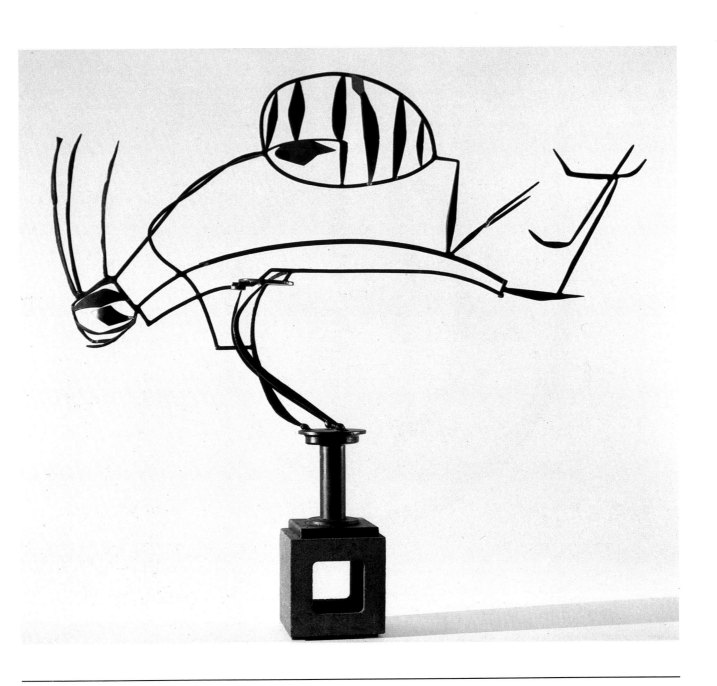

David Smith
Australia (1951)
Acier peint
202 × 274 × 41 cm

Robert Jacobsen
138 Hommage à Léon Degand (1958)
Fer
69 × 54 × 32 cm

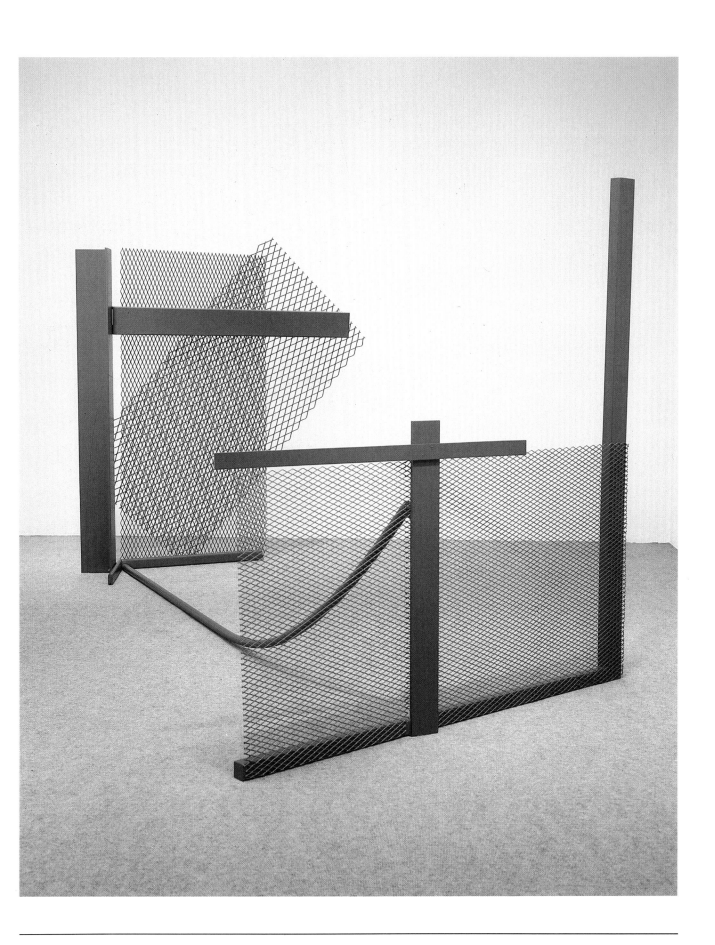

Anthony Caro
3 **Carriage** (1966)
Acier peint
200 × 200 × 400

Tony Smith
141 **Free Ride** (1962)
Acier
203,2 × 203,2 × 203,2 cm

Alexander Calder
Le Bougnat (1959)
Métal
205 × 170 × 140 cm

David Smith
140 Voltri Bolton VII (1962)
Acier verni
210,7 × 101,6 × 60,7 cm

David Smith
Gondola II (1964)
Acier peint
179,4 × 176,2 × 45,7 cm

Art minimal

Dans la seconde moitié des années soixante, on a assisté à des transformations telles que la notion même de sculpture s'en est trouvée plus sérieusement ébranlée que jamais. Et si dans les années soixante-dix la critique d'art américaine Rosalind Krauss pouvait parler d'un « domaine élargi »[1] à propos de la sculpture contemporaine, c'était bien l'art des années soixante qui avait amorcé cet élargissement. Avec les œuvres de Joseph Beuys ou celles du minimalisme et de l'Arte povera, la création sculpturale était envisagée sous une perspective toute nouvelle : si vraiment la sculpture moderne se caractérise par une suite de transitions, celle-là fut la plus radicale de toutes. Certains critiques allaient d'ailleurs estimer que ces dernières manifestations des années soixante et soixante-dix ne relevaient plus de la sculpture moderne. Pourtant, il faut bien voir que les artistes des années soixante sont partis d'un certain nombre de prémisses posées quelque dix ans auparavant, même si leurs œuvres ne semblaient plus répondre aux normes habituelles de la sculpture.

L'aspect le plus marquant de cette mutation fut sans doute une conception inédite du rapport du spectateur à l'œuvre d'art, qui renouvela le mode de perception esthétique jusque dans sa substance. En Europe et en Amérique, dans l'Arte povera et dans l'art minimal, les œuvres accaparaient l'espace du spectateur. Autrement dit, elles intervenaient dans un espace existentiel et non plus esthétique. Des artistes avaient déjà exprimé naguère leur désir d'« œuvrer dans l'intervalle qui sépare l'art de la vie », ce qui avait donné naissance, entre autres, aux *combine paintings* et aux happenings. Il s'agissait désormais, pour les artistes de la seconde moitié des années soixante, d'abolir complètement cet intervalle.

L'œuvre nouvelle ne possédait plus la moindre connotation anthropomorphique. Dépassant les dimensions autorisées jusque-là par les conventions sculpturales, elle participait d'une échelle humaine entièrement reconsidérée : elle se distinguait de la statue, du monument et de l'objet à poser sur une table pour renvoyer plus globalement à une appréhension du paysage. C'est alors seulement que l'absence de socle est devenue effective et signifiante, même si les histoires de l'art du XXᵉ siècle plaidaient en faveur de sa disparition. Car dans toutes les formes antérieures de la sculpture (exception faite peut-être pour le pop'art), l'œuvre délimitait son territoire en le séparant de celui du spectateur, et par là supposait la présence virtuelle d'un socle.

L'attitude d'esprit qui a engendré la sculpture minimale aux États-Unis procède de trois phénomènes concomitants. Le premier est un intérêt pour l'expression théâtrale, stimulé par les happenings des années cinquante, qui ouvrit à l'artiste plasticien un autre champ d'activité, celui d'une expérience vécue où la conscience de son propre corps dans sa relation avec l'espace environnant primait tout le reste, comme au théâtre. Le deuxième est la fréquentation d'une sorte de peinture réductrice représentée par les *Black Paintings* d'Ad Reinhardt et par les séries de toiles noires, puis « aluminium » et « cuivre » exécutées par Frank Stella à la fin des années cinquante et au début des années soixante. Ces œuvres de très grand format (un héritage de l'expressionnisme abstrait) plaçaient le spectateur dans une situation de tête-à-tête privilégié, et le faisaient pénétrer à l'intérieur du tableau en l'incitant à identifier son espace avec celui de la peinture. C'étaient des œuvres monochromes où le jeu des relations internes et la composition hiératique avaient disparu au profit d'une organisation modulaire de la surface, fondée sur la symétrie orthogonale et la répétition. Quant à la troisième source d'inspiration du minimalisme, elle se situe du côté du constructivisme soviétique et de Brancusi. Mais un Brancusi que l'on aurait dépouillé de sa figuration mystique-archaïque ou de son abstraction organique pour ne considérer que ses matériaux et ses socles, qui ont séduit les artistes minimalistes parce qu'ils ne véhiculaient aucune signification au-delà de leur « être » dans l'espace : « être » comme expression neutre de la forme, « être » comme expression anonyme mais ô combien concrète des matériaux. A cet égard, l'attirance pour Brancusi était intimement liée à l'intérêt pour le constructivisme russe découvert tardivement (*cf.* le texte de Benjamin H.D. Buchloh *infra*). Il va de soi que d'autres facteurs isolés ont influencé chacun de ces artistes, mais l'étude de ces cas particuliers déborde le cadre de notre propos.

D'une manière générale, donc, l'objet minimal rompt avec l'évolution suivie jusque-là par la sculpture moderne. Il est différent sous les points de vue de l'iconographie, de la structure, de la situation dans l'espace, des techniques, des matériaux et du fonctionnement sémantique. Il n'est pas structuré par des relations internes, mais constitué d'une addition d'éléments modulaires. Son volume peut être quasi immatériel, et se réduire soit à une structure à claire-voie ou à un grillage métallique, soit à des barres de lumière impalpables ou encore à une série de plaques étendues à même le sol. Ses formes sont neutres, géométriques, parfois horizontales, rarement verticales (par refus de l'anthropomorphisme). Son échelle est méditée et calculée au millimètre : l'agrandissement ou la réduction d'un objet minimal le viderait de son sens. Ses matériaux sont industriels, et il est souvent exécuté dans un établissement industriel d'après les indications de l'artiste. Enfin, l'objet minimal est destiné à susciter des réactions à prédominance physique.

Le premier contact avec toute œuvre d'art est de l'ordre de la perception sensorielle et physique. Mais cette impression première se superpose dans la mémoire du spectateur à des traces résiduelles d'expériences passées et de connaissances acquises. Elle se convertit alors en des formes d'appréhension affective et intellectuelle différentes, que nous appelons la perception esthétique. L'art minimal visait à faire coïncider la perception de l'objet avec la perception phénoménologique que le spectateur a de son propre corps en tant que réalité physique dans l'espace. L'impression devait être immédiate, dénuée de toute ambiguïté et en quelque sorte définitive. Un peu à la manière de l'architecture moderne, la neutralité de ces objets, dépourvus d'images et de tout contenu psychologique ou expressif, se dérobe à la contemplation/interprétation et oblige le spectateur à reporter son attention sur lui-même dans une relation d'équivalence simple et évidente.

Alors, est-ce encore de la « sculpture »? Disons que c'est un aspect de la sculpture des années soixante, que c'est ce qu'elle était devenue : des éléments modulaires aux dimensions spécifiques, associés à un lieu spécifique et destinés à provoquer des réactions spécifiques. Les idées du minimalisme et leur mise en application peuvent sembler manquer de souplesse et de variété, il n'en reste pas moins que cette rupture avec une certaine tradition occidentale de la création d'objets à énormément agrandi le champ de la sculpture comme le prouvent toutes ces voies nouvelles explorées par la suite : *earthworks*, « sites », art conceptuel, et même la sculpture molle, les « dispersions » et les œuvres du *process art*. L'incidence de l'art minimal se fait encore sentir aujourd'hui dans certains aspects de notre culture postmoderne. Le retour aux objets baroques, irrationnels, vivement colorés, faits à la main, naturalistes ou imagistes représente la riposte éclatante d'artistes plus jeunes à la rhétorique rigoureuse, presque structuraliste, du minimalisme américain.

1   Rosalind Krauss, « Sculpture in the Expanded Field », *October,* Cambridge (Mass.), M.I.T. Press, vol. VIII, 1979.

Donald Judd
145 **Untitled** (1965)
[Sans titre]
Plaques d'aluminium et verre armé
Quatre éléments
86,4 × 410,2 × 86,4 cm en tout

Sol LeWitt
46 **Five Part Piece** (1966-1969)
Acier peint
160 × 450 × 450

Carl Andre
147 **144 Steel Plates** (1967)
144 plaques d'acier
Chacune : 1 × 30,6 × 30,6 cm
L'ensemble : 1 × 367 × 367 cm

Dan Flavin
Untitled : To Donna (1968, version 1971)
Quatre tubes de lumière fluorescente et métal peint
245 × 245 × 29 cm

Robert Morris
148 **Untitled** (1967, version 1986)
[Sans titre]
Grillage en acier
78,7 × 275 × 275 cm

Esthétique de la nature

Primitivisme, expressionnisme

Vers le début du siècle, tandis que l'art des cubistes et des futuristes reflétait divers aspects d'une philosophie et d'une atmosphère d'avant-garde, un autre groupe d'artistes exprimait une réaction différente à l'environnement moderne. On retrouve dans l'œuvre de ces artistes, notamment Brancusi, Epstein, Gaudier-Brzeska et les expressionnistes allemands, une technique plus traditionnelle (la taille directe) et un naturalisme stylisé qui présente des affinités avec les arts primitifs (tribaux ou archaïques), affinités que l'on a amplement analysées depuis quelque temps. Ces sculptures primitivistes semblent presque anachroniques, tout le contraire du « moderne », quand on les confronte avec les œuvres cubistes et futuristes. Il est à supposer d'ailleurs que ces artistes visaient précisément un certain anachronisme, car c'est une façon de résister à l'évolution et au progrès. Or, comme on l'a vu plus haut, cette volonté de nier ou de défier le temps historique correspond à l'une des expressions de la sensibilité moderne.

Plusieurs de ces artistes travaillaient, ou avaient travaillé, en Allemagne et leur exemple met en lumière l'éthique ou esthétique de la nature dont leurs œuvres portent l'empreinte. La notion d'avant-garde, du moins la sensibilité et l'optimisme qu'elle recouvre, n'était pas en honneur dans l'Allemagne du début du siècle. Bien au contraire, la vie intellectuelle y baignait dans un climat de désenchantement et de révolte contre l'ère industrielle. On y assimilait la modernité des sociétés capitalistes de pointe et les progrès scientifiques et technologiques à la décadence, au déclin et à la déshumanisation. Il est à présumer que des artistes allemands tels que Schmidt-Rottluff, Kirchner, Heckel, et d'autres sans doute, n'ignoraient rien de ces théories et n'y étaient pas insensibles non plus.

Pour l'essentiel, cette philosophie reposait en gros sur l'idée que le capitalisme et la vie urbaine avaient détruit les relations réciproques et organiques et l'espèce de symbiose qui unissaient l'homme à la nature dans les sociétés rurales préindustrielles. Des rapports fondés sur la satisfaction des besoins et tous les corollaires d'une relation personnelle directe (tactile, sensorielle et affective) avec les objets et les autres êtres humains avaient cédé la place aux préoccupations abstraites de la production et du profit devenus des fins en soi.

Des artistes allemands comme Ernst Barlach ont puisé leur inspiration dans la sculpture gothique, au tout début du siècle, afin de se soustraire aux valeurs du présent. La nostalgie de la société préindustrielle a incité d'autres artistes, telle Käthe Kollwithz, à vivre dans des communautés rurales. Les représentants de ce que l'on appelle l'expressionnisme allemand, tout comme les cubistes mais pour des raisons différentes, ont cherché une inspiration et des modèles dans les arts tribaux d'Afrique et d'Océanie ainsi que dans l'art populaire de leur propre continent.

Contrairement aux cubistes, ces artistes n'accordaient qu'une importance secondaire aux enseignements plastiques tirés de l'art tribal. Pour eux, ce qui comptait avant tout, c'était la spiritualité incarnée dans ces objets, et aussi l'impression de stabilité qui émanait de leurs formes immuables déterminées par des fonctions rituelles invariables. Ces objets paraissaient à la fois universels et intemporels, et donc dégagés des contingences de l'histoire. L'art populaire séduisait ces artistes allemands pour des raisons analogues. S'il n'est pas forcément destiné à un usage rituel, il obéit tout de même à des canons traditionnels, il participe d'un code de significations traditionnel et il traduit une vision globale du monde.

Cuillère dan, Côte-d'Ivoire
Cat. n° 172

Tout comme l'art tribal, il subit une évolution stylistique tout à fait minime.

Ainsi, l'attrait de ces objets résidait dans le fait qu'ils représentaient une vision du monde préindustrielle, presque préculturelle, hors de l'histoire. Ils remplissaient une fonction dans le cadre des structures traditionnelles d'une société donnée, fondée sur une communion étroite avec le monde de la nature et la vie spirituelle.

Dans la plupart des arts primitifs, archaïques et populaires qui fournirent des sources d'inspiration, la technique utilisée était celle de la taille directe. Très répandue depuis les temps préhistoriques jusqu'au Moyen Age, la taille directe était tombée en défaveur à la Renaissance, pour être supplantée par des méthodes d'exécution plus complexes et plus élaborées liées à une sécularisation de la statuaire ou sculpture. A de rares exceptions près, dans la sculpture des XVIIe, XVIIIe et XIXe siècles de plus en plus emphatique, mais aussi de plus en plus individualiste et métaphorique, l'intervention manuelle de l'artiste deviendrait invisible. Mieux encore, la vie intérieure du sujet serait étouffée, voire refoulée, au profit d'une présence idéalisée (un monument dédié à quelque puissance séculière) ou d'un effet décoratif. Durant tout ce temps, la technique du modelage et de la fonte, qui se prêtait si bien à la reproduction avec tout ce qu'elle supposait quant aux possibilités de permanence et de monumentalité, resta la méthode souverainement adéquate pour faire de la sculpture.

La taille directe était plutôt le fait des sociétés tournées vers la vie spirituelle (par opposition aux sociétés laïques) où les objets d'art remplissaient une fonction religieuse ou rituelle. L'artiste qui façonnait la matière en la taillant lui insufflait une vie, une énergie, une spiritualité, voire un pouvoir magique, selon les prescriptions rituelles de sa société. Pour cet artiste, l'objet qui prenait forme entre ses mains n'était pas la représentation d'un dieu ou d'un esprit. Il était le dieu ou l'esprit logé dans la matière. Et les objets divins ou idoles expriment, en leur qualité d'esprits incarnés, la foi et la conviction profonde de leur créateur. Ainsi, l'homme, le geste, le matériau et l'esprit délivré ou retenu dans la matière sont unis dans un seul et même acte spirituel.

Dans les œuvres de Brancusi, Gaudier-Brzeska, Epstein, Derain, Kirchner et Schmidt-Rottluff, les formes ne sont pas seulement déterminées par la volonté d'évoquer un monde préindustriel, mais aussi par les matériaux et techniques que ces artistes ont choisis. Les sculptures en pierre de Brancusi et d'Epstein, par exemple, sont des volumes monolithiques fermés destinés à faire sentir la présence latente d'une mystérieuse spiritualité, à la manière des stèles océaniennes et des divinités esquimau ou même aztèques qui les ont peut-être inspirées. Les sculptures en bois peint des expressionnistes allemands recèlent une énergie agressive qui correspond à l'angoisse et à la violence iconoclaste dont témoignent leurs peintures. Elles reflètent l'atmosphère intellectuelle plus exacerbée qui régnait alors en Allemagne et la volonté affirmée de revenir à une expression plus primordiale. Dans les œuvres de tous ces artistes, les formes, les techniques et le traitement des surfaces relèvent de conventions étrangères au répertoire traditionnel des modes de la sculpture occidentale. Pas plus que les arts dont elles sont inspirées, elles ne peuvent se rattacher à une phase particulière d'une évolution stylistique continue et logique, parce que dans les sociétés traditionnelles les formes et les styles n'évoluent pas. Bien au contraire, la stabilité de la société et de ses croyances repose sur des systèmes de récurrence temporels et rituels. En puisant leur inspiration dans des modes de représentation primitifs, ces artistes du début du XXe siècle cherchaient à s'affranchir de la doctrine darwinienne de l'évolution dans le temps et par là des notions d'adaptation à l'époque, de progrès et de modernité qu'elle servait à cautionner. Pourtant, répétons-le, il semble évident aujourd'hui que cette volonté de défier le mouvement de l'histoire n'était jamais qu'une autre façon d'exprimer la sensibilité moderne.

Tiki des îles Marquises
Cat. n° 167 a

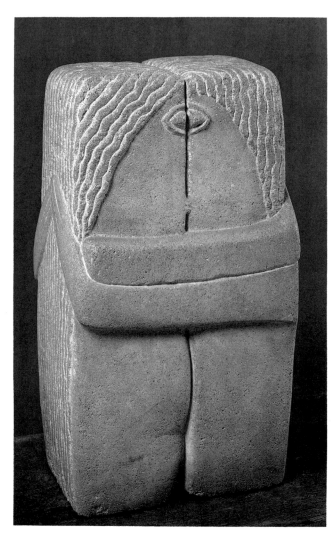

André Derain
150 **Homme et femme** (1907)
Grès
39 × 24 × 24 cm

Constantin Brancusi
151 **Le Baiser** (1912)
Pierre calcaire, socle en chêne
58,5 × 35 × 25,5 cm

Constantin Brancusi
153 **Coupe 2** (v. 1923)
Bois
19 × 36,5 × 29,5 cm

Constantin Brancusi
152 **Le premier pas: Tête** (1913)
Bois
25,9 × 16,5 × 17 cm

Constantin Brancusi
154 Colonne sans fin (v. 1925)
Bois
301,5 × 29 × 29 cm

Constantin Brancusi
155 Colonne sans fin (v. 1928)
Bois
406,5 × 25 × 25 cm

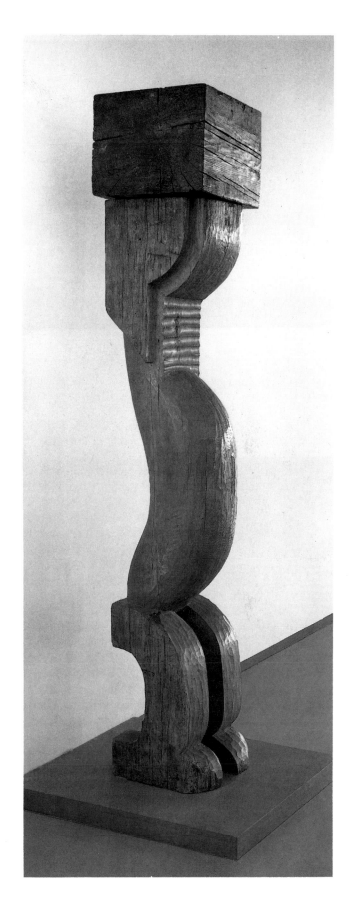

Constantin Brancusi
Tabouret (1928)
Teck
45 × 41 × 41 cm

Constantin Brancusi
156   **Cariatide** (1940)
Bois
229 × 45,5 × 43,5 cm

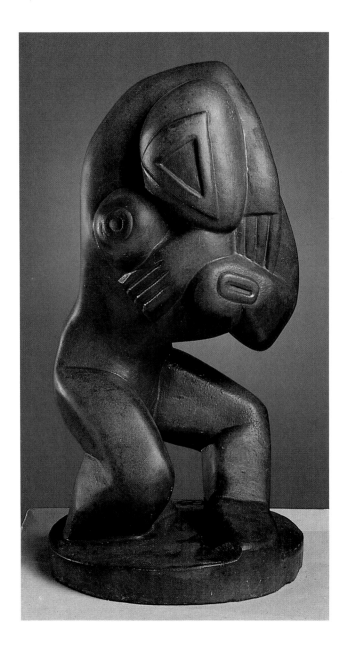

Henri Gaudier-Brzeska
159 **Red Stone Dancer** (1913)
[Danseuse rouge]
Pierre rouge de Mansfield
43,2 × 22,9 × 22,9 cm

Jacob Epstein
158 **Female Figure** (1913)
Flenite (serpentine)
H.: 61 cm

Ernst Ludwig Kirchner
160 **Tanzende** (1911)
[Femme qui danse]
Bois peint
87 × 35,5 × 27,5 cm

Ernst Ludwig Kirchner
161 Tänzerin mit gehobenem Bein (1913)
[Danseuse à la jambe levée]
Chêne peint
72 × 24 × 26 cm
Collection particulière

Ernst Ludwig Kirchner
162 Männliche Aktfigur (v. 1911)
[Nu masculin]
Bois de peuplier, teinté brun, partiellement brûlé et peint en noir
H.: 35 cm

Karl Schmidt-Rottluff
Adorant (1917)
Bois peint
H.: 37,5 cm

Karl Schmidt-Rottluff
164 **Blauroter Kopf** (1917)
[Tête bleu-rouge]
Bois teinté
H.: 30 cm

Raymond Duchamp-Villon
165 **Portrait du professeur Gosset** (1918)
Plâtre patiné
30 × 23,5 × 23,5 cm

Alberto Giacometti
166 **Femme-cuiller** (1926)
Bronze
145 × 21 × 21 cm

Figuration archaïque
et abstraction organique

Si les années trente n'ont pas légué à la postérité un mouvement dominant ou un style unique, elles correspondent en revanche à une époque particulièrement foisonnante. De multiples voies s'offraient aux artistes, notamment le langage de l'abstraction géométrique et les sculptures d'assemblage en métal qui possédaient certains caractères plastiques et techniques déjà présents dans les assemblages cubistes. Il y avait aussi le surréalisme, qui devait donner naissance aux « objets à fonctionnement symbolique » mais à peu d'œuvres sculptées vraiment intéressantes en dehors de celles de Giacometti. Dans les années trente, l'intérêt pour les formes d'art archaïques et plus particulièrement pour leur dimension spirituelle engendra des styles relevant d'un classicisme archaïque ou d'une abstraction organique classique qui étaient très différents par leur esprit des précédentes démarches inspirées par les cultures primitives et tribales. Même s'il procédait d'une tout autre attitude intellectuelle, ce phénomène trouvait un parallèle dans les réminiscences de la Renaissance classique que l'on observait chez des artistes tels que Manolo et Maillol, ou encore dans l'œuvre d'un Henri Laurens en France.

Ce style figuratif classique, illustré par les exemples de Maillol en France et du mouvement « noucentiste » catalan en Espagne, traduisait une sorte de nationalisme méditerranéen en réaction contre l'« internationalisme » des avant-gardes, et une nostalgie d'un passé arcadien intemporel. Bien sûr, cette nostalgie s'était déjà manifestée à plusieurs reprises au cours du XXe siècle (par exemple vers 1908, à travers Matisse et Maillol), mais à présent elle revêtait une autre signification et représentait une contre-proposition anachronique opposée aux avant-gardes désormais bien implantées. Il s'agissait de refuser la fragmentation, la géométrie et les matériaux hétérodoxes de l'abstraction post-cubiste, les déformations de la représentation humaine introduites par l'expressionnisme ainsi que les « arcanes » et le symbolisme littéraire du surréalisme pour les remplacer par un ensemble de valeurs consacrées : des volumes homogènes, le nu féminin idéalisé classique, la frontalité statique, la symétrie et la pesanteur, les matériaux nobles, les techniques traditionnelles du modelage et de la fonte. L'on aspirait en quelque sorte à un nouvel humanisme, à une « nouvelle image de l'homme » et, par là, semble-t-il, à démolir l'édifice du modernisme.

Pour des raisons diverses, dont la moindre n'était pas la situation politique du moment, ce retour à un classicisme doublé d'un nationalisme s'est produit un peu partout en Europe sous les espèces des « réalismes » (Neue Sachlichkeit, etc.) qui sont apparus à la fin des années vingt et tout au long des années trente. On peut penser que Picasso lui-même n'était pas insensible à ce climat idéologique et aux priorités plastiques qu'il faisait valoir. Car à partir de 1931, juste après avoir exécuté avec González des constructions filiformes quasi immatérielles, Picasso est revenu à des techniques et des sujets plus traditionnels. Il serait tentant d'attribuer cette mutation stylistique à sa rencontre avec Marie-Thérèse Walter, alors dans tout l'éclat de sa beauté classique, mais les choses ne sont pas si simples. En effet, la façon dont il a réinterprété son modèle atteste en elle-même son désir de parvenir à une forme d'expression plus universelle et plus limpide. Cependant, Picasso n'allait pas faire appel aux archétypes classiques comme il l'avait fait autrefois. Les formes renflées de ses *Baigneuses* et de ses *Têtes* de cette période évoquent les silhouettes archétypales que l'on trouve dans les cultures préhistoriques. Car si Picasso cherchait à rendre palpable la sensualité de son modèle, il souhaitait

Aristide Maillol
Figure centrale du groupe des *Trois Grâces*
(1930)

également la sublimer, la sacraliser en quelque sorte, sous une forme traditionnelle et durable. Il s'efforçait de l'investir en même temps de la présence magnétique, de l'énergie spirituelle et des pouvoirs magiques qu'il percevait dans les effigies féminines des cultures préhistoriques.

C'est l'une des façons dont une dimension primitive ou archaïque a été réintroduite dans l'art occidental afin de parvenir à une forme d'expression de l'ordre du spirituel, et de se dégager dans une certaine mesure des contingences de l'histoire. D'autres artistes, tel Henry Moore, allaient également se ressourcer dans les cultures archaïques pour atteindre à un classicisme intemporel. Dans un premier temps, Moore s'est imprégné de l'art précolombien. Les sculptures qui l'ont inspiré (notamment les statues mexicaines à demi-étendues dites « chac-mool ») étaient des images de divinités dont les formes taillées dans la pierre et la signification religieuse avaient vocation à durer des siècles. Cette influence classique archétypale allait sans doute modeler les idéaux esthétiques de Moore tout au long de sa carrière, mais quand il s'est écarté de ces modèles, abandonnant progressivement la taille directe pour la fonte en bronze et les proportions modestes pour l'échelle monumentale, ses œuvres ont perdu la spiritualité sereine et intemporelle qui les animait autrefois.

Si l'on ne peut invoquer la même « nostalgie » d'un passé archaïque pour expliquer l'évolution stylistique de Brancusi au cours de cette période, les formes organiques classiques et la spiritualité latente de ses œuvres ne correspondent pas moins au même climat culturel. Auparavant, l'intérêt de Brancusi pour l'art africain s'était traduit par la spiritualité primordiale, la facture et la structure rustiques de ses sculptures en bois. Cependant, les œuvres en métal ou en marbre sur lesquelles il a travaillé plus continûment au début des années vingt témoignent d'un affinement des formes et d'une sublimation du sujet qui allaient le mener peu à peu aux antipodes des conventions de la sculpture traditionnelle. Les dernières versions de son *Oiseau dans l'espace,* lui-même inspiré de la *Maiastra,* cet oiseau mythique qu'il avait créé un peu plus tôt, représentent le terme ultime de cette évolution. Elles sont dénuées de poids, d'épaisseur et presque de présence concrète. Les versions en métal poli, qui semblent faites d'une pure luminosité immatérielle, évoquent la présence fugace et insaisissable d'une puissance naturelle occulte.

Brancusi a toujours créé ses formes d'après un modèle. Mais, comme le démontrent la plupart de ses œuvres, il partait en fait d'une vision mythique ou sublimée de son modèle. Cette dimension mythique dénote une conception du temps, de l'espace, du contexte culturel et de la fonction de l'œuvre différente de celle qui caractérise les cultures tribales. Elle renvoie également à une autre cosmogonie. Le rôle spécifique du mythe réside dans la réactuation de vérités universelles et éternelles selon un mouvement perpétuel circulaire. Il participe donc du contraire d'un déroulement linéaire ou évolutif du temps. La vision mythique authentique dont les thèmes de Brancusi et leurs variantes portent l'empreinte se dérobe à toute tentative d'inscription dans l'histoire.

D'innombrables artistes ont cherché à suivre l'exemple de Brancusi, et pourtant bien peu ont saisi la portée véritable de son art. Beaucoup ont voulu s'inspirer de ses formes idéales, mais elles ne suffisaient pas à inspirer une grande sculpture. La sculpture de Brancusi n'est pas l'expression d'une subjectivité projetée et incarnée dans un objet. Elle appelle plutôt la comparaison avec un esprit ou une essence métaphysique présent dans la nature, qui engendrerait ses propres formes absolues. A certains égards, cette démarche est plus proche de la pensée extrême-orientale que de la pensée occidentale, et elle présente aussi des affinités avec certains aspects de l'idéal surréaliste. Les rares artistes qui ont vraiment compris Brancusi avaient d'ailleurs des liens avec le surréalisme. Eux seuls ont perçu l'impérieuse nécessité d'oublier le moi, de « s'évader dans l'absolu de la nature », afin de créer ou de restituer les formes universelles et mythiques.

Henry Moore
173 Reclining Figure (1929)
[Figure couchée]
Pierre brune de Hornton
57,2 × 83,8 × 38 cm.

Pablo Picasso
174 **Baigneuse** (1931)
Bronze
70 × 40,2 × 31,5 cm

Pablo Picasso
175 Tête de femme (1931)
Bronze
71,5 × 41 × 33 cm

Constantin Brancusi
178 Mademoiselle Pogany 2 (v. 1919-1920)
Plâtre
44,5 × 19 × 30 cm

Constantin Brancusi
177 Mademoiselle Pogany 1 (v. 1912-1913)
Plâtre
44 × 24,5 × 30,5 cm

Constantin Brancusi
176 **Danaïde** (1910-1913)
Bronze doré en partie
27,5 × 18 × 20,3 cm

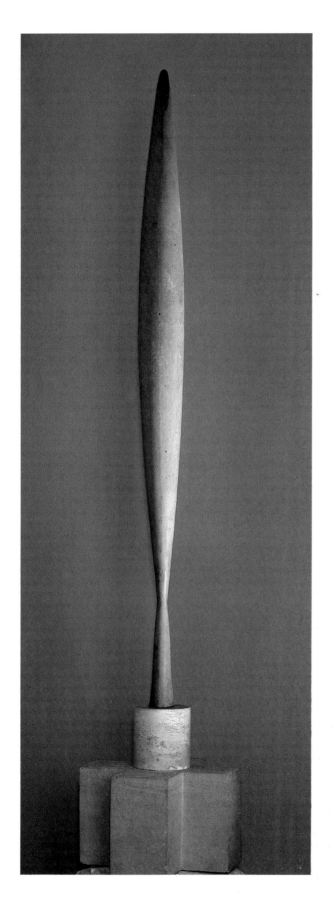

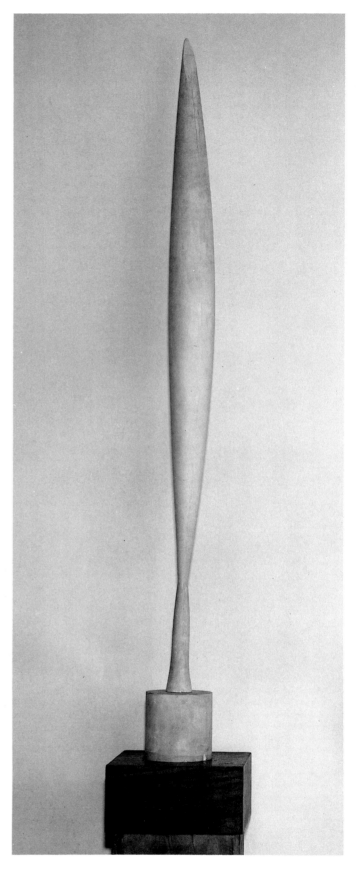

Constantin Brancusi
180 **Oiseau dans l'espace** (1936)
Plâtre teinté gris
194,5 × 14 × 20 cm

Constantin Brancusi
179 **Oiseau dans l'espace** (1936)
Plâtre
187 × 12 × 22 cm

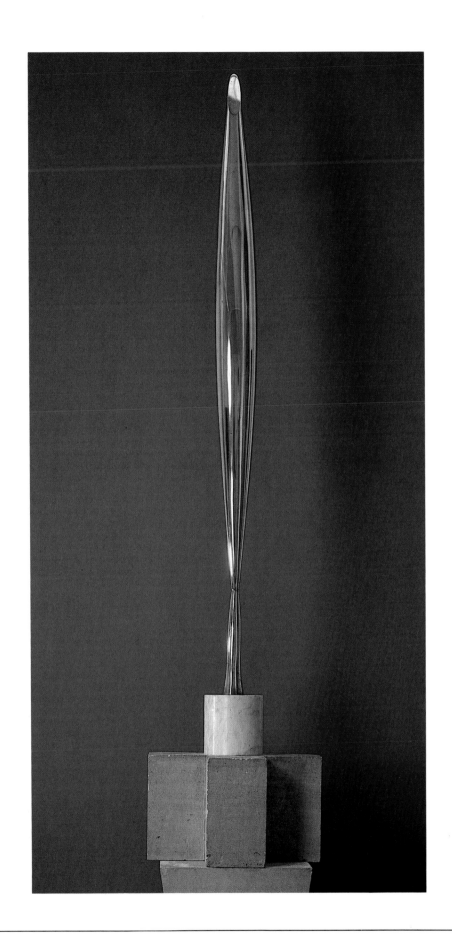

Constantin Brancusi
181 **Oiseau dans l'espace** (v. 1940-1941)
Bronze poli
191,5 × 13,3 × 16 cm

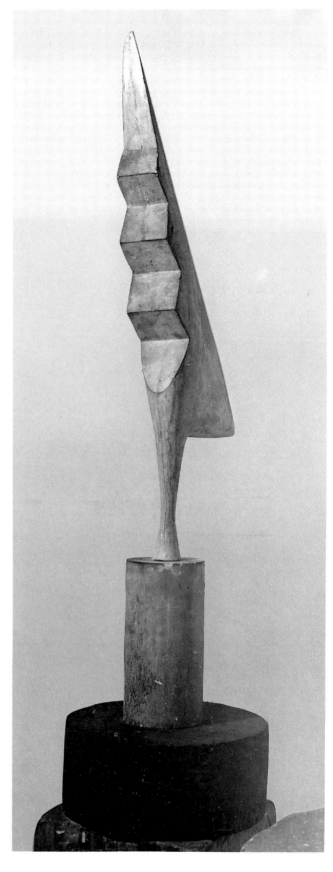

Constantin Brancusi
182 **Coq** (1935)
Bronze poli
103 × 21 × 11 cm

Constantin Brancusi
183 **Coq** (1924)
Plâtre
92 × 10,2 × 38 cm

Constantin Brancusi
184 **Muse endormie** (v. 1927)
Marbre blanc
15,3 × 29,3 × 15,3 cm

Alberto Giacometti
185 **Homme et femme : Le Couple** (1928-1929)
Bronze
40 × 40 × 16,5 cm

Alberto Giacometti
186 **La Femme égorgée** (1932)
Bronze
22 × 63,5 × 66 cm

Alberto Giacometti
Caresse : Malgré les mains (1932)
Marbre
47,5 × 49,5 × 16 cm

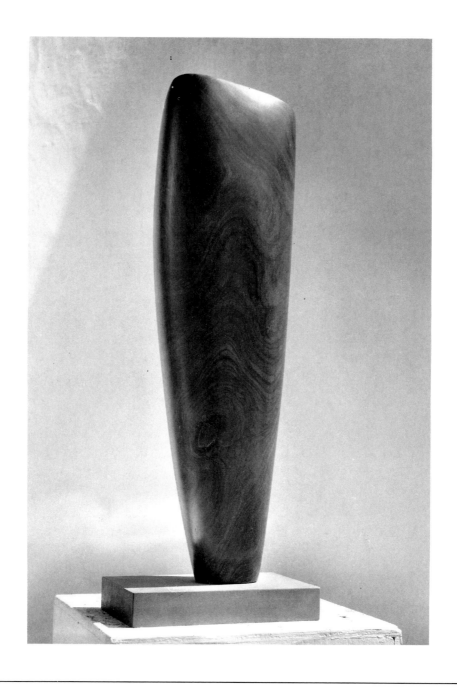

Barbara Hepworth
188   Single Form (1937)
Bois
54,6 × 15 × 12 cm

Isamu Noguchi
189 Gregory (1946)
Bronze
172 × 41 × 34 cm

Objets ludiques et oniriques

« OBJET — Les *ready-made* et *ready-made aidés,* objets choisis ou composés, à partir de 1914, par Marcel Duchamp, constituent les premiers objets surréalistes. En 1924 dans l'*Introduction au discours sur le peu de réalité*, André Breton propose de fabriquer et de mettre en circulation "certains de ces objets qu'on n'aperçoit qu'en rêve" *(objet onirique)*. En 1930, Salvador Dalí construit et définit les *objets à fonctionnement symbolique* (objet qui se prête à un minimum de fonctionnement mécanique et qui est basé sur les phantasmes et représentations susceptibles d'être provoqués par la réalisation d'actes inconscients). Les objets à fonctionnement symbolique furent envisagés à la suite de l'objet mobile et muet : la boule suspendue de Giacometti qui réunissait tous les principes essentiels de la définition précédente mais s'en tenait encore aux moyens propres à la sculpture. Sur le passage du surréalisme se produit une crise fondamentale de l'objet. Seul l'examen très attentif des nombreuses spéculations auxquelles cet objet a publiquement donné lieu peut permettre de saisir dans toute sa portée la tentation actuelle du surréalisme *(objet réel et virtuel, objet mobile et muet, objet fantôme, objet interprété, objet incorporé, être-objet, etc.)*. Parallèlement, le surréalisme a attiré l'attention sur diverses catégories d'objets existant en dehors de lui : *objet naturel, objet perturbé, objet trouvé, objet mathématique, objet involontaire,* etc. » *(Dictionnaire abrégé du surréalisme,* 1938, pp. 18-19.)

Si André Breton et ses confrères surréalistes eurent tôt fait de s'annexer les ready-mades de Marcel Duchamp en tant que « premiers objets surréalistes », les objets en question, qui participaient de certains mécanismes de sélection et de déplacement, étaient tout sauf surréalistes. Bien que contraires à la logique, ils n'étaient pas irrationnels. A l'instar des calembours ils s'appuyaient sur un système de pensée rationnel pour parvenir à une logique interne inversée. Le projet surréaliste se voulait plus radical et plus ambitieux. Il visait à « irrationaliser » toute activité humaine. Puisque le rationalisme est cette instance sélective et inductive qui détermine le comportement humain conscient, les surréalistes se proposaient de saper son autorité pour tenter de rétablir l'intégrité de l'expérience humaine.

Mais ce n'est pas la seule différence importante entre les visées dada et surréalistes. L'attention des dadaïstes se portait sur les procédés et les techniques capables de démonter les mécanismes rationnels de l'action et de la prévision. Pour un peu les moyens auraient prévalu sur les fins, qui se limitaient quasiment à la démonstration d'une technique ou d'un procédé mécanique. Par contre, s'il va de soi que les surréalistes étaient attentifs aux moyens, ils attachaient le plus grand prix aux images produites. Qu'il s'agisse de prose, de poésie ou d'arts plastiques, le surréalisme visait essentiellement la création d'images.

Le fait même que sous sa forme idéale l'image surréaliste devait être la matérialisation fortuite de pulsions irrationnelles fugaces interdisait d'emblée la pratique de la sculpture dans son acception traditionnelle. Aussi bien, dans les dernières années, quand certains des plus grands peintres surréalistes s'essayèrent à une sculpture traditionnelle, la transposition en trois dimensions et en matériaux durables de ce qui était auparavant une image fugitive élimina presque toujours le caractère spontané et précaire de leurs découvertes initiales.

Le projet surréaliste se fondait sur l'immédiateté insaisissable de tout ce que l'on pourrait appeler le vécu irrationnel : celui des rêves, des désirs et des pulsions révélés dans les libres associations d'idées, dans l'humour ou les jeux d'esprit, dans l'activité ludique et les actes manqués. C'étaient ces sortes d'opérations qui donnaient naissance à l'objet surréaliste, lequel, par définition, ne pouvait être constitué que de matériaux éphémères et aléatoires, soumis aux nécessités intérieures, indéterminées mais irrépressibles, de l'artiste.

Miró s'en est expliqué très nettement à propos de son *Objet du couchant* de 1936: « Il a été fait et peint à Montroig, avec un tronc de caroubier, arbre d'une grande beauté qu'on cultive en ce pays et qui produit un fruit qu'on donne à manger aux chevaux, les autres objets furent trouvés au hasard de mes promenades. Je tiens à vous préciser, et ceci est d'une très grande importance, que quand je trouve quoi que ce soit, c'est toujours par une force magnétique, plus forte que moi, que je suis attiré et fasciné. [...] Je peux vous dire aussi à titre d'information que cet objet était considéré comme une farce par tout le monde, sauf, bien entendu, par Breton, qui a été à l'instant saisi par son côté magique. » (Lettre inédite à Dominique Bozo, datée du 13 février 1975. Archives du Mnam, Centre Georges Pompidou, Paris.)

De toute évidence, dans ces objets ce n'était pas seulement l'image produite ou le matériau employé qui comptait, mais aussi leur portée allégorique qui justifiait leur définition d'« objets à fonctionnement symbolique ». Il est donc naturel que les surréalistes aient été séduits par les objets rituels océaniens et esquimaux dont ils appréciaient le charme visuel (les motifs bidimensionnels éminemment décoratifs), tout autant que la dimension magique et symbolique. Étant donné que le symbole est investi par un système de croyances donné d'une signification qui le dépasse largement, les objets surréalistes étaient censés véhiculer toutes sortes de fantasmes enfouis, de souvenirs et d'associations d'idées, allant de l'admissible à l'inadmissible, du nommable à l'innommable. Par là, ces objets devaient être comparables aux instruments des rites et des cultes. Ils étaient destinés à ressusciter et renouveler certains modes de reconnaissance et de connaissance de soi, qui étaient habituellement dénigrés ou oubliés volontairement.

Alexander Calder
190 Homme jetant un poids (1929)
Fil de fer
70 × 65 × 40 cm

Alexander Calder
1 L'Univers (1931)
Fil de fer et bois
H. : 91,5 cm

Alberto Giacometti
193 **Boule suspendue** (1930-1931)
Fer et bois
60,3 × 36 × 33,1 cm

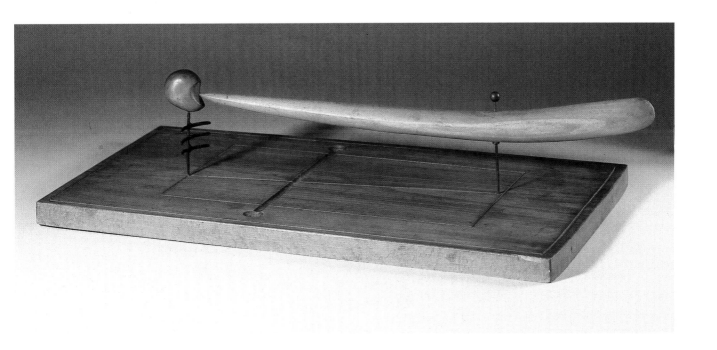

Alberto Giacometti
La Pointe à l'œil (1932)
Bois et fer
12,5 × 53,2 × 29,5 cm

Alberto Giacometti
Circuit (1931)
Bois
5 × 47 × 47 cm

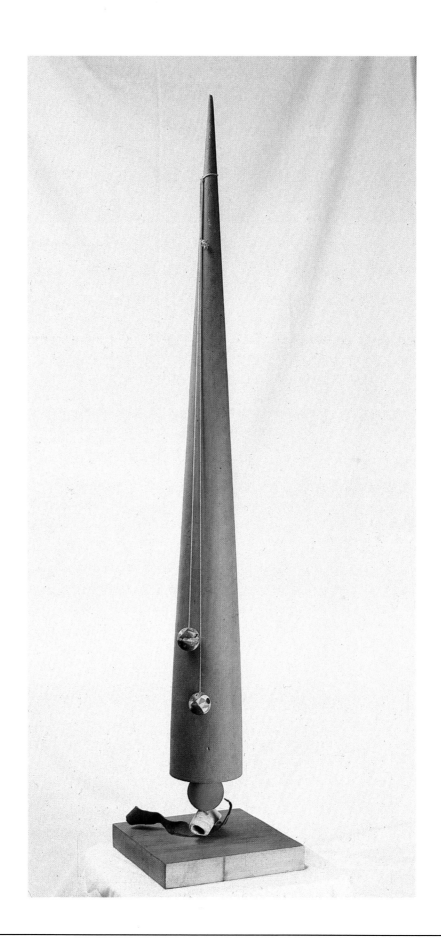

Jean Peyrissac
192 Cône (v. 1930-1932)
Bois, plomb et os
H. : 110 cm

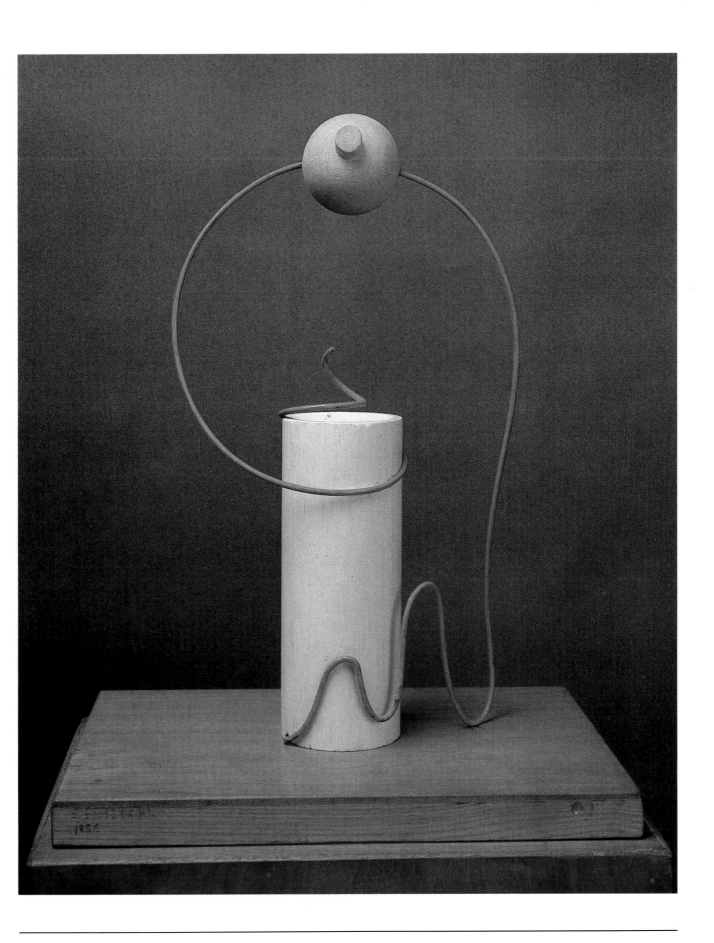

Leandre Cristòfol
Monument (1935)
Bois et métal
H. : 80 cm

Eudald Serra Güell
196 **Escultura** (1934)
Terre cuite polychrome et cordelette
41 × 11 × 17 cm

Meret Oppenheim
Objet : Le Déjeuner en fourrure (1936)
Tasse, soucoupe et cuiller recouvertes de fourrure
Tasse ∅ : 10,9 cm
Soucoupe ∅ : 23,7 cm
Cuiller l. : 20,2 cm
H. : 7,3 cm

Leandre Cristòfol
198 **Nit de Lluna** (1935)
[Nuit de lune]
Bois
H. : 70 cm

Max Ernst
200 Objet mobile recommandé aux familles (1936)
Bois et ficelle
H. : 98 cm

Joan Miró
201   L'Objet du couchant (1937)
Bois peint, métaux et ficelle
68 × 44 × 26 cm

Isamu Noguchi
205 Monument to Heroes (1943)
[Monument aux héros]
Bois, papier, os et ficelle
96,5 × 50,8 × 50,8 cm

Joseph Cornell
202 L'Égypte de Mlle Cléo de Mérode (1940)
Construction : bois, verre et techniques diverses,
26,2 × 18,4 × 12,1 cm

Joseph Cornell
203 Beehive : Thimble Forest (1940-1948)
[Ruche : Forêt de dés à coudre]
Construction : miroirs, sciure et dés à coudre
H. : 8 cm; ⌀: 19,1 cm

Joseph Cornell
204 A Pantry Ballet : for Jacques Offenbach (1942)
Construction, techniques diverses
26,8 × 35,6 × 13 cm

Giacometti

Le style personnel que Giacometti commença à élaborer vers 1945 offre l'exemple singulier d'un art qui réunit en lui les deux dimensions mythique et historique. Sa représentation archétypale de la forme humaine semble renvoyer à une condition mythique de l'homme, tandis que les innovations introduites dans le traitement de l'espace, qui répondent à des préoccupations plastiques constantes dans la sculpture du XXᵉ siècle, pourraient bien se rattacher à la philosophie existentialiste qui a marqué la période de l'après-guerre en Europe.

Pour Giacometti, une représentation mythique ne pouvait constituer une fin en soi, même s'il avait créé pendant sa période surréaliste des images symboliques au contenu indéniablement mythique. Déjà dans ses premières œuvres, il avait accordé une importance capitale aux espaces vides engendrés ou délimités par un ou plusieurs repères visuels. Cette préoccupation est particulièrement évidente dans *Mains tenant le vide* (1934), où le vide est le noyau ou centre symbolique de l'œuvre. Mais elle est manifeste également dans les constructions à claire-voie (parfois même en forme de cages) qui circonscrivent ou déterminent des volumes d'espace, et qui prédominent dans son œuvre de jeunesse. Dans le *Palais à quatre heures,* l'une des œuvres maîtresses de sa période surréaliste, l'armature de lignes et les motifs disséminés çà et là rappellent les configurations réticulaires que l'on voit dans les paysages imaginaires peints par Miró et par Tanguy entre 1925 et 1928, des tableaux où était instaurée une représentation symbolique du continuum spatial.

On retrouve le même accent sur l'espace environnant, considéré comme le milieu naturel de l'activité humaine, dans la sculpture de Giacometti postérieure à la période 1945-1950. A cette différence près toutefois que les motifs ou personnages ne sont pas symboliques et que l'espace n'est pas modelé sur celui du rêve. Bien au contraire, les personnages et l'espace lui-même évoquent les effets psychologiques et anamorphiques de la perception et de la perspective. Giacometti parlait d'« érosion » à propos de ces effets appliqués aux objets vus de loin, et il a matérialisé ce principe en réduisant ses silhouettes à un signe désincarné ou une ligne tremblée. Bien sûr, on doit tenir compte aussi des autres sortes de réductions que désigne ce terme, notamment l'érosion interne de la personnalité individuelle qui résulte de son insertion dans le monde moderne.

Tout comme l'objet ou la personne humaine subit l'action érosive de l'espace ambiant, il ou elle divise et délimite à son tour le continuum spatial, à la manière d'une ligne tracée sur une feuille blanche. C'est ce que nous fait sentir une œuvre comme *Trois hommes qui marchent* où les trois silhouettes isolées découpent des intervalles dans l'espace. L'emplacement de ces signes n'avait d'ailleurs qu'une importance secondaire pour Giacometti, parce que même si le volume d'espace contenu dans les intervalles changeait, la nature de ce vide chargé de sens resterait identique. Et si les tensions entre les silhouettes étaient susceptibles de varier en fonction de la répartition dans l'espace, chaque variation ne ferait que souligner la précarité, la relativité et la diversité de la situation de l'homme dans son milieu ambiant.

Des artistes avaient déjà soulevé expressément, et périodiquement depuis le début du siècle, le problème plastique posé par les espaces libres ou les volumes ouverts sur le vide, notamment lorsqu'ils avaient voulu introduire dans l'expression artistique les apports des découvertes techniques ou scientifiques les plus récentes, et donc certains aspects immédiats de la vie moderne. Ce fut par exemple le principal souci des frères Pevsner. Il préoccupa également Picasso et González, encore que pour eux il ne se formulait pas dans les mêmes termes. Mais Giacometti aborda cette question dans une optique totalement différente de celle de ses prédécesseurs, fondée sur des conceptions humanistes et existentielles. Pour Giacometti, l'espace n'était pas une abstraction. C'était le facteur déterminant de tout comportement humain. Autrement dit, l'homme était une résultante de ses relations avec l'espace et non une entité autonome dans l'espace. Il s'ensuivait que, dans l'esprit de Giacometti, la substance de ses silhouettes et celle des intervalles qui les séparaient ou de l'espace environnant était fondamentalement la même. C'est l'idée qui s'exprime on ne peut plus clairement dans ses dessins ou ses peintures où des enchevêtrements de lignes et de repentirs constituent à la fois le personnage et le fond. L'un et l'autre ne se distinguent que par une différence de densité du graphisme.

Ainsi, les silhouettes de Giacometti ne représentent pas des êtres humains bien précis, mais plutôt une situation, un « être de l'homme au monde ». La silhouette humaine et l'espace sont faits de la même substance psychique. Simplement, la première est plus dense, plus expressive, et le second plus diffus et transparent. Les contours érodés de ces silhouettes, joints à leurs dimensions généralement modestes, les situent à la confluence de phénomènes perceptifs, perspectifs et psychologiques que le spectateur prend pour sa propre réalité. Cependant, la distance qui est suggérée à dessein donne le sentiment que, même si l'ambiance spatiale est de celles dont on a l'expérience habituelle, les objets, eux, demeurent inaccessibles. Cette ambivalence est comparable, quoique pas tout à fait analogue, à l'« inquiétante étrangeté » des objets surréalistes, ce qui semble logique étant donné l'œuvre antérieure de Giacometti. Mais elle est également comparable à l'ambivalence qui caractérise d'autres formes d'expression artistique des années cinquante. Que l'on songe par exemple aux peintures de Francis Bacon, où ce qui se donne à voir semble participer de l'expérience quotidienne du spectateur tout en lui étant parfaitement étranger.

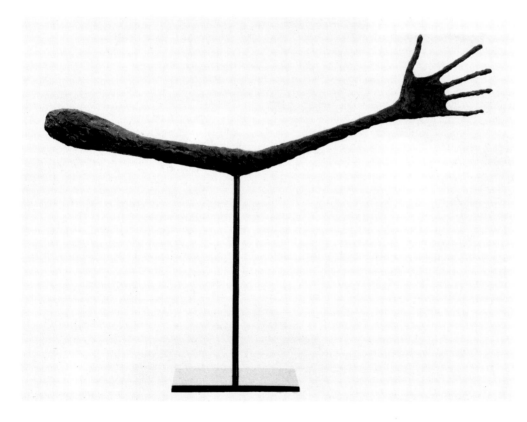

Alberto Giacometti
206 **Le Nez** (1947)
Bronze
82 × 63 × 37 cm

Alberto Giacometti
207 **La Main** (1947)
Bronze
53 × 71 cm

Alberto Giacometti
9 **Femme debout** (v. 1950)
Plâtre peint
19 × 8,5 × 8,5 cm

Alberto Giacometti
208 **Trois hommes qui marchent** (1948-1949)
Bronze
39,4 × 39,4 × 64,2 cm

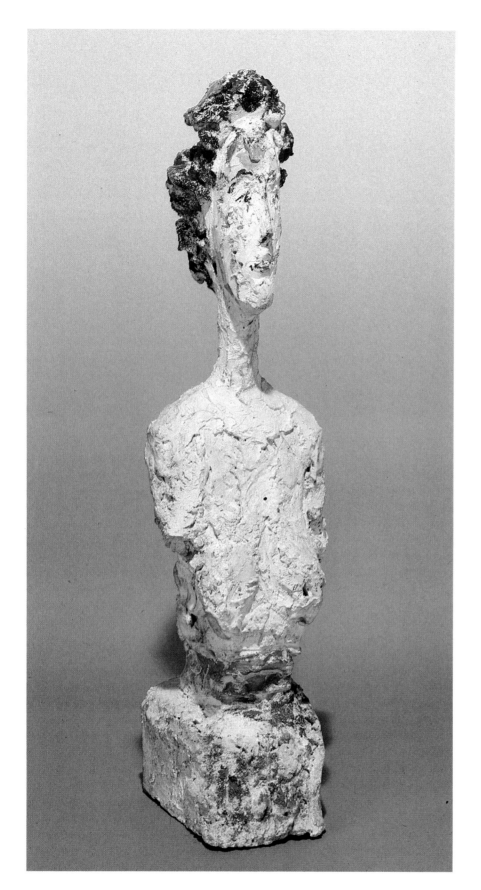

Alberto Giacometti
212 Buste de Diane Bataille (s.d.)
Plâtre peint
H. : 73 cm

Alberto Giacometti
210 Femme (1950)
Plâtre peint
H. : 26,5 cm

Alberto Giacometti
211 Quatre figurines sur un socle (1950)
Plâtre
H. : 20 cm

Alberto Giacometti
213 Diego Giacometti (1952-1953)
Bronze
39 × 33 × 19 cm

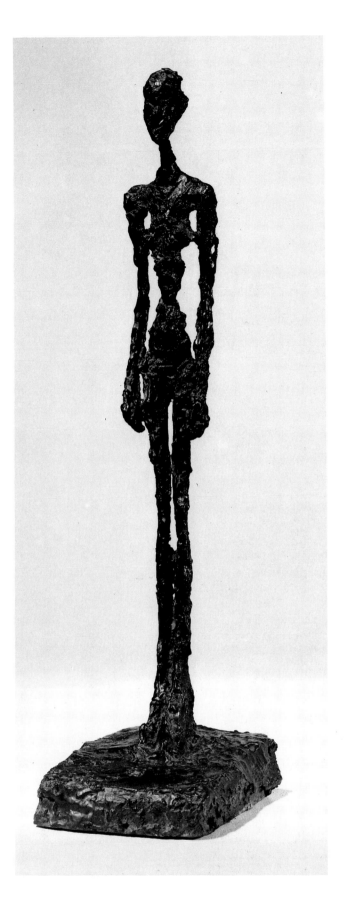

Alberto Giacometti
Femme debout (1957-1958)
Bronze
70 × 16,5 × 22 cm

Alberto Giacometti
215 **Femme assise** (1956)
Bronze
77,5 × 14,5 × 19,5 cm

La récupération de l'objet déchu

La Seconde Guerre mondiale représente une rupture à la fois historique, sociale et culturelle. Si les formes de la sculpture ne semblent pas se transformer immédiatement, l'esprit des formes, lui, en sortira transfiguré. Car avec cette guerre, l'Europe et l'Amérique perdent leur innocence, une innocence qui se manifestait auparavant par un idéalisme et par la conviction que l'être humain était le maître de son destin. L'homme occidental de l'après-guerre est un homme désenchanté. Il s'exprime avec fatalisme, scepticisme, et fait preuve d'une objectivité pragmatique.

Si jusqu'alors la sculpture, et les arts plastiques en général, témoignaient d'une foi dans les inventions humaines en matière de littérature, de science et de philosophie, ou plus encore dans la pensée abstraite et dans la valeur éternelle de certaines mythologies, la sculpture d'après-guerre sera au contraire liée à l'histoire et à ses événements. Elle renverra à une nouvelle image de l'homme en rapport avec un environnement hostile et un destin imprévisible : un homme coupé aussi bien de la nature que des grandes valeurs de la civilisation.

Dans les années quarante et cinquante, le grand sujet de la sculpture sera l'homme, non pas protagoniste héroïque mais victime. Les exemples les plus éloquents, bien que parfois ambivalents, se trouvent dans l'œuvre de Germaine Richier et de l'école anglaise (Armitage, Chadwick, Butler, Paolozzi). Ce sont des images kafkaïennes d'hommes désincarnés, torturés, atomisés et pathétiques. Les formes d'expression abstraite qui subsistent encore attestent cette même perte de foi. Ainsi, l'abstraction organique délayée ou « réchauffée » d'une certaine École de Paris, ou le surréalisme tardif de l'école américaine vers 1946. Dans un cas, certains artistes empruntaient des formes à Brancusi, mais ces formes une fois désinvesties de la spiritualité de leur créateur se vidaient de leur sens. Dans l'autre, des artistes américains transposaient le surréalisme dans le bronze et à plus grande échelle, réduisant à un stéréotype ce qui était à l'origine la manifestation authentique de désirs inavouables, fugaces et incontrôlés. Ces œuvres et ces artistes ne peuvent nous convaincre, car il leur manque toujours le facteur essentiel : la foi dans la vitalité, la spiritualité et l'imaginaire humains.

Ce sont peut-être des artistes qui ont accepté une situation circonstancielle sans chercher à lui donner une dimension idéalisée ou mythique qui ont donné l'expression la plus juste et la plus convaincante de leur époque. Parce que ces artistes ont vu que les vrais signes du temps étaient la fragmentation et la cassure, que la vraie condition de l'homme était celle d'un jouet du destin et que le destin est un fruit du hasard, enfin que les symptômes d'une société de masse, d'une production et d'une consommation de masse, étaient l'usure, le gaspillage, le déchet. A cet égard, les assemblages de déchets, connus aussi sous le nom de « junk sculpture », seraient réellement représentatifs du climat de l'après-guerre.

Lorsque Picasso et González ont inventé la sculpture « d'assemblage » à la fin des années vingt et au début des années trente, leurs objectifs se définissaient par rapport à un autre contexte. Leurs préoccupations étaient d'ordre plastique et technique. Ce qui les intéressait, c'était la légèreté et la spontanéité non seulement de cette technique, mais aussi de ses images, comparables à la peinture ou au dessin. Il faut croire que quelque quinze ans plus tard, lorsque Picasso a créé la *Tête de taureau* (1945) en réunissant une selle et un guidon de bicyclette, il était toujours séduit par ces aspects de l'assemblage. Et il l'était encore sans doute quand il a entrepris la réalisation de *La Guenon.* Même s'il ne s'agit plus d'un dessin dans l'espace mais d'une sculpture en volume, on retrouve la même liberté d'esprit dans la démarche de l'artiste.

Les artistes des années cinquante ont adopté la technique de l'assemblage pour de tout autres raisons : parce qu'elle permettait d'incorporer des objets, des déchets et des outils dans une seule image, laquelle serait forcément disloquée et aléatoire étant donné ses origines hétéroclites, et donc apte à exprimer un monde déchiqueté. En effet, si les objets intégrés dans les assemblages de Picasso et González étaient (à quelques exceptions près) banalisés ou neutralisés au profit de l'image globale, il n'en va pas de même pour les œuvres des artistes plus jeunes qui ont voulu au contraire souligner l'identité de chacun des éléments constitutifs. Car ils avaient choisi leurs objets de propos délibéré, non seulement pour leurs formes, mais aussi en tant que témoins d'une utilité ou d'une fonction révolue. Par exemple, les outils agricoles cassés ou rouillés évoquent une relation directe entre l'homme et la terre qui est dorénavant brisée. Les accessoires ou pièces détachées de l'industrie légère dénotent une perte de fonction analogue, par rapport aux derniers progrès technologiques. Ainsi, l'œuvre est un constat de la validité éphémère et du remplacement continuel de toutes choses dans la vie moderne. En cherchant à récupérer les résidus d'une autre époque, l'artiste tente de remonter ou d'arrêter le temps et de conférer à ces objets une valeur permanente, celle de l'art. Il ne sublime pas ces déchets épars, et tel n'est pas son but. La technique de l'assemblage permet de préserver l'identité de l'objet, de mettre au jour certaines décisions de l'artiste, mais surtout d'intervenir par un acte symbolique dans le mouvement irréversible du temps.

Pablo Picasso
217 **La Guenon et son petit** (1951)
Plâtre original : céramique, deux petites voitures, métal et plâtre
56 × 34 × 71 cm

Pablo Picasso
La Guenon et son petit (1951)
Bronze
53,2 × 33,2 × 61 cm

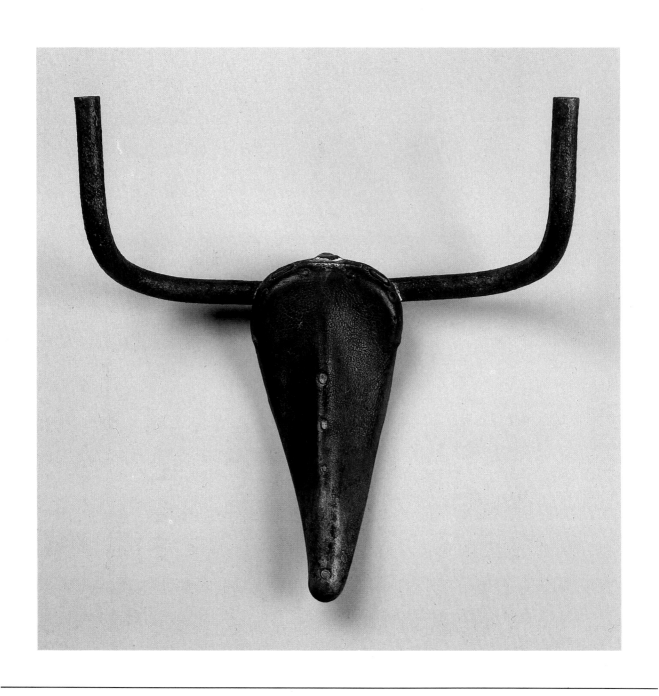

Pablo Picasso
216 **Tête de taureau** (1943)
Bronze
42 × 41 × 15 cm

Jean Dubuffet
219 Grise mine (1959)
Bois flotté
H. : 42 cm

Jean Dubuffet
221 Pleurnichon (1960)
Éponge et pierre
41 × 15 × 16 cm

Jean Dubuffet
220 Minaudage aux dents (1959)
Papier mâché
H. : 37,2 cm

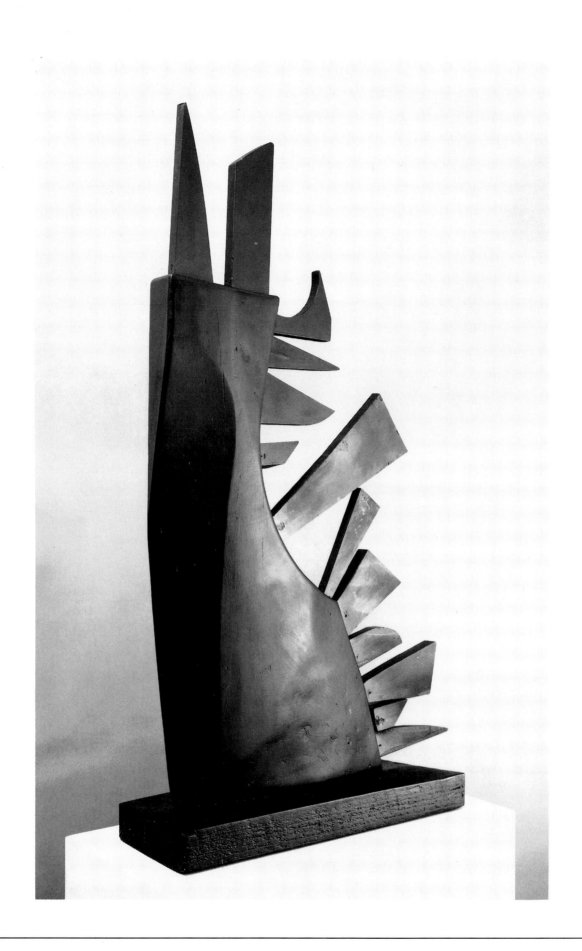

Louise Nevelson
223 **Chief** (1955)
Bois
123,2 × 62,3 × 21,6 cm

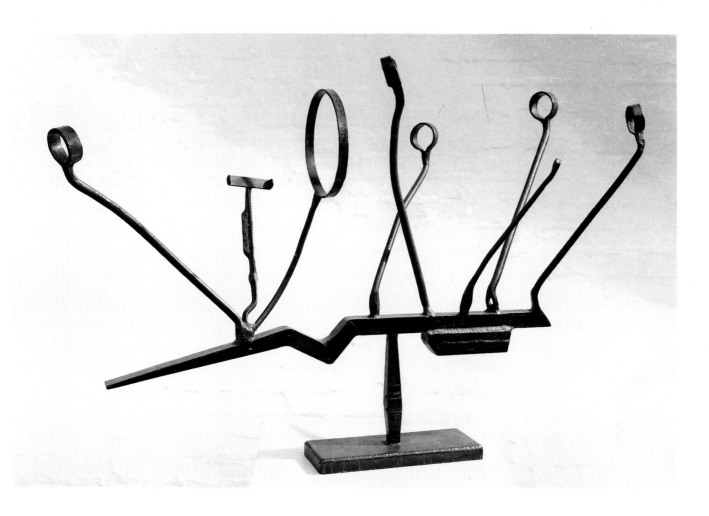

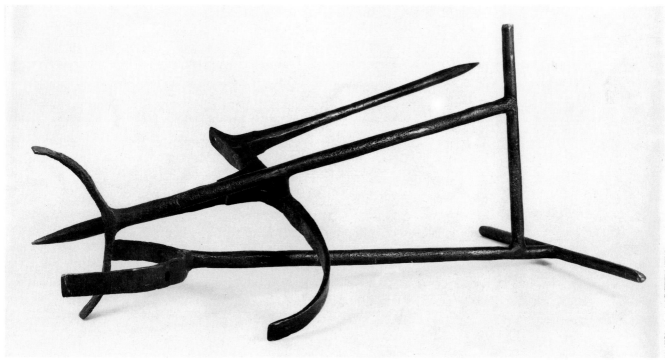

David Smith
Agricola IX (1952)
Acier
92,1 × 141 × 45,8 cm

Eduardo Chillida
Le Désirant (1954)
Fer
L. : 96 cm

Ettore Colla
225 **Agreste** (1955)
Fer de récupération
H. : 224 cm; Ø : 100 cm

Jean Tinguely
227 **Spirale** (1965)
Fer plat, vrille en acier et moteur électrique
190 × 70 × 60 cm

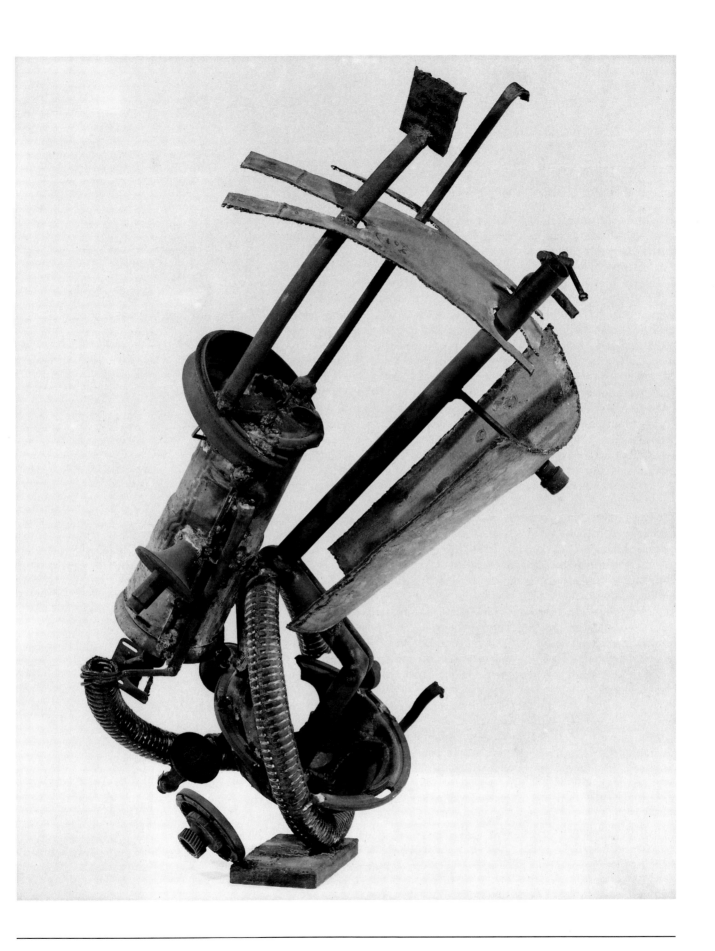

Richard Stankiewicz
Diving to the Bottom of the Ocean (1958)
[En plongée vers le fond de l'océan]
Métaux soudés
138 × 84 × 96 cm

L'écriture, le geste, l'énergie picturale

La fin des années cinquante et les années soixante correspondent à une phase d'éclectisme pour la sculpture moderne. Certains y voient surtout les années d'épanouissement de la sculpture abstraite en métal soudé (avec des artistes aussi différents que Robert Muller, Norbert Kricke, Robert Uhlmann, Robert Jacobsen, Jorge de Oteiza, Eduardo Chillida, David Smith et Richard Stankiewicz, entre autres). Or, cette période se caractérise également par une figuration expressive ou existentielle (dont les représentants sont Giacometti en premier lieu, mais aussi Germaine Richier, Butler, Chadwick, Armitage, César et Ipoustéguy), par une figuration ou une abstraction biomorphiques ou organiques (la dernière manière de Jean Arp, et aussi Henry Moore, Barbara Hepworth, et des artistes de l'École de Paris trop nombreux pour être tous cités), par un intérêt soutenu pour la technologie, la science et le constructivisme (Max Bill, Takis, Tinguely, l'art concret, le mouvement Art and Technology, l'art cinétique), et enfin par le pop'art et le Nouveau Réalisme. Il est vrai que la plupart de ces courants existaient déjà avant cette date (y compris le pop'art et le Nouveau Réalisme, sous des formes néo-dadaïstes), et, même si beaucoup d'œuvres des années cinquante et soixante représentent un prolongement et un parachèvement certes pas négligeables de styles antérieurs, cette mise en valeur obstinée de découvertes passées donne le sentiment aujourd'hui que ce fut pour la sculpture une période indéniablement marquée par une grande activité, mais peu féconde en inventions.

Là encore, semble-t-il, les artistes qui ont réussi à trouver un mode d'expression neuf sont ceux qui ont cherché leur inspiration en dehors des normes établies. A l'époque, comme dans toutes les autres périodes du XXe siècle, la peinture était la forme d'expression artistique la plus évidente et la plus accessible, de sorte que de nombreux sculpteurs ont regardé de ce côté-là, consciemment ou non.

La peinture la plus à l'avant-garde en ces années cinquante et soixante était abstraite, et l'une de ses tendances dominantes était axée sur la véhémence du geste et de l'écriture calligraphique, et sur une relation dynamique avec les matériaux que l'on retrouve aussi bien dans le « tachisme », dans l'« art informel », chez les artistes du groupe Cobra ou dans l'expressionnisme américain.. Cette tendance procédait en partie d'une réaction à l'abstraction géométrique et, plus généralement, à toutes les formes de peinture plus ou moins sclérosées. Elle visait à réintroduire une vitalité humaine personnalisée, un humanisme donc, dans les arts plastiques.

Deux sortes de sculpture mettent en évidence cette expression humaniste de l'énergie. La première ressemble à une forme d'écriture dynamique dans l'espace et on en trouve des exemples dans l'œuvre de jeunesse de David Smith ou d'Eduardo Chillida. Alors même qu'ils utilisaient du fer forgé ou soudé, ces deux artistes ont réussi en effet à fondre les composants linéaires en des mouvements fluides inscrits dans une continuité rythmique bien maîtrisée, c'est-à-dire tout le contraire des liaisons et raccords grossiers de la technique de l'assemblage. La raideur, la souplesse, le gonflement, le rétrécissement et l'élasticité apparente des métaux n'attestent pas seulement le savoir-faire technique de ces artistes, mais semblent matérialiser de surcroît une circulation permanente d'énergie, soit dans un mouvement sinueux, soit dans un élan vers l'infini.

A côté de ce mode d'expression pour ainsi dire graphique, existait à cette époque une autre sorte de sculpture orientée vers le geste et l'énergie. Cette sculpture rappelle les hautes pâtes des « matiérologies » de Dubuffet ou la matière épaisse des *Otages* de Fautrier, les coups de pinceau larges et puissants de Willem de Kooning, et les traits immenses qui balafrent certaines toiles de Robert Motherwell et de Franz Kline. Pour des sculpteurs comme Fontana, Leoncillo, Chamberlain ou Di Suvero, cette forme d'expression gestuelle venait opportunément offrir une troisième voie tout à fait apte à remplacer la pratique sculpturale conventionnelle. En fait, elle les obligeait à repenser radicalement la discipline sculpturale tout entière, au niveau des matériaux, des volumes, de la facture, de la couleur et de l'iconographie, afin de mettre au jour et d'exprimer véritablement cette énergie qui était l'objet de leur préoccupation. Elle appelait l'emploi de matériaux qui se prêtaient à des manipulations manuelles. Si la couleur était choisie, c'était pour son effet immédiat. Les formes ou volumes devaient être abstraits et relativement neutres, ou, encore une fois, dégagés de toute référence. L'objectif premier était de rendre tangibles la volonté et le geste de l'artiste assimilé à une main, dotée d'une réalité physique mais presque anonyme, et de transmettre une énergie primordiale à l'état brut.

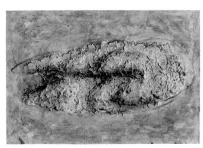

Jean Fautrier
It's How I Feel (1958)
Cat. n° 237

Robert Motherwell
Summertime in Italy No. 8 (1960)
Cat. n° 238

David Smith
228 Blackburn, Song of an Irish Blacksmith (1949-1950)
Fer, bronze et marbre
117 × 103,5 × 58 cm

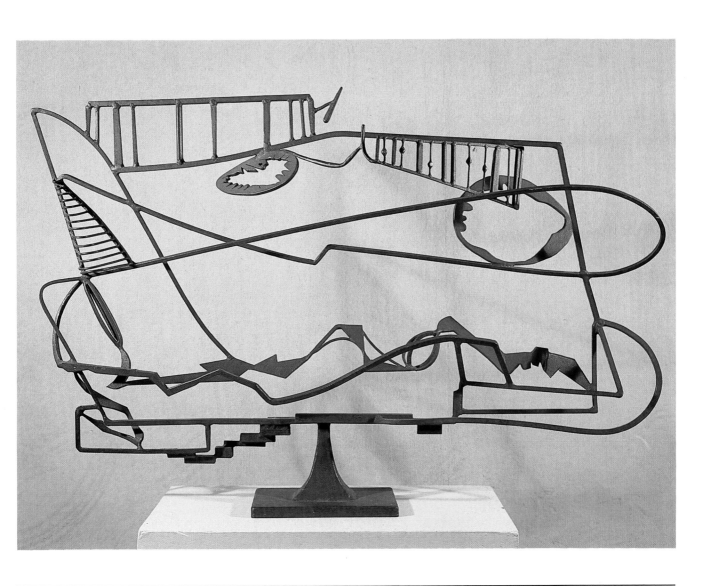

David Smith
Hudson River Landscape (1951)
Acier soudé
127,7 × 190,5 × 42,6 cm

Eduardo Chillida
230 **Rumor de Limites II** (1959)
Fer
55 × 145 × 83 cm

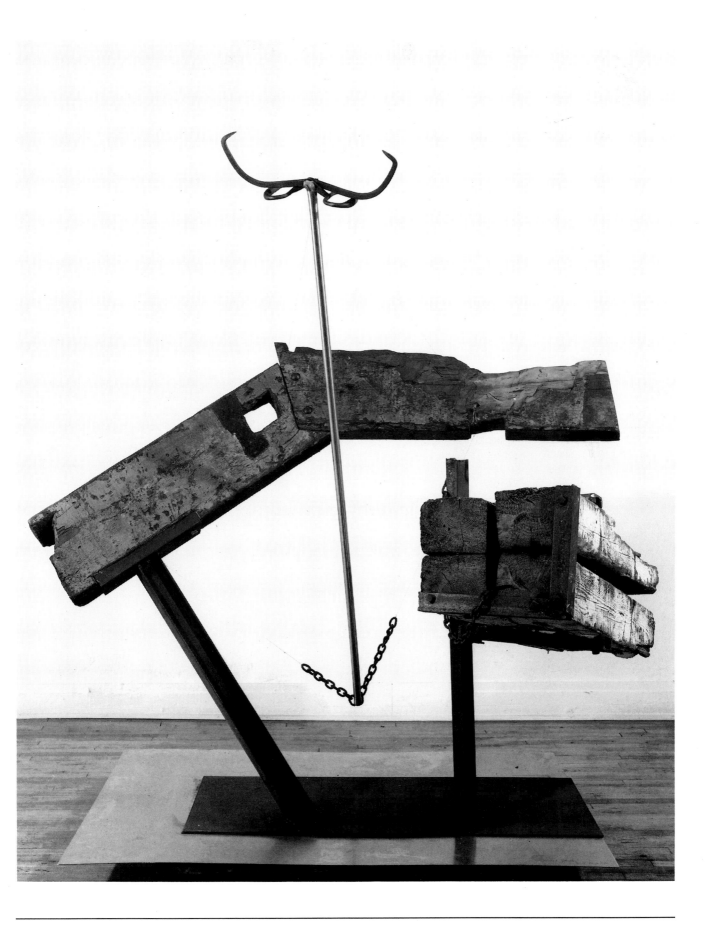

Mark Di Suvero
New York Dawn : For Lorca (1965)
Bois, acier et fer
198,1 × 188 × 127 cm

Lucio Fontana
231 49 SC 6 (1949)
Céramique polychrome
50 × 50 × 50 cm

Leonardo Leoncillo
233 Affinità patetiche (1962)
[Affinités pathétiques]
Terre cuite émaillée
Deux pièces : 195 × 60 × 40 cm
192 × 70 × 40 cm

John Chamberlain
234 Miss Lucy Pink (1962)
Acier soudé et peint
114,3 × 127 × 101,6 cm

Joan Miró
232 **Palmier** (1955-1956)
Céramique
H. : 190,5 cm

Jean Dubuffet
236 **Table porteuse d'instances, d'objets et de projets** (1968)
Transfert sur polyester et peintures vinyliques
134 × 222 × 100 cm

Joseph Beuys

Il serait difficile de parler de la sculpture de ces vingt dernières années sans évoquer la personnalité et l'influence de Joseph Beuys. Beuys a repensé la réalité esthétique en fonction d'une attitude critique et politique. Il a apporté une conception radicalement nouvelle de la sculpture en dégageant l'objet de l'espace esthétique particularisé, de la simple immédiateté perceptive et des systèmes de valeurs spécifiquement esthétiques.

Les objets de Beuys se présentent généralement comme des traces de gestes vitaux et symboliques ou comme des résidus d'opérations mentales et d'actions. Leurs formes sont déterminées conjointement par l'événement rituel au sein duquel ils remplissent une fonction et par la structure organique du matériau brut choisi, laquelle engendre naturellement des formes qui lui sont propres. En tant qu'instruments rituels en puissance, ces objets réunissent en eux différentes strates de temps, du fait qu'ils renvoient à des schémas de pensée et des vestiges archéologiques, ainsi qu'à des éléments d'histoire personnelle et collective et à la réalité immédiate de l'événement lui-même. De sorte que le spectateur en a une perception complexe et ambivalente, à la fois symbolique et réelle, surréelle et existentielle, poétique et prosaïquement physique, une perception où des structures mouvantes de temps, d'espace et de signification convergent en un présent immédiat. Ce que Beuys a préféré formuler ainsi :

« Mes objets doivent être considérés comme des stimulateurs pour la transformation de l'idée de sculpture, ou d'art en général.
Ils doivent susciter des réflexions sur ce que *peut* être la sculpture, et sur la façon dont la notion de sculpter peut être étendue à des matériaux invisibles utilisés par tout le monde :

Formes de pensée -	comment nous modelons nos pensées ou
Formes de parole -	comment nous façonnons nos pensées en mots ou
Sculpture sociale -	comment nous modelons et façonnons le monde dans lequel nous vivons : La sculpture comme processus évolutif; tous des artistes.

C'est pourquoi la nature de mes sculptures n'est pas immuable et définitive. Des opérations se poursuivent dans la plupart d'entre elles : réactions chimiques, fermentations, changements de couleur, dégradation, dessèchement. Tout est en *état de changement.* » (Déclaration publiée par la galerie Anthony d'Offay, à Londres, à l'occasion de l'exposition Joseph Beuys, août 1980.)

Si les artistes de l'Arte povera en Europe et du post-minimalisme aux États-Unis n'ont jamais revendiqué l'influence de Joseph Beuys, il n'en est pas moins impossible d'aborder les transformations intervenues dans les arts plastiques après les années soixante sans tenir compte de ce changement radical d'attitude envers les formes, les matériaux, le contexte spatial et la fonction même de la sculpture.

Joseph Beuys
239 **Schneefall** (1965)
[Chute de neige]
Bois et feutre
23,1 × 120 × 363 cm

Joseph Beuys
Lit (1963-1964)
Lit, feutre, cuivre et fer
59 × 121 × 245 cm

Joseph Beuys
241 Eisenkiste aus « Vakuum-Masse » (1968)
Caisse de métal en forme de demi-croix cubique contenant
100 kg de graisse, 100 pompes à bicyclette et un fragment
de 20 mn du film *Eurasienstab*
55 × 110 × 55 cm

Joseph Beuys
Aggregat (1962)
Bronze
107 × 78 × 79 cm

Arte povera, anti-minimal

L'art minimal et l'Arte povera, qui sont nés tous deux dans les années soixante, semblent à première vue diamétralement opposés. L'art minimal se voulait neutre, dégagé des références, dénué d'expressivité et d'ambiguïté, et il prétendait se rattacher aux formes de perception sensorielle et physique les plus immédiates. Comme l'a déclaré Robert Morris : « Je voulais que la *Gestalt* soit absolument visible, absolument évidente au premier coup d'œil. »[1] Ou, pour reprendre une formule employée par Frank Stella : « On voit ce qu'on voit ». Par comparaison, l'Arte povera paraissait souple, accommodant et empirique, instinctif et subjectif, lyrique, poétique, paradoxal, à l'image des aspects irrationnels et incontrôlables de l'expérience vécue. En outre, l'Arte povera n'était pas un mouvement formaliste, mais il traduisait plutôt une attitude morale et une position critique. Il posait un regard critique, au sens large, sur la technologie, sur le progrès, sur la standardisation des produits (et finalement des comportements humains), et plus particulièrement sur l'histoire de l'art et les catégories esthétiques en vigueur. Sous ce dernier point de vue, il peut justifier un rapprochement avec l'art minimal. Mais il avait une façon de prendre à contre-pied l'histoire de l'art conventionnelle toute différente de celle de son homologue américain.

Comme les minimalistes, les artistes de l'Arte povera ont abandonné l'iconographie anthropomorphique qui gouvernait les activités sculpturales la veille encore ou presque. Comme les minimalistes, ils ont choisi d'œuvrer à une échelle que l'on pourrait dire paysagère, indispensable pour l'espèce d'interaction ou de confrontation directe dans un espace existentiel qu'ils aspiraient à provoquer eux aussi. Cependant, si l'Arte povera cherchait à susciter la participation du spectateur, il ne faisait pas appel au même registre de perceptions.

Ce que les artistes de l'Arte povera voulaient faire sentir, c'était la dimension mythique de l'expérience humaine. Ils avaient hérité de Manzoni (et peut-être d'Yves Klein) la conviction qu'une mythologie individuelle sert de fondement à la connaissance universelle, en même temps que l'abandon de la création d'images au profit des gestes sans finalité, ou « actes gratuits ». Et ils devaient à Alberto Burri et à Lucio Fontana leur intérêt pour les matériaux naturels et les procédés « existentiels ».

Les objets de l'Arte povera sont en matériaux organiques (par opposition aux matériaux industriels). Ils donnent à voir des substances naturelles instables, qui évoquent les processus biologiques ou physiques. Alors que la sculpture minimaliste se présente comme la résultante d'une série de décisions pragmatiques, les œuvres de l'Arte povera traduisent une démarche volontairement intuitive. Elles exigent une suspension des attentes, des priorités et des mécanismes rationnels afin de solliciter la sensibilité poétique au sens le plus large. Les objets de l'Arte povera ne sont pas dépourvus d'une histoire ou d'une dimension temporelle. Au contraire, ils portent en eux ces strates sédimentaires accumulées au fil du temps qui constituent toute expérience : celles d'un inconscient collectif, d'une subjectivité personnelle, d'une objectivité historique et même de réalités mythiques en perpétuel retour. Ils expriment les structures temporelles de la raison, de l'intuition, des gestes et des actes. Enfin, ils abritent et désignent les phases cycliques des matières organiques : croissance, décomposition, déliquescence, mouvance, signes du temps qui passe.

Ainsi, les formes concrètes de ces objets et leurs contradictions internes provoquent des sensations d'une complexité dérangeante. La portée d'un tel tête à tête ne se limite pas à ce que le spectateur perçoit d'emblée mais fait intervenir aussi tout un fonds de souvenirs instinctifs, parfois même viscéraux. Les redondances délibérées, les incongruités et les paradoxes que représentent une « mer » dans un quadrillage de bacs, des cactus poussant dans un désert métallique, ou encore un énorme « pied » emblématique en marbre et soies précieuses, suscitent certaines sortes de réactions. Les traces et manifestations de l'énergie, de l'électricité, des acides, du feu, de la pression ou de la tension, de la respiration et de la purification en suscitent d'autres. De manière plus générale, le cadre mythique très vaste où s'inscrivent les gestes et les objets de l'Arte povera appellent une réaction appropriée à l'expérience mythique, fondée sur les ressorts irrationnels de la croyance absolue.

Les post-minimalistes américains, tels Richard Serra, Eva Hesse, Keith Sonnier, Bruce Nauman et Barry Le Va, par exemple, attachent eux aussi une grande importance aux aspects irrationnels et incontrôlables de l'univers des sensations humaines, dans une optique qu'ils ont adoptée à l'origine en réaction contre l'art minimal. Si leur démarche est plus pragmatique, ces artistes un peu plus jeunes que les minimalistes utilisent dans leurs œuvres des matériaux ostensiblement sensuels, amorphes et éphémères, des formes organiques ambiguës ou indéterminées, et des images saugrenues. Ils privilégient aussi les procédés visibles et non définitifs, dans une tentative de déconstruction de la vision du monde minimaliste-structuraliste. Si leurs ambitions esthétiques ne s'appuient sur aucune idéologie nettement affirmée, ces artistes n'en ont pas moins exprimé un point de vue critique en cherchant à rendre leur place aux ambiguïtés et incertitudes que renferme l'expérience de l'homme.

1   Robert Morris, dans un entretien avec l'auteur.

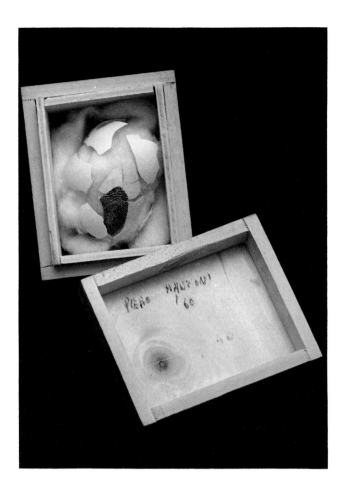

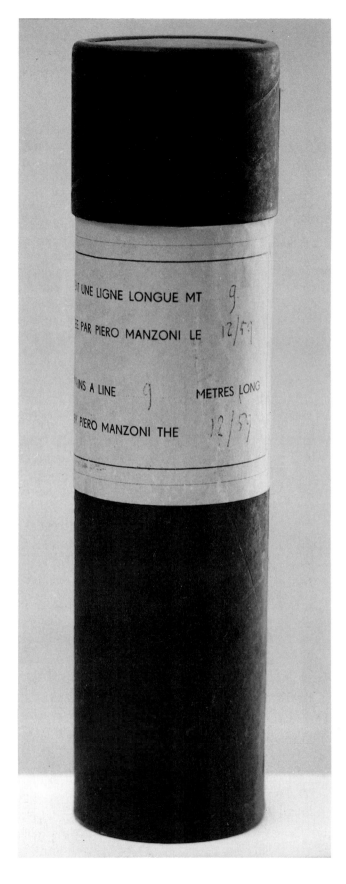

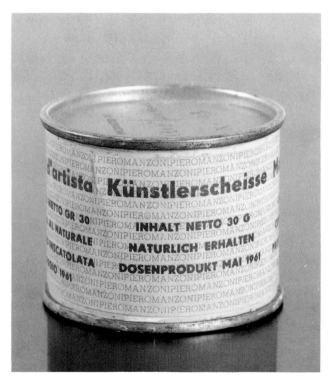

Piero Manzoni
244 Œuf avec empreinte (1960)
Œuf et boîte
Boîte : 8,2 × 6,7 × 5,7 cm

Piero Manzoni
245 Merde d'artiste (1961)
Boîte en laiton contenant un excrément
∅ : 6,5 cm

Piero Manzoni
243 Linea (1959)
Cylindre de carton contenant une ligne de 9 m de long
27 cm; ∅ : 2 cm

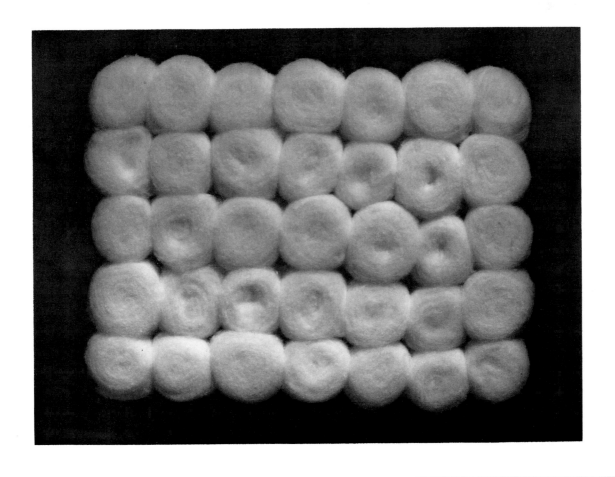

Piero Manzoni
246 **Achrome** (1961)
Boules de coton
19 × 26 cm

Pino Pascali
247 **32 m² de mare circa** (1966)
[32 m² de mer environ]
30 bacs en aluminium remplis d'eau colorée à l'aniline
600 × 600 cm

Mario Merz
249 **Igloo de Giap** (1968)
Cage en fer, sacs de terre, néon, batteries et accumulateurs
H. : 120; ⌀ : 200 cm

Mario Merz
8 **Vento preistorico dalle montagne gelate** (1962-1978)
[Vent préhistorique des montagnes gelées]
Structure en bois, huile sur toile, néon et fagots
210 × 200 × 59 cm
Néon : 312 cm; ⌀ : 2,5 cm

Jannis Kounellis
252 **Senza titolo** (1967)
[Sans titre]
Fer et sept cactus
200 × 360 × 30 cm

Jannis Kounellis
253 **Senza titolo** (1968)
[Sans titre]
Bois et laine
320 × 350 cm

Giovanni Anselmo
Respiration (1969)
Deux poutres en fer et éponge
10 × 800 × 5 cm

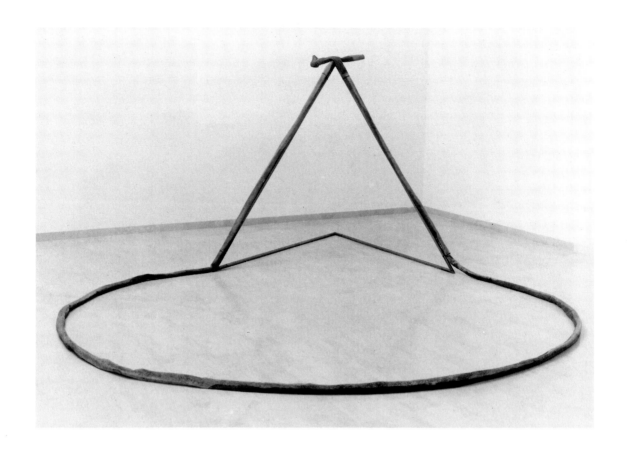

Gilberto Zorio
250 **Per purificare le parole** (1967-1968)
[Pour purifier les paroles]
Tuyau de pompier gainé de toile, fer et zinc,
H. : 170 cm, ⌀ : 300 cm environ

Gilberto Zorio
251 **Il fuoco e passato** (1968)
[Le feu est passé]
Eternit et grillage métallique
120 × 250 cm

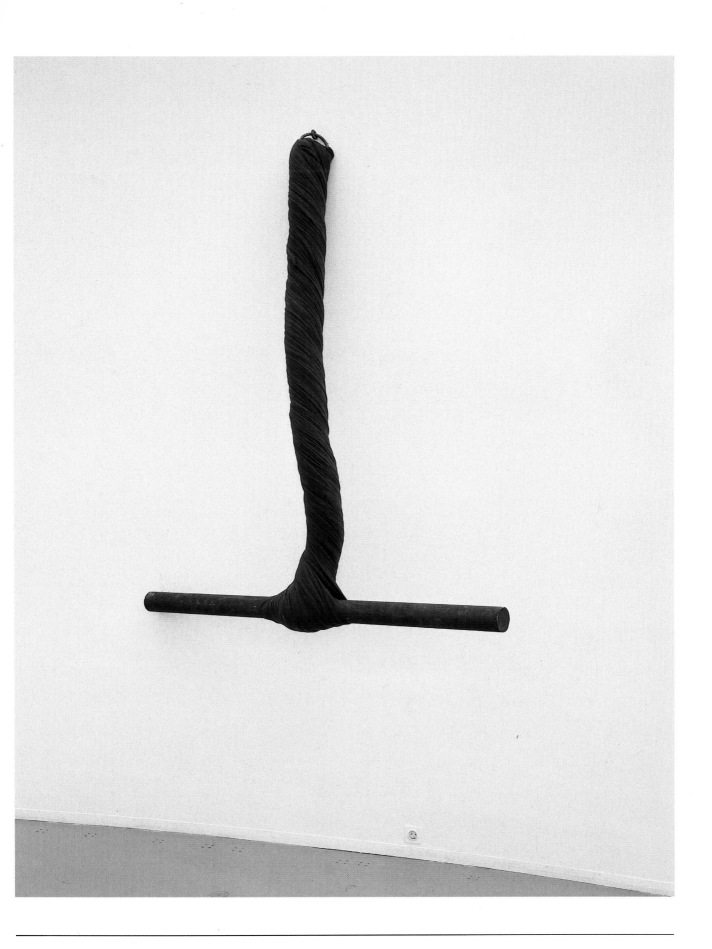

Giovanni Anselmo
Torsion (1968)
Fer et flanelle
Barre de fer : h. : 200; ∅ : 10 cm
Flanelle : 30 m

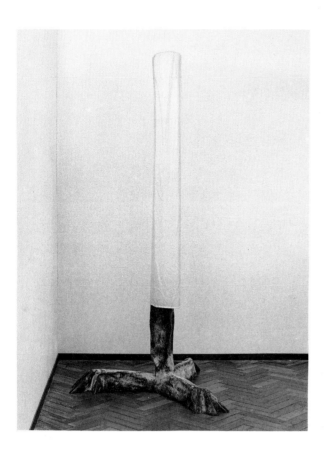

Luciano Fabro
256 **Le Pied** (v. 1968)
Bronze et soie
221 × 150 × 160 cm
Pied : 81 × 150 × 160 cm

Luciano Fabro
257 **Le Pied** (1968-1971)
Marbre et soie
400 × 100 × 70 cm

Luciano Fabro
258 **Le Pied** (1968-1972)
Marbre de Porfiricio et soie de Bemberg
379 × 96,5 × 87 cm

Eva Hesse
Hang-Up (1966)
Peinture acrylique, tissu, bois et acier
182,9 × 213,3 × 198,1 cm

Eva Hesse
260 **Seven Poles** (1970)
Fibre de verre sur polyéthylène sur fil de fer et aluminium
Sept éléments
Chacun : h. de 188 à 282 cm; circonférence de 25,5 à 45,5 cm

Richard Serra
261 **Tearing Lead** (1968)
Plomb
250 × 290 cm

Richard Serra
262 **5 h 30** (1969)
Quatre plaques d'acier
Chacune : 124 × 124 × 5 cm
Rouleau : l. : 230; ∅ : 15 cm

Robert Smithson
263 Spiral Jetty (avril 1970)
Boue, cristaux de sel en suspension, rochers et eau
450 × 4,50 m
Œuvre détruite

Post-scriptum

Une exposition (à la différence d'un livre) doit inévitablement s'insérer dans un cadre conceptuel limité et arbitraire, déterminé pour tout dire par un espace donné. Par exemple, l'élimination intentionnelle des installations et des environnements, situés en marge du domaine sculptural même « élargi », excluait d'emblée des artistes comme Edward Kienholz, tandis que l'élimination des « objets » trop étroitement liés à un type de contexte (poétique ou architectural) obligeait à écarter les œuvres de Marcel Broodthaers et de Jean-Pierre Raynaud. Indépendamment du fait que la sculpture a commencé à subir une redéfinition complète entre 1968 et 1974, ce qui justifie le choix de la date limite 1970, il est certains objets ou œuvres d'art que l'on ne pouvait présenter ici pour des raisons purement matérielles, sans aucun rapport avec un choix délibéré. Ainsi les *distribution pieces* de l'artiste américain Barry Le Va, montrées pour la première fois en 1966, dont la durée de vie se compte en mois, et même pas en années. C'est regrettable, mais il ne semblait pas opportun de demander à un artiste de reconstituer une action créatrice avec un décalage de quelque vingt ans. Enfin, nous devons évoquer *Spiral Jetty* de Robert Smithson et *Nine Nevada Depressions* de Michael Heizer, qui étaient tout simplement intransportables. Ces œuvres réalisées avant 1970 ont leur place dans cette exposition, dès lors qu'elles représentent un prolongement logique, voire un aboutissement de l'esthétique « moderne ». Et ce d'autant plus qu'à leur époque elles étaient considérées comme de la sculpture proprement dite et non des « environnements » ou des « installations ».

Paradoxalement, c'est à la fin des années soixante, autrement dit au terme de ce qui constitue à nos yeux l'époque « moderne », que la sculpture a fini par prendre rang auprès de la peinture sur un pied d'égalité. Cette évolution s'est produite dans une période où une expression dans les trois dimensions répondait le mieux aux préoccupations artistiques du moment. Peu de peintures éveillent

Barry Le Va
Continuous Activities : Discontinued by the Act of Placing (1967)

des résonances comparables à celles de l'art minimal ou post-minimal, ou encore à celles de l'Arte povera. Et même si la peinture allait faire par la suite un retour en force sur la scène artistique, la carrière de sculpteur devait susciter désormais davantage de vocations.

La sculpture des années 1970 et 1980 reflète un très large éventail de préoccupations, qu'il serait trop long d'énumérer ici. Cependant, cet éclectisme n'exclut pas certains dénominateurs communs fondamentaux qui nous autorisent à situer la cassure entre moderne et postmoderne juste après les années soixante. Le premier facteur déterminant est une exacerbation du phénomène de conceptualisation qui traverse les styles figuratifs et abstraits de ces quinze dernières années, où les idées forment à de rares exceptions près la substance et le sens premier du fait esthétique. Le second facteur est l'attitude face à l'histoire, faite d'acceptation et non plus de refus, qui se traduit le plus souvent par diverses sortes de citations (dans le vocabulaire plastique, dans les titres ou dans des réminiscences plus ponctuelles). Si l'on tire les conséquences de ces observations, on en arrive à l'hypothèse qu'aujourd'hui, en 1986, la notion de modernisme telle qu'elle se manifeste dans la sculpture « moderne » (en tant que matérialisation d'une attitude antihistorique dans un objet isolé) est peut-être en fait un chapitre fini, ou final, d'une certaine histoire.

Prenons pour premier exemple une exposition intitulée « Sculpture » (Lawrence Wiener, l'ARC/Musée d'art moderne de la Ville de Paris, 1985), où il n'y a plus d'objets, mais seulement des paroles et des idées relatives à l'espace et aux matériaux. C'est là, bien évidemment, le prolongement et l'aboutissement logiques du processus de conceptualisation. On lit dans le catalogue :

« Question : Vous intitulez cette exposition "Sculpture", à la différence d'expositions antérieures appelées simplement "Œuvres". Est-ce une provocation ? N'êtes-vous pas connu en tant qu'"artiste conceptuel" ?

Réponse : L'œuvre se réfère et se mesure aux matériaux et concepts de la sculpture. La culture a reconnu l'installation, la lumière, le son, etc., comme faisant partie intégrante de la sculpture. Le langage a maintenant fait son entrée dans la culture comme matériau de la sculpture, et donc les termes de "travaux" d'"œuvres", etc., ne sont plus nécessaires : la sculpture est suffisante. Ce qui était autrefois un concept pour les artistes et la culture est maintenant devenu une réalité. Qu'y a-t-il dans un nom ? Ce que nous appelons une rose sentirait tout aussi bon sous n'importe quel nom. Le sujet était la rose, pas le nom. » (Lawrence Wiener, 1985.)

Un projet analogue sous-tendait l'exposition intitulée « Histoires de sculpture » (Cadillac, Nantes, Villeneuve-d'Ascq, 1984-1985), où des dessins, photos et œuvres murales occupaient une place prépondérante, et dont l'organisateur (Bernard Marcadé) déclare qu'au lieu de tourner autour d'une sculpture, il a préféré tourner autour de l'« idée de sculpture », non pas dans l'espace de la sculpture, mais dans celui d'un livre.

Ailleurs, cette longue période d'ahistoricisme délibéré semble avoir engendré une nostalgie de son contraire. En témoignent à l'évidence les illustrations plus littérales de l'esprit « postmoderne » qui vont de l'architecture, devenue un agrégat de motifs historicistes, jusqu'à la peinture et la sculpture actuelles. Cette nostalgie se traduit également par un retour à la statuaire, amorcé dans l'œuvre en trois dimensions de Willem de Kooning, et qui apparaît maintenant de façon plus affirmée dans les objets en bronze de la transavantgarde italienne, pour ne citer que cet exemple. Quand nous disons cela, nous ne portons pas de jugement, nous nous bornons à constater les faits. Le choix de l'historicisme est un droit pour tout artiste, qui répond probablement à un besoin personnel ou collectif.

On peut tout de même se demander si l'historicisme associé à un retour à la notion de monument commémoratif ou statue (la commande par un gouverne-

Willem de Kooning,
Clam Digger (1972)

ment de monuments à la mémoire ou à la gloire de héros nationaux) ne serait pas un peu plus sujette à caution. Cette relance d'une pratique du XIXe siècle semble souvent déboucher dans les faits sur une négation implicite de toutes les percées spectaculaires, qu'elles soient plastiques, intellectuelles ou spirituelles, qui ont caractérisé le mouvement moderniste dans son ensemble depuis le début du siècle. Peut-être en l'occurrence l'artiste a-t-il sa part de responsabilité, quant au type de monument qu'il conçoit, et quant à la sorte de liberté qu'il exprime par rapport au contenu et à la fonction de l'œuvre commandée.

Ces emblèmes de la mort de la sculpture moderne ne prêtent probablement pas à d'autres conséquences. Ce sont des cas extrêmes plutôt qu'exemplaires. Dans le mouvement à long terme de l'histoire, avec ses perpétuels retours, la créativité dégagée de tout déterminisme historique, contextuel et circonstanciel (et même, pourrait-on ajouter, de toute pression commerciale, institutionnelle et officielle), continuera à se manifester sous quelque forme visible ou palpable. Dans ses plus beaux accomplissements, elle nous rappelle que la sculpture n'est pas un simple exercice historique ou culturel correspondant à un temps et un lieu donnés. C'est une quintessence d'expérience, qui, pour perdurer, doit exister indépendamment de tous ces impératifs. En s'efforçant d'aller au rebours de l'histoire, la sculpture moderne s'est forgé une sensibilité, une expression et une histoire qui lui sont propres. Seul l'avenir pourra dire comment cette histoire-là se relie au destin post-moderne de la sculpture contemporaine.

Michael Heizer,
Nine Nevada Depressions, No. 1 (1968)

Liste des œuvres exposées

Les dimensions sont indiquées dans l'ordre suivant :
hauteur, largeur, profondeur.
Rec. = reconstitution; rép. = réplique exécutée par l'artiste;
ed. = édition
Les œuvres dont les numéros sont suivis d'un astérisque ne
figurent pas dans l'exposition.

Préambule

Paul Gauguin
1   La Luxure (1890-1891)
Chêne peint, h. : 70 cm
J.F. Willumsens Museum, Frederikssund, Danemark

Paul Gauguin
2   L'Idole à la perle (1891-1893)
Bois peint et doré, 23,7 × 12,6 × 11,4 cm
Musée d'Orsay, galerie du Jeu de paume, Paris

Paul Gauguin (attribué à)
3   L'Idole de pierre (1902)
Pierre calcaire grise, h. : 115 cm
The Chrysler Museum, Norfolk, Virginie, prêt de la collection
Walter P. Chrysler Jr.

Pablo Picasso
4   Figure (1907)
Buis sculpté avec traces de crayon, peinture sur le dessus de la
tête, 32,5 × 12,2 × 12 cm
Musée Picasso, Paris

Pablo Picasso
5   Tête de femme : Fernande (1909)
Bronze, 40,5 × 24 × 26 cm
Collection particulière, Suisse

Pablo Picasso
6   Pomme (1909)
Plâtre, 11,5 × 10 × 7,5 cm
Musée Picasso, Paris

Henri Matisse
7   La Vie : torse avec tête (1906)
Bronze, h. : 23 cm
Musée Henri Matisse, Nice

Henri Matisse
8   Nu assis, main droite à terre (1908)
Bronze, h. : 18,7 cm
Musée Henri Matisse, Nice

Henri Matisse
9   Deux négresses (1908)
Bronze, h. : 47 cm
Musée Henri Matisse, Nice

Henri Matisse
10   La Serpentine (1909)
Bronze, h. : 56,5 cm
Musée Henri Matisse, Nice

Henri Matisse
11   Jeannette I (1910-1913)
Bronze, h. : 60 cm
Musée Henri Matisse, Nice

Henri Matisse
12   Jeannette II (1910-1913)
Bronze, h. : 26,5 cm
Musée Henri Matisse, Nice

Henri Matisse
13   Jeannette III (1910-1913)
Bronze, h. : 60 cm
Musée Henri Matisse, Nice

Henri Matisse
14   Jeannette IV (1910-1913)
Bronze, h. : 61,5 cm
Musée Henri Matisse, Nice

Henri Matisse
15   Jeannette V (1910-1913)
Bronze, h. : 58 cm
Musée Henri Matisse, Nice

Paul Gauguin
16   Arearea : Joyeusetés (1892)
Huile sur toile, 75 × 94 cm
Musée d'Orsay, galerie du Jeu de paume, Paris

Henri Matisse
17   Le Luxe I (1907)
Huile sur toile, 210 × 139 cm
Musée national d'art moderne, Centre Georges Pompidou, Paris

Pablo Picasso
18   Le Bock (1909)
Huile sur toile, 80× 65,5 cm
Musée d'art moderne, Villeneuve-d'Ascq

Pablo Picasso
19   Tête de Fernande (1909)
Huile sur toile, 61 × 52 cm
Collection Bernhard Sprengel, Hanovre

20   Statuette bambara, Mali
Bois, h. : 61 cm
Collection particulière, France. Autrefois dans la collection Henri
Matisse

21   Statuette de femme. Nord Sénoufo, Côte-d'Ivoire
Bois, 35 × 6 × 6 cm
Musée national des arts africains et océaniens, Paris

22   Masque de chef bikom, Cameroun
Bois, lames de cuivre, crin et enduit terreux, 40 × 25 × 16 cm
Musée national des arts africains et océaniens, Paris

Cubisme, futurisme

Pablo Picasso
23 Guitare (1912)
Construction : carton, papier collé, toile, ficelle, huile et traits de crayon, 33 × 18 × 9,5 cm
Musée Picasso, Paris

Pablo Picasso
24 Guitare (1912)
Construction : tôle et fil de fer, 77,5 × 35 × 19,3 cm
The Museum of Modern Art, New York, don de l'artiste, 1971

Pablo Picasso
25 Mandoline et clarinette (1913)
Construction : éléments en sapin avec peinture et traits de crayon, 58 × 36 × 23 cm
Musée Picasso, Paris

Pablo Picasso
26 Le Verre d'absinthe (1914)
Bronze polychrome et cuillère métallique, 21,6 × 16,5 × 6,5 cm
Musée national d'art moderne, Centre Georges Pompidou, Paris, donation Louise et Michel Leiris, 1984

Pablo Picasso
27 Le Verre d'absinthe (1914)
Bronze, 21,6 × 16,5 × 6,5 cm
Collection particulière

Pablo Picasso
28 Guitare (1924)
Construction : tôle, boîte en fer blanc et fil de fer peints, 111 × 63,5 × 26,6 cm
Musée Picasso, Paris

Henri Laurens
29 Danseuse espagnole (1914)
Bois peint, 34 × 14 × 11,5 cm
Musée d'art moderne de la Ville de Paris

Henri Laurens
30 Construction (1915)
Bois et métal peints, 30 × 13 × 10 cm
Musée national d'art moderne, Centre Georges Pompidou, Paris, donation Claude Laurens, 1967

Henri Laurens
31 Tête (1915)
Bois et métal peints, 15 × 17,5 × 11 cm
Öffentliche Kunstsammlung Kunstmuseum, Bâle

Henri Laurens
32 Bouteille et verre (1918)
Construction : bois et tôle polychromes, 61,5 × 31,5 × 19,5 cm
Musée national d'art moderne, Centre Georges Pompidou, Paris, donation Louise et Michel Leiris, 1984

Henri Laurens
33 Le Compotier de raisins (1918)
Tôle et bois peints, 68 × 62 × 47 cm
Collection M. et Mme Claude Laurens, Paris

Alexander Archipenko
34 Femme à l'éventail (1914)
Bois et métal peints et verre, sur toile de jute et toile cirée, 108 × 61,5 × 13,5 cm
Musée de Tel-Aviv

Alexander Archipenko
35 Femme (1920)
Tôle et tôle peinte sur toile de jute, 187 × 82 × 13 cm
Musée de Tel-Aviv

Alexander Archipenko
36 Deux femmes (1920)
Bois, métal et peinture sur bois, 177 × 97 × 9 cm
Musée national, Belgrade

Jacques Lipchitz
37 Figure démontable : Danseuse (1915)
Bois naturel et peint, 87,6 × 22,8 × 14 cm
Collection Yulla Lipchitz, New York

Jacques Lipchitz
38 Personnage (1916)
Plâtre, 109,2 × 27,4 × 20,2 cm
Musée national d'art moderne, Centre Georges Pompidou, Paris, donation de la Lipchitz Foundation, 1976

Jacques Lipchitz
39 Sculpture (1916)
Plâtre peint, 94 × 22,8 × 19 cm
Musée national d'art moderne, Centre Georges Pompidou, Paris, donation de la Lipchitz Foundation, 1976

Ivan Vassilievitch Klioun
40* Le Musicien (1917)
Bois, métal, celluloïd et verre, h. : 95 cm
Galerie Tretiakov, Moscou

Umberto Boccioni
41 Développement d'une bouteille dans l'espace par la forme (1912)
Bronze, 39 × 60 × 30 cm
Kunsthaus, Zurich

Umberto Boccioni
42 Formes uniques de la continuité dans l'espace (1913)
[Forme uniche della continuità nelle spazio]
Bronze, 112,2 × 88,5 × 40 cm
The Museum of Modern Art, New York, acquis grâce au legs Lillie P. Bliss, 1948

Fortunato Depero
43 La toga e il tarlo (1914)
[La Toge et le ver]
Bois et carton vernis, 65 × 27 × 39 cm
Museo provinciale d'arte, Trente

Statuette de femme
Nord Sénoufo, Côte-d'Ivoire
Cat. 21

Masque de chef bikom,
Cameroun
Cat. 22

Fortunato Depero
44 **Costruzione di bambina** (1917)
[Construction de petite fille]
Bois vernis, 47 × 24 × 14 cm
Galleria Museo Depero, Rovereto

Giacomo Balla
45 **Fiore futurista** (1918)
[Fleur futuriste]
Bois peint à la détrempe, 29,5 × 12,6 × 13,2 cm
Kunsthaus, Zurich

Giacomo Balla
46 **Fiore futurista** (1917)
[Fleur futuriste]
Bois peint à la détrempe, h. : 30 cm
Collection particulière, Florence

Vladimir Baranoff-Rossiné
47 **Symphonie n° 1** (1913)
Bois polychrome, carton peint et coquilles d'œufs écrasées,
161,1 × 72,2 × 63,4 cm
The Museum of Modern Art, New York, fonds Katia Granoff, 1972

Raymond Duchamp-Villon
48 **Cheval** (1914)
Plâtre, 100 × 110 × 110 cm
Musée national d'art moderne, Centre Georges Pompidou, Paris

Raymond Duchamp-Villon
49 **Tête de cheval** (1914, fonte 1976)
Bronze, 48 × 49 × 39,5 cm
Musée national d'art moderne, Centre Georges Pompidou, Paris,
acquis avec le concours de Mme Duchamp et de M. Carré, 1976

Raymond Duchamp-Villon
50 **Cheval** (v. 1914, fonte 1976)
Bronze, 43,5 × 44 × 26 cm
Musée national d'art moderne, Centre Georges Pompidou, Paris,
acquis avec le concours de Mme Duchamp et de M. Carré, 1976

51 Masque-heaume kota, Gabon
Bois et kaolin, h. : 63 cm
Musée national des arts africains et océaniens, Paris

52 Couple d'ancêtres dogon, Mali
Bois, h. : 67 cm
Musée national des arts africains et océaniens, Paris

53 Masque grebo, Côte-d'Ivoire
Bois peint, plumes et fibres végétales, h. : 62 cm (masque : 29 cm)
Laboratoire d'ethnologie, musée de l'Homme, Paris

Masque grebo, Côte-d'Ivoire
Cat. 53

Dada

Marcel Duchamp
54 **Roue de bicyclette** (1913, éd. 1964)
Ready-made : roue de bicyclette fixée sur un tabouret de cuisine,
h. : 126,5 cm
Musée national d'art moderne, Centre Georges Pompidou, Paris

Marcel Duchamp
55 **Porte-bouteilles** (1914, éd. 1964)
Ready-made : porte-bouteilles en fer galvanisé, h. : 64,2 cm
Musée national d'art moderne, Centre Georges Pompidou, Paris

Marcel Duchamp
56 **Traveller's Folding Item** (1916, éd. 1964)
[Pliant de voyage]
Ready-made : housse de machine à écrire, h. : 23 cm
Musée national d'art moderne, Centre Georges Pompidou, Paris

Marcel Duchamp
57 **Fontaine** (1917, éd. 1964)
Ready-made : urinoir en porcelaine, h. : 62,5 cm
Musée national d'art moderne, Centre Georges Pompidou, Paris

Marcel Duchamp
58 **Trébuchet** (1917, éd. 1964)
Ready-made : portemanteau mural fixé au sol, 11,7 × 100 cm
Musée national d'art moderne, Centre Georges Pompidou, Paris

Sophie Taeuber-Arp
59 **Tête dada** (v. 1918-1919)
Bois peint, 34 × 20 × 20 cm
Musée national d'art moderne, Centre Georges Pompidou, Paris,
don de Mme Arp, 1967

Man Ray
60 **Obstruction** (1920, éd. 1961)
63 cintres en bois
Collection Juliet Man Ray, Paris

Man Ray
61 **L'Enigme d'Isidore Ducasse** (1920, éd. 1972)
Assemblage : toile, corde et machine à coudre, 30,5 × 40,5 cm
Collection Lucien Treillard, Paris

Man Ray
62 **Abat-jour** (1921, rép. 1956)
Aluminium peint, 152,5 × 62,4 cm
Collection Juliet Man Ray, Paris

Hannah Höch
63 **Die Dada-Mühle** (v. 1920)
Collage sur carton, construction en métal, bois et objets divers,
24 × 10,5 × 6,2 cm
Kunsthaus, Zurich

Raoul Hausmann
64 **Der Geist unserer Zeit** (1919-1929)
[L'Esprit de notre temps]
Assemblage : tête de mannequin en bois et éléments en
matériaux divers, 32,5 × 21 × 20 cm
Musée national d'art moderne, Centre Georges Pompidou, Paris

Jean Arp
65 **Les Larmes d'Enak : formes terrestres** (1916-1917)
Bois peint, 86,2 × 58,5 × 6 cm
The Museum of Modern Art, New York, fonds Benjamin Scharps
et David Scharps, achat 1971

Jean Arp
66 **Tête-paysage** (1924-1926)
Huile sur bois, 58 × 40,5 × 4,5 cm
Musée national d'art moderne, Centre Georges Pompidou, Paris

Jean Arp
67 La Planche à œufs (1922)
Bois peint, 98 × 73 cm
Collection particulière

Jean Arp
68 Un grand et deux petits (1931)
Bois peint, h. : 63, ∅ : 45 cm
Fondation Arp, Clamart

Kurt Schwitters
69 Blau (1923-1926)
[Bleu]
Bois peint, 53 × 42,5 cm
Collection Antonina Gmurzynska, Cologne

Kurt Schwitters
70 Merz 1926, 3. Cicero (1926)
Bois peint et plâtre, 68,1 × 49,6 cm
Sprengel Museum, Hanovre

Kurt Schwitters
71 Schlanker Winkel (1930)
[Angle étroit]
Bois peint, h. : 48,2 cm
Galerie Gmurzynska, Cologne

Kurt Schwitters
72 Schwert (1930)
[Épée]
Bois peint, h. : 82,5 cm
Galerie Gmurzynska, Cologne

Constructivisme

Vladimir Tatline
73 Contre-relief d'angle (1915, rec. 1979)
Reconstitution de Martyn Chalk
Fer, zinc et aluminium, 78,7 × 152,4 × 76 cm
Annely Juda Fine Art, Londres

Vladimir Tatline
74* Contre-relief (1916)
Palissandre et zinc, 100 × 64 × 24 cm
Galerie Tretiakov, Moscou

Vladimir Lebedev
75* Contre-relief (1920)
Bois, 85 × 53 cm
Musée russe, Leningrad

Naum Gabo
76 Tête de femme (1916, rép. 1917-1920)
Celluloïd et métal, 62,2 × 48,9 cm
The Museum of Modern Art, New York, achat 1938

Naum Gabo
77 Colonne (1923, rép. 1937)
Plexiglas, bois, métal et verre, 105,3 × 73,6 × 73,6 cm
The Solomon R. Guggenheim Museum, New York

Naum Gabo
78 Construction dans l'espace équilibrée sur deux points (1925)
Celluloïd, h. : 26 cm
Collection particulière

Antoine Pevsner
79 Masque (1923)
Celluloïd et métal, 33 × 20 × 20 cm
Musée national d'art moderne, Centre Georges Pompidou, Paris

Antoine Pevsner
80 Construction dans l'espace (1923-1925)
Métal et cristal, 64 × 84 × 70 cm
Musée national d'art moderne, Centre Georges Pompidou, Paris,
don de Mme Virginie Pevsner, 1962

Alexandre Rodtchenko
81 Construction ovale suspendue (1919-1920)
Contre-plaqué peint et fil de fer,
83,5 × 58,5 × 43,3 cm
The George Costakis Collection (Art Co. Ltd)

Konstantin Medounetsky
82 Construction n° 557 (1919)
Laiton, fer blanc et fer, 45,1 × 17,8 × 17,8 cm
Yale University Art Gallery, don de la collection de la Société
Anonyme

László Moholy-Nagy
83 Nickel Construction (1921)
Fer nickelé et soudé, 35,6 × 17,5 × 23,8 cm
The Museum of Modern Art, New York, don de Mme Sibyl
Moholy-Nagy, 1956

Katarzyna Kobro
84 Composition suspendue n° 2 (1921-1922, rec. 1971)
Reconstitution de Janusz Zagrodski et Boleslaw Utkin
Acier, 43 × 28 cm
Muzeum Sztuki, Łódź

Laszlo Peri
85 Construction spatiale en trois éléments (1924)
Béton peint, élément 1 : 60 × 68 cm; élément 2 : 55,5 × 70 cm;
élément 3 : 58 × 68 cm
Kunsthandel Wolfgang Werner KG, Brême

Kurt Schwitters
86 Merzbild 1924, 1. Relief mit Kreuz und Kugel (1924)
[Merz 1924, 1. Relief avec croix et sphère]
Huile et carton sur bois, 69 × 34,2 cm
Marlborough Fine Art Ltd, Londres

Katarzyna Kobro
87 Sculpture abstraite 1 (1924)
Verre, métal et bois, 72 × 17,5 × 15,5 cm
Muzeum Sztuki, Łódź

Katarzyna Kobro
88 Composition spatiale 2 (1928)
Acier peint, 50 × 50 × 50 cm
Muzeum Sztuki, Łódź

Katarzyna Kobro
89 Composition spatiale (v. 1927-1931)
Acier soudé et peint, 31,8 × 60,3 × 26,2 cm
Collection particulière, New York

Katarzyna Kobro
90 Composition spatiale (v. 1928)
Acier soudé et peint, 44,8 × 44,8 × 46,7 cm
Musée national d'art moderne, Centre Georges Pompidou, Paris

Katarzyna Kobro
91 Composition spatiale 6 (1931)
Acier peint, 64 × 25 × 15 cm
Muzeum Sztuki, Łódź

Cesar Domela
92 Composition II (1932)
Plexiglas et métal sur panneau de bois, 77,6 × 65,4 cm
Bayerische Staatsgemäldesammlungen, Munich

László Moholy-Nagy
93 Modulateur spatial (1922-1930, rec. 1970)
Métal, verre et bois, 151 × 70 × 70 cm
Stedelijk Van Abbemuseum, Eindhoven

Références à la peinture 1

Auguste Herbin
94 Sculpture (1921)
Ciment peint, h. : 53 cm; ∅ : 16,5 cm
Collection particulière, Paris

Auguste Herbin
95 Sculpture (v. 1921)
Bois polychrome, 46 × 28,8 × 29 cm
Musée national d'art moderne, Centre Georges Pompidou, Paris

Victor Servranckx
96 Opus 1 (1924)
Bois et métal, 82 × 28 × 24 cm
Collection particulière

John Storrs
97 Forms in Space (v. 1924)
[Formes dans l'espace]
Aluminium, laiton, cuivre et bois sur socle en marbre noir,
72,5 × 14 × 13,4 cm
The Whitney Museum of American Art, New York, don de Charles Simon

Joaquín Torres-García
98 Estructura en blanco y negro (1930)
[Structure en blanc et noir]
Bois polychrome, 49 × 39,5 cm
Collection Royal S. Marks, New York

Joaquín Torres-García
99 Constructivo (1935)
[Constructif]
Bois polychrome, 44,5 × 20,5 cm
Collection Royal S. Marks, New York

Joan Miró
100 Construction-relief (1930)
Métal et bois peint, 91,1 × 70,2 cm
The Museum of Modern Art, New York, achat 1937

Lucio Fontana
101 Sculpture abstraite (1934)
Ciment coloré, 59 × 50 × 2,2 cm
Collection Carla Panicali, Rome

Fausto Melotti
102 Scultura 12 (1934)
Plâtre, 55 × 55,5 × 15 cm
Collection de l'artiste

Alexander Calder
103 Constellation (1943)
Bois peint et fil de fer, 61 × 72 × 53 cm
Musée national d'art moderne, Centre Georges Pompidou, Paris, don de l'artiste, 1966

Victor Servranckx
104 Opus 6 (1924)
Huile sur toile, 57 × 36,5 cm
Galerie Gmurzynska, Cologne

Joan Miró
105 Le Catalan (1925)
Huile sur toile, 100 × 81 cm
Musée national d'art moderne, Centre Georges Pompidou, Paris

Jean Hélion
106 Composition orthogonale (1930)
Huile sur toile, 100 × 81 cm
Musée national d'art moderne, Centre Georges Pompidou, Paris

Premières sculptures en métal soudé

Pablo Gargallo
107 Tête d'arlequin (1929)
Cuivre, 21 × 31 × 16 cm
Collection particulière

Pablo Picasso
108 Figure (1928) proposée comme projet pour un monument à Guillaume Apollinaire
Fil de fer et tôle, 50,5 × 18 × 40 cm
Musée Picasso, Paris

Pablo Picasso
109 Figure (1928) proposée comme projet pour un monument à Guillaume Apollinaire
Fil de fer et tôle, 60,5 × 15 × 34 cm
Musée Picasso, Paris

Pablo Picasso
110 Femme (1930)
Fer, 81 × 25 × 32 cm
Collection particulière

Pablo Picasso
111 Tête de femme (1929-1930)
Fer, tôle, ressorts et passoires peints, 100 × 37 × 59 cm
Musée Picasso, Paris

Pablo Picasso
112 Tête d'homme (1930)
Fer, laiton et bronze, 83,5 × 40,5 × 36 cm
Musée Picasso, Paris

Julio González
113 Petite Danseuse (v. 1929-1930)
Fer, 17,5 × 10 × 4 cm
Musée national d'art moderne, Centre Georges Pompidou, Paris, don de Mme Roberta González, 1964

Julio González
114 Femme se coiffant (v. 1931)
Fer, 170 × 55 × 20 cm
Musée national d'art moderne, Centre Georges Pompidou, Paris, don de Mme Roberta González, 1953

Julio González
115 **Femme à la corbeille** (1930-1933)
Fer, 194 × 63 × 63 cm
Musée national d'art moderne, Centre Georges Pompidou, Paris,
legs de Mme Roberta González, 1976

Julio González
116 **Tête dite « La Grande Trompette »** (v. 1932-1933)
Fer, 113,5 × 62 × 45 cm
Collection Walter A. Bechtler, Zollikon

Julio González
117 **Tête dite « La Suissesse »** (v. 1934)
Fer et socle de pierre, 38 × 21 × 19 cm
Kunsthalle, Bielefeld

Julio González
118 **Personnage allongé** (v. 1936)
Fer forgé, 45,6 × 94 × 42,5 cm
The Museum of Modern Art, New York, legs de Nelson A.
Rockefeller, 1979

Julio González
119 **Petite Vénus** (v. 1936)
Fer, 20,5 × 6 × 9,5 cm
IVAM, Centre Juli González, Valence

Julio González
120 **Danseuse à la marguerite** (v. 1937)
Fer, 48,3 × 29,2 × 10 cm
IVAM, Centre Juli González, Valence

Pablo Picasso
121 **L'Atelier** (1929)
Huile sur toile, 162 × 130,5 cm
Musée Picasso, Paris

Métaphysique de la modernité

Naum Gabo
122 **Construction linéaire dans l'espace nº 1 : Variation**
(1956-1957)
Plexiglas avec fil de nylon, 45,3 × 45,3 × 17,9 cm
Collection M. et Mme O. Franklin

Lázsló Moholy-Nagy
123 **Double Loop** (1946)
[Torsion double]
Plexiglas, 41,1 × 56,5 × 44,5 cm
The Museum of Modern Art, New York, achat 1956

Jorge de Oteiza
124 **Caja metafisica** (1958)
[Boîte métaphysique]
Fer et cuivre, 30 × 30 × 32 cm
Museo español de arte contemporáneo, Madrid

Jorge de Oteiza
125 **Homenaje a Mallarmé** (1958)
[Hommage à Mallarmé]
Fer forgé, 60 × 40 × 54 cm
Museo español de arte contemporáneo, Madrid

Vassilakis Takis
126 **White Signals** (1966)
Onze signaux lumineux : transformateur électrique, acier peint et
verre coloré, h. : de 2,40 à 3 m
Collection de l'artiste

La récupération d'idées
et d'images

Arman
127 **Home Sweet Home** (1960)
Accumulation de masques à gaz, 160 × 140,5 × 20,3 cm
Musée national d'art moderne, Centre Georges Pompidou, Paris,
acquis avec le concours de la Scaler Foundation, 1986

Jean Tinguely
128 **Baluba** (1961-1962)
Assemblage : plastique, métal, fil de fer et fil électrique, tuyau en
plastique et plumeau avec moteur sur tonneau Shell,
187 × 56,5 × 45 cm
Musée national d'art moderne, Centre Georges Pompidou, Paris

Christo
129 **Table empaquetée** (1961)
Guéridon empaqueté dans du velours rose et de la toile à sac, et
ficelle, 134,5 × 43,5 × 44,5 cm
Musée national d'art moderne, Centre Georges Pompidou, Paris

César
130 **Ricard** (1962)
Compression dirigée d'automobile, 153 × 73 × 65 cm
Musée national d'art moderne, Centre Georges Pompidou, Paris,
don de l'artiste, 1968

Claes Oldenburg
131 **Soft Washstand** (1965)
[Lavabo mou]
Vinyle et kapok, structure métallique, 137 × 106 × 57 cm
Collection particulière, en dépôt au Museum Boymans-Van
Beuningen, Rotterdam

Claes Oldenburg
132 **Washstand - Hard Model** (1965)
[Lavabo dur]
Laque sur carton ondulé, structure en bois, 123 × 91,5 × 74,5 cm
Museum für Moderne Kunst, Francfort

Claes Oldenburg
133 **Falling Shoestring Potatoes** (1966)
[Cascade de pommes frites]
Toile peinte et kapok, 203 × 116,8 × 106,7 cm
The Walker Art Center, Minneapolis, don de la T.B. Walker
Foundation

George Segal
134 **Man Getting off a Bus** (1967)
[Homme descendant d'un autobus]
Plâtre, métal peint, verre, chrome et caoutchouc,
226,2 × 99 × 83,9 cm
Collection famille Abrams, New York

Références à la peinture 2 :
surface, espace, couleur

Alexander Calder
135 **Mobile en deux plans** (s.d.)
Métal peint, 200 × 120 × 110 cm
Musée national d'art moderne, Centre Georges Pompidou, Paris,
don de l'artiste, 1966

David Smith
136 **Australia** (1951)
Acier peint, 202 × 274 × 41 cm
The Museum of Modern Art, New York, don de William Rubin, 1968

Robert Jacobsen
137 **Graphisme en fer** (v. 1951)
Fer soudé et peint, 70 × 35 × 35 cm
Musée national d'art moderne, Centre Georges Pompidou, Paris

Robert Jacobsen
138 **Hommage à Léon Degand** (1958)
Fer, 69 × 54 × 32 cm
Musée des Beaux-Arts, Rennes

Alexander Calder
139 **Le Bougnat** (1959)
Métal, 205 × 170 × 140 cm
Collection M. et Mme Adrien Maeght, Paris

David Smith
140 **Voltri Bolton VII** (1962)
Acier verni, 210,7 × 101,6 × 60,7 cm
Collection Howard et Jean Lipman

Tony Smith
141 **Free Ride** (1962)
Acier, 203,2 × 203,2 × 203,2 cm
Xavier Fourcade, Inc., New York, Paula Cooper Gallery, New York, et Margo Leavin Gallery, Los Angeles

David Smith
142 **Gondola II** (1964)
Acier peint, 179,4 × 176,2 × 45,7 cm
M. Knoedler Co. Inc., New York, pour la collection Candida et Rebecca Smith

Anthony Caro
143 **Carriage** (1966)
Acier peint, 200 × 200 × 400 cm
Collection M. et Mme Raymond D. Nasher

Ad Reinhardt
144 **Ultimate Painting No. 6** (1960)
Huile sur toile, 153 × 153 cm
Musée national d'art moderne, Centre Georges Pompidou, Paris

Art minimal

Donald Judd
145 **Untitled** (1965)
[Sans titre]
Plaques d'aluminium et verre armé, quatre éléments : en tout, 86,4 × 410,2 × 86,4 cm
The Saatchi Collection, Londres

Sol LeWitt
146 **Five Part Piece** (1966-1969)
Acier peint, 160 × 450 × 450 cm
Musée national d'art moderne, Centre Georges Pompidou, Paris

Carl Andre
147 **144 Steel Plates** (1967)
144 plaques d'acier; chacune : 1 × 30,6 × 30,6 cm;
l'ensemble : 1 × 367 × 367 cm
Museum für Moderne Kunst, Francfort

Robert Morris
148 **Untitled** (1967, version 1986)
[Sans titre]
Grillage en acier, 78,7 × 275 × 275 cm
Galeries Castelli et Sonnabend, New York

Dan Flavin
149 **Untitled : To Donna** (1968, version 1971)
[Sans titre : à Donna]
Quatre tubes de lumière fluorescente et métal peint
245 × 245 × 29 cm
Musée national d'art moderne, Centre Georges Pompidou, Paris, don de Leo Castelli, 1981

Primitivisme, expressionnisme

André Derain
150 **Homme et femme** (1907)
Grès, 39 × 24 × 24 cm
Wilhelm-Lehmbruck Museum der Stadt, Duisbourg

Constantin Brancusi
151 **Le Baiser** (1912)
Pierre calcaire et socle en chêne, 58,5 × 35 × 25,5 cm
The Philadelphia Museum of Art, Philadelphie, collection Louise et Walter Arensberg

Constantin Brancusi
152 **Le premier pas : Tête** (1913)
Bois, 25,9 × 16,5 × 17 cm
Musée national d'art moderne, Centre Georges Pompidou, Paris, legs de l'artiste, 1957

Constantin Brancusi
153 **Coupe 2** (v. 1923)
Bois, 19 × 36,5 × 29,5 cm
Musée national d'art moderne, Centre Georges Pompidou, Paris, legs de l'artiste, 1957

Constantin Brancusi
154 **Colonne sans fin 2** (v. 1925)
Bois
301,5 × 29 × 29 cm
Musée national d'art moderne, Centre Georges Pompidou, Paris, legs de l'artiste, 1957

Constantin Brancusi
155 **Colonne sans fin 3** (v. 1928)
Bois, 406,5 × 25 × 25 cm
Musée national d'art moderne, Centre Georges Pompidou, Paris, legs de l'artiste, 1957

Constantin Brancusi
156 **Cariatide** (1940)
Bois, 229 × 45,5 × 43,5 cm
Musée national d'art moderne, Centre Georges Pompidou, Paris, legs de l'artiste, 1957

Constantin Brancusi
157 **Tabouret** (1928)
Teck, 45 × 41 × 41 cm
Musée national d'art moderne, Centre Georges Pompidou, Paris, legs de l'artiste, 1957

Jacob Epstein
158 **Female Figure** (1913)
Flenite (serpentine), h. : 61 cm

The Minneapolis Institute of Arts, Minneapolis, don de Samuel H. Maslon, Charles H. Bell, Francis D. Butler, John Cowles, Bruce B. Dayton et un donateur anonyme

Henri Gaudier-Brzeska
159 Red Stone Dancer (1913)
[Danseuse rouge]
Pierre rouge de Mansfield, 43,2 × 22,9 × 22,9 cm
Tate Gallery, Londres

Ernst Ludwig Kirchner
160 Tanzende (1911)
[Femme qui danse]
Bois peint, 87 × 35,5 × 27,5 cm
Stedelijk Museum, Amsterdam

Ernst Ludwig Kirchner
161 Tänzerin mit gehobenem Bein (1913)
[Danseuse à la jambe levée]
Chêne peint
72 × 24 × 26 cm
Collection particulière

Ernst Ludwig Kirchner
162 Männliche Aktfigur (v. 1911)
[Nu masculin]
Bois de peuplier teinté en brun, partiellement brûlé
et peint en noir, h. : 35 cm
Staatsgalerie, Stuttgart

Karl Schmidt-Rottluff
163 Adorant (1917)
Bois peint, h. : 37,5 cm
Collection particulière, Hofheim

Karl Schmidt-Rottluff
164 Blauroter Kopf (1917)
[Tête bleu-rouge]
Bois teinté, h. : 30 cm
Brücke Museum, Berlin

Raymond Duchamp-Villon
165 Portrait du professeur Gosset (1918)
Plâtre patiné, 30 × 23,5 × 23,5 cm
Musée national d'art moderne, Centre Georges Pompidou, Paris,
don de Mme Marcel Duchamp, 1977

Alberto Giacometti
166 Femme-cuiller (1926)
Bronze, 145 × 21 × 21 cm
Fondation Maeght, Saint-Paul-de-Vence

167a Tiki des îles Marquises
Pierre calcaire grise, h. : 54 cm
Musée national des arts africains et océaniens, Paris

167b Tiki de Nouvelle-Zélande
Jade transparent, 16 × 7,5 cm
Collection Olivier Le Corneur

168 Statuette bambara, Mali
Bois, h. : 65 cm
Laboratoire d'ethnologie du Muséum d'histoire naturelle, Paris

169 Figure d'ancêtre fang, Gabon
Bois
Musée national d'art moderne, Centre Georges Pompidou, Paris,
donation Mme Susi Magnelli sous réserve d'usufruit

170 Statuette féminine byeri-fang, Gabon
Bois, h. : 51 cm
Laboratoire d'ethnologie, musée de l'Homme, Paris, donation
Mme Paul Guillaume

171 Statuette féminine bidyogo, îles Bissagos (Guinée-Bissau)
Bois partiellement peint, 58 × 19 × 17 cm
Musée municipal d'Angoulême, legs du docteur Lhomme, 1954

172 Cuillère dan, Côte-d'Ivoire
Bois peint, h. : 56 cm
Musée national d'art moderne, Centre Georges Pompidou, Paris,
donation Mme Susi Magnelli, sous réserve d'usufruit

Tiki de Nouvelle-Zélande
Cat. 167b

Statuette bambara,
Mali
Cat. 168

Figure d'ancêtre fang,
Gabon
Cat. 169

Statuette féminine byeri-fang,
Gabon
Cat. 170

Statuette féminine bidyogo,
îles Bissagos (Guinée-Bissau)
Cat. 171

Figuration archaïque et abstraction organique

Henry Moore
173 Reclining Figure (1929)
[Figure couchée]
Pierre brune de Hornton, 57,2 × 83,8 × 38 cm
City Art Gallery, Leeds

Pablo Picasso
174 Baigneuse (1931)
Bronze, 70 × 40,2 × 31,5 cm
Musée Picasso, Paris

Pablo Picasso
175 Tête de femme (1931)
Bronze, 71,5 × 41 × 33 cm
Musée Picasso, Paris

Constantin Brancusi
176 Danaïde (1910-1913)
Bronze doré en partie, 27,5 × 18 × 20,3 cm
Musée national d'art moderne, Centre Georges Pompidou, Paris, legs de l'artiste, 1957

Constantin Brancusi
177 Mademoiselle Pogany 1 (v. 1912-1913)
Plâtre, 44 × 24,5 × 30,5 cm
Musée national d'art moderne, Centre Georges Pompidou, Paris, legs de l'artiste, 1957

Constantin Brancusi
178 Mademoiselle Pogany 2 (v. 1919-1920)
Plâtre, 44,5 × 19 × 30 cm
Musée national d'art moderne, Centre Georges Pompidou, Paris, legs de l'artiste, 1957

Constantin Brancusi
179 Oiseau dans l'espace (1936)
Plâtre, 187 × 12 × 22 cm
Musée national d'art moderne, Centre Georges Pompidou, Paris, legs de l'artiste, 1957

Constantin Brancusi
180 Oiseau dans l'espace (1936)
Plâtre teinté gris, 194,5 × 14 × 20 cm
Musée national d'art moderne, Centre Georges Pompidou, Paris, legs de l'artiste, 1957

Constantin Brancusi
181 Oiseau dans l'espace (v. 1940-1941)
Bronze poli, 191,5 × 13,3 × 16 cm
Musée national d'art moderne, Centre Georges Pompidou, Paris, legs de l'artiste, 1957

Constantin Brancusi
182 Coq (1935)
Bronze poli, 103 × 21 × 11 cm
Musée national d'art moderne, Centre Georges Pompidou, Paris, achat des Musées nationaux

Constantin Brancusi
183 Coq (1924)
Plâtre, 92 × 10,2 × 38 cm
Musée national d'art moderne, Centre Georges Pompidou, Paris, legs de l'artiste, 1957

Constantin Brancusi
184 Muse endormie (v. 1927)
Marbre blanc, 15,3 × 29,3 × 15,3 cm
Collection Mary A.H. Rumsey

Alberto Giacometti
185 Homme et femme : Le Couple (1928-1929)
Bronze, 40 × 40 × 16,5 cm
Musée national d'art moderne, Centre Georges Pompidou, Paris

Alberto Giacometti
186 La Femme égorgée (1932)
Bronze, 22 × 63,5 × 66 cm
Collection Peggy Guggenheim, Venise (The Solomon R. Guggenheim Foundation)

Alberto Giacometti
187 Caresse : Malgré les mains (1932)
Marbre, 47,5 × 49,5 × 16 cm
Musée national d'art moderne, Centre Georges Pompidou, Paris

Barbara Hepworth
188 Single Form (1937)
Bois, 54,6 × 15 × 12 cm
Succession Barbara Hepworth

Isamu Noguchi
189 Gregory (1946)
Bronze, 172 × 41 × 34 cm
Collection Walter A. Bechtler, Zollikon

Objets ludiques et oniriques

Alexander Calder
190 Homme jetant un poids (1929)
Fil de fer, 70 × 65 × 40 cm
Musée national d'art moderne, Centre Georges Pompidou, Paris, don de l'artiste, 1966

Alexander Calder
191 L'Univers (1931)
Fil de fer et bois, h. : 91,5 cm
The Pace Gallery, New York

Jean Peyrissac
192 Cône (v. 1930-1932)
Bois, plomb et os, h. : 110 cm
Collection M. Alain Peyrissac

Alberto Giacometti
193 Boule suspendue (1930-1931)
Fer et bois, 60,3 × 36 × 33,1 cm
Collection particulière

Alberto Giacometti
194 Circuit (1931)
Bois, 5 × 47 × 47 cm
Collection Henriette Gomes, Paris

Alberto Giacometti
195 La Pointe à l'œil (1932)
Bois et fer, 12,5 × 53,2 × 29,5 cm
Musée national d'art moderne, Centre Georges Pompidou, Paris

Eudald Serra Güell
196 Escultura (1933)
Terre cuite polychrome et cordelette, 41 × 11 × 17 cm
Collection particulière

Leandre Cristòfol
197 Monument (1935)
Bois et métal, h. : 80 cm
Collection de l'artiste

Leandre Cristòfol
198 **Nit de Lluna** (1935)
[Nuit de lune]
Bois, h. : 70 cm
Collection de l'artiste

Meret Oppenheim
199 **Objet : Le Déjeuner en fourrure** (1936)
Tasse, soucoupe et cuiller recouvertes de fourrure; tasse, ⌀ : 10,9 cm; soucoupe, ⌀ : 23,7 cm; cuiller, l. : 20,2 cm; h. totale : 7,3 cm
The Museum of Modern Art, New York, achat 1946

Max Ernst
200 **Objet mobile recommandé aux familles** (1936)
Bois et ficelle, h. : 98 cm
Marlborough Fine Art, Londres

Joan Miró
201 **L'Objet du couchant** (1937)
Bois peint, métaux et ficelle, 68 × 44 × 26 cm
Musée national d'art moderne, Centre Georges Pompidou, Paris

Joseph Cornell
202 **L'Égypte de Mlle Cléo de Mérode** (1940)
Construction : bois, verre et techniques diverses,
26,2 × 18,4 × 12,1 cm
Collection Richard L. Feigen, New York

Joseph Cornell
203 **Beehive : Thimble Forest** (1940-1948)
[Ruche : Forêt de dés à coudre]
Construction : miroirs, sciure et dés à coudre, h. : 8 cm; ⌀: 19,1 cm
Collection Richard L. Feigen, New York

Joseph Cornell
204 **A Pantry Ballet : For Jacques Offenbach** (1942)
Construction, techniques diverses, 26,8 × 35,6 × 13 cm
Collection James Corcoran, Los Angeles

Isamu Noguchi
205 **Monument aux héros** (1943)
Bois, papier, os et ficelle, 96,5 × 50,8 × 50,8 cm
Collection de l'artiste, New York

Giacometti

Alberto Giacometti
206 **Le Nez** (1947)
Bronze, 82 × 63 × 37 cm
Collection M. et Mme Adrien Maeght, Paris

Alberto Giacometti
207 **La Main** (1947)
Bronze, 53 × 71 cm
Collection Stephen Hahn, New York

Alberto Giacometti
208 **Trois hommes qui marchent** (1948-1949)
Bronze, 64,2 × 39,4 × 39,4 cm
Sidney Janis Gallery, New York

Alberto Giacometti
209 **Femme debout** (v. 1950)
Plâtre peint, 19 × 8,5 × 8,5 cm
Collection M. et Mme Adrien Maeght, Paris

Alberto Giacometti
210 **Femme** (1950)
Plâtre peint, h. : 26,5 cm
Collection M. et Mme Adrien Maeght, Paris

Alberto Giacometti
211 **Quatre figurines sur un socle** (1950)
Plâtre, h. : 20 cm
Collection M. et Mme Adrien Maeght, Paris

Alberto Giacometti
212 **Buste de Diane Bataille** (s.d.)
Plâtre peint, h. : 73 cm
Collection M. et Mme Adrien Maeght, Paris

Alberto Giacometti
213 **Diego Giacometti** (1952-1953)
Bronze, 39 × 33 × 19 cm
Musée national d'art moderne, Centre Georges Pompidou, Paris

Alberto Giacometti
214 **Femme debout** (1957-1958)
Bronze, 70 × 16,5 × 22 cm
Musée national d'art moderne, Centre Georges Pompidou, Paris

Alberto Giacometti
215 **Femme assise** (1956)
Bronze, 77,5 × 14,5 × 19,5 cm
Musée national d'art moderne, Centre Georges Pompidou, Paris, don de M. Aimé Maeght, 1977

La récupération de l'objet déchu

Pablo Picasso
216 **Tête de taureau** (1943)
Bronze, 42 × 41 × 15 cm
Collection Claude Picasso, Paris

Pablo Picasso
217 **La Guenon et son petit** (1951)
Plâtre original : céramique, deux petites voitures, métal et plâtre,
56 × 34 × 71 cm
Musée Picasso, Paris

Pablo Picasso
218 **La Guenon et son petit** (1951)
Bronze, 53,2 × 33,2 × 61 cm
Collection Claude Picasso, Paris

Jean Dubuffet
219 **Grise mine** (1959)
Bois flotté, h. : 42 cm
Collection M. et Mme Morton L. Janklow, New York

Jean Dubuffet
220 **Minaudage aux dents** (1959)
Papier mâché, h. : 37,2 cm
Collection M. et Mme Morton L. Janklow, New York

Jean Dubuffet
221 **Pleurnichon** (1960)
Éponge et pierre, 41 × 15 × 16 cm
Collection Michael et Ileana Sonnabend, New York

David Smith
222 **Agricola IX** (1952)
Acier, 92,1 × 141 × 45,8 cm
M. Knoedler Co. Inc., New York, pour la collection Candida et Rebecca Smith

Louise Nevelson
223 **Chief** (1955)
Bois, 123,2 × 62,3 × 21,6 cm
Collection particulière

Eduardo Chillida
224 **Le Désirant** (1954)
Fer, l. : 96 cm
Collection M. et Mme Adrien Maeght, Paris

Ettore Colla
225 **Agreste** (1955)
Fer de récupération, h. : 224 cm; ∅ : 100 cm
Galleria L'Isola, Rome

Richard Stankiewicz
226 **Diving to the Bottom of Ocean** (1958)
[En plongée vers le fond de l'océan]
Métaux soudés, 138 × 84 × 96 cm
Musée national d'art moderne, Centre Georges Pompidou, Paris

Jean Tinguely
227 **Spirale** (1965)
Fer plat, vrille en acier et moteur électrique, 190 × 70 × 60 cm
Collection Marcel Lefranc, Paris

L'écriture, le geste, l'énergie picturale

David Smith
228 **Blackburn, Song of an Irish Blacksmith** (1949-1950)
Fer, bronze et marbre, 117 × 103,5 × 58 cm
Wilhelm - Lehmbruck Museum der Stadt, Duisbourg

David Smith
229 **Hudson River Landscape** (1951)
Acier soudé, 127,7 × 190,5 × 42,6 cm
The Whitney Museum of American Art, New York

Eduardo Chillida
230 **Rumor de Limites II** (1959)
Fer, 55 × 145 × 83 cm
Collection Paco Muñoz

Lucio Fontana
231 **49 SC 6** (1949)
Céramique polychrome, 50 × 50 × 50 cm
Karsten Greve Galerie, Cologne

Joan Miró
232 **Palmier** (1955-1956)
Céramique, h. : 190,5 cm
Pierre Matisse Gallery, New York

Leonardo Leoncillo
233 **Affinità patetiche** (1962)
[Affinités pathétiques]
Terre cuite émaillée, deux pièces : 195 × 60 × 40 cm;
et 192 × 70 × 40 cm
Collection Fabio Sargentini, Rome

John Chamberlain
234 **Miss Lucy Pink** (1962)
Acier soudé et peint, 114,3 × 127 × 101,6 cm
Xavier Fourcade Inc. et Thordis Moeller, New York, pour la
collection de l'artiste

Mark Di Suvero
235 **New York Dawn : For Lorca** (1965)
Bois, acier et fer, 198,1 × 188 × 127 cm
The Whitney Museum of American Art, New York, don de la
fondation Howard et Jean Lipman

Jean Dubuffet
236 **Table porteuse d'instances, d'objets et de projets** (1968)
Transfert sur polyester et peintures vinyliques,
134 × 222 × 100 cm
Fondation Jean Dubuffet, Perigny-sur-Yerres

Jean Fautrier
237 **It's How I Feel** (1958)
Huile sur toile, 97,5 × 146 cm
Musée national d'art moderne, Centre Georges Pompidou, Paris

Robert Motherwell
238 **Summertime in Italy No. 8** (1960)
Huile sur toile, 254 × 178 cm
Staatsgalerie, Stuttgart

Joseph Beuys

Joseph Beuys
239 **Schneefall** (1965)
[Chute de neige]
Bois et feutre, 23,1 × 120 × 363 cm
Fondation Emanuel Hoffman, Museum für Gegenwartskunst, Bâle

Joseph Beuys
240 **Lit** (1963-1964)
Lit, feutre, cuivre et fer, 59 × 121 × 245 cm
Collection Heiner Bastian

Joseph Beuys
241 **Eisenkiste aus « Vakuum - Masse »** (1968)
[Caisse de métal de l'action « Vacuum-Masse »]
Caisse de métal en forme de demi-croix cubique contenant 100 kg
de graisse, 100 pompes à bicyclette et un fragment du film
« Eurasienstab », 55 × 110 × 55 cm
Collection particulière

Joseph Beuys
242 **Aggregat** (1962)
Bronze, 107 × 78 × 79 cm
Städtisches Museum Abteiberg, Mönchengladbach

Arte Povera, anti-minimal

Piero Manzoni
243 **Linea** (1959)
Cylindre de carton contenant une ligne de 9 m de long,
h. : 27; ∅ : 2 cm
Galleria Blu, Milan

Piero Manzoni
244 **Œuf avec empreinte** (1960)
Œuf et boîte; boîte : 8,2 × 6,7 × 5,7 cm
Galleria Blu, Milan

Piero Manzoni
245 **Merde d'artiste** (1961)
Boîte en laiton contenant un excrément, ∅ : 6,5 cm
Galleria Blu, Milan

Piero Manzoni
246 **Achrome** (1961)
Boules de coton, 19 × 26 cm
Galleria Blu, Milan

Pino Pascali
247 **32 m² de mare circa** (1966)
[32 m² de mer environ]
30 bacs en aluminium remplis d'eau colorée à l'aniline,
600 × 600 cm
Galleria nazionale d'arte moderna, Rome

Mario Merz
248 **Vento preistorico dalle montagne gelate** (1962, version 1978)
[Vent préhistorique des montagnes gelées]
Structure en bois, huile sur toile, néon et fagots,
201 × 200 × 59 cm; néon : l. : 312 cm; ∅ : 2,5 cm
Rijksmuseum Kröller-Müller, Otterlo

Mario Merz
249 **Igloo de Giap** (1968)
Cage en fer, sacs de terre, néon, batteries et accumulateurs,
h. : 120 cm, ∅ : 200 cm
Musée national d'art moderne, Centre Georges Pompidou, Paris

Gilberto Zorio
250 **Per purificare le parole** (1967-1968)
[Pour purifier les paroles]
Tuyau de pompier gainé de toile, fer et zinc,
h. : 170 cm, ∅ : 300 cm environ
Musée national d'art moderne, Centre Georges Pompidou, Paris

Gilberto Zorio
251 **Il fuoco e passato** (1968, version 1986)
[Le feu est passé]
Eternit et grillage métallique, 120 × 250 cm
Collection de l'artiste, Turin

Jannis Kounellis
252 **Senza titolo** (1967)
[Sans titre]
Fer et sept cactus, 200 × 360 × 30 cm
Rijksmuseum Kröller-Müller, Otterlo

Jannis Kounellis
253 **Senza titolo** (1968)
[Sans titre]
Bois et laine, 320 × 350 cm
Collection Liliane et Michel Durand-Dessert, Paris

Giovanni Anselmo
254 **Torsion** (1968)
Fer et flanelle;
Barre de fer h. : 200 cm, ∅ : 10 cm; flanelle : 30 m
Collection S.J.B., Paris

Giovanni Anselmo
255 **Respiration** (1969)
Deux poutres en fer et éponge, 10 × 800 × 5 cm
Musée Saint-Pierre d'art contemporain, Lyon

Luciano Fabro
256 **Le Pied** (v. 1968)
Bronze et soie, 221 × 150 × 160 cm;
Pied : 81 × 150 × 160 cm
Stedelijk Museum, Amsterdam

Luciano Fabro
257 **Le Pied** (1968-1971)
Marbre et soie, 400 × 100 × 70 cm
Collection Christian Stein, Turin

Luciano Fabro
258 **Le Pied** (1968-1972)
Marbre de Porfiricio et soie de Bemberg, 379 × 96,5 × 87 cm
Rijksmuseum Kröller-Müller, Otterlo

Eva Hesse
259 **Hang-Up** (1966)
Peinture acrylique, tissu, bois et acier, 182,9 × 213,3 × 198,1 cm
Collection M. et Mme Victor W. Ganz, New York

Eva Hesse
260 **Seven Poles** (1970)
Fibre de verre sur polyéthylène sur fil de fer et aluminium; sept
éléments; chacun : l. de 188 à 282 cm,
circonférence de 25,5 à 45,5 cm
Musée national d'art moderne, Centre Georges Pompidou, Paris

Richard Serra
261 **Tearing Lead** (1968)
Plomb, 250 × 290 cm
Musée national d'art moderne, Centre Georges Pompidou, Paris

Richard Serra
262 **5 h 30** (1969)
Quatre plaques d'acier; chacune : 124 × 124 × 5 cm,
rouleau l. : 230 cm; ∅ : 15 cm
Musée national d'art moderne, Centre Georges Pompidou, Paris

Robert Smithson
263 **Spiral Jetty** (1970)
Boue, cristaux de sel en suspension, rochers et eau, 450 × 4,50 m
Photo Gian Franco Gorgoni, avec l'autorisation de la John Weber
Gallery, New York

Textes critiques

Rosalind Krauss

Échelle/monumentalité Modernisme/postmodernisme La ruse de Brancusi

Imaginons une histoire de la sculpture moderniste entièrement négative. Une histoire dont le mouvement ne soit pas celui de l'imagination bondissant triomphalement vers l'avant, une histoire qui ne voie pas dans la montée de l'innovation technique un nouvel avatar du véhicule des idées plastiques et du sentiment, qui ne relate pas l'expansion constante, durant cette période, du domaine du «sculptural». Formons le projet d'une histoire différente, qu'on pourrait appeler une histoire de l'échec. Ce serait l'histoire du rapport de la sculpture moderne au monument et au monumental.

Une figure majeure de cette histoire de l'échec serait indubitablement Pablo Picasso, dont les manières de procéder à cet égard nous fournissent une sorte de modèle opérationnel de la façon dont le monument est passé à côté du modernisme en sculpture.

Les premiers projets de monuments que fit Picasso étaient de minuscules maquettes en fil de fer dont la structure ouverte a toujours été interprétée comme la matérialisation, en 1928, de la série de dessins réalisés par l'artiste plusieurs années auparavant, autour du *Chef-d'œuvre inconnu* de Balzac. Pensant peut-être que le calligraphisme extrême de ces dessins rendait leur transposition en trois dimensions tout à fait propre à célébrer la mémoire du poète des calligrammes, Picasso proposa deux de ces délicates constructions comme projets pour un monument à Guillaume Apollinaire. Jugées trop hardies et refusées par les responsables officiels, ces sculptures survécurent surtout dans l'œuvre de Picasso pour avoir servi de sources d'inspiration aux inventions formelles de plusieurs générations de sculpteurs qui ont employé la technique de soudure du métal. Proches de l'improvisation, elles parurent donner la preuve que des matériaux industriels permettaient une traduction directe du sentiment, une immédiateté sensuelle et une grande souplesse d'adaptation aux choix esthétiques de l'artiste. Pour Julio González, David Smith ou Tony Caro, ce sont de telles qualités qui ont fait le génie, en même temps que la *pertinence* artistique, de ces constructions.

En 1972, moins d'un an avant sa mort, Picasso donna au Museum of Modern Art une version du monument à Apollinaire haute de 1,98 m, ainsi que l'autorisation d'en tirer une édition haute de 4 m pour le jardin de sculptures du musée. A cette échelle (attribuée à l'œuvre par rétroaction, après presque un demi-siècle), tout ce qu'il pouvait y avoir d'émouvant, de convaincant, dans l'original, est entièrement annulé par cette rigidité, ce durcissement mécanique, que l'on trouvait déjà dans les agrandissements monumentaux et quelque peu monstrueux des mobiles de Calder.

Dans la carrière de Picasso, deux faits avaient précédé cette prise de volume démesurée du monument à Apollinaire. Le premier remonte à 1959, année où l'on avait effectivement érigé un hommage au poète dans le jardin de l'église Saint-Germain-des-Prés. Il s'agissait d'une tête en bronze de Dora Maar faite par Picasso en 1941, l'adéquation entre le sujet du monument et le personnage dont il était censé célébrer la mémoire restant aussi opaque que le matériau de l'œuvre.

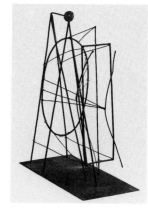

Pablo Picasso
Figure (1928) proposée pour un monument à Guillaume Apollinaire
50,5 × 40,8 × 18,5 cm

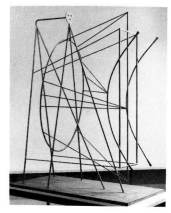

Pablo Picasso
Projet pour un monument à Guillaume Apollinaire (1962)
Version agrandie
198 × 159,4 × 72,3 cm

Picasso
Tête de Dora Maar: monument à Guillaume Apollinaire (1941)

Picasso
Le Singe assis (1961)
14,2 × 8 × 15 cm

1 Cf. mon livre *Originality of the Avant-Garde and Other Modernist Myths,* Cambridge (Massachusetts), MIT Press, 1985, p. 279.

La deuxième chose intervenue entre la maquette et l'agrandissement correspond à la décennie — à partir de 1960 — durant laquelle Picasso s'adonna à la confection de ce qu'on pourrait appeler le «monument-pochette d'allumettes». Un Norvégien du nom de Carl Nesjar fut chargé de couler en béton d'éléphantesques agrandissements des minuscules constructions de papier coupé et plié que le maître réalisait le plus souvent à table, avec des pochettes d'allumettes et de petits bouts de carton, démontrant par là son pouvoir magique de créer quelque chose à partir de rien. Quelle relation pouvait-on s'attendre à trouver entre ces improvisations lilliputiennes, pétries d'ingéniosité et de frivolité, et leurs énormes versions en béton (celle de Chicago atteint 18 m de haut) destinées à des emplacements publics, voilà qui échappe à quiconque a tant soit peu réfléchi à la signification du monument sculptural.

Il semble en effet que le monument sculptural fonctionne à l'intérieur d'une logique — ou, pour parler comme Wittgenstein, d'une grammaire — qui met en rapport forme et usage. Le monument étant à usage public, la forme doit donc établir une relation entre une représentation (indépendamment du caractère abstrait de ses éléments) et un site. Il n'est pas nécessaire que le monument ait été conçu en fonction du site pour que la spécificité de ce qu'il représente soit pleinement garantie. Ainsi, la statue équestre de Marc-Aurèle sur la place du Capitole. Michel-Ange n'a pas eu besoin de la faire exécuter tout spécialement pour qu'elle fonctionne, au sein de l'ensemble architectural, comme une représentation de Rome en tant que centre du pouvoir permanent dans l'histoire. Mais c'est dans cette relation, à travers laquelle quelque chose se révèle quant à la signification du site, que le monument trouve son efficace.

Composé de ces deux entités disparates — la littératélité du site, avec son espace physique immergé dans le temps historique, et le caractère figuré de la représentation, avec son espace virtuel structuré de manière symbolique —, le monument fait en général appel à un troisième élément, destiné à indiquer la corrélation des deux précédents: le socle. En effet, le socle rattache la représentation à un endroit spécifique *en même temps* qu'il assure son déplacement dans un domaine sémiotique. Et comme tout, dans ce domaine, est producteur de sens, la grandeur de l'échelle employée, la monumentalité, fait partie du système symbolique: elle assoit sur une signification plus générale, plus globale, comme le caractère public du contexte, la grandeur de l'idée ou la portée que le message est destiné à revêtir, tous les autres éléments lexicaux de la sculpture.

Une très grande sculpture dépourvue de toute relation conceptuelle ostensible avec son site ne constitue pas ce que nous appelons un monument, pas plus qu'une figuration commémorative dépossédée de son lieu. Cette dépossession est, comme on le sait, la caractéristique notable de l'œuvre de Rodin, son *Balzac* refusé (comme l'*Apollinaire* de Picasso) par la Société des gens de lettres et renvoyé à une existence de pure forme en divers points du monde. Ce phénomène, sensible avec une telle acuité dans l'œuvre de Rodin, est ce que j'ai appelé ailleurs l'«effacement de la logique du monument»[1]. Le moment le plus étonnant de cette éclipse fut peut-être l'installation des *Bourgeois de Calais,* en 1911, devant le Parlement britannique. Comme si personne, pas même le sculpteur vieillissant, n'avait cru nécessaire de rappeler que cette représentation spécifique était en fait le panneau indicateur symbolique du site de la violence anglaise envers les Français.

Il y aurait donc une autre histoire de la sculpture, liée précisément au déclin du monument, qui permit et même encouragea un tel aveuglement sur la signification des *Bourgeois.* Cette histoire, c'est celle de la sculpture moderniste dans sa tentative d'assurer à l'objet tridimensionnel une existence qui renvoie à elle-même et contienne sa propre finalité, qui érige l'autonomie absolue de l'œuvre moderniste sur la perte même de son site monumental et fonde cette nouvelle exigence dans la nouvelle aterritorialité de l'objet sculptural.

On peut aussi décrire ce fait en disant que le monument, dans l'histoire du modernisme, n'existe que sur le mode négatif, en tant qu'inverse de tout ce qui auparavant le constituait. Opérant par rapport à une perte de site absolue, la sculpture moderniste tire sa propre énergie créatrice de ce qu'elle produit le monument sous les espèces d'une abstraction, le monument comme pur indice ou socle, sans lieu de fonctionnement et renvoyant à lui-même pour une large part. Ce sont ces deux caractéristiques qui assignent à la sculpture moderniste une condition, et donc un sens et une fonction, essentiellement nomades. Par la fétichisation du socle, la sculpture se prolonge vers le bas pour absorber le piédestal, qu'elle sépare ainsi de son espace réel. Par la représentation de son matériau et de son procès de construction, elle se fait l'image de sa propre autonomie. L'œuvre de Constantin Brancusi, bel exemple de ce qu'est le modernisme en sculpture, nous fournit un modèle extraordinaire de la manière dont cela se produit.

Dans une œuvre comme le *Coq* (1935), le socle devient le générateur morphologique de la partie figurative de l'objet; dans les *Cariatides* (1915) et dans la *Colonne sans fin* (1920), la sculpture n'est que socle; tandis que dans *Adam et Ève* (1921), une relation réciproque est établie entre sculpture et socle. Celui-ci est ainsi défini comme quelque chose d'essentiellement transportable; indice du caractère nomade de l'œuvre, il est intégré à la substance même de la sculpture. Et le souci manifesté par Brancusi de rendre diverses parties du corps sous l'aspect de fragments tendant vers une abstraction radicale témoigne aussi d'une perte de site, en l'occurrence le site constitué par le reste du corps, par la charpente corporelle qui, en les supportant, aurait donné asile à ces têtes de bronze ou de marbre.

Brancusi réalisa deux objets qui semblent échapper à la situation que je viens d'esquisser, c'est-à-dire deux monuments entrepris par Brancusi lui-même, datant l'un des premières années de sa carrière, l'autre des dernières, qu'il faut examiner en gardant néanmoins à l'esprit la négation du monument par le modernisme et le rôle particulier, voire générateur, joué par Brancusi dans la détermination des paramètres de cette négation. La première de ces œuvres est la version du *Baiser* réalisée en 1909 pour la tombe de Tatiana Rachewsky, au cimetière du Montparnasse. Ce site prédéterminé semble avoir incité Brancusi à tenter d'inverser les conditions d'absence de site constitutif qui organisaient presque tout le reste de son activité. Il est remarquable, en effet, que dans toutes les autres versions du *Baiser,* depuis la première, en 1907, et celles qui suivirent en 1912, 1923-1925, jusqu'à sa transformation en colonne en 1916 et 1933, l'idée directrice est entièrement inscrite soit dans l'organisation des fragments, soit dans leur fusion en un

Constantin Brancusi
Le Coq (1935)

Constantin Brancusi
Le Baiser (1909)
Cimetière Montparnasse

Constantin Brancusi
Le Baiser (1907-1908)

Constantin Brancusi
Le Baiser (v. 1912)

Constantin Brancusi
Le Baiser (1923-1925)

Constantin Brancusi
Colonne du Baiser (1933)

Constantin Brancusi
Porte du Baiser (1938)

Constantin Brancusi
Dessin pour la *Colonne sans fin* (1937)
Croquis sur une photographie du
site de Tîrgu Jiu

Constantin Brancusi
Colonne sans fin (1938)
Dans son site de Tîrgu Jiu

Constantin Brancusi
Table du Silence (1938)

pur socle transportable.

Seule la version funéraire répond à une obligation de placer l'objet dans un site, et à cette fin Brancusi ébauche la partie inférieure du corps, en empruntant le motif des jambes repliées à une de ses œuvres antérieures, *La Sagesse de la Terre*, comme l'a montré Sidney Geist[2]. A cause de ce «bri-collage», ou parce que l'idée même du *Baiser* de Brancusi repose sur la perception d'une unité forgée précisément à partir du fragment, la version de Montparnasse apparaît comme l'une des sculptures les moins réussies de l'artiste. Et le fait qu'elle a été extraite d'une série en cours pour prendre place au cimetière du Montparnasse donne bien le sentiment que cette représentation n'est pas sémantiquement liée à un lieu spécifique.

Si l'on garde à l'esprit la non-spécificité de cette première tentative de monument, il est éclairant de noter que le *Baiser* forme le centre d'intérêt thématique de l'ensemble monumental avec lequel Brancusi couronna sa carrière, à savoir le monument qu'il exécuta à Tîrgu Jiu en 1937 pour commémorer les défenseurs de la ville roumaine contre l'envahisseur allemand en 1916. Cet ensemble, qui s'étend sur plus d'un kilomètre et demi dans la ville, à l'intérieur et à l'extérieur du jardin public, comprend trois éléments, chacun d'entre eux ayant été conçu en vue de manifester une idée de grandeur physique. La *Porte du Baiser* mesure plus de 5 m de haut et 6 m de large pour 2 m de profondeur; la *Table du Silence* fait 2,10 m de diamètre, mais avec les tabourets qui l'entourent, son diamètre total est de 5,40 m et la *Colonne sans fin* s'élève à presque 30 m au-dessus du sol. Mais étant donné son caractère massif, sa fonction en un lieu déterminé et le fait qu'il signale un événement historique précis, ce projet ne témoigne-t-il pas contre ce que j'ai avancé précédemment? Ne peut-on y voir une preuve de ce que Brancusi accéda bel et bien au monument et au monumental, infirmant ainsi la thèse générale qui voudrait que cet accès fût interdit à la sculpture moderniste — non seulement historiquement, mais aussi logiquement, ou structuralement?

Cependant, considéré sous les espèces du monument, l'ensemble de Tîrgu Jiu est des plus curieux. Bien que ses trois éléments soient alignés sur un axe continu, par là même témoins d'une certaine exigence de continuité ou de totalité, les rues et l'église principale de la ville viennent s'interposer entre deux d'entre eux, la *Table du Silence* et la *Porte du Baiser* situées dans un jardin public, et le troisième, la *Colonne sans fin*, de sorte que la *Colonne* n'est pas visible depuis le jardin. Et même à l'intérieur de ce dernier, la relation entre la *Porte* et la *Table* n'est pas perceptible, si bien que, comme le remarque William Tucker, «pas plus que le plan

2 Sidney Geist, *Brancusi*, New York, Gross-man Publishers, 1968, p. 36.

selon lequel elles sont disposées, les sculptures elles-mêmes n'apparaissent immédiatement au visiteur de la ville: seule la *Colonne,* qui fait presque trente mètres de haut, peut être vue d'assez loin»[3].

Le sculpteur de l'immédiateté, de la présence concrète, le sculpteur du rapport intuitif entre le fragment spécifique et le tout idéal, aurait donc conçu un ensemble dont les parties ne seraient vraiment reliées qu'au niveau purement mental du plan de l'œuvre, lequel est inaccessible à la perception? C'est ce que semble confirmer Sidney Geist lorsqu'il soutient que la composition en trois parties de Tîrgu Jiu est en fait l'ombre portée d'une autre combinaison axiale, elle aussi tripartite, que Brancusi a projetée de Paris au cœur de cette ville roumaine[4]. Notant, pour commencer, la similitude frappante, en termes de proportions et même de dimensions réelles, entre la *Porte du Baiser* et l'arc de triomphe du Carrousel, Geist relève ensuite la manière dont le monument parisien forme l'élément central d'un axe qui débute à l'ouest par l'obélisque de la Concorde, et se prolonge vers l'est par les jardins des Tuileries et l'arc de triomphe jusqu'au jardin du Carrousel, dont le centre est occupé par un grand parterre de fleurs circulaire organisant l'espace qui débouche sur le Louvre. L'ordre selon lequel ces volumes sont répartis sur un axe principal en plein cœur de Paris est le même que celui des éléments de Tîrgu Jiu; en outre, les dimensions et distances sont à peu près identiques. A Paris, l'obélisque s'élève à une hauteur de près de 28 m et il est situé à un kilomètre de l'arc de triomphe. A Tîrgu Jiu, la *Colonne,* qui mesure plus de 29 m de haut, est à 1,25 km de la *Porte;* la *Porte* et l'arc de triomphe sont tous deux situés à 150 m de l'élément circulaire qui constitue la partie terminale de chacun des deux alignements.

Avec toute la circonspection d'un bon spécialiste, Sidney Geist conclut ainsi l'exposé de ce parallèle: «Nous savions déjà que l'ensemble de Tîrgu Jiu incorpore certains des thèmes antérieurs de Brancusi. Englobant une rivière, une surface boisée, une ville, un champ et le ciel qui les surplombe, il représente ce que le sculpteur a fait de plus "roumain", comme un témoignage de l'amour qu'il portait à son pays. [Mais] je crois que l'on peut dire maintenant que cet ensemble rend aussi hommage à cet autre pôle de son existence: Paris.»[5]

Mais que signifient l'intromission du plan de Paris dans le tissu vivant d'une petite ville roumaine, la projection mentale d'un axe politico-historique sur un autre, la création d'un télescopage conceptuel du genre de ce qu'on allait nommer trente ans plus tard, dans le contexte d'un discours esthétique entièrement différent, un «non-site»[6]? Nous avons tellement l'habitude de penser que l'histoire de l'art est faite de triomphes, de succès, de lapins tirés des chapeaux les plus improbables, que nous répugnons assurément à envisager le caractère diabolique, quant à la fonction du monument, du rapport instauré à Tîrgu Jiu entre des fragments sculpturaux isolés et l'amalgame de deux configurations géographiques différentes (notons au passage que Geist évoque ici, outre les deux plans de villes déjà indiqués, l'importance du projet utopique de Le Corbusier, en 1922, qui transformait Paris en *Une ville contemporaine* et en marquait l'entrée par quatre portes monumentales[7]). Nous sommes tellement captivés par l'idée que Brancusi semble s'être engagé dans un discours public que nous nous refusons à sentir le caractère transgressif d'un monument dont le site même ne peut plus être localisé, est devenu une fiction impossible, une absence, un système de référence qui donne toujours à penser que l'emplacement de l'œuvre est un ailleurs, un manque. Il nous en coûte d'admettre qu'il y a là une infraction à la logique du monument, d'autant qu'il faut pour cela reconnaître la ruse dont sont victimes les paramètres de la représentation. Nous n'aimons pas penser que Brancusi, à Tîrgu Jiu, a pu être incapable de méditer la logique de la représentation, et que de cet échec est peut-être issu, non une victoire moderniste sur le problème du monument, mais le début d'une façon postmoderniste d'envisager l'emplacement du monument dans l'en-

Arc de triomphe du Carrousel, Paris, dans la première moitié du siècle

3 William Tucker, *Early Modern Sculpture,* New York, Oxford University Press, 1974, p. 129.

4 Sidney Geist, «Brancusi: The Centrality of the Gate», *Artforum,* XII, octobre 1973, p. 70-78.

5 *Ibid.,* p. 77.

6 Le concept de «non-site» est le lieu géométrique d'une grande partie de l'œuvre de Smithson datant de la fin des années soixante, et le thème de plusieurs de ses textes importants : «Entropy and the New Monuments», *Artforum,* V, juin 1966; «A tour of the Monuments of Passaic, New Jersey», *Artforum,* VI, décembre 1967; «A Sedimentation of the Mind : Earth Projects», *Arforum,* VII, septembre 1968. Ces essais ont été réunis dans *The Writings of Robert Smithson,* présenté par Nancy Holt, New York University Press, 1979.

7 Geist, «Brancusi: The Centrality of the Gate», *loc. cit.,* p. 73.

8 *The Writings of Robert Smithson, op. cit.,* pp. 52-57.

9 *Ibid.,* p. 54.

tropie, c'est-à-dire le non-site, l'antimonument, ou ce que Robert Smithson avait ironiquement commémoré sous le nom de «Monuments de Passaic».[8]

Smithson fit l'inventaire des monuments de Passaic un samedi après-midi de 1967. Il recensa ainsi *Le Monument-pont,* le *Monument à pontons: la tour de pompage,* le *Monument-grandes canalisations,* le *Monument-fontaine* et le *Monument-bac à sable.* Vestiges laissés par une culture moderne en renouvellement permanent, abandonnés dans un paysage embourbé dans l'effacement de l'histoire propre aux banlieues, ces monuments ne marquent un site que de manière purement arbitraire, car ils célèbrent à la fois la perte irréparable du passé et la fuite perpétuelle du présent. Dans ses réflexions sur cette topographie, Smithson la définit comme «un panorama zéro [qui] semblait contenir des *ruines à rebours,* c'est-à-dire tous les nouveaux édifices qui finiraient par y être bâtis. C'est tout le contraire, ajoute-t-il, de la "ruine romantique", car les bâtiments ne *tombent* pas en ruine *après* avoir été construits, mais *s'érigent* en ruine avant même d'être construits.»[9]

Le travail de Smithson dégage deux autres aspects du site. Son caractère labyrinthique, tout d'abord, car nous le ressentons comme un simulacre, un terrain coincé entre deux miroirs disposés face à face, un lieu réel perdu dans les replis de l'autoduplication. A propos du premier monument, Smithson remarque par

Robert Smithson
Les «monuments de Passaic»
(le *Monument-pont*)

Robert Smithson
Les «monuments de Passaic»
(le *Monument à pontons*)

Robert Smithson
Les «monuments de Passaic»
(le *Monument-grandes canalisations*)

Robert Smithson
Les «monuments de Passaic»
(le *Monument-fontaine*)

Robert Smithson
Les «monuments de Passaic»
(le *Monument-bac à sable*)

Robert Smithson
Negative Map (1967)

exemple que le pont et la rivière ressemblent à une photo surexposée, de sorte que les photographier revenait à «photographier une photographie». Ou bien encore, décrivant un parking construit sur une voie de chemin de fer qui menait auparavant au centre de Passaic, il écrit: «Ce parking monumental divisait la ville en deux: un miroir et un reflet — mais le miroir se déplaçait avec le reflet. On ne savait jamais de quel côté du miroir on se trouvait. Ce monument plat n'avait rien d'*intéressant,* ni même d'étrange, cependant il répercutait une sorte d'idée toute faite de l'infini.»[10] Smithson repère ce présent plat, ce panorama zéro, à l'aide d'une carte du terrain, une limite formelle mais arbitraire, absurdement tracée autour de l'infinité du labyrinthe.

Dans cette réflexion sur le monument et le non-site, Smithson distingue un autre labyrinthe. C'est celui de la structure géologique du site qui, enregistrant de manière chaotique le passage du temps, défie l'art et les conventions dérisoires dont il use pour circonscrire et représenter la réalité. «Les strates de la Terre sont un musée en désordre, écrit Smithson. Dans le sédiment est incrusté un texte dont les limites esquivent l'ordre rationnel et les structures sociales qui enferment l'art. Afin de lire les roches nous devons prendre conscience du temps géologique et des couches de matériau préhistorique ensevelies dans l'écorce terrestre. Quand on scrute les sites en ruine de la préhistoire on peut voir un amoncellement de cartes dévastées qui bouleverse les limites actuelles de notre histoire de l'art. Sondant du regard les couches de sédiment, on n'aperçoit que les décombres de la logique. Les grilles abstraites qui contiennent la matière brute semblent alors incomplètes, brisées et fracassées.»[11]

Afin de représenter l'affect lié à cette perception du site comme un effondrement de la forme en non-forme, en matière dé-différenciée, en ce qui rend toute représentation parfaitement arbitraire, Smithson inventa une nouvelle sorte de carte, différente de celle de Passaic. Il agença les alvéoles géométriques des non-sites, dans lesquelles de la matière rocheuse provenant de carrières déterminées était assemblée en manifestations d'antiforme étrangement muettes. Mais par toutes ces actions, qu'il ait réagi au brouillage spatial du site engendré par le miroir ou au brouillage temporel perçu grâce à une coupe géologique dans la substance physique du site, Smithson décrivait l'irreprésentabilité fondamentale du site qui se dérobe à la notion de forme.

Le monument sculptural traditionnel instaure un ordre vertical au sein duquel une représentation surplombe et domine son lieu d'implantation. La forme se dresse au-dessus de la matière et l'organise de manière discursive, l'ordre jetant une sorte de lumière esthétique sur ce qui aurait pu être inintelligible auparavant. Toutefois, dans tout le mouvement du «non-site» ou *earthwork,* ce rapport vertical se convertit en une horizontalité affirmée où sont acceptées et approfondies les conditions du labyrinthe. Les tendances à l'entropie et à la déliquescence sont admises à intervenir... et reconnues comme irreprésentables. La force anarchique de cette intervention fait sauter les anciennes limites de l'ordre esthétique moderniste. A partir de ce moment, un moment impossible à récupérer dans les limites de la pratique moderniste et annonçant selon certaines critiques l'avènement du postmodernisme, de nouvelles conditions font simultanément leur apparition. Ainsi, la sculpture peut accéder à de vastes proportions, non pour englober un site mais bien plutôt de manière à prendre en compte le défi qu'il pose à la forme. Il peut aussi se faire que les limites du moyen d'expression plastique lui-même s'effondrent en même temps que le non-site inaugure une pratique que l'on ne saurait définir adéquatement par le terme de «sculpture». J'ai utilisé ailleurs la notion de domaine élargi pour décrire cet éclatement des moyens d'expression de la sculpture.[14] Dorénavant tout peut être utilisé en vue d'exprimer le caractère illimité du réel: l'architecture, le dessin, la photographie, l'action politique, le film. Et confondre cette activité avec la logique traditionnelle du monument reviendrait

10 *Ibid.,* p. 56.
11 *Ibid.,* p. 89.
12 Rosalind Krauss, *Originality of the Avant-Garde, op. cit.,* pp. 276-290.

à invoquer précisément les rapports que conteste cette expérience de la pure horizontalité.

On trouve plusieurs de ces conditions réunies à Tîrgu Jiu. Tout d'abord, Brancusi compose son ensemble à partir d'éléments qui brouillent les frontières entre sculpture et architecture. En outre, Brancusi atteint à une échelle grandiose, en s'abandonnant à l'horizontalité d'un site complexe, quasi fictif, qui dépasse la capacité de ces formes à le constituer en représentation cohérente.

Il va sans dire que présenter Brancusi comme un sculpteur postmoderniste serait un anachronisme. Cependant, le phénomène postmoderniste nous permet de percevoir, de manière plus aiguë que jamais, le problème de la monumentalité au sein du modernisme. Aucun sculpteur moderniste n'a été capable de travailler à grande échelle autrement que par un agrandissement de petits objets dépassant largement les limites de leur intégrité esthétique; et tous ces objets, que l'on songe à Picasso ou à Calder, à Henry Moore ou à Dubuffet, nous apparaissent comme des maquettes portées à des dimensions disproportionnées par rapport à leur contenu plastique.

Historiquement parlant, il ressort de cette situation qu'au moment où, à la fin des années soixante, la sculpture accède à l'échelle monumentale, les conditions de cet accès entraînent précisément la dissolution du sculptural en tant que tel. De sorte que le monumental sert ici à souligner une sorte d'ironie gigantesque, à la fois esthétique et historique.

L'expérience de Brancusi à Tîrgu Jiu ne contredit en rien ce renversement. Bien au contraire, elle tend à le confirmer et en fournit, avec trois décennies d'avance, un modèle avant la lettre. Là, l'effondrement du sculptural dans l'irrésolution du plan fait que Tîrgu Jiu ne peut fonctionner par rapport à la logique habituelle du monument. Brancusi a peut-être rêvé de pouvoir atteindre la monumentalité à travers une vision de l'infini. Mais l'infini ne fut jamais réellement à la portée du modernisme, et ce fut la ruse de Brancusi: au moment où il avait une chance de réaliser son rêve, il essaya de le faire dans le cadre d'une modification des règles du jeu, d'une prodigieuse étreinte érotique entre la Roumanie et Paris.

Benjamin H.D. Buchloh

Construire (l'histoire de) la sculpture

L'histoire de la sculpture moderniste n'est ni aussi linéaire ni aussi homogène que ses chroniqueurs et historiens ou les expositions en forme de bilans (y compris celle-ci) pourraient la faire paraître. Ses réussites et ses conquêtes ne furent ni aussi héroïques ni aussi unanimement applaudies que ces interprétations historiques linéaires voudraient nous le faire croire.

Bien au contraire, la sculpture moderne d'avant-garde fut dans sa majeure partie soit complètement ignorée, soit violemment contestée par son public initial et rejetée par ses acheteurs habituels. Les artistes durent déployer beaucoup d'énergie (en pure perte bien souvent) pour lutter contre les lois apparemment immuables qui régissaient l'emploi des matériaux et les méthodes d'exécution, et aussi contre les conventions de la représentation anthropomorphique. De plus, on note à quelques exceptions près un retard historique dans l'accueil de cette sculpture par les critiques et les historiens, sans parler des institutions (seule une sculpture de jardin peut entrer dans un jardin de sculpture). Son histoire a dû être reconstituée et réécrite plus fréquemment, et pour certaines parties plus complètement, que celle de la peinture qui lui est parallèle. Les conflits internes et le renversement des modèles étaient sans doute plus tangibles dans le domaine de la sculpture, tout comme les menaces à l'encontre de ses frontières traditionnelles étaient plus réelles. Par conséquent, elle s'est heurtée à une résistance plus opiniâtre et plus massive que les offensives contre la production de sens et ses conventions menées dans le carré bien protégé de la peinture.

Peut-être le projet de la sculpture moderne était-il déjà en germe dans les « scandales » provoqués par l'œuvre de Rodin à la fin du XIXᵉ siècle, qui révélaient la persistance d'un certain nombre d'idées bien arrêtées quant aux seuils que la sculpture ne pouvait se permettre de franchir. Le premier de ces scandales démontra à l'évidence que les limites de la sculpture ne tenaient pas simplement à ses fonctions de représentation, mais tout autant aux conventions relatives aux méthodes et matériaux : en 1876, la *trop grande* exactitude anthropomorphe de *L'Age d'airain* motiva précisément les soupçons de fraude artistique. Il fallait refuser le moulage direct et la copie (au cœur de l'enseignement depuis l'Antiquité) parce qu'ils dérogeaient à l'idéal d'originalité et d'indépendance par rapport à la nature. Puis, en 1898, un deuxième scandale fut déclenché par la remise en question des limites structurelles et morphologiques : il fallait refuser le *Balzac*, le « sac de charbon » comme on l'appelait, en raison même de son *absence* de propriétés mimétiques. Là, le volume sculptural avait acquis *trop* d'indépendance, et menaçait de se constituer en objet autonome. Quant au troisième scandale, il portait sur les conventions spatiales : les *Bourgeois de Calais,* commandés en 1884, étaient inacceptables parce qu'ils abolissaient les frontières entre l'espace réel et l'espace virtuel traditionnellement attribué à la sculpture par le piédestal.

La sculpture ayant perdu sa double fonction de représentation et de monument (et aussi, par voie de conséquence, ses mécènes potentiels), toucha aussitôt aux limites de sa condition catégorielle et ontologique, ce qui souleva des questions supplémentaires : vers quel *autre* objet en trois dimensions, ou construction dans l'espace, la sculpture pouvait-elle tendre, et duquel devait-elle s'éloigner le plus ? Pouvait-elle se rapprocher de l'architecture, quand elle devait éviter le rôle de mobilier « comme la peste »? Pouvait-elle imiter la nature, quand cela l'obligerait à se démarquer des produits industriels et des créations d'ingénieurs ? Pouvait-elle se réfugier prudemment dans ses anciens sites rituels, au risque de perdre toute crédibilité si elle confinait au décor de théâtre[1]?

Il semble que l'histoire de la sculpture moderne soit justement celle des transgressions de toutes ces limites. Mais chaque fois que la transgression semblait conduire trop près du modèle extra-sculptural, l'*histoire* de la sculpture (c'est-à-dire les modalités de son accueil, l'élaboration et l'enregistrement de ses normes) esquivait ces atteintes au particularisme et se préservait aussi longtemps que possible de cette sorte d'éclatement.

Nous allons essayer de repérer quelques-uns des épisodes de l'histoire de la sculpture du XXᵉ siècle où l'accueil qui lui a été réservé nous renseigne sur les attentes particulières, les exigences et les tolérances éventuelles à l'égard de la sculpture. Nous partirons de l'hypothèse que les divers exemples de rejet ou d'oubli, de méconnaissance, d'accueil tardif ou de redécouverte et remise en vigueur apporteront un éclairage précieux sur cette histoire. Par conséquent, nous examinerons d'abord les conditions d'accueil de la sculpture plutôt que les œuvres elles-mêmes. Mais nous restreindrons encore notre champ d'investigation, pour nous intéresser avant tout à l'accueil de la sculpture « construite », c'est-à-dire celle qui se détourne des méthodes, matériaux et conventions de la sculpture figurative qui a régné sans interruption depuis l'Antiquité jusqu'à la fin du XIXᵉ siècle. La sculpture construite, née vers 1912 dans le cadre du cubisme synthétique, a transformé les procédés d'exécution, la gamme des matériaux ainsi que les modes de représentation et de mise en espace d'une manière imprévue et durable. Mais à la différence des historiens d'art traditionnels, nous trouvons contestable l'idée d'une histoire distincte de la sculpture construite, qui serait tout au plus parallèle aux pratiques conventionnelles de la création sculpturale (une histoire qui mènerait des innovations magistrales de Picasso à David Smith et Anthony Caro, comme l'ont suggéré William Rubin et d'autres). Une histoire de la sculpture construite devrait plutôt prendre en compte ses compromis et ses liens indissolubles avec les formes traditionnelles de la sculpture. Ces compromis, qui lui ont permis de trouver sa place dans le discours critique, portent sur les conventions qui régissent les procédés d'exécution (notamment la fonte en bronze), les dimensions et proportions, la situation dans l'espace et les méthodes d'exposition institutionnelles (ainsi le retour à l'objet sculptural coulé dans le bronze et de dimensions moyennes, facilement transportable dans un musée). Il faudrait également évoquer la résurgence des conventions au sein même de la pratique de la sculpture construite, et se poser un certain nombre de questions à ce sujet. Par exemple, que devient une pratique révolutionnaire lorsqu'elle est remise en vigueur dans une période historique totalement différente, par des artistes qui dénient obstinément ou ignorent son contexte d'origine et sa portée réelle ? D'autant que ces artistes méconnaissent les changements ultérieurs et les transformations paradigmatiques intervenues dès que cette pratique a semblé périmée. Qu'est-ce qui détermine le changement de signification d'une convention qui conserve tous ses aspects structurels et matériels mais subit inévitablement des transformations du fait même qu'elle est rétablie après une période de rejet ?

Commençons par examiner une autre tendance de la sculpture du XXᵉ siècle que l'on oublie souvent de rattacher à l'histoire de la sculpture construite : la tendance à adopter les caractéristiques de l'objet utilitaire produit en grande série, ou à acquérir celles de son exact symétrique, à savoir le fétiche. Pendant bien longtemps, la plupart des historiens de la sculpture ont semblé hésiter à considérer

1 Certaines des sculptures les plus remarquables du XXᵉ siècle ont été réalisées en fait pour la décoration scénique, mais les historiens de la sculpture les ont régulièrement laissées de côté jusqu'à une époque récente. Il y eut toutefois une exception notable : dès 1936, Alfred Barr publiait dans le catalogue de son exposition *Cubism and Abstract Art* le décor conçu par Lioubov Popova pour *Le Cocu magnifique* de Meyerhold et celui de Varvara Stepanova pour *La Mort de Tarelkine*. Ces documents étaient placés face à des reproductions de sculptures de Rodtchenko et de Tatline, comme il se doit. Par contre, Herbert Read estimait que même les costumes de Picasso pour *Parade* n'appartenaient pas à l'histoire de la sculpture (*Modern Sculpture*, 1964 et 1985, p. 64).
Depuis peu, cet aspect de la production sculpturale a enfin attiré l'attention des historiens d'art. *Cf.* par exemple le chapitre magistral que Rosalind Krauss a consacré aux « ballets mécaniques : lumière, mouvement, théâtre » dans son livre *Passages in Modern Sculpture,* New York, 1977, pp. 201-242. Malgré quelques lacunes dans la présentation de la sculpture russe et soviétique, c'est à ce jour le seul ouvrage sur la sculpture du XXᵉ siècle qui aborde son sujet selon une méthodologie suffisamment complexe.

les objets dada et surréalistes comme de la « sculpture ». Bien entendu, il n'était pas difficile de voir une véritable sculpture dans un hybride savant du ready-made tel que la *Tête de taureau* (1942) de Picasso[2]. Cette œuvre offrait une version édulcorée des ready-mades de Duchamp, en renouant avec les codes iconographiques de la sculpture (l'image mythologique du minotaure) et pour finir avec le genre codifié de la fonte en bronze. Cependant, les ready-mades de Duchamp, qui ont certainement inspiré le compromis réalisé par Picasso, ne furent mentionnés durant les années cinquante et soixante que par quelques rares historiens de la sculpture. Un exemple caractéristique de cette attitude est fourni par un passage d'un essai publié en 1951 dans un numéro spécial de revue consacré à la sculpture moderne, qui rassemble par ailleurs une somme d'informations assez remarquable pour l'époque :

« Mais est-il bien sage, après avoir entendu des pétitions de principe, de vouloir dénombrer dans ces groupes des sculpteurs ? [...] Certainement, nous allons nous heurter plus souvent à des *actes* tirant leur efficacité d'une objectivité "tridimensionnelle" posée dans l'espace, mais qui ne sont pas de la sculpture : les "mécaniques inutiles" et les "ready-mades" de Marcel Duchamp, la marionnette-robot de Sophie Taeuber, la boule de verre ou la sculpture en liège de Man Ray, l'ultrameuble de Seligmann, et jusqu'au déjeuner en fourrure de Meret Oppenheim et au phonographe de Dominguez. Mais parfois aussi, le naturel n'a pas pu être chassé : le sculpteur est resté sculpteur ou l'est devenu. Naissait alors cet étrange personnage féminin d'Alberto Giacometti que Breton décrit passionnément dans *L'Amour fou [...]* Toutefois la sculpture n'atteint jamais à la poésie qu'à condition d'être totalement la sculpture. »[3]

Ici, comme bien souvent, il nous est dit par la voix autoritaire du *discours* historique en quoi est censée consister la *nature* de la sculpture et contre quels dangers il faut la défendre.

Et quand l'œuvre de Duchamp commence à avoir droit au nom de sculpture durant l'immédiat après-guerre, elle est assez paradoxalement associée à la tradition du constructivisme. Dans le même numéro spécial d'*Art d'aujourd'hui* consacré à la sculpture, nous lisons sous la plume de l'ancien futuriste Del Marle, devenu néo-plasticien :

« 1913. Marcel Duchamp à l'exemple de Tatline à Moscou expose à Paris son *Moulin à eau,* première manifestation constructiviste. »[4]

Trois ans plus tard, quand l'historien d'art allemand Eduard Trier publie son étude *Moderne Plastik,* il ne fait aucune allusion aux ready-mades de Duchamp, et mentionne seulement son *Moulin à eau* pour dire qu'il s'agit de la première sculpture constructiviste :

« 1913 fut probablement l'année où ce style international [le constructivisme] vit le jour. Issu pour une part du cubisme légèrement plus ancien, il tira d'autre part les conséquences radicales du futurisme italien. L'artiste français Marcel Duchamp (1887) [...] exposa cette année-là son *Moulin à eau,* considéré comme la première sculpture constructiviste. Dans le même temps, les artistes russes Vladimir Tatline (1885), Kasimir Malevitch (1878-1935), Alexandre Rodtchenko (1891) et d'autres à Moscou présentèrent leurs premières peintures et sculptures constructivistes. »[5]

Si cette confusion historique flagrante entre l'œuvre dadaïste de Duchamp et celle des constructivistes peut nous surprendre aujourd'hui et paraître inacceptable, elle révèle néanmoins un certain nombre de faits historiques. Tout d'abord, contrairement aux affirmations de la plupart des historiens de la sculpture d'alors, la remarque de Del Marle prouve que même dans l'immédiat après-guerre il était possible de s'informer sur les activités de l'avant-garde russe et soviétique et d'en saisir la signification générale. Ensuite, il était apparemment possible, aussi, de percevoir leur convergence avec les activités avant-gardistes en Occident, comme

2 Il s'agit bien évidemment du point de vue des historiens et critiques, et non de celui du public au sens large. Ainsi, un groupe de jeunes gens s'en était pris à l'« Hommage à Picasso » présenté dans le cadre du Salon de la Libération à Paris en 1945. La *Tête de taureau* y était exposée sous le titre « La selle de bicyclette », sans doute par mesure de prudence comme le pense Sarah Wilson (*Cf.* Sarah Wilson, « La vie artistique à Paris sous l'occupation », catalogue *Paris-Paris,* Centre Georges Pompidou, 1981, p. 100). Le témoignage des héritiers de Picasso, lors de l'accrochage de la version originale de la *Tête de taureau* au musée Picasso, confirme que Picasso se situait en retrait par rapport à l'esthétique radicale du ready-made. Selon eux, l'artiste ne considérait pas cet assemblage comme une œuvre achevée, seule la fonte en bronze ayant valeur de « sculpture » à ses yeux. Je remercie Margit Rowell de m'avoir communiqué cette information.

3 R. van Gindertael, « Du côté de Dada et du surréalisme », dans *Art d'aujourd'hui* (numéro spécial « Cinquante années de sculpture ») n° 3, Paris, janvier 1951, p. 14. Ce préjugé à l'égard de la sculpture construite a persisté jusqu'à la fin des années soixante. Et Herbert Read déclare au début de son célèbre ouvrage : « Il n'est pas possible d'ignorer la tendance générale qui consiste à abandonner la taille directe et même le modelage au profit de diverses méthodes faciles d'assemblage, mais je ne peux pas dire que je le voie d'un œil favorable. » (*Modern Sculpture, op. cit.,* p. 7).

4 Del Marle, « Prolégomènes », *Art d'aujourd'hui, loc. cit.,* p. 6 sq.

5 Eduard Trier, *Moderne Plastik,* Berlin, 1954, p. 74.

6 Alfred Barr présentait dans son exposition « Cubism and Abstract Art » ou reproduisait dans le catalogue un certain nombre d'œuvres maîtresses de l'avant-garde russe et soviétique. Un an plus tard, Carola Giedion-Welcker approfondissait encore la compréhension de ce nouveau phénomène dans *Modern Plastic Art.* La perspicacité de ces deux auteurs leur donnait une avance qu'aucune autre étude de la sculpture moderne ne devait combler dans les vingt années qui suivirent la Seconde Guerre mondiale. Pour ce qui concerne la falsification de

l'histoire de l'art et de l'histoire tout court par les auteurs de l'après-guerre qui ont évoqué l'avant-garde russe et soviétique, on constate une ténacité étonnante dans la reproduction du cliché relatif à la mise à l'index de l'art constructiviste en Union soviétique. Nulle part il n'est fait mention des débats politiques et esthétiques qui ont agité la communauté des artistes, ni de la transformation progressive du constructivisme en productivisme, enclenchée par les artistes, critiques et théoriciens de cette période même. Il semble qu'une fois lancé, un cliché se transmette religieusement d'une génération à l'autre. Ainsi, on retrouve celui-ci sous la plume de Trier en 1954 : « Les prétendues masses révolutionnaires russes [sic] ont anéanti ces espoirs [ceux des constructivistes] en 1922, lorsque l'État a frappé d'interdiction le constructivisme abstrait jugé indésirable, qui a été contrecarré ou éliminé ». (Op. cit., p. 74.) Dix ans plus tard, Herbert Read, qui semble s'être fait le porte-parole de Naum Gabo et Antoine Pevsner, énonce ces préjugés de manière encore plus claire : « Durant quelques années, les politiciens furent trop occupés pour se mêler de ces choses, mais au bout de cinq ans il se sentirent obligés de sévir. Le mouvement fut réprimé, ses promoteurs chassés du pays ou réduits au silence. Mais ils avaient déjà lancé un nouveau mouvement artistique et donné une impulsion à l'évolution du style. Mieux encore, ils avaient créé une forme d'art complètement nouvelle. L'art constructiviste et sa pratique allaient se répandre depuis Moscou dans le monde entier. » (Op. cit., p. 93.)
On trouve un effort de rectification et une première évocation de la collaboration volontaire d'artistes tels que Rodtchenko et Varvara Stepanova avec le ministère de la Propagande de Staline dans les ouvrages de Hubertus Gassner, Rodtchenko Fotografien, Munich, 1982, et Zwischen Revolutionskunst und sozialistischem Realismus, Cologne, 1979. J'ai parlé du travail d'El Lissitzky pour ce même ministère et de la transformation de ses théorie et pratique esthétiques dans « From Faktura to Factography », October, vol. 30 (automne 1984), Cambridge/New York, pp. 82-119.

l'avaient pressenti Alfred Barr et Carola Giedion-Welcker dès avant la guerre[6]. Enfin, ce malentendu recouvre le fait que certaines des préoccupations qui sous-tendaient l'œuvre de Duchamp (surtout dans la période 1913-1919) rejoignaient effectivement celles des constructivistes. Les points communs entre la démarche de Duchamp et celle des constructivistes ne se limitaient pas à leur même contexte historique de l'après-cubisme synthétique et de l'après-futurisme, comme le révèle une comparaison plus détaillée entre les œuvres de Duchamp, de Tatline et de Rodtchenko durant cette période. Il nous suffira de considérer plus particulièrement une seule œuvre de chacun de ces artistes, choisie en raison de son importance pour l'évolution ultérieure de la sculpture.

Les ready-mades de Duchamp et les sculptures constructivistes des années 1913-1921 procèdent du même intérêt pour les matériaux industriels. Les cubistes avaient bien évidemment stimulé cet intérêt qui devint plus systématique chez les futuristes désireux d'intégrer la réalité du monde industriel et de la culture de masse dans la composition sculpturale, comme l'a expliqué Umberto Boccioni dans son Manifeste technique de la sculpture futuriste en 1912.

Duchamp et les constructivistes se montraient aussi attentifs à la spécificité matérielle de la sculpture, aussi soucieux de rendre visibles ses méthodes de production, ses propriétés et ses fonctions physiques. C'était manifeste dans l'œuvre de Duchamp, et peut-être plus encore dans celle de Tatline, avant que les mêmes exigences ne soient formulées dans le Manifeste réaliste de Naum Gabo et Antoine Pevsner (1920), qui devait faire une récapitulation méthodique de toutes ces idées. Enfin, ces artistes accordaient une importance particulière aux conditions de présentation et d'emplacement de l'objet sculptural, dont il était tenu compte dès le stade de la conception. Leur objectif était de dépasser les limites spatiales traditionnelles du monolithe pour en finir avec la prétendue autonomie de l'espace où s'inscrivait l'objet sculpté. Tatline y parvint avec ses reliefs d'angle en 1915 et Duchamp avec ses Trois stoppages-étalon dès 1913.

Tandis que dans l'œuvre de Tatline, la tension, la densité des matériaux et le poids sont les forces élémentaires qui orientent l'objet sculptural dans l'espace, dans celle de Duchamp la gravité est la force qui détermine la configuration sculpturale, et elle est associée à son dispositif de présentation. Très logiquement, ces deux œuvres ont échappé à toute espèce de compromis avec la convention du piédestal ou du socle.

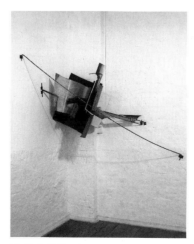

Vladimir Tatline
Contre-relief d'angle (1915)

Marcel Duchamp
Trois stoppages-étalon (1913-1914)

C'est un peu comme si Duchamp avait réduit les plans des reliefs cubistes à de simples conséquences du façonnage d'un matériau, présentant telle ou telle caractéristique physique, soumis aux lois de la pesanteur et de la fuite du temps. Mais le fait que Duchamp avait intégré dans son œuvre les conditions d'exposition institutionnelles était encore plus déroutant pour les historiens de la sculpture et pour son public en général : l'œuvre revêtait les caractères d'un dispositif de présentation (ou d'un nécessaire d'expériences scientifiques, ou encore d'un jouet) et sa valeur d'objet d'exposition, en quelque sorte, primait sa valeur d'objet de culte ou d'échange.

Si les reliefs d'angle comme les *Trois stoppages-étalon* mettent en évidence les propriétés matérielles et les forces physiques qui déterminent la forme et l'apparence d'une construction sculpturale, seule l'œuvre de Duchamp affirme aussi sa dimension cinétique. Elle préfigure ainsi la prise en compte du continuum espace-temps par Gabo, qui réalise en 1920 la première sculpture à proprement parler cinétique, et aussi par Rodtchenko dans sa série de constructions stéréométriques de 1920-1921[7].

Deux autres aspects régulièrement laissés de côté justifient une lecture parallèle de l'œuvre du constructiviste Rodtchenko et celle du dadaïste Duchamp. La transparence du volume sculptural, telle qu'elle se présente dans l'œuvre de Rodtchenko (ou dans la sculpture constructiviste en général) ne sert pas seulement à ouvrir un volume monolithique pour en dévoiler la structure et le fonctionnement internes, mais révèle aussi au spectateur le caractère contingent de la sculpture par rapport à son milieu. A l'opposé de la notion traditionnelle d'espace autonome de la sculpture, nous avons affaire ici à des constructions qui se définissent dans la relation ternaire entre l'objet construit par l'artiste, l'interprétation perceptive de cet objet par le spectateur et les particularités de l'espace architectural. Afin de souligner cette interdépendance phénoménologique, Duchamp et Rodtchenko utilisent des surfaces réfléchissantes. Et d'ailleurs Rodtchenko a sous-titré ses *Constructions suspendues* « surfaces reflétant la lumière ». Seul le manque de moyens matériels l'a empêché de réaliser ses constructions stéréométriques avec de l'aluminium ou du chrome par exemple. Duchamp n'a pas concrétisé non plus son idée d'un dispositif de miroirs : elle est demeurée au stade d'un projet qu'il évoque dans une des notes incluses dans la *Boîte verte*[8]. L'artiste envisageait de disposer des éléments sur le sol d'un espace d'exposition de telle sorte que l'environnement et les spectateurs se réfléchissent dans l'objet-sculpture, soulignant ainsi l'aspect contextuel de la sculpture.

D'autre part, Duchamp et Rodtchenko ont fait intervenir une notion totalement incompatible avec le discours de et sur la sculpture : la temporalité de l'œuvre, son caractère éphémère d'autoreprésentation d'un acte. Comme Duchamp avec ses *Trois stoppages-étalon*, Rodtchenko avait prévu la dialectique d'exposition et d'entreposage pour ses *Constructions suspendues*. Il insistait sur le fait que les constructions devaient être démontées après leur présentation et pouvaient être repliées. Elles pouvaient donc passer de la condition d'objets stéréométriques en trois dimensions à celle de surfaces planes en deux dimensions. Ce n'étaient pas là de simples considérations pragmatiques, mais bien plutôt une réflexion extrêmement subversive et décapante (d'où son exclusion de l'histoire) sur la conception traditionnelle de la sculpture comme objet permanent et immuable. Reste à voir de plus près comment de telles réflexions furent niées ou évacuées, et quelles altérations elles subirent lorsqu'elles firent ensuite l'objet d'une redécouverte.

Revenons-en donc aux historiens de la sculpture des années cinquante et soixante. L'étude de Trier précédemment citée, publiée en 1954, resta un ouvrage de référence pendant plus de dix ans (elle fut traduite en anglais en 1961 et donna lieu à deux éditions revues et augmentées, où étaient ajoutées de nombreuses

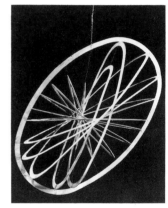

Alexandre Rodtchenko
Construction ovale suspendue (1920)

sculptures contemporaines, de Smith à Caro et même à Claes Oldenburg, mais qui ne comportaient aucune reproduction ni aucune analyse sérieuse des œuvres de Duchamp ou de l'avant-garde russe). Ce livre joua en Europe le même rôle que *Twentieth Century Sculpture* d'Andrew Carnduff Ritchie en Amérique (ce dernier devait avoir un prolongement dans les années soixante, avec *What is Modern Sculpture ?* de Robert Goldwater, publié en 1968 par le Museum of Modern Art) : il fit obstacle à toute connaissance historique des idées et des pratiques de l'avant-garde russe, et resitua les principales étapes de l'évolution de la sculpture au XXe siècle dans le cadre de l'Europe occidentale et de l'Amérique, ou plus précisément de leurs néo-avant-gardes.

Trier n'hésite pas affirmer qu'Alexander Calder fut le premier sculpteur à proposer l'« idée d'un objet flottant librement dans l'espace sans être soutenu par un socle, détaché du sol et [à introduire ainsi] une nouvelle conception plastique dans la sculpture du XXe siècle »[9]. Il est difficile de croire que des historiens d'art tels que Carnduff Ritchie et Trier, travaillant à une histoire de la sculpture du XXe siècle au début des années cinquante, ne connaissaient pas l'exposition d'Alfred Barr et son essai *Cubism and Abstract Art* de 1936, ni le *Modern Plastic Art* de Carola Giedion-Welcker, publié en anglais et en allemand en 1937. Ces deux auteurs avaient reproduit et analysé de manière plus ou moins approfondie des œuvres des constructivistes Katarzyna Kobro, Konstantin Medounetsky, Alexandre Rodtchenko et les frères Stenberg. Carola Giedion-Welcker écrivait notamment, à propos des *Constructions suspendues* de Rodtchenko dont plusieurs exemples étaient reproduits dans son livre comme dans celui de Barr : « [...] un tour de force technique dans la réduction du matériau à un minimum absolu selon un principe emprunté aux mathématiques pures. »[10]

A lire ses commentaires sur Calder, on voit bien que Trier est séduit par l'idée d'une œuvre sculpturale qui introduirait le mouvement dans le volume traditionnellement statique et qui libérerait la sculpture de son socle, ou, pour citer Trier que son enthousiasme égare quelque peu, qui « affranchirait la sculpture de l'attraction terrestre, du support ». On peut s'étonner que Trier n'ait pas compris que ces caractéristiques occupaient déjà une place essentielle dans l'œuvre de Rodtchenko, alors qu'il les avait perçues dans celle de Calder. Aussi en vient-on à se demander s'il ne faudrait pas attribuer cet oubli de l'apport soviétique dans une histoire de la sculpture du XXe siècle à des considérations politiques et idéologiques, et pas seulement au caractère extrémiste de l'esthétique de Rodtchenko. Il est évident que la sculpture de Calder en donnait une version mitigée, de la même façon que Picasso avait édulcoré le ready-made. Ses aspects ludiques mettent le spectateur dans des dispositions favorables en évoquant un retour à l'enfance. De plus, les formes biomorphiques héritées des surréalistes font écran à la négation radicale des notions traditionnelles accomplie par Rodtchendo et à sa redéfinition de la sculpture comme construction syntagmatique.

Ce qui nous amène à envisager une deuxième hypothèse, à savoir que l'oubli délibéré n'était pas seulement motivé par le désir de dissocier la sculpture d'avant-garde de son contexte historique et géopolitique inacceptable, mais aussi et surtout par la volonté de la situer dans un cadre contemporain et local, celui des pratiques néo-avant-gardistes autochtones. Cela donnait la garantie que, dans le cours de sa reproduction, le modèle original radicalement novateur serait en quelque sorte « naturalisé » et en même temps édulcoré et adapté à un ordre supérieur et pérenne : celui de l'espace discursif de la sculpture.

Par ailleurs, il semble que l'histoire de l'art ait opéré cette sorte de tri selon des modalités sensiblement variables d'un pays à l'autre. Tandis qu'en Allemagne et aux États-Unis on s'efforçait manifestement de rayer de la carte le constructivisme russe, certaines publications françaises de la même époque contiennent d'excellentes informations sur le travail des artistes soviétiques, présentées sans parti pris.

7   Si la *Construction cinétique* de Gabo fut assurément l'une des toutes premières sculptures à faire intervenir les notions de transformation dans le temps et de mouvement dans l'espace, l'excellente description qu'en donne André B. Nakov fait irrésistiblement penser aux *Trois stoppages-étalon* de Marcel Duchamp ou aux *Constructions suspendues* de Rodtchenko : « Cette étonnante pièce, dont la place dans l'histoire de la sculpture équivaut à celle des reliefs d'angle de Tatline, était constituée d'un simple fil de fer mis en mouvement par un moteur électrique. Dans cette sculpture qui était la première œuvre d'art où la forme était obtenue grâce au mouvement d'un élément (conceptualité pure), le volume était purement virtuel, car à aucun moment il n'existait physiquement dans sa totalité. » (Dans le catalogue de l'exposition *The First Russian Show — A commemoration*, Annely Juda Gallery, Londres, 1983, p. 32.)

8   « Parties à regarder en louchant, comme une partie argentée dans un verre, dans laquelle se reflètent les choses de la pièce ». Note reproduite d'après l'édition originale de la *Boîte verte* conservée au Mnam, Centre Georges Pompidou (NDLR).

9   Trier, *Moderne Plastik, op. cit.*, p. 71.

10 Carola Giedion-Welcker, *Modern Plastic Art*, Zurich, 1937, p. 14.

Les auteurs semblent même en avoir saisi la portée réelle, du moins jusqu'à un certain point. C'est ainsi que nous trouvons, non sans quelque surprise, dans un article publié par Del Marle en 1951 et intitulé « Le constructivisme et son influence », une évocation assez inhabituelle des liens historiques qui étaient alors gommés ou camouflés par les historiens d'art occidentaux :

« Ce mouvement [le « constructivisme »] fut certainement un des plus importants de l'art contemporain en général et de la sculpture en particulier [...] Se trouvaient groupés autour de ce manifeste [constructiviste] Tatline qui, dès 1913, précédant ses camarades, avait exposé à Moscou ses contre-reliefs, Lissitzky, Gabo, Pevsner, Malevitch, Rodtchenko, Ladovski, Unovis [sic], Rosanova, Klioun, Mitouritch et Popova [...] Il est bien évident que de nos jours beaucoup de sculpteurs dits d'avant-garde ne suivent plus à la lettre ces impérieuses directives. Il n'en reste pas moins que la tendance Espace/Mouvement dans laquelle s'exercent avec talent Calder, Peyrissac, Davis et d'autres n'aurait pu se manifester sans les conquêtes antérieures du constructivisme. »[11]

Apparemment l'artiste Del Marle connaissait mieux ce domaine que les historiens d'art de l'époque, car nous n'avons trouvé aucune liste d'artistes constructivistes comparable dans les études sur la sculpture du XXᵉ siècle publiées durant l'immédiat après-guerre. Il importe assez peu que Del Marle classe l'architecte Ladovski parmi les sculpteurs constructivistes ou qu'il prenne le groupe « Unovis » pour un artiste, ce qui trahit son manque de rigueur scientifique. Le plus remarquable, c'est qu'il signale ou repère les liens entre l'avant-garde historique d'avant-guerre et la néo-avant-garde d'après-guerre. En outre, il tient compte de la dimension architecturale et des connotations politiques et sociales propres à la sculpture constructiviste. En témoigne ce passage de son essai sur le néo-plasticisme (auquel il semble avoir appartenu à l'époque) : « Ces éléments tels que la couleur conçue spatialement, les matériaux différents, une liaison plus étroite avec le fonctionnalisme, et surtout de larges pénétrations dans l'œuvre de la lumière et de l'espace étaient, certes, fortement influencés par le constructivisme, mais utilisés avec la sévère discipline et la rigueur austère néo-plasticiennes; ils permettent aujourd'hui au néo-plasticisme [...] de continuer brillamment son évolution sculpturo-architecturale vers un style *monumental* et *collectif*. »[12]

La tendance de la sculpture moderniste à s'ériger en architecture et à acquérir les caractères d'une construction utilitaire (jointe à l'attirance des sculpteurs modernistes pour l'œuvre d'Eiffel et de Maillart, par exemple) semblait aussi dangereuse pour sa spécificité traditionnelle et sa perpétuation que l'apparition de l'objet industriel produit en série. Même le *Monument à la IIIᵉ Internationale* (1919) de Tatline fut laissé de côté par de nombreux historiens de la sculpture au cours des années cinquante, alors même qu'il en était resté au stade de maquette. C'est plus tard seulement qu'il fut considéré (selon l'opinion exprimée dès 1937 par Carola Giedion-Welcker[13]) comme l'un des deux pôles entre lesquels la sculpture du XXᵉ siècle devrait se situer désormais. Mieux encore, l'un des rares monuments authentiques effectivement construits au XXᵉ siècle, le *Monument à Rosa Luxemburg et Karl Liebknecht* (1926) de Mies van der Rohe, n'a jamais trouvé place dans l'histoire de la sculpture, et pourtant c'est l'une des rares œuvres de ce siècle qui ont pu remplir leur fonction publique et commémorative de façon convaincante, peut-être dans ce cas précis parce que le volume et l'échelle atteignaient véritablement à une dimension architecturale.

De même que l'on avait jugé utile de se prémunir contre Duchamp et les objets dada, il y eut des mises en garde contre cette violation des frontières entre l'architecture et la sculpture. L'une d'elles émane de Naum Gabo, l'ancien frère d'armes de Tatline, naguère engagé comme lui dans l'aventure constructiviste : « Construire des maisons et des ponts fonctionnels ou créer de l'art pur, ou bien faire les deux. Mais ne jamais mélanger l'un et l'autre. »[14]

Le sculpteur Naum Gabo écrivit ces lignes dans les années cinquante, à un moment où il jetait un regard rétrospectif (et occidentalisé) sur le constructivisme qui n'apparaissait plus comme une époque glorieuse. Il savait fort bien quel prix il fallait payer pour entrer dans l'histoire de la sculpture telle qu'on la réécrivait en Europe occidentale et aux États-Unis.

Pour lui et son frère Antoine Pevsner, le temps était venu d'occuper le terrain pour barrer la voie au constructivisme russe et soviétique dans les esprits encore ignorants et naïfs du public occidental d'après la Seconde Guerre mondiale. Ce public appelait de ses vœux le rétablissement de la grande culture moderniste, tout en souhaitant voir renaître la tradition héroïque des pourfendeurs de cette culture, à savoir l'avant-garde historique de la période 1915-1925. Mais ces phénomènes esthétiques devaient être préalablement débarrassés de toutes les connotations politiques attachées aux œuvres constructivistes et plus encore au travail des artistes productivistes. A cet instant précis de l'histoire, c'était par une déréalisation complète des pratiques artistiques de l'avant-garde constructiviste (dans leurs aspects socio-politiques et esthétiques tout à la fois) que pouvait s'accomplir cette conciliation improbable des exigences contradictoires de l'après-guerre.

Naum Gabo et son frère Antoine Pevsner résorbèrent ces contradictions historiques inconciliables dans leurs œuvres mêmes, ce qui leur valut la position de seuls *vrais* sculpteurs constructivistes russes dans l'opinion du « monde libre » (leur œuvre occupe d'ailleurs une place de premier plan dans les histoires de la sculpture mentionnées plus haut). En outre, ils fournirent les arguments idéologiques qui permettaient de justifier cette falsification de l'histoire. Naum Gabo écrivit par exemple : « De l'avis général, mon art est celui du constructivisme. Mais cette appellation fut aussi revendiquée dans les années vingt par un groupe d'artistes "constructifs" qui voulaient en fait *liquider* l'art [...] Ils exigeaient que l'artiste se consacre entièrement à la construction de biens matériels [...] Mes amis et moi-mêmè nous sommes opposés à ces idées [...] Je crois au contraire que l'art est réellement un aspect essentiel de la vie humaine, le moyen de communication le plus direct et le plus efficace entre les membres de la société humaine. »[14]

Selon toute apparence, il fallait se plier à deux conditions pour être admis à ce moment précis dans l'histoire de la sculpture : défendre d'une part une conception antimatérialiste et anti-utilitaire de l'art (la « pureté » moderniste), et d'autre part exalter son caractère universel et abstrait de « moyen de communication » humain. C'étaient là des aspects qui permettaient à coup sûr de masquer instantanément toutes les aspirations concrètes et expressément sociales et politiques associées autrefois au constructivisme.

On voit ici comment l'offensive antimoderniste lancée (souvent victorieusement) contre la fausse autonomie de l'art par l'esthétique constructiviste et productiviste de l'avant-garde soviétique est repoussée par un nouveau converti qui aspire au confort idéologique et matériel procuré par une carrière de reconstructeur du modernisme en Occident après la Seconde Guerre mondiale. Or, pour reconstruire le modernisme il fallait étouffer ces voix qui avaient dénoncé dès les années vingt les limitations conceptuelles inhérentes au type de sculpture constructiviste que pratiquaient notamment Pevsner et Gabo. C'étaient les voix de ceux que Naum Gabo qualifiait de « liquidateurs » de l'art, selon la terminologie caractéristique de la guerre froide. Le théoricien productiviste Boris Arvatov était de ceux-là, qui avait contesté dès 1926 cette idée d'une pureté suprême que Gabo essayait de relancer dans les années cinquante :

« Alors que la technologie capitaliste tout entière s'appuie sur les réussites les plus grandes et les plus récentes, et qu'elle sert la production de masse (industrie, radio, transports, presse, laboratoires scientifiques), l'art bourgeois est, en principe, resté au stade de l'artisanat. Il s'est donc isolé de plus en plus de la réalité sociale et collective pour entrer dans le domaine de l'esthétique pure [...] Le maître

11 Del Marle, *Art d'aujourd'hui,* janvier 1951, pp. 10-11.
12 Del Marle, *ibid.,* p. 9.
13 Citée par Robert Goldwater dans *What is Modern Sculpture ?,* New York, The Museum of Modern Art, 1969, p. 67.
14 Naum Gabo cité par Eduard Trier dans *Moderne Plastik, op. cit.*

solitaire, seul exemple de spécialiste de l'"art pur" dans la société capitaliste, peut se tenir à l'écart d'une pratique immédiatement utilitaire parce qu'il n'utilise pas les techniques mécanisées. De là viennent l'illusion totale de l'absence d'objet et de l'autonomie de l'art, et la *nature fétichiste* de l'art bourgeois. »[15]

Gabo et Pevsner auraient pu lire la même critique sous la plume d'un confrère constructiviste, étayée cette fois par une analyse pénétrante de l'historicité des méthodes de production et des matériaux. Dans son essai sur « Le nouvel art russe », El Lissitzky écrivait en effet : « Et en fin de compte, les matériaux étaient investis d'une signification symbolique : le fer représentait la volonté du prolétariat, le verre était aussi limpide et pur que sa conscience. Ainsi avait été construite une nouvelle sculpture, qui n'était absolument pas une machine. Elle n'accomplissait aucune tâche et ne remplissait aucune fonction utilitaire. Mais cet art avait encore le mérite de rompre avec la conception ancienne. Alors commença la sublimation de l'institution artistique [...] La position de l'artiste dans le monde était modifiée, les matériaux de sa profession devenaient plus variés, et de nouvelles conditions d'accueil de ses œuvres se firent jour. Toutefois, les artistes continuaient à graviter sur la même orbite. C'est à Tatline et ses compagnons qu'il revient d'avoir fait connaître aux artistes l'espace réel et les matériaux contemporains [...] Mais ce groupe aboutit à une espèce de *fétichisme des matériaux* et oublia la nécessité d'un projet nouveau. »[16]

Mais dans ces années de l'immédiat après-guerre, le public européen et américain ignorait tout des débats qui avaient agité l'avant-garde russe et soviétique, et il devait les ignorer encore pendant une bonne vingtaine d'années. L'œuvre de ces artistes et les écrits théoriques qui l'accompagnaient furent occultés par les témoins du constructivisme et du productivisme qui avaient émigré en Occident, tels Naum Gabo, Antoine Pevsner et Vassily Kandinsky. Ils furent désavoués par leurs apologistes ou évacués par les historiens et critiques qui entreprirent d'écrire une histoire de la sculpture du XXᵉ siècle sous l'éclairage apporté par ces artistes émigrés, voire en n'écoutant que leurs préoccupations personnelles. George Heard Hamilton a révélé ce parti pris avec une certaine candeur dans son célèbre ouvrage *Painting and Sculpture in Europe, 1880-1940,* publié en 1967 :

« Comme l'influence de Malevitch déclinait, il incomba à deux artistes, Naum Gabo (1890-1977) et son frère aîné Antoine Pevsner (1886-1962), de lutter contre l'orientation matérialiste des leçons de Tatline et de Rodtchenko [...] Longtemps après avoir quitté la Russie, où le réalisme socialiste était devenu l'esthétique soviétique dominante, Gabo et Pevsner, par leurs activités en Europe occidentale et en Amérique, perpétuèrent la tradition russe de l'abstraction. C'est un simple accident de l'histoire qui a fait qualifier leur mode d'expression de "constructiviste", et les artistes eux-mêmes ont fini par accepter cette appellation. Mais elle devrait s'appliquer uniquement à un point de vue politique et social qui ne reconnaît ni l'autonomie de l'artiste ni la primauté spirituelle de l'œuvre d'art réclamées par Gabo et Pevsner. »[17]

Cette question de l'« autonomie » et de la « primauté spirituelle » mérite qu'on s'y arrête un instant, car il importe de comprendre ce que cela signifiait pour l'histoire de la sculpture constructiviste, réécrite en Occident durant les trois décennies d'après-guerre, qui présentait Gabo et Pevsner comme les « principaux représentants du mouvement artistique moderne connu sous le nom de constructivisme »[18]. Même si l'on ne peut avoir la certitude que les remarques de Boris Arvatov et d'El Lissitzky se rapportaient directement à Gabo et Pevsner, on constate que tous deux évoquent le *fétichisme* des matériaux dits constructivistes, et soulèvent ainsi une question capitale pour une remise en perspective des œuvres de ces artistes. Lissitzky fut l'un des premiers à comprendre que la notion d'autonomie dans le modernisme était particulièrement sujette à caution du fait qu'elle contredisait manifestement l'ambition de révolutionner les formes, les matériaux et les

15 Boris Arvatov, *Kunst und Produktion,* Munich, 1972, p. 12.
16 El Lissitzky, « Neue russische Kunst », dans *El Lissitzky,* présenté par Sophie Lissitzky-Küppers, Dresde, 1967, p. 354.
17 George Heard Hamilton, *Painting and Sculpture in Europe 1880-1940,* Londres/New York, 1967, p. 352.
18 Read, *op. cit.,* p. 112.
19 Barr, *op. cit.,* p. 138.

Antoine Pevsner
Colonne développable (1942)

structures de l'œuvre d'art afin d'anticiper et de préparer le progrès politique et social.

Ce fut une des préoccupations majeures des constructivistes et des productivistes que de dégager leur pratique de cette mythologie moderniste et d'élaborer des stratégies répondant à leurs visées esthétiques et politiques. Comme la critique moderniste l'avait donné à entendre dès le début, il s'agissait de toucher un public plus large, de ne plus considérer les œuvres comme des objets de culte et d'exposition, de leur ôter enfin leur valeur d'échange et leur aura de prestige factice. Surtout, il fallait développer des stratégies nouvelles afin d'ancrer peu à peu la production esthétique dans la réalité politique et sociale qui était celle de ce public.

De toute évidence, El Lissitzky avait prévu que le constructivisme déborderait le cadre de l'esthétique moderniste et se raccrocherait alors à une mythologie des nouveaux matériaux et procédés de production érigés en valeurs progressistes à part entière. Or, ces derniers étaient conçus à l'origine pour devenir les instruments d'une démolition des a priori esthétiques et non pour véhiculer une signification, effective ou perceptive, en tant que matériaux et procédés. Il ne faut pas oublier que les sculpteurs constructivistes n'avaient pas adopté les matériaux industriels dans le seul espoir futuriste d'englober la réalité culturelle du monde industriel, mais aussi dans le dessein anti-esthétique de souligner le caractère éphémère et contingent de l'œuvre. Au lieu de l'insistance traditionnelle sur l'universalité supposée de la sculpture et sa pérennité infrangible, l'accent était mis désormais sur les aspects temporel, fonctionnel et dynamique (comme dans le projet de Lissitzky pour la tribune de Lénine en 1920-1924).

Les œuvres de Gabo et Pevsner (et la plupart de celles de Moholy-Nagy) confirmaient les craintes exprimées par Arvatov et Lissitzky quant à la fétichisation prévisible des matériaux et des méthodes. De fait, ce « constructivisme en plexiglas » prétendait résoudre, du moins superficiellement, les contradictions internes de l'esthétique moderniste par l'utilisation des matériaux issus de la nouvelle technologie (le celluloïd, le plexiglas, le nylon, le fil d'acier et le chrome).

Mais ce n'était pas seulement au niveau des matériaux que leur sculpture avait pris une dimension mythologique pour annoncer au public la fusion parfaite de ce que les critiques anglais appelaient l'« autonomie spirituelle » et l'« exquise beauté abstraite » avec la foi dans le progrès scientifique et technique. Cette idée de progrès industriel, qui prévalait dans la période de reconstruction, détournait l'attention de toutes les questions sociales, économiques et politiques qu'avaient pu soulever les constructivistes. Un attrait supplémentaire de leurs œuvres résidait dans le fait que la fétichisation était un moyen idéal de « dématérialiser » la sculpture constructiviste et en même temps de lui conférer un aspect progressiste enraciné dans la technologie moderne et la production industrielle. Elle fournirait ainsi les nouvelles icônes culturelles pour la société de consommation industrielle aussi bien que pour l'industrialisation de la culture en voie de s'imposer. On ne devrait donc pas vraiment s'étonner d'apprendre que, en dépit de leur attachement à une spiritualité pure, Gabo et Pevsner étaient déjà considérés dans les années trente comme les bâtisseurs tout désignés d'une architecture monumentale et utilitaire. Témoin ces considérations (sans doute) involontairement comiques d'Alfred Barr :

« Pevsner est plus énergique, plus intellectuel dans sa démarche et davantage enclin à dénaturer ses matériaux de façon que ses constructions acquièrent un aspect extérieur de sculptures, tandis que celles de Gabo seraient plus dans l'esprit de l'architecture. Certaines constructions de Gabo étaient en fait des projets pour des monuments semi-architecturaux, mais c'est son élève Loubetkine, et non lui, qui a eu le privilège de dessiner le bassin constructiviste des pingouins pour le zoo de Londres. »[19]

Après la guerre, certaines de ces ambitions architecturales semblent s'être concrétisées en Occident, même si ce fut dans des contextes différents et pour des clients assez inattendus, comme l'indique la présentation d'un recueil de textes de Gabo publié en 1962: « [...] parmi ses œuvres les plus importantes, il faut citer la *Construction suspendue dans l'espace*, au Baltimore Museum of Art, un relief construit dans l'immeuble de l'U.S. Rubber Co. au Rockefeller Center de New York, et une construction autoportante d'une trentaine de mètres à Rotterdam (pour le grand magasin Bijenkorf). »[20]

L'accomplissement de la mission idéologique reposait sur une mythification de tous les caractères propres à la sculpture constructiviste. La transparence des procédés et celle du volume sculptural avaient une fonction stratégique dans les œuvres de Katarzyna Kobro, de Medounetsky, d'Yoganson, de Rodtchenko et des frères Stenberg : elles favorisaient la perception du caractère « construit » du nouvel art, c'est-à-dire de ses aspects temporaire et fonctionnel. Cet accent sur ce que Brecht allait appeler la *Machbarkeit* du monde, autrement dit le fait qu'il était « construit » et soumis à une transformation continuelle par les mécanismes de production sociale et collective, supposait une mise en avant de sa dimension participative, de l'interaction avec le contexte (ce que Benjamin allait désigner par l'abandon du mode contemplatif au profit des stimulations de la nouvelle tangibilité dans l'art). Chez Gabo et Pevsner, comme chez Moholy-Nagy, la transparence devient à présent une valeur « purement visuelle », dégagée de toute espèce de contingence concrète, comme l'atteste une déclaration de Moholy-Nagy lui-même : « Cette composition donne à voir trois sortes de parois transparentes, délimitées par les bords épais du plastique ou par du fil métallique. L'une est moyennement transparente (le rhodoïd), la deuxième parfaitement transparente (le plexiglas) et la troisième architransparente (l'air). »[21]

La deuxième particularité commune à toute la sculpture constructiviste était, nous l'avons vu, de mettre en évidence les forces physiques qui déterminaient la structure et la position de la construction sculpturale. Dans l'œuvre d'après-guerre de Gabo et Pevsner, le poids, la tension et la gravité sont transformés en dispositifs stylistiques servant à obtenir l'apparence technico-scientifique d'un gadget. Cependant, ils ne remplissent plus aucune des fonctions assignées au fil métallique dans l'œuvre de Tatline, à la ficelle dans celle de Duchamp ou aux éléments volumétriques repliables dans les *Constructions suspendues* de Rodtchenko.

Enfin, pour ce qui est des matériaux, dans de nombreuses œuvres de Gabo et dans la quasi-totalité de celles de Pevsner, on note après la guerre un retour partiel ou complet à la technique traditionnelle du bronze, qui contredit toutes les stipulations du *Manifeste réaliste* quant aux nouveaux matériaux de la sculpture constructiviste. La même déviation de la pensée constructiviste se révèle dans le décalage entre la structure et les matériaux de ces œuvres, telle la sculpture de Gabo pour le Bijenkorf en 1956-1957 avec son socle en marbre noir et son grillage de bronze qui simule une tension interne inexistante dans la structure, ou encore les sculptures en plein air de Pevsner comme la *Projection dynamique au 30ᵉ degré* de 1950-1951 et *Vol d'oiseau* de 1955. A l'évidence, il était impossible de préserver l'héritage constructiviste si l'on renonçait au projet de production artistique matérialiste et socialiste pour revenir à une pratique purement abstraite axée sur la spiritualité et la beauté transcendantale. Ces contradictions étaient d'autant plus fortes que les artistes voulaient faire accepter leurs œuvres par le public en les présentant comme des sculptures monumentales sans avoir analysé la réalité économique et politique du monde occidental, où la question de savoir à quel public collectif la sculpture était destinée ne se posait pas aux artistes, et encore moins aux nouveaux mécènes de la sculpture publique qui étaient soit des organismes d'État soit de grosses entreprises privées.

Gabo et Pevsner avaient manifestement dégagé leur art de toutes les considérations relatives à la spécificité concrète de la sculpture, aux conditions de sa production et de son accueil. Ce revirement ne se traduisait pas seulement par des changements au niveau des structures et des matériaux, mais aussi par un retour apparemment naturel à la distinction éminemment traditionnelle entre les fonctions du volume sculptural et celles du socle, distinction qui se maintient dans toute l'œuvre de Gabo et de Pevsner après la guerre.

Le désengagement social de la sculpture et l'effacement de sa spécificité concrète laissaient un vide conceptuel et plastique. Il fut rempli, c'était inévitable, par le *discours* de la sculpture même et l'institution sociale qui protège ces productions discursives : le musée. Les pratiques traditionnelles semblent avoir repris le dessus au mépris de tous les éléments novateurs et progressistes que la sculpture de ces artistes avait pu receler à un moment.

Mais une autre interprétation, complémentaire de la première, reste possible et même nécessaire : ce serait précisément afin de s'intégrer dans le discours que cette sculpture aurait dû renoncer à certaines de ses propres exigences dès lors que pour devenir lisible dans ce système de conventions elle devait se dépouiller de tous ses attributs révolutionnaires. Et puis, seule une pratique artistique aussi dénuée de spécificité discursive, politique et sociale que celle de Pevsner et de Gabo permettait d'obtenir une sculpture à même de fonctionner dans la réalité sociale du monde occidental d'après-guerre, en quête d'une légitimité culturelle mais réfractaire aux controverses politiques et sociales suscitées par la construction d'un monument dans un espace public.

Clement Greenberg a très bien formulé ces contradictions esthétiques, même s'il ne s'en est peut-être pas rendu compte. Dans son essai sur « La nouvelle sculpture » publié dans *Partisan Review* en 1949, il décrit cette sorte de sculpture qui oscille entre l'abstraction complète et le pragmatisme positiviste, entre l'arbitraire absolu, parce qu'elle n'est pas soumise aux contraintes commerciales ou sociales, et la réification apparemment inéluctable, mais aussi sécurisante, qui découle de cette absence de contraintes. Greenberg ne cite pas de nom quand il parle des « constructivistes » et de la « nouvelle sculpture construite », mais la description qu'il donne des matériaux et de la structure des œuvres en question prouve qu'il pense notamment à Gabo et Pevsner.

« La nouvelle sculpture construite désigne, presque avec insistance, ses origines dans la peinture cubiste : par ses enchevêtrements de lignes, sa pénétrabilité, sa transparence et sa légèreté, et par l'attention exclusive portée à la surface et à l'enveloppe, qui s'exprime dans les formes minces comme des lames ou des feuilles. Ici, l'espace doit être façonné, divisé, cerné, mais jamais rempli. La nouvelle sculpture a tendance à se détourner de la pierre, du bronze et de la glaise pour adopter des matériaux industriels comme le fer, l'acier, les alliages, le verre, le plastique, le celluloïd, etc., qui sont travaillés avec les outils du forgeron, du soudeur et du charpentier. »[22]

Quelques paragraphes plus loin, Greenberg se livre à un exercice étonnant. Il est difficile de savoir ce qui est le plus remarquable, de la précision avec laquelle il décrit le retournement complet de chacun des caractères de la sculpture constructiviste dans les œuvres dont il parle, ou de l'éloquence (apparemment persuasive pour ses contemporains) qu'il déploie pour justifier ces déviations de l'héritage constructiviste :

« Rendre la substance entièrement optique et faire de la forme, qu'elle soit picturale, sculpturale ou architecturale, une partie intégrante de l'espace environnant, c'est aboutir à l'exact inverse de l'anti-illusionnisme. Au lieu de l'illusion des choses, on nous donne maintenant l'illusion des modalités, plus exactement l'illusion que la matière est incorporelle, impalpable, et n'a qu'une existence optique, tel un mirage. Ce genre d'illusionnisme se manifeste dans des tableaux dont la surface peinte et le rectangle qui la délimite semblent déborder sur l'espace

20 Naum Gabo, *Of Divers Arts* (« The Mellon A.W. Lectures in the Fine Arts », 1959), Bollingen Series XXXV, 8, Washington/New York, 1962.
21 Cité par Goldwater, *op. cit.*, p. 69.
22 Clement Greenberg, « The New Sculpture », *Partisan Review*, New York, 1949. Texte remanié en 1958, repris dans *Art and Culture*, Boston, 1961, pp. 139-145.

environnant [...] et plus encore dans les sculptures constructivistes et pseudo-constructivistes. Les tours de force techniques qui visent à obtenir une visibilité maximale avec une surface tangible minimale relèvent pleinement de la sculpture qui est un moyen d'expression libre et total. Le sculpteur-constructeur peut véritablement dessiner dans l'espace avec un fil métallique qui ne soutient que lui-même. »[23]

Cette nouvelle façon d'envisager le constructivisme suppose à l'évidence une évacuation presque brutale des connotations matérialistes et politiques de la dialectique des formes et des matériaux mise en jeu dans la sculpture constructiviste. Ce que nous avons appelé la dématérialisation de la sculpture implique en outre un désengagement analogue du public dans sa perception de l'œuvre, comme Greenberg le laisse entendre sans aucune équivoque : « Et quand bien même la sculpture serait forcée de devenir aussi abstraite que la peinture, elle aurait encore davantage de possibilités plastiques à sa disposition. Ce n'est plus le corps humain qui modèle l'espace dans l'art de la peinture et de la sculpture, mais seulement la vision. Or, la vision a une plus grande liberté de mouvement et d'invention dans les trois dimensions. »[24]

Ainsi le constructivisme avait-il fini par atteindre au « mirage » dans les œuvres de Pevsner et de Gabo telles que les percevait Greenberg en 1949. Ce qui était autrefois de l'ordre du palpable et du corporel devenait purement « optique ». L'anti-illusionnisme de naguère, qui accordait la primauté au poids, à la masse physique, et mettait au jour les méthodes de construction, se transformait en une « illusion des modalités ». Si les fils métalliques de Tatline contribuaient à situer la construction sculpturale dans sa relation avec l'espace architectural et à souligner le rôle de la masse et du poids dans la perception de la sculpture, ils deviennent maintenant aux yeux de Greenberg, comme par un tour de passe-passe, un élément graphique qui « ne soutient que lui-même ».

Cependant, cette nouvelle esthétique allait exiger de nouveau un certain nombre d'opérations discursives visant à la légitimer au regard de l'histoire de la sculpture constructiviste; elle ne pourrait acquérir quelque crédibilité face au témoignage discordant de l'histoire moderniste que grâce à d'autres suppressions ou amputations des faits historiques. Ce texte de Greenberg nous fait toucher du doigt les nécessités auxquelles répondait cette stupéfiante volte-face dans la pensée et la terminologie qui présida à la naissance de l'esthétique néo-moderniste. C'était, semble-t-il, la première fois que l'auteur employait le néologisme « opticité » *(opticality)* destiné à devenir un maître mot de l'esthétique néo-moderniste, notamment dans les écrits de Michael Fried. Toutefois, il s'agit encore d'accomplir la transformation du constructivisme en une esthétique idéaliste et ahistorique, et pour l'instant ce terme reste lié de manière assez complexe à l'héritage moderniste et avant-gardiste en général. Greenberg éliminera bientôt toutes ces relations pour s'en référer exclusivement au cubisme.

On remarque un fait qui révèle aussi les mécanismes de la pensée néo-moderniste : Greenberg peut encore citer l'œuvre de David Smith dans le cadre d'une réflexion sur la sculpture constructiviste, mais il lui faudra bientôt renoncer à ce genre de rapprochement pour pouvoir réécrire l'histoire de la sculpture moderniste en fonction d'une esthétique moderniste remaniée et aussi d'un objectif immédiat, à savoir la constitution d'une avant-garde locale autonome et dominante. Alors, Greenberg écrira que, dans la sculpture de Smith, « il n'y a rien qui rappelle De Stijl, le Bauhaus ou même le constructivisme »[25].

Une autre sorte d'amputation était apparemment nécessaire. En l'occurrence, elle répondait sans doute au besoin de faire disparaître toutes les contradictions au sein même du discours de Greenberg et de la nouvelle esthétique. Alors que dans la version de 1949 l'auteur revendiquait encore fièrement « notre toute nouvelle sensibilité positiviste », il ne parle plus dans la deuxième édition de son

23 *Art and Culture*, op. cit., p. 144.
24 *Ibid.*, p. 143.
25 Clement Greenberg, « David Smith's New Sculpture », dans *David Smith*, sous la direction de Garnett McCoy, New York, 1973, p. 222.
    Dans son texte pour le catalogue *David Smith*, Washington, 1982, E.A. Carmean Jr. semble adopter en même temps les deux points de vue opposés sur les relations de Smith avec le constructivisme. Page 20, on lit que Smith aurait connu la sculpture constructiviste par son ami russe John Graham. Page suivante, on retrouve la thèse de Rubin selon laquelle Smith, en commençant son travail, serait trouvé « face aux présupposés initiaux de la sculpture construite qui avaient été à peine explorés ». D'après Diane Waldman, Smith aurait même évoqué par écrit l'utilisation du soudage dans la sculpture constructiviste russe : « Smith a écrit que le fer forgé et soudé avait été employé par des cubistes comme Henri Laurens dès 1914, par les constructivistes Vladimir Tatline et Konstantin Medounetsky en 1917 et 1919 respectivement, et par Jacques Lipchitz en 1928. » (Catalogue d'exposition *Transformations in Sculpture*, New York, Guggenheim Museum, 1985, p. 22.)
26 Clement Greenberg, « The New Sculpture », *Partisan Review*, 1949, p. 641.
27 William Rubin fut le premier à remarquer les similitudes étonnantes entre le commentaire de Greenberg et la sculpture des artistes minimalistes qui commençaient à se faire connaître (cf. William Rubin, *Anthony Caro*, New York, The Museum of Modern Art, 1975, p. 178, n. 56). Dans un autre article, Greenberg a semblé pressentir également les prolongements possibles des démarches réductrices en peinture, déjà amorcés en fait par des artistes comme Robert Ryman que Greenberg désa-

essai que d'« un aspect positiviste de l'esthétique moderniste ». Et si, dans la première édition, Greenberg reconnaissait à la sculpture « une réalité physique évidente », son insistance sur l'aspect positiviste de cette esthétique l'entraînait dans des considérations qui semblent plutôt révéler (peut-être involontairement) l'aspect platement pragmatique du positivisme, et ne s'accordent guère avec les propos sur le tragique, le sublime et le transcendantal qui allaient accompagner de plus en plus souvent l'expressionnisme abstrait. Greenberg écrivait que cette « réalité physique » était « aussi palpable, indépendante et présente que celle de nos maisons et de nos meubles »[26]. Mais cette remarque peu banale, qui pourrait passer (à tort) pour une prémonition de la sculpture minimale[27], a disparu dans la version de 1958.

Quelques années plus tard, il ne serait plus nécessaire de se livrer à une telle gymnastique, car l'histoire de la sculpture moderniste (et du modernisme en général) reconstruite selon la méthode de Greenberg en éliminant les apports les plus marquants, serait devenue la norme. Jusque dans les années soixante, elle ne fut guère remise en question par les critiques, conservateurs et historiens d'art américains ou européens[28]. Elle avait encore des partisans convaincus dans les années soixante-dix, malgré tous les démentis infligés entre-temps. C'est ainsi que l'un des auteurs les plus réputés dans le domaine de la peinture et la sculpture du XXᵉ siècle a pu écrire en 1975 :

« Il suffit d'un grand artiste pour perpétuer une tradition. Et durant presque toute son histoire, la tradition de la sculpture construite s'est maintenue de cette façon précaire. Inventée par Picasso, dont les constructions se dégageaient pour la première fois de certains présupposés fondamentaux concernant l'esthétique et les méthodes de la sculpture en vigueur depuis l'Antiquité, elle fut pratiquement réinventée par David Smith. Depuis la mort de ce dernier, sa destinée repose pour une grande part entre les mains d'Anthony Caro. »[29]

Smith et Caro occupent désormais un créneau situé complètement en dehors de l'histoire, celui du « constructivisme issu du cubisme ». Quant à l'histoire *effective* du constructivisme, avec toutes ses composantes fâcheuses, on peut la contourner aussi facilement que tout ce qui a pu s'opposer depuis lors à l'idée d'une esthétique moderniste autonome. Ainsi, dans un texte de deux cents pages consacré à l'œuvre de Caro et à la tradition de la sculpture « d'assemblage », l'auteur s'arrange en fait pour se délivrer du poids de l'histoire en ne mentionnant qu'*une* fois l'existence de *certains* artistes de la tradition constructiviste, et dans une incise (qui les relie bien évidemment à Picasso) : « Malgré son caractère soudain, cette découverte de la construction sculpturale par Picasso servit bel et bien de point de départ à un petit nombre de sculpteurs, notamment les Russes Tatline, Rodtchenko, Gabo et Pevsner, et aussi Laurens (pendant une brève période), González et Calder. »[30]

Cette succession de désaveux et de falsifications de l'histoire devait forcément sécréter sa propre logique, et le degré d'absurdité des raccourcis historiques n'a fait que s'accroître d'une génération à l'autre. En 1949, Greenberg pouvait encore recourir à la métaphore de l'architecture et du mobilier, indiquant par là qu'en dépit de ses plaidoyers pour une sculpture « optique », il n'était pas devenu tout à fait insensible à sa matérialité. Mais dans l'esprit de Caro comme dans l'analyse que fait Rubin de son œuvre, la sculpture construite avec des matériaux de fabrication industrielle ou de récupération aspire à (et a déjà acquis) la « condition de la musique » comme l'a dit Walter Pater : « S'il fallait choisir une analogie, le spectateur ferait bien d'examiner celle que Caro lui-même utilise, l'analogie avec le plus abstrait des arts, la musique. "J'ai essayé, explique Caro, d'éliminer toutes les références et de faire des sculptures vraiment abstraites en agençant leurs différentes parties comme des notes de musique [...] De même que la musique, j'aimerais que ma sculpture soit l'expression d'une émotion qui passe par le matériau, et, de même que la musique, je ne veux pas qu'elle soit donnée à

vouait à cette époque, bien évidemment. Si nous donnons ces exemples, ce n'est pas pour prouver les facultés pré-monitoires de Greenberg, mais plutôt pour signaler les rapprochements histo-riques complexes et les liens logiques qui unissent la reconstitution formaliste de l'esthétique moderniste et la contre-pro-position des minimalistes. J'ai examiné cette question dans *Niele Toroni : l'index de la peinture*, Bruxelles, Daled, 1985.

28 Les critiques américains dits formalistes et les historiens d'art devaient s'accorder à établir une relation de parenté directe entre le cubisme et l'expressionnisme abstrait, tout en éliminant presque tous les descendants du cubisme apparus en Europe et en Amérique après 1912. Nous nous bornerons à citer un exemple entre mille, où l'on reconnaît le ton catégo-rique sur lequel s'énoncent les stéréo-types : « La grande qualité de l'œuvre de Caro, tout comme celle de l'œuvre de Pollock, se révèle dans le fait que l'esprit du cubisme est conservé tandis que ses aspects extérieurs sont épurés et trans-formés » (Walter D. Bannard, « Caro's New Sculpture », *Artforum*, juin 1972, pp. 59-64).

29 Rubin, *op. cit.*, p. 15.
Il a fallu attendre l'année 1979 pour voir cette altération constante de l'histoire de la sculpture du XXᵉ siècle enfin recti-fiée dans la très importante exposition organisée par Margit Rowell au Guggen-heim Museum, « The Planar Dimension : Europe 1912-1932 ». Cette exposition et le catalogue qui l'accompagnait ont ma-gistralement réparé les omissions de l'histoire de l'art formaliste encore pré-pondérante, en redonnant la place qui leur revenait à presque toutes les grandes créations sculpturales occultées jusque-là, notamment l'œuvre de Katar-zyna Kobro.

30 *Ibid.*, p. 16.

percevoir d'un seul coup dans sa totalité". »[31]

Ce qui était encore, selon l'interprétation singulière de Greenberg, une « illusion des modalités », considérée comme un effet pervers du programme rigoureusement anti-illusionniste du modernisme original, constitue dès à présent l'objectif avoué de la sculpture de Caro, et même une de ses principales qualités. Michael Fried nous apprend ainsi que *Prairie* de Caro représente « une alliance extraordinaire d'illusion et de limpidité structurelle [...] On dirait que dans *Prairie*, comme dans beaucoup d'œuvres de Caro, l'illusion n'est pas créée aux dépens de la matérialité, mais coexiste plutôt avec elle de telle manière que la seconde n'est pas perçue par-delà la première. »[32]

Comme nous l'avons vu, l'anti-illusionnisme dans la sculpture constructiviste reposait sur la mise en évidence de la pesanteur et des propriétés physiques des matériaux. Maintenant, nous apprenons à propos de l'œuvre de Caro que cette variante de la sculpture « constructiviste » vise à « accroître l'impression d'apesanteur » et que dans ce but « Caro a décidé de peindre ses sculptures pour éviter que le spectateur ne reconnaisse l'acier dont elles sont faites. Ce camouflage par la peinture atténue la perception de la force de pesanteur exercée sur l'acier, au profit de ce que Fried appelait l'"apesanteur réalisée". »[33]

Enfin, il faut bien voir à quel point cette reconstitution a posteriori du constructivisme a dénaturé la pensée des constructivistes quant à la place de la sculpture dans la société, à sa dimension publique et à son rôle dans une transformation de la sensibilité du public. Là encore, il s'agit d'un retournement total, opéré avec la logique implacable qui caractérise toutes les stratégies de refoulement fondées sur la négation de l'évidence. Caro dénie explicitement toute dimension publique à la (sa) sculpture, et se dispense par là même de réfléchir sur l'espace social dans lequel elle intervient. Il soutient que son œuvre doit être perçue dans un vide du discours et de l'histoire (l'idéal serait sans doute le musée personnel). Il réclame un espace exclusif et ésotérique à l'abri des contradictions. C'est l'espace de reconstruction du modernisme, modelé par l'exercice subtil ou ostensible de l'autorité, par la faculté de refoulement de l'histoire et la domination du discours. Ce n'est pas un hasard si William Rubin est en mesure de préciser où Caro peut trouver la sorte de tranquillité à laquelle il songe : « L'environnement extérieur qui correspond le mieux à l'"espace tranquille et clos" qui offre les conditions optimales pour Caro, c'est le jardin privé. De là est écarté ce qu'il considère comme un autre "danger" du plein air, à savoir l'impression d'espace public. L'œuvre de Caro n'est pas monumentale, et elle ne s'adresse pas à la collectivité comme une sculpture monumentale. "Toutes mes sculptures (si grandes soient-elles) sont non-publiques", affirme-t-il. »[34]

C'est ainsi que la sculpture protège aussi jalousement l'intimité de ses conditions d'observation que son caractère de propriété privée (les deux étant évidemment liés), et cette transformation de la dimension sociale de la sculpture en un élitisme autocratique s'accorde parfaitement avec tous les autres retournements opérés durant la reconstruction du modèle constructiviste.

Les sculpteurs de la nouvelle génération qui se sont fait connaître dans les années soixante se sont justement opposés à ces falsifications de l'histoire, à cette fétichisation des méthodes et des matériaux, et à la négation de la dimension publique inhérente à *toute* sculpture, pas seulement monumentale (sauf peut-être celle qui renvoie explicitement à la structure de l'objet fétiche). Ces sculpteurs, notamment Carl Andre, Dan Flavin, Eva Hesse, Donald Judd, Sol LeWitt, Robert Morris, Bruce Nauman, Claes Oldenburg ou Richard Serra, présentent un certain nombre de points communs.

D'abord, à part Carl Andre, chacun d'eux avait une formation et une expérience de peintre avant de commencer à exécuter des objets en trois dimensions. Ensuite, chacun éprouvait pour les sculptures réalisées dans son entourage immédiat, à la

Anthony Caro
Midday (1960)

Robert Morris
Sans titre (1965)

31 *Ibid.*, p. 99.
32 Michael Fried, « Two Sculptures by An-
    thony Caro », *Artforum*, février 1968,
    p. 24 *sq.*
33 Rubin, *op. cit.*, p. 83.
34 *Ibid.*
35 Cette citation et toutes les suivantes
    (sauf mention contraire) sont des décla-
    rations que les artistes m'ont faites lors
    de conversations personnelles, entre
    août et décembre 1985, pendant la pré-
    paration du texte pour le présent cata-
    logue. Je remercie Carl Andre, Sol Le-
    Witt, Robert Morris, Claes Oldenburg et
    Richard Serra d'avoir bien voulu ré-
    pondre à des questions qu'on avait dû
    leur poser bien des fois, et de m'avoir
    autorisé à citer leurs propos.
36 Cette redécouverte des avant-gardes his-
    toriques par la génération des artistes
    minimalistes se reflète dans la critique,
    comme en témoigne l'article de Barbara
    Rose intitulé « ABC Art », où elle sem-
    blait se ranger à l'avis d'Ad Reinhardt et
    faire de Malevitch et Duchamp les réfé-
    rences cardinales pour les artistes et cri-
    tiques « postformalistes ». (*Art in Ame-
    rica*, oct.-nov. 1965; article repris dans
    Minimal Art, sous la direction de Gregory
    Battcock, New York, 1968.) Un autre
    exemple serait le texte remarquable
    d'Annette Michelson, « Robert Morris :
    an Aesthetics of Transgression », dans le
    catalogue *Robert Morris*, Detroit Mu-
    seum of Art, 1970, pp. 7-79.
37 Clement Greenberg, « Interview with
    Charles Harrison », *Art Monthly*, Londres,
    avril 1984, p. 6.

fin des années cinquante et au début des années soixante, une indifférence totale ou un mépris agressif qui n'étaient pas dus seulement à la différence de génération. C'est ce que confirme le témoignage de Claes Oldenburg : « Je n'y faisais pas du tout attention. David Smith m'intéressait vraiment très peu. Quant à Caro, je ne le voyais pas du tout, je ne voulais pas le voir. A l'époque, Smith me paraissait un peu trop monumental [...] maintenant, je vois bien que ce n'était pas si simple. Je dois reconnaître que j'étais bien loin de tout ça. A vrai dire, je ne me sentais pas concerné et je ne le suis toujours pas. »[35]

Robert Morris, de son côté, déclare franchement que : « David Smith était le personnage qui, dans les années soixante, m'inspirait une fureur œdipienne, tandis que je ne prenais pas du tout Caro au sérieux. »

Sol LeWitt semble avoir eu le même genre d'attitude vis-à-vis de ces deux artistes : « Je n'ai jamais compris pourquoi on faisait tout ce battage autour de David Smith. » Avec le recul, Richard Serra explique son indifférence à leur égard par leur appartenance à ce qui lui semblait une tradition sculpturale entièrement différente. Leur œuvre s'inscrit en effet dans la lignée de Picasso et González, tandis que Brancusi et les constructivistes russes ont notablement influé sur l'art de Serra. Carl Andre, qui avait pourtant connu très tôt la sculpture russe et soviétique, est apparemment le seul à avoir admiré le travail de David Smith durant sa période de formation, même s'il réprouvait par ailleurs les sculpteurs dits expressionnistes abstraits (« C'étaient plutôt des surréalistes d'arrière-garde »).

Quand il déclarait que tout, dans le XXe siècle, devrait être ramené à Duchamp et Malevitch, Ad Reinhardt annonçait cette prise de distance par rapport à la voie royale tracée artificiellement par Greenberg entre le cubisme parisien et la re-construction américaine du modernisme[36]. Ce mouvement eut pour effet de briser l'axe Paris-New York pour faire apparaître une série de centres plus disséminés, après le déclin de Paris en 1915: Zurich, Moscou, New York. De plus, il troubla la belle ordonnance d'une histoire qui faisait abstraction des véritables préoccupa-tions sous-jacentes aux pratiques sculpturales de l'après-cubisme.

Les artistes de cette nouvelle génération avaient une vision de l'histoire infiniment plus complexe que celle de leurs prédécesseurs et refusaient apparem-ment de reprendre à leur compte les lacunes et falsifications imposées par les schémas à la Greenberg. Mais ces artistes ne se souciaient pas tellement de reconstituer l'histoire réelle de l'avant-garde, même si c'était une étape indispen-sable à la constitution d'une néo-avant-garde. Ils s'attachaient plutôt à (ré)instaurer une esthétique qui ferait intervenir dans la conception et la réalisation de la sculpture les préoccupations fondamentales des dadaïstes et des constructivistes.

On ne saurait donc s'étonner que Greenberg et Fried aient perçu un traître de la première heure en la personne d'Ad Reinhardt, et qu'ils aient assimilé la montée de cette nouvelle génération de sculpteurs à une menace qu'il fallait conjurer à tout prix. Ainsi Greenberg réitérait encore en 1984 sa critique cinglante de la sculpture minimale : « Quand on a vu les premières plaques de Morris à la Green Gallery, on a vu le bon goût traditionnel. Elles étaient bien comme il faut, mais ce n'était pas tout à fait suffisant. Pour échapper à ses penchants, il a dû forcer la note. C'est une façon de se dégager des conventions. Même chose pour Andre. Donc, on force la note [...] Ce qui trahissait Judd, c'était sa peinture. Il n'a jamais su ce que c'était que la bonne peinture. Il savait à quoi ça devait ressembler, mais il n'avait pas la notion de la bonne peinture. Et puis Judd, ses boîtes étaient toujours trop hautes pour les socles. S'il avait su s'y prendre, il aurait fait des boîtes moins hautes. C'est comme ça que je voyais les choses. J'aurais toujours pu améliorer ses boîtes. »[37]

Comme il arrive bien souvent (surtout aux critiques), Greenberg projette son propre bagage néo-kantien, en l'occurrence la question du « goût », sur les sculp-teurs minimalistes. De même, il croit avoir vu des socles sous les boîtes de Judd dont l'un des thèmes était justement l'abandon du socle, alors qu'au même moment, dans des œuvres telles que les *Table Pieces* de 1966, Caro réintroduisait le socle avec aussi peu d'hésitation que Gabo et Pevsner avant lui.

William Rubin adopte une attitude tout aussi révélatrice quand il attire l'attention sur les différences insurmontables qui séparent les minimalistes des sculpteurs défendus par Greenberg, et affirme de surcroît que la sculpture minimale n'a rien à voir avec cette partie russe et soviétique de l'histoire de l'avant-garde qui était si bien occultée jusque-là. Rubin écrit notamment : « L'œuvre de Smith et de Caro témoigne du conservatisme inhérent aux meilleures sculptures d'après-guerre, un conservatisme qui devait être remis en question dans les années soixante par les positions systématiquement radicales des minimalistes, dont l'œuvre, malgré certaines similitudes superficielles, est très éloignée de la tradition constructiviste. »[38]

Pourtant, le fait est que les sculpteurs de cette génération ont tous manifesté, à des degrés divers et à des étapes différentes de leur évolution, un intérêt considérable pour les œuvres post-cubistes (et anticubistes) de l'avant-garde russe et soviétique et de Duchamp. Ils n'ont jamais caché cet intérêt, ni l'influence exercée sur leurs œuvres par ces modèles redécouverts. Pour ne citer qu'un exemple, Carl Andre a expliqué que « la sculpture de Rodtchenko représentait une magnifique alternative aux œuvres semi-surréalistes des années cinquante comme celles de Giacometti, et au cubisme tardif de David Smith »[39]. Et en 1970 il a déclaré sans ambages : « J'aime à croire que mon œuvre appartient à la tradition des artistes révolutionnaires russes Tatline et Rodtchenko. »[40]

Il n'est pas possible d'analyser ici en détail les relations complexes qui unissent les sculpteurs des années soixante à l'avant-garde historique et à ses modèles sculpturaux, notamment ceux du constructivisme. Nous nous bornerons donc à examiner l'œuvre de deux personnalités exemplaires de cette période : Claes Oldenburg, que l'on associe généralement au pop'art, et Carl Andre, que l'on considère habituellement comme un artiste minimaliste.

Encore une fois, il ne saurait être question ici d'opposer des périodes ou des tendances stylistiques, d'abord parce que Carl Andre et Claes Oldenburg ont commencé leurs carrières de sculpteurs à peu près en même temps, vers le tout début des années soixante (tout comme les œuvres de Stella et de Warhol, par exemple, s'inscrivent dans la même période de temps). De plus, ces artistes partagent beaucoup de préoccupations plastiques et historiques, et par conséquent leurs œuvres appellent une comparaison nuancée que ne permettent pas les notions de succession des styles dans le temps et d'alternance dialectique. La similitude des réactions suscitées par leur travail et leur commune résistance aux limitations de la pratique artistique imposées par l'esthétique formaliste de Greenberg éclairent d'ailleurs un aspect troublant de la situation dans les années soixante. Alors même que tous ces artistes se percevaient comme des successeurs légitimes de l'école de New York dans ce qu'elle avait de plus radical (ainsi Andre, Morris, Oldenburg et Serra ont fréquemment souligné le rôle capital que Pollock avait joué dans l'évolution de leur travail), ils ont tous fait l'objet de critiques négatives, sinon d'un véritable éreintement, de la part de Greenberg et Fried. L'explication de ce paradoxe réside dans le fait que les artistes de cette génération ont puisé des idées chez les expressionnistes abstraits, mais pour les mettre au service d'un retour à l'héritage de l'avant-garde historique, démolissant par la même le modèle du modernisme reconstruit que Greenberg, Fried et leurs épigones avaient bâti artificiellement.

On pourrait même avancer que cette génération se distingue précisément par la réintroduction d'une pluralité de démarches paradigmatiques apparemment incompatibles (par exemple des pratiques empruntées aux expressionnistes abstraits en même temps que des stratégies inspirées de Jasper Johns et Robert Rauschenberg et que tout l'héritage de Duchamp, Tatline et Rodtchenko). L'œuvre

38 Rubin, *op. cit.*, p. 26.
    D'autres auteurs se sont efforcés de maintenir un clivage aussi net que difficile à justifier entre le travail de Caro et les sculptures construites des minimalistes. Ainsi, Diane Waldman, qui écrit : « On a souvent comparé l'œuvre de Caro des années soixante avec la sculpture minimale. Pourtant, Caro procède par construction, et les minimalistes par réduction. Alors que Caro considère l'œuvre d'art comme une entité autonome, les minimalistes envisagent la sculpture dans sa relation avec le site. Certes, Caro, comme les minimalistes, choisit des matériaux industriels afin d'éliminer les éléments trop expressifs [...] Par là, et par l'utilisation de la couleur, sa technique rappelle celles du collage et de la construction cubistes [...] Le collage a pris une importance accrue dans l'œuvre de Caro avec la série sur laquelle il travaille depuis 1977 : des objets trouvés coulés dans le bronze sont associés à des plaques et des barres de bronze soudées. » (*Transformations in Sculpture, op. cit.*, pp. 36-39.) Ainsi, pour maintenir le lien de parenté direct avec le cubisme, on en arrive à inventer la forme la plus grotesque de la structure fétichiste, à savoir le *collage en bronze soudé*.

39 Au sujet des rapports entre l'avant-garde russe et soviétique et la génération des artistes minimalistes, *cf.* le texte récapitulatif de Maurice Tuchman, « The Russian Avant-garde and the Contemporary Artist », dans *The Avant-garde in Russia 1910-1930*, présenté par Stephanie Barron et Maurice Tuchman, Los Angeles, 1980, pp. 118-121.

40 *Cf.* Willoughby Sharp, « Interview with Carl Andre », *Avalanche*, n° 1, automne

Richard Serra
Splashing (1968)
Œuvre détruite

1970, pp. 18-27.
41 Tuchman, *loc. cit.*, p. 120.
42 L'*Element Series* et les dessins préparatoires sont reproduits dans le catalogue
Carl Andre, Woods, Eindhoven, Van
Abbemuseum, 1978, non paginé.
43 Cité par Enno Develing dans le catalogue
Carl Andre, La Haye, Gemeentemuseum,
1969, p. 45.
Rappelons qu'à l'occasion de deux expositions montées en 1967 (Dwan Gallery,
New York) et 1968 (Wide White Space
Gallery, Anvers), furent publiées des affiches conçues par Carl Andre où figurait
une table périodique des éléments
conforme aux « plus récentes mises à
jour de la Commission des poids ato-
miques de l'Union internationale de la
chimie pure et appliquée ». Reste à se
demander si cette revendication de
l'exactitude scientifique était une nouvelle étape dans la fétichisation, ou l'effort vers l'anti-esthétisme radical
qu'Andre évoquait au milieu des années
soixante.
44 En 1962, Carl Andre, dans un entretien
avec Hollis Frampton, qualifiait Frank
Stella de « constructiviste », ajoutant :
« Il fait des peintures en assemblant des
éléments identiques qui ne sont pas des
bandes, mais des coups de pinceau. » S'il
y a peut-être une part de boutade dans
cette déclaration, elle n'en atteste pas
moins à quel point cette génération
d'artistes s'identifiait avec le constructivisme, mais sans assimiler ce dernier à la
tradition issue de Gabo et Pevsner. Et
d'ailleurs Frampton réplique : « Mais
pourquoi constructiviste ? Tu me plonges
dans le celluloïd jauni de Gabo et Pevsner. » (Carl Andre et Hollis Frampton,
Twelve Dialogues 1962-1963 New York/
Halifax, 1980, p. 37.)

de ces sculpteurs des années soixante rend caduques les oppositions binaires traditionnelles. Ainsi, l'« iconicité » de l'œuvre d'Oldenburg peut coexister avec des formules stéréométriques rigides (qui ressortissent au courant abstrait et réductionniste du modernisme), avec des transformations dans les méthodes et les structures induites par la mise en avant de la force de gravité, ou avec la répartition aléatoire des matériaux qui allait aboutir à des structures amorphes annonçant les œuvres de sculpteurs tels que Robert Morris, Bruce Nauman et Richard Serra.

Carl Andre semble avoir été l'un des premiers, avec ses amis Hollis Frampton et Frank Stella, à s'être initiés à l'histoire du constructivisme grâce aux cours dispensés par Patrick Morgan (un ancien élève de Hans Hofmann à Munich) dans les années 1951 à 1953 à la Phillips Academy d'Andover. Après son installation à New York, Andre découvrit les peintures de Malevitch au Museum of Modern Art et il se rappelle que le *Carré blanc sur fond blanc* « était une grande icône pour Frank Stella, Hollis Frampton et moi-même », ou « un jalon indiscutable », pour reprendre une expression de Frank Stella, et un tableau qui les « stimulait telle une mine d'idées »[41].

Andre se rappelle avoir vu des reproductions de sculptures de Rodtchenko dans des revues et des livres (dont *Art News,* et les ouvrages d'Alfred Barr et Carola Giedion-Welcker). Il dut attendre assez longtemps avant de pouvoir observer directement des œuvres sculpturales de la période dite de « laboratoire » du constructivisme, mais les photographies influencèrent nettement la conception de ses premières sculptures en bois, surtout les dessins préparatoires ainsi que l'exé-cution de l'*Element Series* à partir de 1960[42].

Si le caractère sériel et les structures ajourées des sculptures modulaires de Rodtchenko ou de ses *Constructions suspendues* coïncident de toute évidence avec les préoccupations d'Andre, l'artiste semble être allé plus loin que Rodtchenko lui-même dans la voie de l'esthétique constructiviste. Sa conception de la spécificité matérielle et de la transparence va au-delà des recommandations formulées par Gabo dans le *Manifeste réaliste.* Andre ne met pas en relation un matériau donné avec un autre, mais combine tout au plus des séries différentes d'éléments métal-liques (dans ses « carrés d'alliage »). La matérialité des éléments est affirmée sous le seul point de vue de leurs propriétés *visibles* (la couleur, la texture, etc.) ou *invisibles mais connues* (leur constitution moléculaire chimique). Andre a déclaré lui-même que son œuvre opère « une espèce de réaction chimique qui modifie l'environnement de manière à le rendre plus manifeste »[43]. Pour ce qui est des particularités de la structure, Andre trouve gênant le fait que dans les constructions de Rodtchenko la stabilité soit assurée par des dispositifs cachés, tels que clous et fils métalliques, et non par le poids et la masse des éléments de l'œuvre même. Grâce à ces systèmes de fixation, les constructions de Rodtchenko pouvaient être présentées dans des positions différentes, éliminant ainsi la verticalité tradition-nelle de la sculpture qui renvoie en fait à l'anthropomorphisme. Pour sa part, Andre a fait en sorte que la masse et le poids déterminent la structure de ses *Elements,* des sculptures en bois réalisées par un assemblage de montants et traverses sans aucun système de fixation dissimulé. Pourtant, des sculptures en bois antérieures, telles que la *Pyramide* et *Cedar Piece* de 1959, étaient aussi symétriques que les constructions de Rodtchenko et on aurait pu les faire pivoter de la même manière autour de leur axe vertical. Andre avait compris à cette époque, en observant les *Black Paintings* de Stella, que la symétrie pouvait devenir une arme contre les principes de composition fondés sur les relations entre les parties, et contre la verticalité anthropomorphique.[44]

Il y a cependant encore un autre aspect, plus important peut-être, de l'œuvre d'Andre qui renoue avec l'esthétique constructiviste, au mépris des limitations historiques associées à l'esthétique de Greenberg. La réintroduction systématique de la pesanteur comme facteur déterminant de la structure et des méthodes conduisit Andre à abolir la verticalité en 1966 pour définir la sculpture comme un « lieu ». De fait, cette dimension de « lieu » représentait pour Andre un aboutissement dans l'histoire de la sculpture dont les différentes étapes étaient « la sculpture comme forme; la sculpture comme structure; la sculpture comme lieu »[45].

Pour mieux faire comprendre son point de vue, Andre a pris l'exemple de la Statue de la Liberté et des différentes façons de la percevoir : « Du temps de la forme, les gens s'intéressaient à la Statue de la Liberté pour le modelé des plaques de cuivre qui constituait la forme conçue par Bartholdi. Ensuite, les gens se sont intéressés à la structure, et plus du tout à la forme de Bartholdi. Ils s'intéressaient à la structure en fer construite par Eiffel : la charpente de poutres et poutrelles [...] Maintenant, les sculpteurs ne s'intéressent même plus à la structure d'Eiffel. Ce qui les intéresse, c'est l'île de Bedloe et ce qu'ils pourraient en faire. Ainsi, j'envisage l'île de Bedloe comme un lieu. »[46]

Claes Oldenburg
Version molle de la maquette d'un monument donné à la ville de Chicago par Pablo Picasso (1969)

Barnett Newman a employé la notion de « lieu » en sculpture pour la première fois en 1951, à propos de *Here I*[47], et l'on peut penser qu'Andre l'a découverte dans l'œuvre de Newman (qui était une personnalité phare pour la génération des minimalistes). Mais ce concept a désormais plusieurs corollaires différents, qui vont de l'insistance sur l'interdépendance entre la sculpture et son contexte ou sur sa corrélation avec les particularités du site, du postulat de sa dimension fonctionnelle et utilitaire (ainsi, selon Carl Andre, « la sculpture idéale est une route » et ses œuvres prennent « une position engagée en épousant la terre »[48]) jusqu'à la réaffirmation de sa dimension sociale et politique (« une œuvre d'art digne de ce nom, une fois exposée et montrée à d'autres, est un fait social »[49]).

Comme Carl Andre, Claes Oldenburg a fait intervenir, dès la fin des années cinquante, une problématique diverse dans sa production sculpturale, à rebours de la conception étroite de la sculpture qui prévalait alors. Mais contrairement à Andre, il puisait surtout son inspiration chez des peintres (aussi différents que Pollock, Dubuffet et Johns) et il participait au mouvement de mise en actes de la pratique artistique sous forme de happenings et de performances avec ses amis George Brecht, Jim Dine, Dick Higgins et Allan Kaprow, lesquels étaient à l'époque, nous dit-il, beaucoup mieux informés sur « la tradition moderne, y compris l'histoire de l'avant-garde russe ».

Claes Oldenburg
Batcolumn (1977)

Cependant, ce n'est qu'au début des années soixante qu'il s'est vraiment avisé de toutes les ramifications des grands modèles sculpturaux de l'avant-garde historique, notamment Duchamp et le constructivisme. Et tout en gardant ses distances par rapport aux œuvres de sculpteurs qu'il pouvait côtoyer alors (voir plus haut ses déclarations au sujet de Smith et Caro, ou encore : « L'œuvre de Calder ressemblait trop à d'immenses décorations d'arbres de Noël »), il réintroduisit dans sa sculpture des éléments qui accentuaient à la fois l'intimité du rapport à l'objet et la monumentalité de l'œuvre, dans une sorte de synthèse paradoxale. Il estimait que sa sculpture était « par nature intime, et d'une échelle modeste. C'est aussi une sculpture d'intérieur [...] Mon travail est anti-monumental, anti-abstrait, anti-universel, à observer de préférence dans l'intimité »[50]. Il ajoutait qu'il voulait faire une sculpture en accord avec son environnement (à l'époque, les quartiers sud-est de Manhattan ou Lower East Side). C'est pourquoi il avait « cherché des techniques du genre papier mâché dans les livres pour enfants et les fournitures des maternelles ». En même temps, Oldenburg revendiquait une nouvelle monumentalité, qui correspondait à la capacité de la sculpture à s'inscrire dans un espace public, mais aussi à représenter les conditions d'une expérience collective. « Je voulais monumentaliser le Lower East Side », dit-il. Et pourtant, de même que les Nouveaux Réalistes Arman et Tinguely, deux artistes européens avec qui il a des points communs et qu'il commença à bien connaître en 1961, Oldenburg semble avoir compris très tôt que la tradition héroïque des modèles sculpturaux de l'avant-

45 Develing, *op. cit.,* p. 38.
46 *Cf.* Jeanne Siegel, « Carl Andre Artworker », dans *Studio International,* n° 927, pp. 175-179.
47 On trouvera une analyse de la notion de « lieu » élaborée par Newman dans la monographie de Harold Rosenberg, *Barnett Newman,* New York, 1978, p. 63.
48 Cité par Diane Waldman dans le catalogue *Carl Andre,* New York, Guggenheim Museum, 1970, pp. 13 et 19.

garde historique (que ce soit le ready-made ou la sculpture construite) ne pouvait être préservée que sous forme de parodie.

Aussi Oldenburg a-t-il conçu toutes ses propositions de monuments comme des maquettes imaginaires, car, a-t-il expliqué, ces monuments ne devaient « exister que dans l'imagination. Je craignais que ce qui était poétique et crédible dans sa forme imaginaire ne devienne banal et futile dans la réalité. Un chiot de 15 mètres ou un ours en peluche de 200 mètres pourrait être simplement atroce à voir, complètement antipoétique »[51].

En 1961, quand Billy Klüver l'invita à participer à l'Exposition universelle de New York (1964-1965), Oldenburg put envisager effectivement une sculpture monumentale en plein air. Mais, surtout, ce fut pour lui l'occasion de découvrir l'œuvre et les idées de Tatline grâce à Klüver et à Pontus Hulten. Plus tard, en 1966, quand il eut sa première exposition dans un musée à Stockholm, Oldenburg put acquérir une meilleure connaissance de l'artiste russe auprès de Pontus Hulten qui préparait la première rétrospective Tatline organisée après la guerre, et avait commandé une reconstitution de la maquette du *Monument à la IIIᵉ Internationale*. Oldenburg vit cette maquette en 1968, à l'exposition « The Machine », également organisée par Pontus Hulten mais cette fois pour le Museum of Modern Art de New York. Il se souvient que la vue de cette maquette l'a incité à proposer la construction d'une première sculpture publique de format monumental. Sa première sculpture publique, *Le Rouge à lèvres* installé à Yale University en 1969, était conçue comme une tribune mobile que l'on pouvait faire monter ou descendre par un système hydraulique. Cette assimilation ironique de la tribune des discours révolutionnaires à un vulgaire bâton de rouge à lèvres, monté sur des chenilles militaires, correspondait au degré de parodie désormais nécessaire pour toute sculpture publique et monumentale qui ne peut plus prétendre représenter les besoins ou les intérêts de la collectivité sociale.

Oldenburg eut encore une autre occasion d'observer un « monument » légué par l'avant-garde constructiviste russe, en l'occurrence la sculpture de Naum Gabo érigée devant le grand magasin Bijenkorf à Rotterdam (1956-1957). En la voyant à la fin des années soixante, Oldenburg l'a trouvée « assez horrible. Mais je voulais découvrir ses aspects les plus positifs, je me suis dit qu'elle devait présenter certaines possibilités. Elle donnait une impression de toc et en plus, la première fois que je l'ai vue elle se déglinguait. C'était un prodigieux fiasco, une espèce d'horreur [...] C'était la représentation d'une tension au lieu de la tension elle-même; elle était pathétique par son absence de tension ».

Avec sa *Batcolumn* installée à Chicago en 1979, Oldenburg a fait allusion à cette découverte des aspects problématiques de cette sculpture « constructiviste ». Il a remplacé « l'arbre de la croissance et de l'espoir renouvelé pour le domaine urbain »[52] de Gabo par un symbole du divertissement de masse et de la religion des foules locales, le base-ball. Oldenburg a déclaré avoir emprunté à Allan Kaprow l'idée que « les déchets peuvent devenir sculpture ». Ses discussions avec Kaprow portaient souvent sur la question de la permanence, la question de savoir si une sculpture devait être un objet tangible et durable ou une construction éphémère et fragile qui se déroberait à une esthétisation factice et à la monumentalisation. Oldenburg en est donc arrivé très logiquement à accorder une place prépondérante à la force de gravité dans son œuvre. D'autres circonstances ont contribué à l'orienter dans cette voie, comme il l'a expliqué lui-même.

D'abord, la pesanteur est un phénomène naturel que l'on éprouve dans la vie de tous les jours et qu'Oldenburg a mis en œuvre dans des happenings et performances, notamment avec le « Gravity Bag », un objet qu'il laissait tomber à intervalles plus ou moins réguliers. Ensuite, Oldenburg affirme que l'« œuvre de Pollock, ce peintre de la gravité », lui a fait prendre conscience de l'importance de ce phénomène, alors qu'il ne se rappelle pas l'avoir vraiment perçue dans les *Trois*

Naum Gabo
Sculpture réalisée pour le magasin Bijenkorf, Rotterdam (1954-1957)

49   Develing, *op. cit.*, p. 39.
50   Notes de Claes Oldenburg datant de 1966. *Cf.* Coosje van Bruggen, *Claes Oldenburg : Mouse Museum/Ray Gun Wing*, Cologne, Museum Ludwig, 1978.
51   *Cf.* Claes Oldenburg, entretien avec Paule Carroll dans *Claes Oldenburg, Proposals for Monuments and Buildings*, Chicago, 1969, p. 27.
52   *Cf.* Jack Burnham, *Beyond Modern Sculpture*, New York, 1968, pp. 37-38.

stoppages-étalon, du moins pas avant 1963 où il a visité la première rétrospective Duchamp[53].

Le caractère iconique surprenant des œuvres d'Oldenburg ajoute une dimension qui semblait échapper à la sculpture depuis Duchamp, car il restaure la relation dialectique entre les objets et leur mode de distribution, la marchandise d'une part et le produit de la culture savante de l'autre, en prenant en compte les incidences de la condition de marchandise sur leur statut d'objets ésotériques et élitistes. Déjà en 1961-1962, dans son environnement intitulé *Store,* Oldenburg établissait une équivalence entre le magasin, sa vitrine et ses marchandises d'une part, et l'institution muséale, ses expositions et ses collections de l'autre. « Pourquoi vouloir créer de l'"art"... c'est une idée dont je dois me défaire. En admettant que je veuille seulement créer quelque chose, qu'est-ce que ça pourrait être ? Simplement une chose, un objet. Il n'y aurait pas d'art là-dedans [...] l'apparence et le contenu "artistiques" proviennent des connotations de l'objet mais pas de l'objet lui-même ou de moi. Ces choses sont exposées dans des galeries. Ce n'est pas l'endroit qui leur convient. Il vaudrait mieux un magasin (= un lieu rempli d'objets). Le musée dans la conception b. [bourgeoise] est l'équivalent du magasin dans la mienne. »[54]

Avec la fondation du Mouse Museum (appelé Musée d'art populaire dans un premier temps) et de la Ray Gun Wing vers 1965-1966, Oldenburg a réintroduit dans la production artistique, pour la première fois depuis Duchamp, une esthétique « syntagmatique », où la signification de l'objet est déterminée par le discours et le cadre institutionnel dans lesquels il s'insère. Cette idée devait occuper une place de premier plan dans la pensée postmoderniste et, peut-être plus nettement encore, dans les œuvres d'artistes de la génération suivante (fin des années soixante et années soixante-dix) tels que Michael Asher, Marcel Broodthaers, Daniel Buren, Dan Graham, Hans Haacke et Lawrence Weiner. Mais leur analyse de la constitution et des fonctions de l'objet esthétique dans son espace discursif et institutionnel a dû être exclue par nécessité de la définition de la sculpture qui sous-tend l'histoire de la sculpture telle qu'elle est construite dans ce catalogue.

53 Cette exposition au Pasadena Art Museum fut l'occasion de la première rencontre officielle entre Oldenburg et Duchamp. Elle a laissé à Oldenburg le souvenir d'une « exposition passionnante ». Il put y découvrir l'œuvre de Duchamp dans toute sa complexité, même s'il la connaissait plus ou moins depuis l'époque de ses études à Yale University (en littérature de 1946 à 1950), où il avait pu voir *Tu m'* dans la donation de Katherine Dreier. Dès 1961, Oldenburg reconnaissait l'importance de Duchamp : « A quoi tient le révolutionnaire en art (et non en politique) ? Pas à des formes nouvelles, car cela n'existe pas, mais à une certaine finesse d'esprit. L'avant-garde, c'est de la frime, mais l'arrivée de quelqu'un qui remet les choses à leur place, c'est du sérieux. Par exemple Duchamp. Il a élaboré toute une éthique par son art. Un oiseau rare. » *Cf.* Barbara Rose, *Claes Oldenburg,* The Museum of Modern Art, New York, 1970, p. 194.

54 Notes de Claes Oldenburg datant de 1961. *Cf.* Coosje van Bruggen, *op. cit.,* p. 21.

Thierry de Duve

Réponse à côté de la question «Qu'est-ce que la sculpture moderne?»

Un titre n'est jamais qu'un titre, c'est entendu. Mais celui qui a été donné à la présente rétrospective — que, forcément, je n'ai pas vue à l'heure où j'écris ces lignes — m'intrigue assez pour que j'imagine l'effet publicitaire qu'il aura, imprimé en grandes lettres sur les affiches disséminées dans tout Paris. «Qu'est-ce que la sculpture moderne?» demande l'affiche au passant qui, bien sûr, lit la question à l'envers. En profane il n'est pas censé savoir. Il lit: «Allez donc voir l'expo et vous le saurez.»

Dans l'exposition, quelque deux cent cinquante œuvres couvrant la période 1900-1970 satisferont la curiosité du profane. Il aura vu, de ses yeux vu, ce qu'est la sculpture moderne. Vraiment? Il en aura vu un échantillon rigoureusement sélectionné en fonction de la qualité et de l'exemplarité des œuvres. L'exposition est une interprétation au titre provocateur et c'est très bien ainsi: elle feint de promettre une définition, mais ne livre que des exemples.

Il n'empêche que sur eux pèse le poids du titre et de son point d'interrogation. Un nombre limité d'exemples se voient chargés de répondre à une question ontologique. Mais laquelle? S'agit-il de l'être de la sculpture avec ses attributs modernes, ou de l'être de la modernité avec ses attributs sculpturaux? Connaissant le goût du Centre Pompidou pour les expositions en série on imagine assez bien qu'à celle-ci succédera «Qu'est-ce que la peinture moderne?», puis «Qu'est-ce que l'architecture moderne?», etc. A moins que le Louvre ne veuille collaborer en montant une exposition intitulée «Qu'est-ce que la sculpture ancienne?» et que, pour ne pas être en reste, l'ARC lui donne la réplique avec «Qu'est-ce que la sculpture postmoderne?». En tout état de cause, l'exposition prend virtuellement place dans l'une et l'autre série. Dans la première série, la modernité est l'invariant et la spécificité des arts est interrogée, dans la seconde l'identité de la sculpture est postulée et ce sont les caractéristiques de l'époque que l'on interroge. Mais tout de suite surgissent les problèmes. Pour considérer la modernité comme un invariant il faut savoir ce qu'elle est, et on ne le saura qu'en ayant comparé la sculpture moderne à l'ancienne et à la postmoderne, puis fait de même avec la peinture, etc. Réciproquement, pour périodiser l'histoire et nommer des styles successifs il faut disposer d'un invariant: la sculpture à travers les âges, la peinture *idem,* etc. Les historiens d'art savent très bien comment résoudre ces problèmes: ils vont d'une série à l'autre, font des hypothèses dans l'une qu'ils vérifient dans l'autre, corrigent et finissent par décider avec le moins d'arbitraire possible d'un corpus d'une part et des dates qui l'encadrent d'autre part. C'est ainsi, j'imagine, qu'on arrive à mettre sur pied, empiriquement, une exposition comme celle-ci, à fixer sa période et son contenu, mais non sans avoir posé, transcendantalement, un ou deux postulats ontologiques: l'essence historique de la modernité, l'essence artistique de la sculpture, ou bien tout ensemble l'«être moderne de la sculpture».

Même le profane à qui le titre, dans sa provocation, s'adresse comprend qu'on lui promet plus qu'un repérage empirique. On lui promet un échantillonnage significatif dont il pourra dire: ceci est (de) la sculpture moderne. Il sera informé.

Et il comprend aussi, peut-être avec un certain malaise, qu'on lui demande quelque chose: une fois informé, de juger; c'est-à-dire, ayant vu l'exposition, de retourner à l'affiche et de répondre par lui-même à la question qu'elle pose. Car en s'adressant à lui sous forme de question ontologique, le titre le rend dépositaire de la responsabilité d'en généraliser la réponse. Pour passer de l'identification de ce qui est *de* la sculpture moderne à l'interprétation de ce qu'est *la* sculpture moderne, il faut paradoxalement qu'il juge cas par cas. C'est non seulement son droit mais on l'y invite, qu'il soit tout à fait profane, plus ou moins initié ou spécialiste. Béotien, il dira par exemple: «Que fait ici cet urinoir? C'est ignoble, ce n'est pas de la sculpture!» Artiste conceptuel, il se peut qu'il dise à peu près la même chose: «Le ready-made, voyons, est de l'art, mais ce n'est pas de la sculpture.» Ou encore, parmi toutes sortes de jugements variant en interprétation et en degré de compétence, il dira, soucieux des sources: «Comment, Rodin n'est pas inclus? Trop peu moderne, lui dont Brancusi avait dit "sans ses découvertes, mon travail aurait été impossible"?» Postmoderniste radical: «Comment, Smithson y est, lui qui n'a plus rien de moderne?» Architecte: «Non, décidément, si les gratte-ciel miniature de John Storrs sont de la sculpture, alors il fallait montrer les Architectones de Malevitch!» Peintre: «Puisqu'on tire des parallèles avec la peinture, pourquoi avoir négligé l'expressionnisme abstrait de gens comme Theodore Roszak ou Ibram Lassaw?» Traditionaliste italien: «On aurait mieux fait de montrer Manzu et Marino Marini plutôt que cet *Arte povera.* » Moderniste français: «Mais c'est Kirili le véritable héritier de González, pourquoi n'y est-il pas?» Critique d'art belge: «Rik Wouters est un grand sculpteur et on l'oublie.» Minimaliste américain: «Qui est ce Laszlo Peri?» Historien révisionniste: «On aurait dû rétablir les hiérarchies.» Formaliste greenbergien: «David Smith oui, Tony Smith non.» Provocateur du Front national: «Vive Arno Breker!» Gauchiste: «Les boîtes de merde de Manzoni, c'est super.» Concierge: «Toutes ces boîtes...»

Je sais, ça ressemble à la tirade du nez et «je me la sers moi-même avec pas mal de verve», mais à vrai dire j'aimerais bien qu'un autre me la serve. Je veux dire que c'est ce qu'on peut souhaiter de mieux au commissaire de l'exposition, Margit Rowell: que par ses choix, ses rapprochements, ses omissions, sa mise en perspective historique, l'exposition «Qu'est-ce que la sculpture moderne?» réalise l'ambition de son titre provocateur et suscite à tous les échelons de compétence la plus vaste controverse, le plus grand différend.

«A la différence d'un litige, dit Jean-François Lyotard, un différend serait un cas de conflit entre deux parties (au moins) qui ne pourrait pas être tranché équitablement faute d'une règle de jugement applicable aux deux argumentations. Que l'une soit légitime n'impliquerait pas que l'autre ne le soit pas. Si l'on applique cependant la même règle de jugement à l'une et à l'autre pour trancher leur différend comme si celui-ci était un litige, on cause un tort à l'une d'elles (au moins, ou aux deux si aucune n'admet cette règle).»[1]

Voici quatre thèses. 1) A la question ontologique générale «Qu'est-ce que la sculpture moderne?» (ou la peinture, etc.) répond un jugement singulier, désignant chaque œuvre, cas par cas. 2) Ce jugement est le jugement esthétique moderne. Il se formule par «ceci est de la sculpture» (ou «ceci est de la peinture», etc.) de préférence à «ceci est beau», «ceci me plaît» ou même «ceci est de la bonne sculpture» (peinture, etc.). 3) Un réel jugement est l'occasion d'un différend et non d'un litige, autrement dit la règle de jugement (ce qu'on appelle les critères esthétiques) n'est pas applicable équitablement à l'argumentation qui dit «ceci est de la sculpture» et à celle qui dit le contraire. 4) La source du différend (de ce qu'on appelle l'hétérogénéité des critères) se trouve précisément dans la prétention du jugement esthétique singulier à répondre à une question qui n'est pas de son ressort, puisqu'elle est ontologique et générale. Le jugement esthétique moderne répond à côté de la question.

Corollaires des thèses 1 et 2. Ce qu'il y a de moderne est 1) l'existence d'une question ontologique portant sur la spécificité de la sculpture (peinture, etc.) et 2) la formule du jugement esthétique «ceci est (ou n'est pas) de la sculpture» (peinture, etc.). La question «Qu'est-ce que la sculpture moderne?» n'est pas moderne et la formule «ceci est de la sculpture moderne» non plus, sauf à les considérer comme redondantes ou à postuler un «être moderne de la sculpture».

Corollaires de la thèse 3. Lorsqu'un différend esthétique oppose deux parties sur un cas concret, la partie qui dit «ceci n'est pas de la sculpture» (peinture, etc.) pense être en possession d'un ensemble de critères valables pour les deux parties et ne s'appliquant pas en l'espèce. La partie qui dit «ceci est de la sculpture» peut 1) être en possession du même ensemble de critères ou 2) d'un autre et penser qu'ils s'appliquent, 3) savoir que l'ensemble des critères qu'elle se donne et auxquels le cas satisfait ne sont pas reconnus par l'autre partie mais penser qu'ils devraient l'être, 4) vouloir qu'ils ne le soient pas mais sans le faire savoir à l'autre partie, ou 5) en le lui faisant savoir. Dans les deux premiers cas de figure, les deux parties croient avoir affaire à un litige et cette croyance fait leur différend. Dans les troisième et quatrième cas, la première partie croit avoir affaire à un litige et la seconde sait qu'elle a affaire à un différend, soit qu'elle veuille l'aplanir en le transformant en litige soit qu'elle veuille entretenir le différend. Et dans le dernier cas les deux parties savent qu'elles ont affaire à un différend; l'une au moins, ou les deux, peuvent désirer qu'il en soit ainsi, et en fin de compte, toutes deux peuvent en rire, supprimant par là tout litige et différend. Seule cette toute dernière éventualité explique, par exemple, la légitimation des boîtes de merde de Manzoni.

Corollaires de la thèse 4. Lors d'un différend esthétique, la partie qui dit «ceci n'est pas de la sculpture» (peinture, etc.) entend signifier par là qu'elle refuse de rendre un jugement esthétique au sens d'un jugement de goût en portant sur le cas un jugement ontologique négatif. La partie qui dit «ceci est de la sculpture» peut, selon les cas de figure envisagés plus haut, 1) et 2) signifier par là que son goût est différent, 3) que les critères de son goût sont précisément ceux qui doivent réduire le jugement esthétique à un jugement ontologique, 4) que le jugement esthétique une fois réduit à un jugement ontologique n'est plus un jugement de goût mais ce qui tranche un différend, 5) que le jugement esthétique doit être l'issue ou l'occasion d'un différend ontologique et ne peut pas être un jugement de goût. Si les deux parties savent tout cela mais n'en rient pas, il n'y a plus de jugement esthétique du tout mais du marketing artistique.

Voici un cas de différend dont je pense qu'il est exemplaire d'une procédure par laquelle la question «Qu'est-ce que la sculpture moderne?» a été tranchée à un moment de la modernité où elle était encore loin de pouvoir servir de titre à une rétrospective mais se posait cas par cas comme le lieu d'un jugement esthétique dont l'issue prenait la forme d'un «ceci est de la sculpture».

Le cas que je voudrais analyser est banal mais en même temps rare et exemplaire, parce qu'il est parfaitement formalisé. C'est en effet un jugement, un vrai, qui a eu lieu devant un tribunal. Il est rapporté en détail par Laurie Adams dans son livre *Art on Trial*[2]. En 1927 le photographe américain Edward Steichen, qui avait acheté la version en bronze de l'*Oiseau dans l'espace* de Brancusi, s'était vu refuser par l'agent des douanes américaines l'exemption des droits d'importation prévue pour les œuvres d'art à l'article 1704 du *Tariff Act* de 1922, lequel définit ainsi la sculpture: «Par les termes "sculpture" et "statuaire" on entend que seront incluses uniquement les productions professionnelles de sculpteurs, qu'elles soient

1   Jean-François Lyotard, *Le Différend,* Paris, Minuit, 1983, p. 9.
2   Laurie Adams, *Art on Trial,* New York, Walker & Co., 1976, pp. 35-58. Toutes les citations du procès *Brancusi vs United States* sont tirées de ce livre et traduites par moi.

en ronde-bosse ou en relief, en bronze, marbre, pierre, terre cuite, ivoire, bois ou métal, découpées, ciselées ou de quelque manière façonnées à la main à partir d'un bloc ou d'une masse pleine de marbre, pierre ou albâtre, ou de métal, ou coulées en bronze ou en un autre métal ou substance, ou faites de cire ou de plâtre, réalisées uniquement en tant que productions professionnelles de sculpteurs.» Sont en outre exclus de cette définition les «articles utilitaires». Il faut croire que pour l'agent des douanes l'*Oiseau* de Brancusi n'entrait pas dans cette définition, puisqu'il fut taxé à 40% de sa valeur sous l'article 399 de la même loi, qui vise «les articles ou marchandises non spécialement prévus [...] composés en valeur totale ou principale de fer, acier, plomb, cuivre, laiton, nickel, étain, zinc, aluminium ou autre métal non plaqué de platine, or ou argent, ni coloré à l'émail doré, manufacturés en tout ou en partie». Steichen fit appel de la décision et l'affaire fut portée devant la troisième chambre du tribunal des douanes des États-Unis en octobre 1928[3].

Dans le prétoire, où l'*Oiseau dans l'espace* avait été apporté comme pièce à conviction, s'affrontaient l'avant-garde et l'académisme. D'un côté le plaignant, Steichen, représentant Brancusi qui était resté en Europe, ses témoins et ses avocats, de l'autre les avocats de la défense, représentant les États-Unis, et leurs témoins. Outre Steichen lui-même, les témoins à décharge de Brancusi étaient Jacob Epstein, le sculpteur anglais, William Henry Fox, directeur du Brooklyn Museum, et trois directeurs de revues ou critiques d'art, Forbes Watson de *Arts Magazine,* Frank Crowninshield de *Vanity Fair* et Henry Mc Bride du *Sun* et du *Dial.* La partie adverse n'avait aligné que deux témoins, mais tous deux sculpteurs professionnels, Robert Ingersoll Aitken dont le pedigree attestait qu'il avait étudié à San Francisco, Rome et Paris et exposé dans tous les États-Unis, et Thomas Jones, professeur d'art à Columbia University et auteur de plusieurs monuments publics. Entre les deux parties, le juge Waite, que rien ne prédisposait à être l'arbitre des querelles artistiques, devait trancher le litige en décidant si oui ou non l'*Oiseau* de Brancusi était «de la sculpture».

L'affaire avait en effet toutes les apparences d'un litige, la justice étant ainsi faite que le plaignant doit présenter son cas comme un litige pour que sa plainte soit entendue. Les deux parties acceptant les critères énumérés dans l'article 1704, c'était au juge à décider si les critères s'appliquaient. Le jeu des plaidoiries et des interrogatoires consistait donc pour le plaignant à établir, et pour la défense à réfuter, 1) que Brancusi était l'auteur de l'*Oiseau,* 2) qu'il était un sculpteur professionnel, et 3) que l'*Oiseau* était une «production professionnelle de sculpteur» et non un «article utilitaire» (un sculpteur peut en effet faire autre chose que de la sculpture).

Or, de ces trois points les deux premiers furent établis relativement facilement, mais non sans donner lieu à des échanges savoureux, où se montra grand le talent des avocats pour faire avouer ce qu'ils ne veulent pas dire aux témoins qu'ils contre-interrogent, et fort rafraîchissant le bon sens du juge Waite. Quant au troisième point, s'il fut au centre des débats, il montre surtout que le jeu joué par les deux parties dans cette pièce de théâtre n'avait pas grand-chose à voir avec les critères établis par la douane pour identifier la sculpture, mais tout à voir avec le refus de quelques fonctionnaires, qui se sentaient investis de la mission de représenter le peuple américain, d'entériner l'art abstrait. En effet, alors que l'article 1704 ne prévoit pas que la sculpture doive être figurative, les avocats de la défense basèrent leur argumentation sur le fait que, selon eux, l'*Oiseau dans l'espace* ne ressemblait pas suffisamment à un oiseau pour être qualifié de sculpture, plaçant par là même Steichen et ses témoins dans l'obligation de prouver le contraire, ce qu'ils eurent beau jeu de faire puisque effectivement l'*Oiseau* n'est pas abstrait. On se reportera au livre de Laurie Adams pour le détail de l'audience, qu'elle met en scène sous l'éclairage ironique du recul historique. Pour nous qui savons la

3 Et non 1927, comme une coquille le fait dire à Laurie Adams (qui écrit aussi l'article 339 du *Tariff Act* pour l'article 399).

place qu'occupe Brancusi dans l'histoire de la sculpture moderne, le procès n'est qu'un exemple bouffon de plus des prises de bec de la modernité avec le philistinisme. Qu'on se rassure, ce n'est pas l'*Oiseau* qui y perdit ses plumes, et s'il n'y a plus lieu de s'indigner de la cécité des avocats de l'art académique dans ce procès, ni d'ailleurs de se réjouir du verdict, il n'est guère plus intéressant de souligner les arguments de ceux de l'avant-garde comme s'ils avaient reçu la sanction de l'histoire. L'intérêt est de relire l'affaire *Brancusi vs United States* comme un archétype de différend esthétique forcé de se mouler dans la langue du litige, de montrer que le jeu du litige fait malgré tout voir l'enjeu du différend, et de noter que pour avoir été tranché favorablement, un différend jugé comme s'il était un litige n'en laisse pas moins sans réparation le tort causé.

Mis en scène comme un litige, le procès Brancusi est un différend. L'État américain ne prétend pas se mêler de questions de goût, aussi les critères selon lesquels la douane définit une œuvre d'art ne sont pas esthétiques mais ontologiques. Pour être de la sculpture, il faut et il suffit que l'objet en question satisfasse aux critères posés par l'article 1704 du *Tariff Act*. Juger s'il s'agit d'une bonne ou d'une mauvaise sculpture n'est pas du ressort de la douane. De leur côté, les avantgardes «puristes» ont en 1928 des critères esthétiques qui, grosso modo, correspondent à ceux que recouvre le troisième corollaire de la thèse 4: le jugement «ceci est de la sculpture» équivaut à «ceci est de la bonne sculpture» parce que le goût moderniste, «maintenu sous pression» (comme dirait Greenberg) par les conventions propres au moyen d'expression, tend à réduire ou à identifier le jugement esthétique à un jugement ontologique. Dans ces conditions, le milieu de l'art adepte et familier du modernisme ne peut qu'interpréter le jugement ontologique négatif de l'agent des douanes comme un jugement esthétique négatif et, partant, comme une intrusion illégitime dans un domaine qui n'est pas de sa compétence. L'agent des douanes, de son côté, ne comprend pas ou feint de ne pas comprendre l'indignation du milieu de l'art, et proteste de sa bonne foi. Pour lui Steichen est un fraudeur qui cherche à faire passer, que sais-je, une curiosité quelconque, une pièce de machine, peut-être la maquette d'une fusée, pour une œuvre d'art afin d'échapper à une taxation légitime. Telle est la teneur du différend *Brancusi vs United States*. Mais ce n'est pas ce différend-là que le procès met en scène.

L'agent des douanes s'entoure d'experts sur le jugement desquels il s'appuie. Ceux-ci font partie du milieu de l'art et ne peuvent feindre d'ignorer le modernisme de Brancusi. Mais ils le jugent irrecevable. Leur position est en quelque sorte une réponse au corollaire 5 des thèses 3 et 4. Ils pensent que les «extravagances» de l'avant-garde sont de la pure provocation, que Brancusi et Steichen n'ont d'autre intention que de leur faire savoir que les critères qu'eux respectent ne valent plus, et qu'ils ont en plus le toupet de vouloir leur bénédiction. Steichen et ses témoins récusent cette accusation de nihilisme ou d'avant-gardisme. Ils défendent l'*Oiseau* avec des arguments traditionnels: conception originale, beauté formelle, travail artisanal, long processus de maturation de l'idée et de raffinement esthétique. On leur impute une position correspondant au corollaire 5 alors qu'elle correspond au corollaire 3 des thèses 3 et 4. En somme, ils partagent l'esthétique de leurs adversaires avec un seul amendement destiné à faire une place à l'abstraction, d'ailleurs toute relative, de l'*Oiseau*. Sincèrement ou par stratégie (mais, je crois, sincèrement), ils font comme s'il n'y avait entre les experts traditionalistes et eux qu'un simple litige sur les parts respectives du réalisme et de l'imagination dans la création artistique. Mis en demeure d'avouer que la sculpture de Brancusi ne représente pas un oiseau, ils l'admettent sans difficulté pour soutenir que par contre elle suggère le vol d'un oiseau et que c'est dans cette expressivité suggestive que résident sa beauté et sa légitime prétention à l'art.

On pourrait en rester là et interpréter le procès comme un épisode comique et du reste assez retardataire des conquêtes du modernisme dans l'esprit du public. En gagnant son procès, Steichen aurait simplement fait admettre à l'administration américaine que la barre entre art et non-art fût poussée un cran plus loin en direction de l'abstraction pure. Mais cette interprétation, elle-même typiquement moderniste et de surcroît naïve, se trompe d'enjeu. Elle fait de l'histoire des avant-gardes un litige qui se répète en se déplaçant sur une ligne continue, une simple affaire de critères auxquels chaque procès gagné par l'avant-garde retrancherait du superflu tout en resserrant les contraintes restantes. Or, bien qu'injuste, la position des deux sculpteurs académiques appelés à témoigner pour la défense dans ce procès-ci est beaucoup plus vraie que celle des plaignants. Ces derniers plaident le litige, et ils ont raison puisque c'est ce qui leur permettra de gagner leur procès, mais ce sont les premiers qui perçoivent le différend derrière le litige et ont de ce fait une plus grande intelligence de l'enjeu. J'irais même jusqu'à dire qu'il en a toujours été ainsi dans la modernité (en tout cas jusqu'au dadaïsme) et qu'il faudrait revoir chacun des procès par lesquels se sont faites les «avancées» de l'art moderne sous l'angle (mais pas avec les «critères») de ceux qui l'ont rejeté en disant «ce n'est pas de l'art!».

On comprendrait alors pourquoi, dans le procès Brancusi, la question de la ressemblance fut au centre du débat alors qu'elle ne figure même pas dans les critères de l'article 1704. Comme toujours dans cette période cruciale du modernisme qui vit la naissance puis la confirmation de l'abstraction, c'était la réduction du jugement esthétique à un jugement ontologique que l'académisme ne pouvait accepter, et cette même réduction est la question philosophique que travaille le «purisme» de l'art moderne. Pour l'académisme la question «Qu'est-ce que la sculpture?» est résolue a priori par les conventions qui permettent d'identifier une sculpture, ensuite seulement se pose la question d'apprécier ses qualités. Pour le modernisme les conventions ontologiques de la sculpture font l'objet d'une mise à l'épreuve esthétique qui est en même temps une interrogation philosophique. L'«abstraction» de l'*Oiseau dans l'espace* n'est donc pas du tout l'enjeu du procès; si elle l'était nous n'aurions affaire qu'à un malentendu et non à un différend, non seulement parce que Brancusi n'est pas un sculpteur abstrait, mais aussi parce que la résistance des deux témoins de la défense n'est pas la manifestation de leur insensibilité esthétique mais bien le refus d'admettre que «ceci est de la sculpture» puisse signifier sans autre forme de procès «ceci est de la bonne sculpture».

Bien entendu, placés devant une cour qui n'a à connaître que des litiges et non des différends, ils ne peuvent réclamer cette «autre forme de procès» et c'est pourquoi ils perdent le leur. Réciproquement, les succès de l'art moderne — et du *modernisme*, qui n'est qu'une idéologie, c'est-à-dire une manière erronée et injuste d'écrire l'histoire de l'art moderne — sont pour une large part (c'est en tout cas vrai ici) liés au fait d'avoir fait passer pour un litige tantôt esthétique (au sens du goût) tantôt «théorique» le différend qui l'oppose à la tradition et dont l'enjeu n'est ni une affaire de critères de goût à déplacer, ni une affaire de fondement ontologique à découvrir, mais une affaire de nom. De part et d'autre du différend, «ceci est de la sculpture», «non ce n'en est pas» signifient respectivement «ceci mérite d'être appelé sculpture» et «je refuse d'appeler ceci sculpture».

Que ce soient les tenants du refus qui aient eu une plus grande intelligence («instinctive», pas nécessairement consciente) de l'enjeu, cela se voit à la façon dont ils ont mené les interrogatoires. Le critère du litige apparent étant la plus ou moins grande ressemblance de l'objet incriminé avec un oiseau, l'enjeu du différend est son nom, son titre: *Oiseau dans l'espace*. Et le raisonnement logique permettant d'arriver à une décision est de ce type: s'il peut être établi que l'objet mérite son titre (parce qu'il ressemble suffisamment à un oiseau), alors il mérite également le nom de sculpture, et si c'est de la sculpture, alors bien entendu c'est de l'art. Le

juge Waite interroge Steichen:
«Comment appelez-vous ceci?

— J'utilise le même terme que le sculpteur, *Oiseau,* un oiseau.

— Qu'est-ce qui fait que vous l'appelez un oiseau; est-ce que pour vous cela ressemble à un oiseau?

— Cela ne ressemble pas à un oiseau, mais je sens que c'est un oiseau; c'est caractérisé par l'artiste comme un oiseau.

— Simplement parce qu'il l'a nommé oiseau, est-ce que cela en fait un oiseau pour vous?

— Oui, votre Honneur.

— Si vous le voyiez dans la rue, vous ne penseriez jamais à l'appeler un oiseau, n'est-ce pas? Si vous le voyiez dans la forêt, vous ne tireriez pas dessus?

— Non, votre Honneur.

— Si vous le voyiez n'importe où, si vous n'aviez jamais entendu quelqu'un l'appeler un oiseau, vous ne l'appelleriez pas un oiseau?

— Non monsieur.»

Higginbotham, l'avocat de la défense, saisit l'aubaine de cet aveu, sentant que s'il peut démontrer que le titre n'est pas valide, il pourra invalider l'*Oiseau dans l'espace* comme œuvre d'art. Il interroge Steichen à son tour:
«La Cour vous a demandé si vous appelleriez ceci un oiseau. Si Brancusi l'avait appelé un tigre, est-ce que vous l'appelleriez un tigre également?»

Lane, l'avocat de Steichen, récuse la question, et il est soutenu par le juge Waite, qui dit:
«Je ne crois pas que cela change quelque chose de l'appeler un oiseau ou un éléphant. La question est de savoir si c'est artistique en fait, de par sa forme, ou de par son contour et ses lignes.»

Mais Higginbotham insiste:
«S'il l'avait appelé un animal en suspens, est-ce que vous l'appelleriez un animal en suspens?

— Non.»

Intervient alors le juge Waite:
«Vous voulez dire que vous nommez ceci un oiseau parce que c'est le titre donné par l'artiste?

— Oui monsieur.

— S'il lui avait donné un autre titre, vous l'appelleriez par ce titre-là?

— Certainement.»

Higginbotham revient à la charge:
«Donc, pour ce qui est de votre éducation artistique et de votre expérience, la pièce à conviction que voici n'est en fait pas un oiseau.

— Non, ce n'est pas un oiseau.»

Il peut sembler que Steichen se défend mal. En réalité il minimise le lien entre l'objet et son titre parce que pour lui l'important, ce n'est pas la ressemblance. Par contre il maximise le lien entre le titre et la volonté de Brancusi, au risque de se voir acculé par Higginbotham, qui ne rate pas l'occasion, à admettre un rapport tout à fait arbitraire entre l'objet et son nom. C'est qu'il y a entre Higginbotham et Steichen, plutôt qu'une différence de «critères», deux usages inconciliables du rapport de l'œuvre et du titre. Higginbotham part de la règle de ressemblance, compare l'objet à l'image naturaliste qu'évoque son titre, conclut qu'il ne mérite pas ce titre, et s'estime satisfait s'il a fait admettre cela à la partie adverse. Mais cette règle n'est pas valable pour Steichen, qui part au contraire du titre parce que c'est le nom donné par l'artiste à sa sculpture, et qui en infère une lecture de l'objet, qui mérite alors son nom de sculpture entre autres pour l'écart entre sa forme originale et ce qu'aurait été un rendu naturaliste. La même chose vaut pour Epstein, qui répond à Speiser, l'autre avocat de la défense:

«Je partirais bien sûr du titre de l'artiste, et si l'artiste l'appelait un oiseau je prendrais cela au sérieux, si j'ai le moindre respect pour l'artiste. Et d'abord j'essaierais de voir si cela ressemble à un oiseau. Dans cette sculpture particulière, il y a les éléments d'un oiseau, certains éléments.»

Higginbotham prend le relais de Speiser:

«Quels éléments?

— Si vous regardez cette sculpture de profil, vous voyez, là, c'est comme la poitrine d'un oiseau, surtout de ce côté.

— Est-ce que toutes les poitrines d'oiseaux sont plus ou moins arrondies?

— Oui.

— Alors n'importe quelle pièce de bronze arrondie représenterait un oiseau?

— Ça, je ne peux pas dire.»

Bien joué, Higginbotham, joli paralogisme de l'espèce «fausse conversion de type A». Mais si Epstein ne se laisse pas démonter, Higginbotham ne s'avoue pas non plus vaincu:

«Si M. Brancusi appelait ceci un poisson, alors pour vous ce serait un poisson?

— S'il l'appelait un poisson je l'appellerais un poisson.

— S'il l'appelait un tigre vous changeriez d'avis pour l'appeler un tigre?

— Non.»

N'ayant pas réussi à faire admettre à Epstein un lien totalement arbitraire entre l'objet et son nom, Higginbotham essaie avec William Henry Fox, qui commence par dire que la sculpture ne lui fait pas penser à un poisson.

«S'il l'appelait un tigre en vol?

— Non.

— Est-ce que cela suggère un lion ou un autre animal?

— Il est possible que l'attribut de l'envol m'apparaisse comme un attribut abstrait, simplement comme une de ses caractéristiques, mais pas vraiment comme celle d'un tigre ou d'un lion réaliste.»

C'est finalement au tour de Frank Crowninshield de se voir poser la même question:

«Elle évoque l'idée de l'envol, elle suggère la grâce, l'aspiration, la vigueur jointes à la vitesse, dans un esprit de force, de puissance, de beauté, comme un oiseau. Mais le nom seul, le titre, de cette œuvre, vraiment, ça ne signifie pas grand-chose.»

Et le juge Waite, qui n'a en tête que les critères de l'article 1704, de conclure avec un certain bon sens:

«Nous mettons bien l'accent sur le fait de l'appeler un oiseau. Je ne vois pas l'intérêt de la question de savoir si on l'a appelé un oiseau.»

Question sans intérêt pour le juge, qui cherche un critère avec lequel trancher le litige qui oppose apparemment une esthétique de l'imitation et une esthétique moderniste. Or, le nom n'est pas un critère, c'est le titre que Brancusi a donné à son œuvre et, comme tel, une pièce versée au dossier. Pourtant, de toute évidence le nom est l'enjeu de ce litige apparent: pour les tenants de l'imitation l'*Oiseau* ne mérite pas son titre. Il ne mérite donc pas le nom de sculpture ou d'art et il n'y a pas lieu de l'exempter des droits d'importation. Mais les tenants du modernisme ne jugent pas selon le même raisonnement, avec un critère simplement déplacé. Ils ne disent pas que l'*Oiseau* mérite son titre et que dès lors c'est de la sculpture. Ils ont déjà jugé que l'*Oiseau* méritait d'être qualifié d'art et que dès lors le titre donné par l'artiste devait être respecté comme un élément significatif de l'œuvre. Aussi le juge ne peut-il empêcher la recherche de critères de reculer d'un cran: qu'est-ce qui fait que Brancusi est nommé artiste? On lit le curriculum vitae que Brancusi a envoyé de Paris, puis on interroge les témoins. Steichen et les siens soulignent la réputation de Brancusi et sa présence dans plusieurs collections

importantes, tandis qu'Aitken et Jones font tout pour la minimiser. Ici encore on cherche un critère mais ce qu'on trouve est un jugement, ou plutôt deux jugements opposés dont l'enjeu est toujours le nom de l'art. Avec beaucoup d'habileté Lane, l'avocat de Steichen, cherche à faire prononcer le mot art, ou artiste, par Aitken:
«Avez-vous entendu parler de M. Brancusi?
— Oui.
— Depuis combien de temps entendez-vous parler de lui en rapport avec l'art?
— Je n'ai pas entendu... je n'ai rien lu sur lui depuis plusieurs années.
— Où avez-vous lu quelque chose sur lui?
— Dans des publications d'art.
— Dans des livres?
— Des publications d'art.
— Dites-nous exactement depuis combien d'années vous avez entendu parler de M. Brancusi comme artiste.
— Peut-être cinq ans, pas plus.
— Mais vous savez, M. Aitken, qu'en réalité M. Brancusi a fait des œuvres d'art depuis plus de vingt-cinq ans, n'est-ce pas?
— Je l'ignore.
— Combien d'œuvres d'art faites par M. Brancusi avez-vous vues?
— Je n'en ai vu aucune.
— Vous n'avez jamais vu d'œuvres de Brancusi?
— Vous avez dit "œuvres d'art". Non.
— Avez-vous vu de ses œuvres?
— J'ai vu des œuvres[4] comme celle-ci, mais je n'ai pas vu d'œuvres d'art.
— En d'autres termes vous ne les considérez pas comme des œuvres d'art?
— Non.»

Interrogé de la même façon, Jones admet qu'un des livres utilisés à l'université présente Brancusi comme «apparenté aux cubistes et le premier sculpteur à polir le bronze» mais, ajoute-t-il, les paragraphes traitant de Brancusi ne figurent pas parmi les lectures imposées aux étudiants. Quant à lui il refuse de le nommer sculpteur, tout au plus «un merveilleux polisseur de bronze».

Le reste du procès est à l'avenant. Si la réputation de Brancusi ne fait pas un critère égal pour les témoins mais est jugée différemment par les deux camps, son nom d'artiste étant l'enjeu, qu'est-ce qui, à leur tour, qualifie les témoins? On a passé beaucoup de temps, dans ce procès, à établir les références des témoins, sans autre résultat que de faire reculer le différend d'un cran supplémentaire. Car bien entendu, chaque camp considère que le jugement que l'autre porte sur Brancusi suffit à le disqualifier en tant qu'arbitre des matières de l'art. On peut s'en amuser, mais il importe de voir qu'à force de faire reculer la recherche d'une «règle de jugement applicable aux deux argumentations», la mise en scène juridique ne tranche nullement le litige mais au contraire généralise le différend, qui sort ainsi des limites du prétoire de deux façons, dans le temps et dans l'espace pour ainsi dire. Qui est qualifié pour juger de l'art? Et qui est qualifié pour juger qui est qualifié? Symboliquement, le procès *Brancusi vs United States* indique que, quel que soit le nombre de relais, le différend opère entre l'artiste et la nation tout entière. Il n'y a pas de consensus sur la nature ontologique de la sculpture ou de l'art, pas de règle sociale admise par tous, pas de contrat institutionnel à l'intérieur duquel s'exercerait en toute liberté le goût du public. Il n'y a que des jugements à propos desquels d'autres jugements sont proférés. Dans l'«espace», cette prolifération de jugements jugés fait ce qu'on peut appeler la condition moderne de l'art. L'œuvre d'art ancienne était la plupart du temps le fruit d'un contrat, d'une commande; l'œuvre d'art moderne, dans les Salons ou sur le marché de l'art, se présente d'emblée devant l'opinion publique et lui demande, consciemment ou non, non seulement un jugement de goût, mais une légitimation onto-

4 En anglais: «You said "works of art". I have not.
— Have you seen any of his works?
— I have seen works like that.» L'anglais *work* permet de taire le mot art encore mieux que le français *œuvre*.

logique. Dans le «temps», la même condition moderne et la même prolifération de jugements rejugés donnent à l'histoire de l'art la forme de la jurisprudence. Le jugement esthétique moderne, «ceci est de la sculpture», «ceci est de l'art», ne tranche pas équitablement par «une règle de jugement applicable aux deux argumentations». Mais il tranche, et puisqu'il ne tranche jamais équitablement, il doit lui-même être re-tranché. L'apparent réductionnisme de l'art moderne, ce mouvement par lequel des conventions jugées «superflues» ont été progressivement retranchées de la pratique, a été une manière d'enregistrement de la jurisprudence bien plus qu'une réduction à l'essence. A chaque «étape» de la réduction, le jugement «ceci est de l'art» rejuge un jugement semblable. L'enjeu n'en est pas le statut ontologique de l'art, mais bien le maintien et la transmission de son nom, comme quelque chose dont il y a à juger et à rejuger.

Il n'y a rien d'étonnant à ce que les deux parties, dans ce procès, aient invoqué des jurisprudences très différentes et somme toute hétérogènes. Epstein produisit une petite sculpture égyptienne vieille de trois mille ans, représentant un faucon, et dont il se servit pour établir un précédent historique incontestable où l'artiste avait pris de grandes libertés dans la stylisation de l'objet. A l'histoire de l'art considérée comme jurisprudence, Higginbotham opposa un précédent strictement juridique, citant une affaire de 1916, *United States vs Olivotti,* dans laquelle le plaignant avait été débouté. Il s'agissait de l'importation d'une fontaine ornementale copiée sur un modèle italien par un sculpteur professionnel. Statuant d'après l'article 652 du *Tariff Act* de 1913 (que l'article 1704 du *Tariff Act* de 1922 reprend pratiquement tel quel), le juge ne lui avait pas accordé le nom de sculpture: «On peut admettre que [cette fontaine] est artistique et belle. Néanmoins ces conditions ne sont pas suffisantes en elles-mêmes pour constituer une sculpture.» Pour rendre sa décision, la cour s'était appuyée sur la définition suivante, tirée d'un dictionnaire: «La sculpture considérée comme un art est cette branche des beaux-arts qui consiste à ciseler ou tailler de la pierre ou d'autres matériaux solides, ou à modeler en terre glaise ou en une autre substance plastique à des fins de reproduction par entaille ou moulage, des imitations d'objets naturels, principalement la forme humaine, et à représenter de tels objets dans leurs vraies proportions en longueur, largeur et épaisseur ou en longueur et largeur seulement.»[5] En 1916 le critère figuratif avait donc été déterminant et ce précédent explique la tactique adoptée par la défense. Mais le juge Waite renversa la jurisprudence du tribunal des douanes, sans pour autant s'appuyer sur la jurisprudence artistique invoquée par Epstein. Rappelant le cas *United States vs Olivotti,* il prononça ainsi son jugement: «Cette décision fut rendue en 1916. Entre-temps s'est développé ce qui s'appelle une nouvelle école en art dont les chefs de file cherchent à figurer des idées abstraites plutôt qu'à imiter des objets naturels. Que nous soyons d'accord ou non avec ces nouvelles idées et les écoles qui les représentent, nous pensons que le fait de leur existence et de leur influence sur le monde de l'art doit être pris en considération comme étant reconnu par les tribunaux.» En conséquence de quoi le juge Waite accorda satisfaction à Steichen et Brancusi.

Voici tranché le litige et légitimée la nouvelle école qui «figure des idées abstraites plutôt que des objets naturels». Mais le différend qui est au cœur du jugement esthétique moderne n'a pas été apaisé, encore moins compris. Pour autant que ce procès puisse être lu comme un paradigme — et même une parabole — du jugement esthétique moderne en général, qu'il soit public (l'artiste contre l'opinion par exemple), institutionnel (Le Salon officiel contre le Salon des refusés), ou privé (une partie de mes sentiments contre une autre), il montre qu'un tort a été fait aux deux parties, la «tradition» et l'«avant-garde», à ce jour non réparé.

En rendant justice du dommage qui lui a été fait par l'administration des douanes, le juge Waite cause un tort à Brancusi. C'est l'abstraction de l'*Oiseau* qui s'est vu légitimer alors que Brancusi ne s'est jamais considéré comme un sculpteur abstrait. Avec l'abstraction sont validés le purisme et le réductionnisme de la «nouvelle école», attitudes dans lesquelles Brancusi ne se serait pas reconnu. Enfin l'individualité de son œuvre est effacée au profit de l'appartenance à une tendance collective. Ce sont là des torts que le verdict du juge Waite met en lumière, mais dont on trouve d'innombrables manifestations dans la critique d'art chaque fois que celle-ci, empressée de servir la cause du modernisme, cherche à justifier ses jugements esthétiques soit par la nouveauté, soit par la «philosophie» que l'œuvre vient illustrer, soit encore par le constat purement quantitatif qui permet de dessiner des mouvements avec des œuvres singulières. Cela dit, ces torts causés à Brancusi sont cependant essentiels au modernisme dont participe son œuvre, non parce qu'elle cherche la nouveauté ni parce qu'elle vise à réduire la sculpture à une essence, mais parce que sa singularité même se constitue en regard d'autres singularités contemporaines qui tissent, non une idéologie de groupe, mais un réseau d'interprétation. Or l'ensemble de ce réseau implique un différend, et même un différend majeur, constitutif, dont la source est dans la prétention du jugement esthétique singulier à répondre à une question ontologique générale.

Il est inutile de vouloir situer cette source dans l'autorité des artistes par exemple, ou dans une idéologie, une théorie ou un projet. Car il y a là un fait de structure, un fait social lié à la mise en scène litigieuse du jugement esthétique dans la modernité. Je veux dire par là que même lorsqu'il est tout à fait privé, «intérieur» et subjectif, le jugement esthétique moderne a lieu dans un «tribunal» et que ce tribunal, suscitant du différend parce qu'il ne peut recevoir que des litiges, voit toujours sa légitimité contestée par au moins l'une des deux parties. Nombreuses sont les manifestations historiques, publiques et institutionnelles de ce fait de structure, la plus exemplaire restant le Salon des refusés, mais je soutiens qu'il est inhérent au jugement esthétique moderne, même privé, bien que dans ce cas non manifeste. (Il faut que je précise la période pour laquelle je crois ceci valable: c'est, grosso modo, celle qui va de la création des *musées d'art* vers le milieu du XVIIIᵉ siècle à la création des *musées d'art moderne* entre les années 1910 et 1930. En ce sens, le jugement esthétique qui est demandé au spectateur de la présente exposition n'est plus moderne, il a lieu dans une autre mise en scène institutionnelle.[6]) Aussi est-il indifférent de décider à qui il faut imputer la source du différend. Il se peut que la prétention du jugement esthétique singulier à répondre à une question ontologique générale résulte, dans les cas où le purisme est une idéologie esthétique affichée, du réductionnisme de la pratique (corollaires 3 et 4 de la thèse 4), il se peut aussi qu'elle résulte du refus auquel le jugement de goût de l'artiste et de ses partisans est en butte. C'est le cas de Brancusi. S'il faut que son jugement de goût (ou celui de Steichen) se moule dans la formule ontologique «ceci est de la sculpture», c'est en réponse à celui de la partie adverse qui refuse de nommer sculpture l'*Oiseau,* et non en fonction d'un projet réductionniste. Et si son œuvre participe néanmoins d'un modernisme qui a l'allure d'un projet réductionniste, c'est parce que la présence de l'*Oiseau* dans un véritable tribunal, cas exceptionnel, n'est pourtant pas l'exception, c'est la règle, pour peu qu'on s'aperçoive que l'institution artistique fonctionne de la même manière que l'institution juridique: comme une permanente cour d'appel qui met en scène un différend comme s'il était un litige. Il y a d'ailleurs eu un précédent pour Brancusi puisqu'à l'Armory Show, en 1913, *Mlle Pogany* avait été accueillie par la critique avec des jugements de ce genre: «un œuf dur en équilibre sur un morceau de sucre».

En ce qu'il est exemplaire d'une situation généralisable, le jugement du juge Waite cause un tort à ce qu'on appelle l'avant-garde. Non seulement il jette toutes les singularités artistiques dans le même sac de la «nouvelle école», mais il coupe cette dernière de la tradition et la prive de sa prétention à l'universel. Le juge arbitre un litige qui est en fait un différend. La défense, rappelons-le, fait un

5   Cité dans le recueil des attendus du tribunal des douanes des États-Unis pour l'année 1928, p. 430.
6   Cf. Thierry de Duve, «La condition Beaubourg», *Critique* nᵒ 426, novembre 1982, et «On Museums», *C Magazine,* Toronto, octobre 1985.

jugement ontologique négatif qui, en soi, n'interdit pas le jugement esthétique, mais le tient pour non pertinent. Tout et n'importe quoi peut en effet être trouvé beau, mais l'*Oiseau* ne sera de l'art que s'il est jugé beau (ou laid, cela n'a pas d'importance) en tant que sculpture. S'il n'est pas tenu pour de la sculpture, les qualités esthétiques qu'on lui trouvera éventuellement sont hors de propos. Le plaignant fait un jugement ontologique positif qui est en même temps un jugement esthétique. «Ceci est de la sculpture» signifie «ceci est de la bonne sculpture», où le qualificatif «bonne» peut renvoyer à toute une série de critères: beauté, expression, imagination, exécution, peu importe. L'important est que pour les amateurs d'art moderne, ces critères sont — spontanément ou de manière réfléchie — historicisés par la familiarité qu'ils ont avec la jurisprudence. Ils savent ce que Brancusi doit à Rodin ou à Medardo Rosso; ils comprennent que l'*Oiseau* n'est pas naturaliste mais mythologique et que son référent est l'oiseau parlant de telle légende roumaine; ils sentent que le purisme formel de Brancusi n'est pas une négation de la sculpture figurative mais une manière de classicisme; ils désirent comme lui dépersonnaliser le style afin de hausser l'art moderne au plan d'universalisation où il peut être l'émule légitime de l'art classique; enfin et surtout, ils ont une certaine conscience, même confuse, du différend qui les oppose à l'académisme et du sens positif, pour l'art moderne, du fait de ce différend. Bref ils ont encore le précédent de *Mlle Pogany* à l'Armory Show en tête. Bien entendu Aitken et Jones, les sculpteurs académiques témoins pour la défense, connaissent eux aussi cette jurisprudence, et sans doute ont-ils tout autant conscience, sinon même plus, du différend qui les oppose à l'avant-garde et de la nécessité structurelle de ce différend. Mais ils refusent en bloc la jurisprudence moderne, c'est-à-dire cette forme particulière, moderne ou «moderniste», de l'histoire de l'art, qui rebondit d'une cour d'appel à une autre en lui transmettant un différend jamais apaisé car toujours jugé comme s'il était un litige. Leur conception de l'histoire de l'art est prémoderne parce que leur esthétique est une esthétique du goût et la jurisprudence artistique dont ils se réclament une jurisprudence du litige. Se rendent-ils compte qu'ils créent le différend en refusant que l'*Oiseau* fasse l'objet d'un jugement de goût dans un tribunal qui ne reconnaît que les litiges, c'est difficile à dire. Toujours est-il que ce n'est pas d'un goût ou d'un autre qu'ils jugent alors même que, paradoxalement, leur esthétique est une esthétique du goût, c'est la légitimité d'un jugement de goût qu'ils récusent. Ainsi se définit l'académisme: il se réclame d'une histoire de l'art qui se constitue en patrimoine, d'une jurisprudence qui accumule des décisions sans appel ayant force de loi, où certes des litiges sont tranchés qui font évoluer le goût et les styles, mais toujours dans un cadre légal fixé a priori. Il peut interroger la forme, le goût, l'expression, l'exécution et les faires varier dans ces limites légales, il n'interroge pas le devenir art, le devenir légitime de quelque chose qui, simplement, prétend à l'art.

En statuant en faveur de la «nouvelle école en art dont les chefs de file cherchent à figurer des idées abstraites plutôt qu'à imiter des objets naturels, que nous soyons d'accord ou non avec ces nouvelles idées et les écoles qui les représentent», le juge Waite cause un tort aux «avant-gardes historiques», un tort dont elles souffrent encore aujourd'hui et dont le rejet de la notion d'avant-garde par une bonne partie de la critique d'art actuelle, ainsi que les divers retours à l'ordre qui l'accompagnent, sont le symptôme. Le juge Waite reconnaît la «nouvelle école» mais sans prendre parti pour elle. Il accepte de nommer sculpture l'*Oiseau dans l'espace* mais nie avoir fait en cela un jugement esthétique. Il se comporte en somme comme un tenant de l'académisme qui capitulerait devant le phénomène quantitatif de l'art moderne et qui, se réservant de juger différemment en privé, concéderait au nom du libéralisme ou du pluralisme qu'il suffit qu'une partie du monde de l'art juge en faveur du modernisme pour qu'on doive lui accorder le nom de l'art. Il en résulte une image injuste du devenir art des avant-gardes historiques, sous trois aspects au moins.

1. L'avant-garde est présentée comme une «nouvelle école» sans lien avec la tradition. Celle-ci reste une esthétique du goût évoluant dans une jurisprudence du litige, celle-là sera une esthétique de la provocation entraînée dans l'escalade du différend. Le juge Waite, ou les artistes, critiques et historiens d'art qui ont jugé comme lui, ne voient pas ou ne veulent pas reconnaître qu'il y a une jurisprudence du différend dans laquelle leur jugement crée un précédent. Ils jugent en libéraux plutôt qu'en réactionnaires, mais ils jugent en académistes car ils jugent dans la langue du litige, de la tradition, et rejettent l'avant-garde dans l'anti-tradition, dans l'escalade des conflits non justiciables.

2. L'avant-garde est présentée comme un fait sociologique et non comme un tribunal esthétique. L'académisme libéral s'incline devant le groupe de pression que constituent les artistes «modernistes» et leurs partisans. Il leur cède la «tradition du nouveau» mais se réserve la tradition tout court, ce qui est certes une concession de taille par où l'académisme avoue sa défaite, mais aussi une retraite stratégique par laquelle il prépare sa revanche, éclatante aujourd'hui, si on la mesure au déclin de l'avant-garde. Car ceux qui jugent comme le juge Waite, en retirant aux Aitken et aux Jones de l'histoire le droit de fixer des bornes ontologiques à l'art pour le donner aux Brancusi et aux Steichen, dénient à ces derniers ce qui fait précisément l'essentiel de leur revendication, à savoir que leur jugement ontologique est un jugement esthétique. D'où cette double injustice: l'avant-garde est désormais dépositaire du statut ontologique de l'art, dont elle explore les limites expérimentalement et non esthétiquement, comme si le goût, la beauté, le sentiment et leur nécessaire prétention à l'universel n'étaient plus de son ressort; et elle s'enferme dans un ghetto de plus en plus étroit et incestueux, fait non plus de sujets mais de postures, non plus de connaisseurs insérés dans une tradition mais de rôles joués dans une institution. Sans le vouloir ni le prévoir, les artistes, critiques et historiens d'art qui ont jugé comme le juge Waite ont préparé le petit circuit de cooptation circulaire dans lequel l'art contemporain se trouve enfermé en jugeant que le statut ontologique de l'art, dès lors qu'il n'est pas en même temps esthétique, ne dépend plus *en droit* du consensus universel (*en fait* il n'en a jamais dépendu), mais seulement des conventions du monde de l'art.

3. L'avant-garde est présentée comme une stratégie. En l'absence d'une jurisprudence du différend, les rapports de la tradition et de l'anti-tradition ne peuvent être que polémiques et non juridiques. En l'absence d'un état de droit règne la force. C'est pourtant au nom du droit, mais dans une juridiction qui ne reconnaît que les litiges, que ceux qui ont jugé comme le juge Waite ont cédé le pouvoir à l'avant-garde. Mais ils ont jugé, et c'est en oubliant qu'ils ont jugé, dans une jurisprudence du différend qui existe mais qu'ils ne reconnaissent pas et dans laquelle ils sont impliqués car ils y créent des précédents, qu'ils ont répandu cette image guerrière, voire terroriste, de l'avant-garde.

Celle-ci, il est vrai, l'a souvent reprise à son compte, comme elle a souvent repris à son compte l'idéologie de la table rase qui la présente comme une «nouvelle école» coupée de la tradition et l'idéologie de l'expérimentation qui la présente comme une enquête ontologique sur la notion d'art pour laquelle les questions esthétiques sont devenues hors de propos. Dans la mesure où la pratique de l'art moderne et sa théorisation implicite ou explicite ont effectivement été aveugles à la jurisprudence du différend qui fait leur véritable histoire, elles ont confirmé cette triple image, vraie mais injuste, de ce qu'on appelle les avant-gardes historiques, et ont contribué à précipiter la crise dans laquelle l'avant-garde et la notion d'avant-garde se trouvent aujourd'hui. Cette crise a deux faces selon que l'avant-garde, lorsqu'elle se perçoit elle-même comme nouvelle école, comme fait sociologique et comme stratégie, se situe de façon conflictuelle ou contractuelle par rapport à la tradition.

Soit la nouvelle école se conçoit comme une anti-tradition. Le fait sociologique qu'elle représente se conçoit alors comme une faction militante en lutte avec des valeurs surannées, et la stratégie qu'elle déploie vise à une destruction ou une délégitimation de l'ancien. Cette conception est sensible au différend mais insensible à sa juridiction, elle ne voit que le conflit mais non le règlement du conflit. Elle se croit volontiers héroïque mais souffre de se voir sans cesse «récupérée», elle se précipite donc dans une escalade sans objet ni enjeu réels: c'est l'avant-gardisme.

Soit la nouvelle école se conçoit comme une tradition, la tradition de l'«anti» ou la tradition du nouveau. Le fait sociologique qu'elle représente se conçoit alors comme une élite investie de la fonction de créer des valeurs nouvelles, et la stratégie qu'elle déploie vise à la construction de ces valeurs et à leur légitimation. Cette conception est respectueuse de la juridiction mais anesthésiée quant au différend, dans lequel elle ne voit que des litiges. Elle a toujours le droit pour elle lorsqu'elle se croit en rupture et joue avec l'institution un jeu convenu et formaliste: c'est l'académisme d'avant-garde.

Les meilleures œuvres de la modernité échappent à ces deux conceptions, les moins bonnes les conjuguent en elles, et entre ces deux extrêmes bien des nuances existent. Mais toutes souffrent d'un même tort causé à l'avant-garde, qu'elles le subissent ou qu'elles se le fassent. Il est la réplique au tort que le jugement du juge Waite, ou de ceux qui ont jugé comme lui, cause à la tradition. Car le verdict rendu dans l'affaire *Brancusi vs United States* cause un tort symétrique à la tradition en la déposant dans les mains de l'académisme. Si l'avant-garde est présentée comme une anti-tradition, tout ce qui paraît poursuivre la tradition au lieu de chercher la rupture sera du même fait présenté comme une arrière-garde constituant, elle aussi, un fait sociologique, une faction esthétique conservatrice servant délibérément ou malgré elle des intérêts réactionnaires et exerçant, elle aussi, une stratégie ou une contre-stratégie, celle d'un pouvoir artistique institué. Certes, on peut oublier sans remords les Aitken et les Jones et tous les sculpteurs académiques qui, s'arrogeant le droit de légiférer sur la tradition comme si elle ne mettait en jeu que des litiges stylistiques, ont créé ou entretenu leur différend avec l'avant-garde. Mais que faire des artistes qui, bien que modernes, ne sont pas «modernistes», que faire de Maillol, de Lehmbruck ou de Lachaise par exemple? Que faites-vous de Arp ou de Gabo, si votre idée de l'avant-garde, c'est Tatline ou Duchamp? Que faites-vous de Brancusi lui-même, si votre idée de la sculpture moderniste est celle de Greenberg par exemple, pour qui la tradition du monolithe finit avec lui et qui privilégie injustement l'opticité picturale, même en sculpture? Et que faites-vous de Caro si, contre le formalisme greenbergien, vous ne jurez que par les «objets spécifiques» de Don Judd ou par la *Gestalt* «holistique» de Robert Morris? Non seulement, avec le recul historique, les continuités finissent toujours par l'emporter sur les discontinuités, mais il n'est pas une avant-garde ou un modernisme qui, du point de vue d'une autre avant-garde ou d'un autre modernisme, ne finisse par apparaître comme une tradition, voire un académisme. Aussi bien le tort que cause le jugement du juge Waite à l'avant-garde et celui qu'il cause à la tradition n'en font-ils qu'un: il efface toujours les singularités esthétiques au profit des regroupements idéologiques, le sentiment individuel au profit de la grille de lecture, ce que «dit» l'œuvre au profit du «lieu d'où elle parle» (maladie moderne s'il en est).

Sous le titre «Qu'est-ce que la sculpture moderne?» la présente rétrospective, «parlant» depuis le Centre Pompidou à Paris, regroupe un certain nombre d'œuvres échelonnées entre 1900 et 1970 et leur applique une grille de lecture au moins suggérée. Quel tort, fatal mais aussi tout à fait souhaitable, leur cause-t-elle? Celui, c'est évident, de charger un échantillonnage fini de répondre à une question ontologique. De cette tâche — cela aussi est évident — les œuvres livrées à elles-mêmes ne prétendront pas s'acquitter sans qu'un jugement, celui de Margit Rowell qui les a choisies, mais aussi celui du visiteur, du passant attiré dans l'exposition par l'affiche, du profane qu'interpelle le point d'interrogation du titre, ne les nomme une à une «sculpture moderne». Où l'on retrouve, à un mot près, les quatre thèses que je présentais au début de cet essai. A un mot près: alors que le jugement esthétique moderne, occasion d'un différend et non d'un litige parce que, étant sensible et singulier, il prétend répondre à une question ontologique et générale, se formule par l'expression «ceci est de la sculpture», le jugement demandé au public de la présente exposition se formule par l'expression «ceci est de la sculpture moderne». Où l'on retrouve aussi, à moins de poser un être moderne de la sculpture (voir corollaires des thèses 1 et 2), les deux séries virtuelles dans lesquelles l'exposition prend place et leurs postulats ontologiques: l'essence historique de la modernité, l'essence artistique de la sculpture. Où l'on retrouve enfin le différend inhérent au fait de charger un échantillon exemplaire de répondre à une question d'essence et le tort constitutif qui lui est fait. Tort fatal puisqu'aucun jugement ne le réparera, mais aussi, disais-je, tort souhaitable, parce qu'il transmet le différend et qu'aucun jugement n'est sans appel. En d'autres termes: il existe une jurisprudence du différend, dans laquelle des jugements esthétiques sont rejugés qui, quoi qu'ils en aient, répondent toujours à côté de la question ontologique. Ils ne disent jamais l'essence de l'art mais nomment les œuvres cas par cas: «ceci est de l'art», «ceci est de la sculpture».

A l'heure du «postmoderne», il est temps de dire que l'histoire de l'art moderne n'a pas été une guerre, gagnée ou perdue, mais qu'elle a été et est toujours une jurisprudence. Et à l'heure des rétrospectives, quand les œuvres viennent en appel pour que l'on dise d'elles «ceci est de la sculpture moderne» et non plus «ceci est de la sculpture», il devient possible de voir que ce jugement esthétique, qui n'est plus moderne, répond, comme toujours, à côté de la question ontologique. Il ne dit pas l'essence de la modernité mais nomme les œuvres une à une: «ceci est moderne».

Au visiteur de la rétrospective intitulée «Qu'est-ce que la sculpture moderne?» il est demandé quelque chose qui ne saurait apaiser le différend mais le déplace: de passer, en jugeant cas par cas, de l'identification de ce qui est *de* la sculpture moderne à l'interprétation de ce qu'est *la* sculpture moderne, ou plutôt de ce qu'elle *était.* C'est toujours au jugement esthétique singulier qu'il incombe d'effectuer ce passage et c'est pourquoi il impliquera toujours du différend. Mais celui-ci ne porte plus sur l'être, il porte sur l'histoire. Son enjeu n'est plus le nom «art» ou le nom «sculpture», ni davantage le nom «moderne», c'est leur interprétation rétrospective, leur réinterprétation postmoderne. Je répète donc mon souhait: que la provocation du titre soit entendue et que chacun, initié ou profane, emporte avec soi son point d'interrogation et s'active à soumettre la sculpture moderne, ou la modernité sculpturale, à une intense réinterprétation critique. Quant à moi, puisqu'à l'heure qu'il est je n'ai pas vu l'exposition dont j'ai commenté le titre et que mes propres jugements esthétiques doivent attendre l'épreuve des œuvres, je ne peux, pour conclure sans clore, qu'offrir de verser au différend critique que je souhaite quelques thèses nouvelles, tirées de l'analyse du procès *Brancusi vs United States* et qui, comme de juste, répondent à côté de la question «Qu'est-ce que la sculpture moderne?».

La *modernité* en sculpture (en peinture, en art, etc.) est cette période de l'histoire 1) où l'enjeu du jugement esthétique était le nom «sculpture» («peinture», «art», etc.); 2) où la responsabilité de nommer est entre les mains du public autant que des artistes ou des spécialistes, 3) où cette responsabilité s'exerce dans le différend; 4) où la procédure qui transmet le différend (car elle ne le règle pas) est une jurisprudence, qui n'a jamais force de loi mais se maintient toujours en appel, enregistrée dans deux séries hétérogènes, les œuvres (singularités) et les interprétations, les regroupements, les théories (généralités); 5) où, du fait de cette hétérogénéité, source et sens du différend, un tort est fatalement causé aux œuvres, toujours en attente de réparation[7].

Le *modernisme* en sculpture (en peinture, en art, etc.) est l'auto-interprétation de cette période 1) comme si l'enjeu du jugement (esthétique pour certains, logique ou idéologique pour d'autres) avait été l'être de la sculpture; 2) comme si la responsabilité de définir l'être avait été entre les mains de l'artiste ou, pour ainsi dire, de l'œuvre elle-même (selon que l'on croit en l'«auteur» ou au «texte»); 3) comme si cette responsabilité s'exerçait dans l'interrogation, l'expérimentation, la réduction, la déconstruction; 4) comme si la procédure d'interrogation devait aboutir à un savoir, une théorie, une ontologie, bref à une généralisation légitime des singularités; 5) comme si, à terme, la théorie pouvait rendre raison des œuvres en leur rendant justice.

Dans le climat d'aujourd'hui où l'avant-garde, c'est-à-dire la tradition moderne, risque d'être trahie par la collusion involontaire du dogmatisme et du révisionnisme, c'est-à-dire de ceux qui s'obstinent à la défendre au nom de la stratégie qu'elle aurait menée dans une guerre qui n'a jamais eu lieu et de ceux qui la rejettent au nom d'une répression qu'elle aurait exercée dans le cadre d'un pouvoir dont elle n'a jamais joui, il faut saluer la provocation du titre choisi par Margit Rowell pour cette rétrospective. Il donne à penser, en apparence 1) que l'enjeu de l'exposition est une réponse à la question du titre; 2) que la responsabilité de la réponse est entre les mains des organisateurs ou, plus silencieusement, des œuvres choisies pour parler d'elles-mêmes; 3) que cette responsabilité s'exerce comme une tâche pédagogique; 4) que la «procédure» pédagogique peut aboutir à une interprétation d'ensemble qui fera le consensus sur l'identité de la sculpture moderne; 5) qu'avec cette intelligibilité d'ensemble les dommages causés par des dogmatismes trop étroits ou des révisionnismes trop oublieux seront réparés et qu'aucun tort nouveau ne sera causé.

Et c'est bien cela qui est provocant: une certaine manière d'être fidèle au modernisme devra faire de cette exposition la première rétrospective postmoderne de la sculpture moderne. (Alors qu'une mise en scène postmoderniste de la même période, qui aurait réhabilité toutes les survivances néo-classiques ou néo-romantiques qui annoncent l'éclectisme actuel, n'aurait été qu'une nouvelle mouture du modernisme le plus primaire, de l'avant-gardisme le plus conventionnel.) Imprimé en grandes lettres sur les affiches disséminées dans tout Paris, le titre interpelle le passant qui reçoit ainsi, en 1986, sa part de responsabilité dans la réévaluation et la réinterprétation de la sculpture d'une période commencée au tournant du siècle et «achevée» dans les années soixante-dix.

Aussi est-il clair 1) que l'enjeu réel de l'exposition n'est pas l'essence de la sculpture moderne (il ne l'a jamais été) ni son nom (il ne l'est plus) mais bien sa réinterprétation historique; 2) que la responsabilité de cette réinterprétation est pour moitié entre les mains du grand public, invité à construire ou à reconstruire à l'exemple d'un nombre limité de singularités les arguments d'une jurisprudence dans laquelle lui-même n'a pas fini d'intervenir (l'autre moitié, la tâche pédagogique qu'assument Margit Rowell et son équipe s'avérant alors l'idée régulatrice sans laquelle l'invitation au jugement n'est pas ressentie également comme une obligation d'interprétation); 3) que cette responsabilité s'exerce désormais en connaissance de cause dans une jurisprudence du différend et que dès lors, s'il existe une cour d'appel permanente sans verdict ultime pour ce qui est des jugements esthétiques, il existe aussi un tribunal des litiges susceptibles de règlement par débat et d'argumentation étayée, autant que possible, par des preuves, pour ce qui est des interprétations historiques; 4) que c'est en ce sens que nous sommes postmodernes: ni la procédure qui transmet le différend esthétique au public, ni la procédure d'interrogation qu'ont menée les artistes modernes sur leur

7 Seul le premier point est rédigé à l'imparfait, les autres au présent, aucun au passé simple ou au passé composé. Manière d'annoncer que sur le problème de l'achèvement ou de l'inachèvement de la modernité il reste à réfléchir. Même remarque pour le paragraphe suivant.

art, ni la procédure pédagogique déployée par les conservateurs de musées et les organisateurs d'expositions ne ferment la possibilité de juger librement, subjectivement, esthétiquement de la valeur de telle ou telle œuvre qui appartient à notre passé moderne, car aucune de ces procédures ne débouche sur une théorie démontrable, une ontologie avérée ou un consensus universel. Mais elles débouchent bien sur des lectures ou des interprétations de l'histoire dont le pouvoir explicatif et l'altérabilité ne sont pas équivalents. Il en est qui embrassent plus de faits que d'autres, qui leur donnent une résonance plus grande ou qui sont plus vulnérables au fait qui les contredit. Ce sont les meilleures, et on ne voit pas pourquoi, au nom de quel nihilisme de la déconstruction ou de quelle apologie du différend pour le différend, on ne se prendrait pas à les préférer ni à désirer qu'elles fassent un jour le consensus autour d'elles. Bien plus: être postmoderne, en ce sens, est un devoir, celui d'être les gardiens d'une certaine modernité conçue, non comme série de jugements irrémissibles, mais comme mémoire. Par exemple: nier aujourd'hui que l'*Oiseau* de Brancusi est de la sculpture n'est pas seulement la manifestation d'un goût singulièrement peu ouvert à l'art moderne (en soi cela n'a rien de répréhensible), c'est un étalage d'ignorance crasse ou de mauvaise foi. Car c'est un fait enregistré par la jurisprudence que l'*Oiseau* a été jugé digne d'être nommé sculpture et tout jugement qui prétendrait inverser ce verdict (et c'est son droit), n'est cependant légitime que s'il ne méconnaît pas le poids de la jurisprudence. Un tel jugement, péché essentiellement révisionniste, serait gravement irresponsable à ne pas s'aviser que de fil en aiguille, c'est-à-dire de jugement rejugé en jugement jugé, il conduit fatalement à faire table rase, péché essentiellement dogmatique, de tout l'héritage culturel de la modernité; 5) que rendre raison n'est pas rendre justice et qu'il est inévitable que du tort soit fait aux œuvres par toute démarche interprétative, même si elle répare un dommage qu'une autre interprétation leur aurait causé. Les œuvres sont toujours les otages des généralisations qui les montrent exemplaires puisque le paradigme qu'elles appuient en dit toujours plus qu'elles dans son sens et moins dans des sens divergents. C'est donc aussi un devoir que de rester moderne, c'est-à-dire de se déclarer prêt à rendre les œuvres prises en otages, par une lecture historique généralisante, à la singularité d'un jugement esthétique, oui, d'un seul sentiment qui risque d'inverser toute la jurisprudence. Le différend n'est pas clos.

Ottawa, novembre-décembre 1985

Barbara Rose

La sculpture américaine: l'anti-tradition

«Regardez en avant, pas en arrière.»
Francis Picabia
«Aphorismes», *391*, n° 2, février 1917

«Les seules œuvres d'art qu'ait données l'Amérique, ce sont ses tuyaux et ses ponts.»
Marcel Duchamp
«The Richard Mutt Case», *The Blind Man,* mai 1917

En Amérique, l'absence d'une tradition continue reliant l'art du nouveau monde à celui des maîtres de la vieille Europe a pu apparaître à la fois comme un handicap qui gênait le développement de l'art et comme la source de son originalité. La peinture américaine du XXᵉ siècle prolonge pourtant les thèmes et les styles du XIXᵉ siècle. Mais on ne peut pas en dire autant de la sculpture américaine qui n'a ses racines ni dans les traditions plus anciennes de l'art commémoratif monumental, ni même dans des objets conçus pour une élite et collectionnés par les mécènes de noble condition tels que prélats et princes. La démocratie politique, une société où une grande mobilité sociale excluait l'existence d'une classe de mécènes aux valeurs stables, les interdits iconoclastes de la religion protestante dominante, tout cela allait à l'encontre du développement de la sculpture aux États-Unis. Alors que la peinture, art privé, pouvait survivre et prospérer, il fallait à la sculpture l'appui d'un mécénat qui restait introuvable en Amérique avant les années 1960.

Je ne veux pas dire qu'il n'y avait aucune production de sculptures (ou de «statues», dans un langage plus courant) auparavant. La description par Henry James de l'œuvre du héros éponyme de l'un de ses premiers romans, *Roderick Hudson,* place la sculpture au rang de vocation noble, tout en donnant une indication sur l'ambition du sculpteur américain de réaliser des études de personnages héroïques dans un style rappelant l'antiquité classique. C'étaient en effet des figures mythologiques sur socles qui parvenaient aux États-Unis sous forme de pièces de musée ou de moulages en plâtre destinés à la copie dans les écoles d'art académiques. Seuls ceux qui faisaient effectivement le voyage d'Europe avaient accès aux grands ensembles sculpturaux où la sculpture s'intègre dans son contexte architectural.

Pour décorer leurs demeures qui singeaient les grands styles de l'architecture palatiale classique, médiévale ou Renaissance, les grands magnats de l'industrie cherchaient des sculptures nimbées de la même auréole de prestige culturel. L'*Esclave grecque* de Hiram Powers, peut-être le plus célèbre exemple de sculpture américaine du XIXᵉ siècle, une œuvre exécutée à Florence et envoyée aux États-Unis en 1847, donna lieu à d'innombrables copies et reproductions. A nos yeux, cette version étrangement stylisée de l'*Aphrodite* de Cnide, avec ses poignets

1   Dans son opuscule de 1960, *A Card from Doc,* Oldenburg tournait en dérision les «aménagements urbains, places, rues piétonnières, centres, ports, projets, projets, projets». Évoquant le passé de la sculpture américaine, il écrivait: «N'oubliez pas les statues, déclara Doc. Ah oui, des taureaux, et des Grecs, et des tas de bonnes femmes nues.»

2   En Amérique, les œuvres héroïques étaient grandioses et pas seulement monumentales. Gutzon Borglum, chez qui Noguchi fit un bref apprentissage, est célèbre pour ses portraits de personnages politiques à flanc de montagne. Ses têtes des quatre présidents, Washington, Jefferson, Lincoln et Roosevelt, qu'il sculpta sur un versant du mont Rushmore (1930-1940), servent de décor à une scène de poursuite dans *La Mort aux trousses* d'Alfred Hitchcock. Cette idée de sculpter dans la montagne montre que les sculpteurs américains étaient prêts à se servir de la nature comme matériau bien avant le land-art et les *earthworks* des années soixante-dix.

enchaînés dans un geste de pudeur immuable, paraît ridiculement timide, le *nec plus ultra* du kitsch naïf. Elle est une de ces «bonnes femmes nues» dont parle Claes Oldenburg dans ses réflexions sur l'absence d'une tradition viable dans la sculpture américaine.[1]

L'*Esclave grecque* de Powers est une parfaite illustration des raisons pour lesquelles l'Amérique était incapable de créer une tradition en sculpture. Le puritanisme était si puissant que l'on ne pouvait y étudier le nu. Le genre du paysage offrait aux peintres un grand choix de sujets nobles. Mais que pouvaient faire les sculpteurs, sinon multiplier les variations sur le thème de la statue équestre? Le succès de l'*Esclave grecque* de Powers reposait sur la brochure explicative qui accompagnait la sculpture lorsqu'elle fut envoyée en exposition itinérante aux États-Unis. Cette brochure précisait que les Turcs avaient dénudé la jeune femme pour la vendre aux enchères, et qu'en réalité elle représentait la victoire de la vertu chrétienne sur le vice païen. Ainsi, dans un contexte d'édification morale, la nudité devenait acceptable pour cette culture antisensualiste. Dans cet ordre d'idées, il faudrait noter que les milieux officiels estimaient qu'il convenait que la sculpture américaine présentât un contenu édifiant, capable plus particulièrement de stimuler le zèle patriotique, plutôt qu'un attrait esthétique[2]. Étant donné que les commandes récentes de l'administration à des artistes comme George Segal, Mark Di Suvero, Robert Morris, Carl Andre et Richard Serra ont toutes provoqué des actions en justice et des campagnes de dénigrement, il faut bien convenir qu'au moins dans le domaine des commandes publiques, le philistinisme prévaut encore.

La sculpture américaine antérieure était encore plus éloignée de la tradition du grand art que l'*Esclave grecque*. La sculpture de la période coloniale n'est rien d'autre que de l'art populaire; il s'agissait généralement de pièces de bois taillées au couteau par des amateurs, ou de morceaux de métal découpés par des forgerons, qui avaient une fonction utilitaire: girouettes, figures de proue ou Indiens en bois sculptés pour faire de la réclame à une marque de tabac. Si l'on peut penser que la sculpture moderne commence avec le *Verre d'absinthe* de Picasso, les agencements de plans des cubistes et des constructivistes et les monolithes de Brancusi, c'est ailleurs qu'il faut chercher les origines de la sculpture moderne américaine. Il est vrai que Brancusi (qui avait exposé cinq œuvres à l'Armory Show, que l'on avait pu voir ensuite à la galerie «291» d'Alfred Stieglitz en 1914 et qui entra très tôt dans la collection de Walter Arensberg) produisit un certain effet sur des Américains comme Elie Nadelman, John Flanagan et Isamu Noguchi qui fut son assistant à Paris dans les années vingt. Cependant, cette influence alla généralement dans le sens d'une accentuation de la tendance américaine à styliser et à simplifier. Plutôt que le caractère radical de sa redéfinition de la sculpture et de sa relation au rituel, au totémisme, au contexte naturel de l'œuvre ou à son socle, ce sont le retour au procédé de la taille directe et la mise en valeur des propriétés des matériaux qui caractérisent généralement la manière dont les Américains comprirent la leçon de Brancusi dans la première moitié du siècle. Les têtes archaïsantes de Noguchi, tout comme celles de Nadelman, révèlent ce qu'elles doivent aux volumes géométriques, parfaitement polis, de Brancusi. Nadelman, qui était né à Varsovie et avait émigré en Amérique en 1914, trouva son inspiration dans l'art populaire américain qu'il commença à collectionner en 1919 parce qu'il s'agissait du style «primitif» indigène. Quant à la personnalité brillante du Noguchi de la maturité, elle se révéla au contact du surréalisme et à travers l'exhumation de son héritage personnel: cet Américain était le fils d'un poète érudit japonais, il avait passé son enfance au Japon et ne cessa jamais de se nourrir de cette expérience. Paradoxalement, c'est dans les années soixante que Brancusi a eu de l'importance pour l'art américain, car à ce moment-là des sculpteurs qui avaient reçu une formation en histoire de l'art, comme Robert Morris[3] et Donald Judd,

Elie Nadelman
Tête idéale (vers 1906-1907)

Isamu Noguchi
Portrait de Richard Craven (vers 1930-1931)

3   La thèse d'histoire de l'art de Robert Morris portait sur le rôle du socle dans la sculpture de Brancusi.

comprirent enfin ce que sa pensée avait de radicalement novateur. Brancusi a certainement influencé aussi les dernières œuvres de David Smith, les *Cubi* en acier, et les totems en aluminium poli qu'Alexander Liberman réalisa au milieu des années soixante. Tout comme les réductions de Brancusi, la décomposition cubo-constructiviste de la sculpture en plans abstraits diversement orientés dans l'espace ne fut réellement comprise par les sculpteurs américains qu'après la Seconde Guerre mondiale où certains d'entre eux, dont David Smith qui travailla dans des usines de la défense nationale comme soudeur, acquirent une expérience des techniques de la soudure.

Alexander Liberman
Black Curved (1964)

Mais l'influence la plus importante sur la sculpture moderne américaine ne vint ni de Picasso ni de Brancusi qui restent pourtant les deux pères de la sculpture moderniste. Parce que la sculpture américaine naquit non pas d'une tradition mais en l'absence de toute continuité avec le passé, il était sans doute logique que l'esthétique anti-traditionaliste de Dada fût son inspiration essentielle. C'est pourquoi l'on pourrait légitimement prétendre que c'est Marcel Duchamp qui a exercé une influence prépondérante sur tous les sculpteurs modernes américains (à l'exception peut-être de David Smith). Avec son compagnon dadaïste Picabia, Duchamp arriva en Amérique pendant la Première Guerre mondiale, en 1915. Le Cubain et le Français s'associèrent bientôt avec un natif de Philadelphie, Man Ray, pour donner naissance au dadaïsme new-yorkais. Après l'Armory Show, de par son lien avec la galerie «291» de Stieglitz, Dada devint pratiquement synonyme d'avant-garde en Amérique. Même si Georgia O'Keeffe s'essaya à réaliser une petite sculpture en plâtre qui, apparemment, s'inspirait des simplifications de Brancusi et si Dove exécuta un certain nombre de collages importants sur lesquels il fixait des objets courants, les artistes de l'entourage de Stieglitz ne pratiquaient pas la sculpture. A Paris, les «synchronistes» Morgan Russel, Stanton MacDonald Wright et Patrick Henry Bruce exécutèrent des représentations monumentales de nus héroïques alors qu'ils étudiaient avec Matisse. Mais toutes ces œuvres sont perdues ou détruites. Étant donné l'absence de toute autre activité dans ce domaine, on pourrait affirmer que la première vraie sculpture d'avant-garde largement connue aux États-Unis (par des reproductions car elle ne fut pas exposée à l'époque) fut la *Fontaine* de Duchamp. On pouvait être certain que cet objet produit en série, un urinoir d'un modèle courant, offusquerait les âmes puritaines. La *Fontaine,* que Duchamp proposa pour l'exposition de 1917 de la *Society of Independent Artists,* mit à l'épreuve les intentions démocratiques du groupe qui se targuait de tout accepter mais refusa la *Fontaine* de R. Mutt. L'année suivante, Morton Schamberg, un peintre doué qui sous l'influence de Picabia peignait minutieusement des images de machines, réunit une boîte à onglets et un bout de tuyau sous le titre blasphématoire *Dieu.* Ce montage dadaïste résumait le dégoût de l'avant-garde face au mode de vie américain qui plaçait l'hygiène et le progrès matériel apporté par la technique au-dessus de l'esthétique ou de l'habileté manuelle.

L'ironie qui sous-tendait les proclamations insistantes de Duchamp, Man Ray et Schamberg affirmant que l'objet trouvé manufacturé pouvait, sans transformation, être considéré comme une œuvre d'art, tout comme la position négative de Dada vis-à-vis de la tradition, eurent des répercussions profondes sur l'évolution ultérieure de la sculpture américaine. Les «ready-mades» de Duchamp, qui débutèrent en Europe par la *Roue de bicyclette* montée sur un tabouret, peuvent apparaître comme les précurseurs d'un bon nombre d'œuvres du *furniture art* produites aux États-Unis par des artistes comme George Brecht, Lucas Samaras, Scott Burton, etc. Appeler sculptures des objets trouvés, c'était, pour les sculpteurs américains, résoudre en un tour de main le problème posé par l'absence d'une tradition. Comme aurait pu le dire Marcel Duchamp lui-même, il n'y avait pas de solution parce qu'il n'y avait pas de problème. Si l'on pouvait considérer l'objet utilitaire manufacturé comme de la sculpture, l'absence de personnalités de l'envergure de Rodin, Degas ou même Maillol n'apparaissait plus comme un frein à l'évolution d'un art en trois dimensions.

Les antécédents de la sculpture moderne américaine ne furent ni classiques ni monumentaux, ce furent des objets manufacturés humbles et modestes comme le *Cadeau* de Man Ray, un fer à repasser sur lequel il avait fixé des clous pour donner une résonance psychologique à une forme par ailleurs neutre. La première sculpture-objet trouvé que Duchamp réalisa en Amérique, la pelle à neige de 1915 qu'il intitula *In Advance of the Broken Arm,* suspendue dans l'espace comme une menace énigmatique, fut suivie par une série de ready-mades tels la housse de machine à écrire Underwood *(Pliant de voyage) et* le portemanteau mural posé sur le sol au lieu d'être fixé au mur *(Trébuchet),* ainsi que par des photographies et objets rectifiés de Man Ray qui, dans les années soixante, devinrent la source d'inspiration de toute une génération de sculpteurs du pop'art et de l'art minimal. Par exemple, l'*Énigme d'Isidore Ducasse* de Man Ray, cet objet usuel dissimulé sous un emballage ficelé, est à l'origine de toute la thématique de Christo. S'étant emparé d'une seule et unique idée dadaïste, Christo l'a exploitée et dilatée à l'infini, pour aboutir à des sculptures monumentales qui exigent le soutien logistique d'un système administratif apparemment aussi complexe que celui de l'Amérique contemporaine où l'artiste vit aujourd'hui, ou que la bureaucratie socialiste de la Bulgarie où il reçut une formation académique. Pour Christo, comme pour les sculpteurs américains de plusieurs générations, Dada fournit un palliatif à l'absence d'une tradition viable. Nous reviendrons sur la façon dont l'ironie, les jeux de mots et les mystifications dadaïstes servirent de fondements à l'art américain des années soixante. Mais voyons d'abord quelle part de l'héritage du cubisme a pu se transmettre à la culture artistique américaine.

La muse profilée

«Beaucoup de spécialistes affirment que le véritable art de l'Amérique, c'est l'art industriel. C'est un art qui s'adresse au plus grand nombre aussi bien qu'au connaisseur.»
Wharton Escherick
Art Alliance Bulletin, octobre 1935

Man Ray
New York 17 (1917)

Si Jacques Lipchitz était un citoyen américain quand il mourut en 1964, il avait déjà achevé son œuvre cubiste lorsqu'il était arrivé aux États-Unis en 1941, fuyant Hitler. D'autres Américains qui, tel John Storrs, tentèrent de réaliser des sculptures cubistes, finirent généralement par créer des objets Art déco à propos desquels on peut à peine parler de sculpture, vu leur faible extension dans l'espace. Storrs, peintre de talent et auteur de sculptures en forme de gratte-ciel élégamment profilées et de monolithes compacts inspirés à la fois par Brancusi et par les décors géométriques des objets amérindiens qu'il collectionnait, passa presque toute sa vie à Paris. Ses gratte-ciel renvoient à l'exaltation de l'esthétique de la machine par Léger et, en même temps, à l'attitude ambivalente envers la technologie qui a permis la construction des gratte-ciel dont témoigne l'assemblage dadaïste de Man Ray, *New York 1917:* un «gratte-ciel» en lattes de bois maintenu dans un équilibre précaire par un serre-joint métallique et dont l'inclinaison laisse présager l'effondrement. Storrs ne fut pas le seul sculpteur américain à s'inspirer des images du monde mécanique: des sculpteurs qui cherchaient une solution facile au problème posé par la création d'une sculpture abstraite produisirent une quantité de variations machinistes sur le thème du gratte-ciel, que nous préférons oublier. Ils étaient eux aussi séduits par l'aspect moderniste du profilage, notion empruntée au domaine de la technique industrielle.

Le profilage, c'est-à-dire l'application à la sculpture des principes d'aérodynamique mis au point par des ingénieurs, joua aussi un rôle important dans le travail de Hiram Powers qui avait reçu une formation de mécanicien avant de s'orienter vers une carrière artistique. A ce propos, il faut remarquer que très peu de sculpteurs américains se sont véritablement formés à cette discipline: quand ils avaient fait des études artistiques, c'était dans le domaine de la peinture plutôt que de la sculpture. Noguchi, qui reçut une formation académique en sculpture et fut assistant de Brancusi, est une des rares exceptions à cette règle, de même que le Parisien Gaston Lachaise qui avait une solide formation de sculpteur quand il émigra aux États-Unis en 1906. L'œuvre de Lachaise est une anomalie dans l'histoire de la sculpture américaine, car elle plonge ses racines dans la tradition du grand nu héroïque transmise à Maillol et Bourdelle par Rodin, même si l'artiste finit par opter pour une simplification stylisée qui allait dans le sens de la modernité. Les nus féminins voluptueux de Lachaise (pour lesquels posait sa plantureuse femme Isabel) ne correspondaient pas vraiment au goût des Américains qui préféraient la silhouette garçonne des jeunes filles «émancipées» des années vingt. De plus, les dernières œuvres de Lachaise, éminemment érotiques, dont la sexualité explicite se rattachait à l'art des temples hindous et à une conception de l'échange amoureux comme forme de communion spirituelle, ne purent être exposées aux États-Unis que plusieurs dizaines d'années après sa mort, survenue en 1935. Le caractère radicalement novateur du traitement des formes par quoi Lachaise arrive à une formule où se résume avec force l'essence de la féminité n'est pas encore apprécié comme il devrait l'être. Mais si Lachaise n'a pas fait école, quelques sculpteurs comme Reuben Nakian et Saul Baizerman envisagent eux aussi la sculpture comme une discipline humaniste capable d'exprimer des qualités sensuelles et tactiles. Le ralliement d'un David Smith, dont les premières œuvres étaient tactiles, organiques et sensuelles, à l'«opticité» pure qui, dans la sculpture des années soixante, passait pour l'essence même de la vision moderniste, peut apparaître comme une nouvelle victoire du puritanisme qui reste vivace à maints égards dans la conscience américaine, interdisant la plénitude des sensations.

Comme nous l'avons vu, bien plus que la décomposition de l'objet ou de la figure en éléments structurels, ce sont la simplification et la réduction à des volumes géométriques par le biais du «profilage» qui caractérisent les premières tentatives des artistes américains en direction de la sculpture cubiste. Les Américains étaient fiers de leur avance dans le domaine du génie civil et de la technique, et certaines des premières expositions d'art moderne aux États-Unis établissaient explicitement une équivalence entre la modernité et l'esthétique de la machine. Une exposition consacrée à l'ère de la machine, la première de toute une série, se tint à New York en 1927. Des œuvres de Lachaise, Nadelman et Storrs y côtoyaient des sculptures d'un certain nombre d'Européens, notamment Arp, Zadkine, Pevsner et Gabo. Le travail de Jose de Rivera, dont le style doit beaucoup à Brancusi, était également axé sur la notion de profilage. Dans cette exposition de 1927, l'œuvre la plus authentiquement cubiste était peut-être celle d'un artiste venu aux États-Unis quatre ans auparavant, après avoir pleinement élaboré son style dans le milieu parisien où il avait achevé sa formation. L'œuvre de l'artiste d'origine russe Alexander Archipenko (qui dans l'esprit facétieux du dadaïsme se nommait lui-même l'«Archie Pen Co.») parce qu'elle représente une sculpture au style cubiste parfaitement affirmé ne peut qu'apparaître comme une exception dans un panorama de la sculpture moderne américaine. Chez Archipenko, les déformations de la figure humaine associaient des points de vue différents. Le *Verre d'absinthe*

Gaston Lachaise
Torse (1930)

Alexander Archipenko
Femme se coiffant (1915)

Theodore Roszak
Construction verticale (1943)

George L.K. Morris
Configuration (1936)

4 George L.K. Morris, «Relations of Painting and Sculpture», *Partisan Review*, vol.
   10, 1943.

et les reliefs polychromes de Picasso avaient probablement motivé la décision d'Archipenko de peindre sa sculpture avec des couleurs différentes pour souligner les changements d'orientation des plans et distinguer les volumes. Ses bronzes peints et ses reliefs en bois exploitaient les aspects les plus extrêmes de la proposition cubiste selon laquelle il était possible d'analyser la forme humaine en termes de volumes et plans géométriques. Les premiers reliefs de Picasso avaient aussi été très vite assimilés par les constructivistes russes dont Archipenko vit certainement le travail à Berlin où il avait ouvert une école de sculpture en 1921, avant d'émigrer aux États-Unis en 1923. En Amérique, il enseigna au New Bauhaus fondé à Chicago par Moholy-Nagy, puis il ouvrit une autre école de sculpture à New York en 1939. Même s'il semble que les reliefs cubo-constructivistes d'Archipenko étaient bien connus dans les années trente, ses œuvres plus tardives où il a poursuivi ses recherches sur le relief polychrome, considéré comme un stade intermédiaire entre la peinture et la sculpture, ne furent pas souvent exposées avant sa mort en 1964. Apparemment, il a surtout influencé l'artiste d'origine polonaise Theodore Roszak qui développa une conception personnelle de la thématique machiniste en mettant l'accent sur l'utilisation de matériaux industriels comme emblèmes de la modernité. Roszak avait eu connaissance de l'esthétique du Bauhaus au cours d'un voyage en Europe en 1929 et ses premières œuvres trahissent l'influence du style géométrico-biomorphique de Schlemmer. Au cours des années trente, Roszak adopta avec enthousiasme l'esthétique machiniste dans une série d'élégantes constructions cubistes qui furent parmi les premiers exemples d'emploi de la matière plastique dans la sculpture américaine. Il était tellement convaincu que la thématique machiniste convenait parfaitement à l'esthétique américaine qu'il apprit le métier d'outilleur et travailla avec le dessinateur industriel Norman Bel Geddes sur le projet du pavillon Futurama de la General Motors à l'Exposition universelle de 1939. La conversion de Roszak, au cours des années quarante, à un style surréaliste appliqué à la technique conventionnelle du moulage en bronze est exemplaire: elle fait pendant au rejet par les peintres expressionnistes abstraits des espoirs utopiques liés à l'esthétique machiniste, qui supposaient une foi dans le progrès que la Seconde Guerre mondiale avait réduite à néant.

Après l'ouverture du Museum of Modern Art en 1929, les sculpteurs américains (du moins ceux qui habitaient à New York ou dans les environs) purent voir assez d'œuvres modernistes pour y trouver les ingrédients d'un style qui s'inscrivait dans une tradition légitime quoiqu'indéniablement européenne. Parmi ceux qui essayèrent vaillamment d'assimiler ce qu'il y avait d'authentiquement nouveau dans le cubisme par opposition à la simple originalité du dadaïsme, il faut citer le critique et artiste George L.K. Morris qui avait étudié auprès de Léger à Paris. Peintre cubiste raffiné, Morris exécuta un certain nombre de sculptures, dont une statuette en bronze inspirée par la silhouette d'un homme, qui sont encore des exemples de «profilage» plutôt que d'analyse de la forme en trois dimensions. Critique d'art à la *Partisan Review,* Morris y publia un essai remarquable sur «les relations entre la peinture et la sculpture». Il voyait en Bernin et Calder des sculpteurs «picturaux», et en Mantegna et Mondrian des peintres qui pensaient en termes de sculpture. S'il considérait Mondrian comme un peintre «sculptural», c'était surtout parce que ce peintre néo-plasticien parvenait à faire de ses toiles de véritables objets: «Les peintures de Mondrian excluent toute possibilité d'y pénétrer, écrivait-il. Le cadre même (fixé derrière la surface de la toile) pousse le plan du tableau en avant au lieu de créer une ouverture dans le mur pour le spectateur.»[4] George Morris, en faisant observer que l'espace dans la peinture de Mondrian s'avance vers le spectateur au lieu de reculer derrière le cadre, faisait preuve de prescience. En situant le fond sur le plan du tableau, Mondrian avait bel et bien annoncé les peintures-objets de Jasper Johns et de Frank Stella. Si Mondrian ne parvint pas à réaliser son rêve de travailler dans les trois dimensions, Burgoyne Diller, son talentueux disciple américain, exécuta dans les années trente plusieurs sculptures-colonnes peintes qui préfiguraient les monolithes polychromes présentés par Ann Truitt dans les années soixante. La dernière exposition de Diller à la galerie Chalette à New York en 1963 se composait entièrement de constructions architectoniques monochromes, sur le principe des poteaux et poutres, revêtues de peinture industrielle de couleur primaire. De nombreux artistes minimalistes sont allés voir ces œuvres qui constituent le seul lien direct entre la géométrie puriste de Mondrian et le minimalisme.

Dans cet article, George L.K. Morris faisait d'autres remarques pénétrantes sur la situation de la sculpture moderne dans les années trente. Pour lui, les mobiles de Calder représentaient une sorte de formule picturale et anti-sculpturale, une peinture en mouvement, si l'on veut. Calder qui, après 1926, partagea son temps entre la France et le Connecticut, a certainement trouvé les éléments de son vocabulaire de formes dans le biomorphisme d'Arp ainsi que dans les compositions de Miró où les plans colorés et les graphismes biomorphiques semblent suspendus dans l'espace comme les fameux «mobiles». Pourtant, il parvint très tôt à concevoir des «dessins dans l'espace» à l'aide de fils métalliques tordus qui jouèrent un rôle essentiel dans l'élaboration d'une sculpture linéaire plus étroitement rattachée au dessin qu'à la peinture. D'autres Américains, en particulier Len Lye et George Rickey, apportèrent aussi des contributions importantes à l'art cinétique. Lye, qui était également cinéaste, faisait intervenir le son et le mouvement dans ses spectaculaires œuvres actionnées par des moteurs, tandis que Rickey mettait à profit sa formation technique pour répartir le poids de telle façon que ses sculptures géométriques en acier, foncièrement constructivistes, se mettent en mouvement sous l'action des forces naturelles.

On considère généralement que les œuvres de Picasso où la ligne est prépondérante, tel L'Atelier de 1930, sont à l'origine de l'idée du «dessin dans l'espace». Pourtant, nous avons vu que Calder dessinait déjà dans l'espace en 1926, préparant ainsi les éléments de son Cirque si célèbre et admiré. Bien sûr, les personnages de dessin animé de Calder n'ont rien de commun sur le plan esthétique avec les vides transparents délimités par un réseau de lignes que présentent les œuvres de Picasso. Toutefois, c'est David Smith qui parvint à l'utilisation la plus pleinement expressive de la ligne dans la sculpture, après sa rencontre capitale avec le surréalisme. Les premières sculptures de Smith étaient des collages polychromes ou plus précisément des reliefs composites associant la peinture à des objets trouvés tridimensionnels. George L.K. Morris voyait dans cette fusion de la peinture et de la sculpture une étape essentielle de l'évolution de l'art moderne en général. Il estimait en effet que le caractère concret et anti-illusionniste de l'objet réel incitait à percevoir l'œuvre d'art comme quelque chose de «réel» plutôt que fictif.

Burgoyne Diller
Sculpture d'après un dessin de 1936 env.

Les «autres» traditions: le zen et l'art tribal

«Par son respect pour la nature l'artiste contemporain se place dans une position très semblable à celle de l'homme primitif. Il accepte la nature de manière intuitive. Il devient une partie de la nature. Il n'est pas le sur-homme, le pseudo-scientifique dans la nature.»
David Smith
Communication sur l'art et la religion reproduite dans Art Digest, 15 décembre 1953

David Smith
Kafu (1951)

David Smith
Sans titre: Relief des îles Vierges (1932)

A l'époque où Calder abandonnait ses «mobiles» (baptisés ainsi par Marcel Duchamp) au profit de formes pleines découpées dans des surfaces planes, les «stabiles» qui rappelaient les papiers gouachés découpés de Matisse, David Smith ménageait des vides à l'intérieur de ses œuvres construites par assemblage et coulées dans le bronze pour parvenir à un nouveau degré d'ouverture et de légèreté dans la sculpture. Dessinateur prolifique, Smith développait ses idées dans des esquisses préparatoires. Bien que la sculpture statique ne puisse revêtir la même spontanéité que le dessin automatique, il alla aussi loin que possible dans ce sens avec ses œuvres des années trente et quarante.

Ce fut John Graham qui initia Smith, comme Jackson Pollock, à l'art primitif et au procédé du dessin automatique révélateur de faits psychologiques. Graham vivait du commerce de l'art primitif, et achetait à Paris des pièces pour le collectionneur new-yorkais Frank Crowninshield. On a dit que l'atelier de Graham ressemblait à un mini-musée d'art primitif; et il lui arrivait parfois de donner un masque primitif à un de ses amis particulièrement chers, par exemple Lee Krasner ou David Smith. C'est aussi Graham qui fit connaître à Smith les sculptures en métal soudé de Julio González. Graham, le premier Américain à avoir collectionné des œuvres de González, avait commencé à en acquérir en 1930, l'année où il rencontra le fils d'un forgeron de l'Indiana. A l'époque, Smith et sa future femme Dorothy Dehner étudiaient la peinture à l'Art Students League. En 1934, Graham donna à Smith une sculpture en fer soudé de González, une œuvre de petites dimensions mais d'une grande force expressive. De toute évidence, Smith avait déjà vu des reproductions de sculptures cubistes construites par assemblage puisqu'il exécutait des œuvres en métal soudé qui constituaient des figures ou des têtes poussées jusqu'à l'abstraction. Comme il avait travaillé dans une usine d'automobiles, la technique de la soudure industrielle ne lui était pas inconnue. En 1935, sur les instances de Graham et de Dorothy Dehner, Smith voyagea en Europe avec cette dernière. Ils vivaient tous deux sur le maigre héritage de Dorothy. Auparavant, en 1931, ils s'étaient rendus aux îles Vierges où Smith avait expérimenté un type nouveau de collage en ronde-bosse, en utilisant des objets trouvés sur la plage. Ses premières sculptures réalisées par assemblage, en 1932, étaient des constructions en bois, un prolongement naturel de la pratique du collage. De retour aux États-Unis, Smith s'installa dans les Terminal Iron Works à Brooklyn, où il commença une série de petites sculptures en fonte ou en bronze qui faisaient désormais penser à Picasso et à Giacometti autant qu'à González.

L'exposition et l'achat par le Museum of Modern Art de deux sculptures importantes de Giacometti, la *Femme égorgée* en bronze aux formes creuses et le *Palais à quatre heures* transparent, en bois, verre, fil métallique et corde, déterminèrent aussitôt les sculpteurs américains d'avant-garde à se rapprocher du surréalisme et plus particulièrement de la version érotisée et ambiguë qu'en donnait Giacometti. La construction en décor de théâtre miniature du *Palais à quatre heures,* avec sa série de cages à claire-voie, incita les sculpteurs surréalisants Lassaw, Ferber et Lipton — qui allaient ensuite s'apparenter à l'expressionnisme abstrait — à produire eux aussi des œuvres comportant des structures de cages. Même Noguchi, qui ne devait pas s'en tenir longtemps à cette formule, construisit plusieurs de ses œuvres autour d'objets suspendus dans des constructions en forme de cages. Smith, en revanche, était parvenu trop loin dans ses recherches pour puiser de façon aussi évidente à une source connue. Néanmoins, un bon nombre de ses œuvres du début des années quarante, étonnamment violentes et érotiques, comme *The Rape, Aftermath Figure* et *Spectre of Profit (Race for Survival)* font écho à la *Femme égorgée* par leur mélange de brutalité et de sensualité.

Comme les sculpteurs les plus en vue s'adonnaient de plus en plus à un langage surréaliste de formes organiques recouvrant un contenu psychologique, l'influence des surréalistes, dans les années quarante tout au moins, supplanta celle des cubo-constructivistes. Les Américains parvenaient enfin à exprimer le contenu érotique et la franchise brutale qui font toute la force de l'art tribal.

Dans les années trente, l'art de David Smith, notamment la série des *Medals for Dishonor,* était tellement engagé dans une contestation politique de la société que l'on comprend mal comment cet aspect a pu être entièrement évacué de son œuvre dans les années soixante. Peu avant sa mort, en 1965, il créait des formes géométriques nettes et précises qui ne risquaient aucunement de froisser les consciences, même les plus puritaines. Pendant la crise de 29, Smith travailla pour la Work Project Administration où dominaient les idées de gauche. Isamu Noguchi, pour sa part, se vit refuser un emploi dans le cadre du Federal Art Project parce que les autorités responsables prétendaient que son talent de portraitiste lui assurerait toujours un moyen de subsistance. Noguchi, qui, à cette époque, avait lui aussi adopté un vocabulaire de formes surréalistes inspirées surtout par les personnages osseux et minéralisés de Tanguy, n'en était pas moins profondément engagé politiquement. Son désir de créer des œuvres publiques ne se réalisa pas avant les années soixante. Mais ses projets de terrains de jeux et d'aéroports, qui datent des années trente, annonçaient déjà les *earthworks* des années soixante-dix et quatre-vingt. Son intérêt pour le théâtre (il conçut des décors pour Martha Graham) et pour les travaux publics font de lui un artiste très en avance sur son temps. Depuis peu, Noguchi, qui fut l'un des premiers sculpteurs à concevoir l'espace comme un volume susceptible d'être divisé, a enfin commencé à s'imposer comme un précurseur.

On peut en dire autant de Louise Bourgeois qui arriva aux États-Unis en 1938, venant de Paris où elle était née et avait fait ses études à l'École des beaux-arts. Elle scandalisa le public avec ses personnages totémiques ouvertement érotiques qu'elle exposa pour la première fois à New York en 1949. Jusqu'à une date récente, elle avait exécuté la plupart de ses œuvres en bois peint, mais, dernièrement, elle a commencé à faire des moulages de certaines de ses formes ou à les sculpter dans le marbre. Louise Bourgeois n'est pas la seule artiste américaine notable à travailler le bois: Raoul Hague, Gabriel Kohn, Israel Levitan, Michael Lekakis, H.C. Westerman et George Sugerman ont tous réalisé des sculptures en bois extrêmement originales où ils accordent beaucoup d'importance au métier ainsi qu'au matériau utilisé.

Au cours des années cinquante, l'assemblage devint la méthode préférée de la majorité des sculpteurs américains d'avant-garde, pour des raisons aussi bien économiques qu'esthétiques. Les métaux de rebut que l'on pouvait se procurer pour rien étaient si abondants que des artistes comme John Chamberlain, Mark Di Suvero, Richard Stankiewicz, Wilfred Zogbaum, Charles Ginniver et d'autres encore se mirent à fouiller dans les tas de ferraille pour trouver leurs matériaux. Même David Smith utilisa des outils mis au rebut et du métal de récupération pour des sculptures abstraites, tandis qu'Alexander Liberman réalisait des œuvres de plus en plus grandes à partir de vieux tonneaux.

Smith et Liberman cherchaient à dissimuler l'origine de leurs matériaux, mais des sculpteurs comme Richard Stankiewicz, John Chamberlain et Mark Di Suvero insistaient au contraire sur le fait que leur art était réalisé avec les rebuts d'une société opulente et gaspilleuse. Le véritable équivalent sculptural de l'«action painting» se trouve dans les textures rugueuses, les connotations urbaines et la

Jasper Johns
Lampe de poche (1960)

composante humaniste de ces œuvres des années cinquante et soixante. Chamberlain, qui utilisait la ferraille des cimetières de voitures, transformait d'anciens pare-chocs en minces bandes d'aluminium qu'il recourbait et tordait, leur donnant des formes qui font penser aux lignes dans une peinture de Willem de Kooning. Comme Chamberlain, Di Suvero fut d'abord un sculpteur pictural (à l'origine, tous deux étaient peintres). Après un grave accident survenu en 1960 où il faillit perdre la vie, Di Suvero commença à utiliser une grue pour soulever et mettre en place d'énormes éléments métalliques, notamment des poutrelles en I de type courant, qui constituaient un autre matériau industriel bon marché. On a vu dans ses robustes constructions qui pénètrent l'espace une version tridimensionnelle des peintures de Franz Kline. Di Suvero affirma d'ailleurs: «La grue est mon pinceau.»

Robert Rauschenberg dans ses assemblages et Jasper Johns dans ses moulages en bronze d'objets quotidiens ont élevé l'objet banal au statut d'œuvre d'art. Les effets de surface qui rappellent Medardo Rosso et l'utilisation sensuelle de la polychromie font de ces œuvres de Johns des sculptures picturales. Fidèle à sa position, obstinément négativiste et conservatrice sous le masque du radicalisme, Johns renverse la relation entre la sculpture et l'objet établie par Duchamp dans ses ready-mades. Admirateur déclaré de Duchamp, Johns fut peut-être le plus sévère critique du maître dada, à un moment où l'influence de Duchamp avait repris une importance nouvelle pour la génération des sculpteurs du pop'art et du minimalisme qui réagissaient contre l'hermétisme de l'art abstrait (par exemple George Segal et Claes Oldenburg) ou contre l'absence d'un contenu théorique ou intellectuel dans la sculpture (les minimalistes les plus radicalement anti-sociaux et ésotériques).

Beverly Pepper
Zigzag (1967)

5   Cité dans le courrier des lecteurs de *Artforum*, vol. 10, n° 7, mars 1972.

Les noces de Brancusi et de Rrose Sélavy: la sculpture américaine des années soixante

«Le fait que la *Colonne sans fin* mesurait un espace déterminé entre le sol et le plafond annonçait la façon dont Judd appréhende l'espace du sol au plafond, et ce qu'Andre a réalisé d'un mur à l'autre. L'idée de l'infini impliquée par la répétition modulaire était très impressionnante chez Brancusi. Elle a transformé la sensibilité de toutes les années soixante [...] Mais le problème posé par la *Colonne sans fin* ne m'intéressait pas à l'époque. Je m'intéressais davantage aux œuvres ouvertes de Brancusi, comme *La Porte du Baiser*.»
Richard Serra[5]

L'émergence du pop'art et de l'art minimal comme styles dominants dans l'art qui a succédé à l'expressionnisme abstrait était prévisible pour qui sait combien l'Amérique démocratique devait être embarrassée de se sentir confrontée au grand art difficile et exigeant que représentait le courant moderniste de l'expressionnisme abstrait. Après la mort de David Smith, des artistes talentueux comme Robert Murray, Beverly Pepper et Isaac Witkin continuaient à réaliser des sculptures abstraites formalistes, mais la majorité des artistes américains étaient prêts à chercher leur inspiration ailleurs que dans la tradition. En 1960, le bref interlude d'une sculpture axée sur une tradition historique était terminé, pour des raisons fort pragmatiques. Annonçant la tendance des artistes minimalistes à mettre l'accent sur les propriétés de la forme et de la couleur en tant que telles, Ellsworth Kelly exécuta une série remarquable de reliefs et de rondes-bosses en aluminium peint, qu'il inaugura avec *Gate* de 1959. Les formes simplifiées, qui donnent l'impression d'avoir été découpées dans ses peintures «hard edge», préfigurent les toiles monochromes aux contours façonnés de Frank Stella, réalisées en 1961, où l'on voit généralement l'origine de l'importance donnée dans l'art minimal à la forme, à la surface et à l'anti-illusionnisme.

Ellsworth Kelly
Blue Red Rocker (1963)

Pourtant, les véritables antécédents de la sculpture pop et minimaliste, ce sont les accessoires de théâtre qui, comme Noguchi s'en était déjà rendu compte dans les années trente, occupent la totalité de l'espace et l'organisent en un espace coextensif aux objets qu'il englobe. Noguchi lui-même exposa des formes abstraites disposées comme dans un jardin japonais de manière à créer un environnement total, à la galerie Cordier-Elkstrom en 1963, et cette exposition exerça une certaine influence. La sculpture pop et minimaliste, tout comme le travail sur la lumière de sculpteurs californiens comme Robert Irwin et Larry Bell, traite l'espace de la galerie comme un «environnement» plutôt qu'un cadre neutre pour des objets isolés. Lorsque l'on sait que Claes Oldenburg et Robert Morris ont tous deux beaucoup travaillé pour le théâtre comme décorateurs et accessoiristes, l'on comprend les origines théâtrales de l'art minimal. Tony Smith, qui appartient à la génération antérieure et a reçu une formation d'architecte, a cherché son inspiration du côté des structures architecturales non traditionnelles plutôt que des accessoires de théâtre. Ses sculptures environnementales n'en possèdent pas moins une présence incontestablement théâtrale, comme l'a fait remarquer Michael Fried dans son article intitulé «Art and Objecthood», où il dénonce l'esthétique anti-formaliste des artistes américains des années soixante.[6] Nous avons vu comment la transformation de l'œuvre d'art, qui d'objet devenait ambiance ou environnement, correspondait à une idée dadaïste qui eut diverses répercussions dans l'art américain à partir des années soixante[7]. Déplacer la perception esthétique de l'objet isolé vers son contexte, c'était aussi un des objectifs poursuivis par des artistes de Los Angeles comme Robert Irwin, avec ses environnements de lumière et toile ajourée, et Larry Bell, dont les plaques de verre traitées réfléchissent la lumière et chatoient, en divisant et animant l'espace de la galerie pour l'intégrer à la sculpture. Ces œuvres visent une relation plus intime entre le spectateur et l'objet, en fait une occultation de la distance psychique.

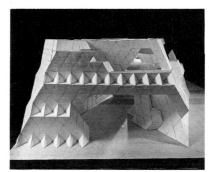

Tony Smith
Maquette pour le Los Angeles Art and Technology Project (1970)

Parmi les sculptures environnementales les plus importantes, il faut mentionner les œuvres d'un autre artiste de la côte Ouest, Edward Kienholz, qui utilisait des assemblages construits avec des objets trouvés pour brosser un tableau extrêmement critique de la réalité sociale américaine. *Roxy's,* reconstitution d'un bordel des années de guerre achevée en 1970, est son œuvre la plus marquante des années soixante. La critique sévère des valeurs américaines donne à son art une dimension éthique rare dans les années cinquante et soixante.

Il n'est pas difficile de déceler ce que les moulages en plâtre de Segal doivent aux peintures de Hopper dites de l'*American Scene* et à l'utilisation de moulages d'objets ou d'anatomies par Duchamp. Claes Oldenburg, en décidant d'utiliser ses accessoires de happenings en matériaux cousus comme des sculptures, découvrit qu'il pouvait employer une technique domestique et des formes molles, au sens propre du terme. Par là, il ouvrit à la sculpture un immense éventail de possibilités. Auteur de beaucoup des idées qui ont prévalu dans les années soixante-dix et quatre-vingt, Oldenburg créa des environnements comme *The Bedroom* appelés à servir de modèles à une quantité d'œuvres qui font l'ordinaire du *furniture art* et qui remettent en question le rapport entre l'œuvre d'art et l'objet trouvé de manière trop évidente pour qu'on puisse les prendre au sérieux. La propension de ses sculptures molles à s'effondrer et à céder aux lois de la gravitation, de même que leur contenu humaniste et l'utilisation du tissu, de la corde et de la ficelle

Yale University, 1969:
des étudiants mettent en place l'œuvre de
Claes Oldenburg

Carl Andre
Cedar Piece (1960-1964)

6   Michael Fried, «Art and Objecthood»,
    Artforum. New York, vol. 5, nº 10, juin
    1967.
7   La publication de photographies des fi-
    celles tendues entre les murs par Du-
    champ, qui encombraient toute une salle
    de l'exposition «First Papers of Surrea-
    lism» à New York en 1942, incita les ar-
    tistes américains à concevoir la sculpture
    comme une environnement et non plus
    un simple objet. Deux autres œuvres de
    Duchamp qui frappèrent l'esprit des ar-
    tistes américains sont sa *Sculpture de
    voyage*, faite de lanières de caoutchouc
    découpées dans des bonnets de bain et
    suspendues dans l'espace, et la fameuse
    photographie de Man Ray montrant les
    amas de poussière sur le *Grand Verre* de
    Duchamp: l'*Élevage de poussière*, qui
    pourrait constituer un précédent pour les
    photographies aériennes du «land art».
    Le sculpteur et architecte d'origine
    viennoise Friedrich Kiesler a aussi favorisé
    par des œuvres importantes l'idée de la
    sculpture comme environnement. Des
    maquettes de sa «maison infinie» (qui
    associait la sculpture et l'architecture) fu-
    rent exposées et reproduites à la fin des
    années cinquante et au début des années
    soixante. Comme Schwitters, dont le
    Merzbau annonçait aussi la sculpture en-
    vironnementale, Kiesler avait été en
    contact avec Dada et le constructivisme.

comme matériaux, préfiguraient le caractère vulnérable et aléatoire des installations post-minimalistes. De plus, par un étrange retour des choses, ses propositions de monuments qui, à l'origine, étaient destinées à railler le goût des Américains pour le colossal et le vulgaire, sont devenues réalisables et ont donné une forte impulsion au mouvement qui tend à faire sortir l'art des musées et à produire des sculptures publiques monumentales.

Paradoxalement, le premier «monument» d'Oldenburg était un témoignage pacifiste qu'il avait réalisé lorsqu'il travaillait à New Haven, ville de son *alma mater,* Yale University. Voyant dans une maquette du *Rouge à lèvres* monté sur chenilles, une métaphore évidente de la machine de guerre américaine au Vietnam, les étudiants de Yale financèrent la réalisation de l'œuvre qui devint un monument permanent en 1969. La guerre du Vietnam influa aussi sur le format des œuvres de Mark Di Suvero. Pour protester contre la guerre, il érigea à Los Angeles une *Tour de la paix* de 30 mètres de haut, puis partit pour l'Europe où il resta jusqu'à la fin officielle du conflit, travaillant en usine. La *Tour de la paix* fut sa première œuvre conçue à une échelle qui la rendait aussi visible qu'une architecture.

Sachant que l'art minimal est abordé ailleurs dans ce catalogue, je me contenterai ici de dire que ses représentants avaient l'ambition proclamée de créer un style ahistorique sans précédent repérable dans la tradition. Il n'en reste pas moins que la composante environnementale des happenings théâtraux a constitué une source d'inspiration pour le pop'art comme pour l'art minimal. L'accent mis sur les propriétés des matériaux était déjà implicite chez Brancusi. Ses œuvres ont aussi incité Andre, Morris, Judd, et peut-être d'autres, à utiliser des éléments modulaires de forme simple et à reconsidérer la signification au socle, tandis que les minimalistes, à l'instar de Kelly et Noguchi, refusaient le socle parce qu'il leur apparaissait comme un obstacle entre le public et l'espace de l'objet d'art.

L'édition des ready-mades de Duchamp en 1964 ramena le maître dada au premier plan des préoccupations. En 1951, l'anthologie des écrits et des œuvres des peintres et poètes dada réunie par Robert Motherwell avait remis l'avant-garde new-yorkaise en contact direct avec cette anti-tradition vers laquelle elle était spontanément attirée. A la fin des années soixante, des artistes comme Richard Serra, Keith Sonnier, Alan Saret et Bruce Nauman se mirent à contester l'esthétique minimaliste axée sur la *Gestalt,* et créèrent des constructions instables, placées dans un équilibre et une ordonnance aléatoires, qui donnaient le sentiment qu'elles allaient s'effondrer d'un moment à l'autre : ils s'inspiraient aussi de l'anti-tradition. Les photographies de Man Ray montrant des matériaux répartis au hasard ou l'accumulation de la poussière sur le *Grand Verre* de Duchamp *(Élevage de poussière)* étaient largement reproduites et très connues. Pour ce qui est des matériaux, les post-minimalistes allèrent même plus loin que les «sculpteurs de ferraille»: ils employèrent des chiffons, du feutre, des rubans et d'autres matériaux visiblement périssables dans des œuvres qu'ils voulaient éphémères dès lors que leur but était de faire échapper l'œuvre d'art à la condition de marchandise où l'avait ravalée un marché en pleine effervescence.

Eva Hesse, une des artistes les plus remarquables du post-minimalisme, dont les constructions poétiques aux connotations anatomiques suscitent des émotions très fortes, mourut en 1970, peu avant son quarantième anniversaire. Cette tragédie, à laquelle s'ajouta en 1971 la mort dans un accident d'avion de Robert Smithson, ce pionnier des *earthworks* qui utilisait le paysage comme d'autres artistes avant lui s'étaient servi de la technologie, mit fin à la grande période du post-minimalisme. Dans les années soixante-dix, beaucoup des artistes engagés dans la contestation sociale allaient se remettre à créer des objets, car il apparaissait clairement qu'au bout du compte même la position esthétique de l'anti-tradition risquait de se scléroser à son tour pour devenir une tradition, et que l'art finirait au musée quel que fût le lieu où, à l'origine, l'artiste avait eu l'intention de le montrer.

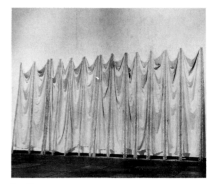

Eva Hesse
Expanded Expansion (1969)

Franz Meyer

La nouvelle sculpture des années soixante

L'apport essentiel à la sculpture innovatrice des années soixante a été fourni du côté américain par l'art minimal et ce qu'on appelle le post-minimal, du côté européen par Beuys, l'Arte povera et l'œuvre de quelques autres artistes. Pour une approche historique de ces deux groupes, il faut d'abord examiner les transformations subies par la notion d'œuvre d'art au cours des périodes précédentes. Ces transformations sont apparues d'abord dans l'expressionnisme abstrait de l'École de New York, donc dans la peinture. C'est ce mouvement qui a définitivement ouvert la voie à la peinture et à la sculpture nouvelles, ainsi qu'aux formes anti-traditionnelles de l'environnement et du happening.

Il convient de faire ici une distinction entre la portée immédiate de cette évolution et ses effets «à distance». La première est liée à l'influence de l'expressionnisme de Pollock, de Kooning et Kline, les seconds à l'influence du «all-over» de Pollock et des «champs colorés» de Newman. Les innovations fondamentales transmises à l'entourage immédiat sont la forme ouverte de la structure générale et le rôle essentiel des impulsions dynamiques comme porteuses du message. En sculpture on en retrouve l'écho par exemple chez Kricke, Caro et Luginbühl en Europe, chez Rickey et Snelson en Amérique. Dans certains cas l'analogie entre les formes picturales et sculpturales est plus précise. Ainsi chez David Smith, contemporain et ami des peintres expressionnistes abstraits, et chez des artistes plus jeunes, surtout Chamberlain et Di Suvero. Il faudrait rappeler aussi que Cy Twombly, certainement un des peintres les plus importants à s'être inspirés de l'expressionnisme abstrait, s'est mis dès 1955 à composer des sculptures qui semblent un écho des signes fugitifs et magiques que nous discernons dans sa peinture.

Les effets à distance procèdent d'abord d'une nouvelle lecture de Pollock. Ses peintures «all-over» de 1947 à 1950 suscitèrent assez rapidement l'intérêt des autres artistes. Mais leur cohésion quasi monolithique, liée à l'intensité dynamique de la texture, pouvait difficilement servir de modèle telle quelle. Les photos de l'atelier de Pollock, connues dès 1951, qui montraient l'artiste jetant de la couleur sur une toile étendue par terre, permirent de les envisager différemment. Prenant comme point de départ l'impression qu'elles communiquaient, Harold Rosenberg, en accord avec l'existentialisme de l'époque, parla d'*action painting,* attirant par là même toute l'attention sur le faire au détriment de la dimension iconique pourtant très singulière des œuvres. Mais en isolant l'acte créateur comme élément constitutif du phénomène d'innovation, Rosenberg poussa les artistes plus jeunes à réaliser des formes nouvelles, à produire des œuvres par l'intervention du corps. Cette tendance se traduisit par les activités du groupe japonais Gutaï dès 1955, par les *Anthropométries* d'Yves Klein, les happenings à New York ou les manifestations Fluxus en Amérique et en Europe, ainsi que par la symbiose chorégraphique-picturale de la *Modern Dance.* Le cinétisme européen, développant tardivement l'idée, chère au Bauhaus, de l'intégration du temps dans la structure de l'œuvre d'art, resta en dehors de cette évolution. Un seul artiste sut donner au mouvement concret d'un appareil le caractère d'une véritable action: Jean Tinguely, dont la machine autodestructrice *Hommage à New York,* exécutée à l'époque même des premiers happenings, inaugura un nouveau type d'œuvre d'art, la «sculpture-événement».

Pour en revenir au «all-over» de Pollock, on peut isoler deux autres éléments constitutifs du phénomène d'innovation, concernant cette fois l'ensemble de la trame de couleur projetée sur la toile: elle constitue d'abord un tout, une forme non additive perçue spontanément comme totalité, et se présente ensuite, bien que matériellement liée au support, comme virtuellement indépendante de lui, en donnant l'impression d'une peinture inscrite dans l'espace. Cette forme d'abstraction se différencie donc radicalement de toute l'abstraction issue du cubisme, où chaque forme se définit par rapport aux autres et à l'ensemble de la toile, en s'intégrant autant que possible à la réalité matérielle du plan du tableau.

Un bon exemple d'autonomie de la peinture par rapport à son support est le *Number 29* de Pollock, peint sur verre en 1950 face à une caméra, où l'immatérialité du support accentue l'impression que la trame de peinture se déploie dans l'espace même. Robert Rauschenberg, dont les premières «combine paintings» doivent beaucoup plus à de Kooning qu'à Pollock quant au style, se montra tout de même sensible dès 1955 à cette liberté spatiale du all-over: les «combine», tout en gardant le caractère de *paintings,* devinrent tridimensionnelles. Rauschenberg fut suivi par Allan Kaprow, dont les environnements (dès 1958-1959) permirent au spectateur d'abandonner sa position distante pour se promener dans la peinture même. La rencontre entre cette nouvelle forme d'art et le happening sous le signe du pop'art mena vers 1960 à la production d'objets divers, qui ne perdaient pas toutefois le caractère de projections tridimensionnelles de l'imaginaire pictural. Pour Claes Oldenburg, ce fut le début d'une œuvre de sculpteur éminemment poétique.

Jackson Pollock
Number 29 (1950)

Cette nouvelle sorte de sculpture doit beaucoup également à la notion de forme globale dans le «all-over» perçu comme totalité. Utilisant l'effet synthétisant de l'image d'un drapeau américain, qui occupait la surface entière du tableau, Jasper Johns avait déjà trouvé dans *Flag,* en 1955, un équivalent à cette particularité du «all-over» de Pollock. Le spectateur, avant d' «entrer» dans l'œuvre, est soumis à l'emprise de l'image. C'est aussi ce qui se passe avec les objets tridimensionnels que Johns reconstruisit à partir de 1959 par des procédés compliqués. Ces techniques furent banalisées par le pop'art, où les objets devaient servir de symboles de la société de consommation. Plus riche de conséquences paraît aujourd'hui la nouvelle interprétation de la forme picturale de *Flag* proposé par Frank Stella dès 1958. En n'utilisant que des bandes parallèles de la même couleur, il put se dispenser de l'effet synthétisant de l'objet évoqué: le spectateur, sans être arrêté par des formes intermédiaires, perçoit immédiatement la forme signifiante totale. Les idées de Stella sont déjà reprises en 1959 par le sculpteur Carl Andre. Elles le conduiront, en pleine période «minimale», à constituer de grands carrés ou rectangles en posant par terre bout à bout des plaques de métal carrées aux dimensions identiques.

Le terme d'«art minimal» renvoie à la réduction de la forme sculpturale à une stéréométrie simple et peu expressive. L'influence de la peinture est là encore décisive, en l'occurrence celle de Barnett Newman, mal comprise jusque vers 1960. De même que le «all-over» de Pollock, ces champs monochromes de couleurs profondes et lumineuses, rythmés par des bandes verticales (les «zips»), sont immédiatement perçus comme la totalité qui constitue l'œuvre. Et cette dernière oblige à se rendre compte que la perception possède également un mode d'action, qui se déroule *hic et nunc.* Avec *Die* de 1962, un cube en acier de 183 cm de côté peint en noir, un contemporain et ami, Tony Smith, essaya d'utiliser dans le même

Tony Smith
Die (1962)

sens un volume monolithique. Il s'agit d'une œuvre-manifeste, un peu en marge de la synthèse entre l'expressionnisme et la forme austère que représente par ailleurs la sculpture de Smith. Chez Ronald Bladen, on retrouve une synthèse analogue, mais monumentalisée, où c'est la tension entre le volume et l'espace architectural qui importe avant tout. Dans la génération suivante, Gene Highstein sut donner une force de suggestion semblable à ses installations, tandis que Joel Shapiro misa sur l'effet de réduction pour subvertir notre conception habituelle de l'espace.

Mais toutes ces œuvres n'appartenaient pas encore à l'art minimal proprement dit. Les solutions radicales furent apportées par des artistes plus jeunes que Smith ou Bladen. Ainsi Robert Morris créa d'abord (en 1961 ou 1962) des piliers, des parallélépipèdes et d'autres formes stéréométriques simples en contre-plaqué, peintes par la suite en gris: des volumes qui, en dehors de leur présence pure et simple, ne communiquent pas d'information spécifique, mais par le rapport de leurs dimensions à l'entourage restent quand même assez spectaculaires pour attirer et retenir l'attention. En tant que réalités sensibles indivisibles et spécifiques (à ce sujet les artistes utilisent le vocable allemand *Gestalt*, popularisé par les théories de von Ehrenfels et Köhler), ils sont perçus immédiatement comme un tout et forcent le spectateur à se rendre compte de son propre acte de perception. Après s'être intéressé un temps à des dispositifs inspirés par Marcel Duchamp, Morris revint en 1965 aux volumes simples, exécutés en contre-plaqué puis en fibre de verre et même quelquefois en grillage métallique (comme *Sans titre* de 1967, p. 136). A ce moment seulement, le monde artistique reconnut dans l'art minimal un mouvement représentatif.

Deux autres artistes avaient déjà vivement réagi au message innovateur de la peinture de Newman: Dan Flavin et Don Judd. Le premier, en travaillant avec des tubes de néon plaqués contre un mur, inventa une nouvelle dialectique de la forme et la couleur, celle-là étant représentée par le dessin net du tube, celle-ci par la lumière sur les parois et dans l'espace (*Untitled : To Donna,* 1971, p. 135). Le second, en tant que peintre d'abord, avait cherché à concentrer son attention sur les formes concises perçues immédiatement dans leur totalité. Mais il avait dû se rendre compte dès 1962 que l'action perceptive serait plus nette et plus concluante s'il utilisait des formes tridimensionnelles. Il s'agit d'objets en bois et métal, peints dans des couleurs crues, dont la forme spécifique ne sert qu'à les individualiser suffisamment pour que les facultés de perception soient stimulées. En 1965 il neutralisa encore leur charge expressive pour s'en tenir désormais aux effets produits par des matériaux plus «puritains»: l'acier, et ensuite le contre-plaqué et le béton. Longtemps, il n'utilisa en outre qu'un vocabulaire de formes extrêmement restreint, par exemple des boîtes ouvertes ou fermées, peintes ou divisées à l'intérieur, ou encore l'agencement régulier de parallélépipèdes disposés à la verticale et de cubes dans une succession horizontale. Le théâtralisme de Morris est ici complètement absent. Judd sut travailler avec un minimum de mise en scène, n'utilisant que les couleurs contrastantes de deux matériaux, de petites différences entre des éléments simples, voire la seule accumulation de tension produite par la répétition d'objets identiques, pour retenir suffisamment le regard. S'ajoute ensuite la transformation par la perspective de l'aspect de l'objet observé sous un seul ou plusieurs points de vue. Dans la série des «*Progressions*», Judd complique la situation en fixant autour d'une barre en aluminium clair des volumes colorés avec de la laque, qui apparaissent en dessous de la barre comme un accompagnement rythmique (*Daniel,* 1969). La longueur de ces volumes diminue à mesure que leur espacement s'accroît. Bien qu'aucun message ne l'attende à la fin de son parcours, le spectateur placé devant toutes ces œuvres continue de regarder et, au lieu de prendre connaissance, comme il y est habitué, d'une histoire, d'un état de la nature ou d'un rapport de force, il fait l'expérience de sa propre perception.

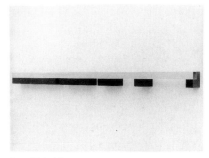

Donald Judd
Daniel (1969)

Deux autres artistes appartiennent au noyau de l'art minimal: Carl Andre, déjà cité, et Sol LeWitt. Le premier avait été impressionné par l'élémentarisme de la *Colonne sans fin* de Brancusi. La structure répétitive mise en évidence par les tableaux de Stella l'a orienté ensuite vers une sculpture presque toujours horizontale, fondée sur l'addition d'éléments identiques, qui transforme une parcelle de l'étendue d'espace en un lieu nettement déterminé par un acte (*144 plaques d'acier,* 1967, p. 133). Ce qui compte ici c'est cet acte de la pose, répété mentalement par le spectateur placé devant la totalité concrète de l'œuvre assemblée. Si LeWitt lui aussi additionne des éléments de base, des carrés ou des cubes, ni leur matérialité ni leur cohésion n'ont de signification particulière. Ce sont des unités conceptuelles, concrétisées plastiquement en barres qui soulignent la structure linéaire de leur configuration dans l'espace. Il y a d'une part les œuvres modulaires, additions d'unités, qui permettent d'appréhender les ensembles plus grands comme procédant d'une structure génératrice (*Five Part Piece,* 1966, p. 134), et d'autre part les œuvres sérielles, à permutations, où une variation systématique des caractères distinctifs des éléments aboutit au déploiement très spectaculaire de structures évolutives, sous forme de sculptures aussi bien que dans des dessins sur papier ou sur le mur. Il s'agit chaque fois d'un programme défini à l'avance, qui doit être exécuté mécaniquement. L'essentiel de l'œuvre réside dans son idée, considérée par LeWitt comme une machine à produire l'art.

Les artistes du «minimal» poursuivent donc des objectifs de nature différente. Chez Morris et Judd, deux intentions se conjuguent, celle de mettre le spectateur en présence d'une totalité perçue immédiatement, et celle de provoquer en lui l'expérience de sa propre perception. Andre, quant à lui, se propose d'inviter le spectateur à répéter l'acte qui a constitué l'œuvre, et LeWitt de lui faire retrouver dans l'œuvre l'idée qui l'a engendrée. Mais si les intentions fondamentales de ces artistes sont différentes, leurs recherches tendent toutes à une participation plus active du spectateur. Tous s'accordent pour donner à l'œuvre la fonction d'un instrument au service d'une expérience ou d'une action. Pour cette raison, la brève floraison de l'art minimal en tant que phénomène collectif a joué un rôle extrêmement important: tel un goulot historique, il a fait converger en lui toutes les innovations issues de l'expressionnisme abstrait, sous leur forme la plus radicale, l'accélération du courant favorisant un brassage jamais connu auparavant. C'est ce qui justifie l'appellation de post-minimal donnée à l'art qui se situe dans le prolongement historique de ce moment. Certains artistes insistent sur des phénomènes particuliers apparus dans ce brassage, d'autres s'opposent avec force au «formalisme» de l'art minimal et suivent quand même l'évolution qu'il a enclenchée. Parmi les tributaires directs, il faut citer les artistes de l'art conceptuel, certains proches de LeWitt qui avait déjà attribué cette dénomination à ses propres œuvres en 1967, d'autres poursuivant l'expérience perceptive au-delà du seuil de la visibilité. Quant à la sculpture, trois formes doivent être analysées: celle qui s'inspire des propriétés caractéristiques du matériau, celle qui tire parti de l'espace du paysage et celle finalement qui réserve une place particulièrement importante à la participation du spectateur.

Certains artistes réagirent dès 1966 contre l'aspect rigide et dur des objets stéréométriques. En tendant des cordes de caoutchouc pour marquer uniquement les arêtes des volumes, Fred Sandback essaya de les dématérialiser. Plus radicales sont les démarches des artistes qui, en s'inspirant des versions «molles» de certains objets d'Oldenburg, travaillèrent avec des matériaux souples ou flasques, qui se déformaient facilement, qui se mêlaient, s'étendaient ou retombaient, rendant palpables leur degré de malléabilité et leur poids. C'est ainsi qu'Eva Hesse tenta d'établir une analogie entre la sculpture et le corps humain et sut explorer tout un domaine expressif nouveau. Ses œuvres nous touchent par la façon dont elles témoignent d'un besoin d'identification existentiel. Même devant les œuvres dotées d'une plus grande autonomie sculpturale, où l'analogie perd son caractère littéral, nous percerons encore les allusions à l'ossature et aux vaisseaux (*Hang-Up,* 1965-1966, p. 225) ou à l'articulation des membres et à la conquête pénible de la station debout par l'homme (*Seven Poles,* 1970, p. 226).

La sensualité physique est encore plus prononcée dans les œuvres de Keith Sonnier : des étoffes lourdes en matériaux synthétiques sont maintenues dans certaines positions par des cordes et parcourues par la ligne courbe d'un tube de néon. Mais ces étoffes, pourtant plus sensuelles que les objets stéréométriques de Morris, ainsi que les formes découpées dans des tissus plus légers que Richard Tuttle fixe au mur (remplacées plus tard par des formes en papier et des fils de fer projetant des ombres), servent elles aussi à affiner la conscience de l'activité perceptive.

Dans le même esprit, Morris commença également, en 1967, à utiliser à côté des volumes «durs» des panneaux de feutre dans lesquels il avait pratiqué des coupures et qu'il accrochait au mur, laissant leur forme se déployer et s'affaisser par terre. L'identification de la forme, rendue plus difficile, devint ainsi un véritable défi pour le spectateur. Avec *Earth Work* de 1968, un tas de terre et de débris, Morris poussa encore plus loin dans ce sens.

Les œuvres les plus «anti-minimales» de cette époque sont dues à Richard Serra. Ses matériaux furent d'abord le caoutchouc ou le plomb liquides qui se solidifiaient, des tissus caoutchoutés, du plomb en feuilles laminées ou en plaques. Le comportement du matériau devient ici le processus qui détermine l'aspect de l'œuvre. Mais pour cet artiste, devenu sculpteur parce qu'il a été frappé par l'œuvre de Brancusi, l'action de la main devait répondre à ce processus (*Tearing Lead,* 1968, p. 227), les deux restant visibles et pouvant être retracés mentalement par le spectateur. Dans les «prop-pieces» de 1969, les plaques de plomb se soutiennent mutuellement; l'action physique de ce matériau, remplacé bientôt par l'acier, devient ainsi un principe de construction. Dans quelques œuvres Serra utilise aussi des cylindres allongés posés sur les plaques qui les tiennent en place (*5 h 30,* 1969, p. 227). L'apport le plus important de ce sculpteur, qui atteignit par la suite à une nouvelle monumentalité, a pour origine ces «prop-pieces».

Les premières étapes du travail sur le paysage sont étroitement liées aux conditions particulières à l'Amérique, surtout aux grands déserts de l'Ouest. Là, nous avons affaire à des types d'œuvres très différents. Celle de Michael Heizer apparaît comme une conséquence directe de l'art minimal, mais les formes élémentaires qu'il utilise sont creusées dans la terre. L'intervention du sculpteur ne produit pas un volume qui se détache comme un élément isolé, mais une interruption dans l'écorce terrestre; ce volume négatif est donc incorporé dans la morphologie de la nature. La monumentalité de certaines œuvres, notamment *Double Negative* (1969), fait penser aux monuments préhistoriques, qui ont d'ailleurs inspiré Heizer. L'artiste établit aussi des correspondances avec les mouvements de la nature, la météorologie ou l'histoire géologique, qu'il «corrige» par des déplacements spectaculaires de rochers.

Ce que d'autres artistes américains réalisèrent dans le paysage à cette époque représente, beaucoup plus que chez Heizer, le prolongement de leur travail de sculpteur dans l'atelier, en même temps qu'une orientation nouvelle de leur activité visant à solliciter la participation du spectateur. Ainsi de Walter De Maria, de Robert Smithson et de Dennis Oppenheim. En dehors du «land art», la volonté de faire participer le spectateur se trouve aussi au centre de l'œuvre de Bruce Nauman.

Le thème principal de De Maria est le comportement de chacun et son attitude devant les forces élémentaires qu'il rencontre, ainsi que devant des formes symboliques sur lesquelles s'appuie notre culture. L'artiste dépasse ainsi le domaine de l'art minimal axé sur le seul acte perceptif. Les premiers dispositifs destinés à solliciter le spectateur furent suivis par des sculptures qui plaçaient le spectateur

Michael Heizer
Double Negative (1969-1970)
Mormon Mesa, Overton, Nevada

Michael Heizer
Isolated Mass/Circumflex (1968)
Ancien lac Massacre, Nevada

Walter De Maria
Bed of Spikes (1968-1969)

Walter De Maria
Lightning Field (1967)

face au cycle de transformations continuelles des structures fondamentales et à leur agressivité latente réellement ressentie comme un danger. On songe ici à *Bed of Spikes,* 1968-1969. La configuration de cette œuvre sera reprise plus tard dans le *Lightning Field* installé sur un plateau du Nouveau Mexique (1977-1978). Les premières œuvres réalisées dans le paysage (*A Line in the Desert,* 1968, *Las Vegas Piece,* 1969) sont surtout destinées à approfondir le comportement perceptif: il s'agit chaque fois d'un parcours qui oblige à une expérience immédiate de l'espace du paysage, et de la nature en général. Ce travail se rattache à la tradition romantique du «sublime», dont Barnett Newman voulait faire le thème essentiel de l'art avant 1950. C'est un aspect que quelques artistes, dont Walter De Maria précisément, n'ont jamais perdu de vue.

Smithson n'est pas de ceux-là, et il a choisi des types de paysages différents pour ses interventions, par exemple son New Jersey natal. Il coordonne le travail à l'extérieur (site) avec le travail à l'atelier («non-site») pour susciter chez le spectateur une appréhension de l'état à la fois géologique et socio-historique de la terre. Dans les constructions monumentales *Spiral Jetty* (p. 228), *Broken Circle* et *Amarillo Ramp* aux formes symboliques (spirales ou cercles), Smithson cherchait à mettre en évidence l'interaction entre l'eau et la terre, pour rendre visibles les particularités des états biologiques associés à ces deux éléments.

Le projet d'Oppenheim était différent: il cherchait à confronter la réalité du paysage à des réalités conceptuelles (*Time Line,* 1968; *Cancelled Crop,* 1969). Mais ce n'est là qu'un aspect d'une œuvre extrêmement diverse consacrée surtout à l'étude du comportement humain, où le travail sur le corps de l'artiste lui-même joue un rôle important.

Ce dernier aspect se retrouve chez Bruce Nauman et Vito Acconci, qui ne se sont nullement intéressés au paysage. Si Acconci a commencé par le «body art» pour ne construire que plus tard des dispositifs destinés à inciter le spectateur à faire ses propres expériences, Nauman a réalisé dès 1965 des sculptures en tissu caoutchouté ou en fibre de verre qui correspondent à certaines attitudes du corps. Dans son œuvre, la sculpture sert d'abord à proposer des situations significatives permettant une réflexion sur le comportement, et ensuite à créer des environnements définis avec précision, où le spectateur, devenu participant, peut arriver à une perception accrue de lui-même et de ses propres attitudes. L'idée d'un parcours offert au spectateur apparaît de nouveau dans l'utopie ironique des *Models for Underground Tunnels.* On y retrouve les correspondances analogiques avec des gestes physiques de ses premières sculptures, dépassant cette fois le constat de la fragilité de l'existence grâce à la foi en la capacité de transformation de l'imagination créatrice.

Un autre artiste qui traite ce thème du comportement, Richard Artschwager, se situe en dehors du «land art» et du «body art». En 1963 déjà, il partait de la

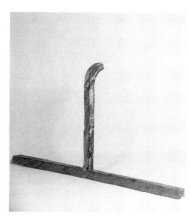

Bruce Nauman
Sans titre (1965)

Richard Artschwager
Book III: Laocoon (1981)

stéréométrie de l'art minimal pour transformer les objets en meubles fictifs. L'ambiguïté qui en résultait faisait que le spectateur hésitait entre plusieurs attitudes, se trouvait contraint à une sorte d'autocritique. En 1980, après un détour par d'autres types d'œuvres, Artschwager revint aux objets en accentuant encore l'équivoque ironique. Leur complexité ambiguë, hallucinante quelquefois, désamorce tout excès de confiance dans la rationalité.

Dans ce recensement des sculpteurs qui se manifestèrent pour la première fois dans les années soixante, il faut inclure les Californiens : Robert Irwin, l'aîné, et puis Jim Turrell, Michael Asher et Maria Nordman, connus pour leur travail avec la lumière et l'espace ou encore, en ce qui concerne Maria Nordman, avec des matériaux et des emplacements choisis en fonction des données culturelles particulières de chaque lieu considéré.

Les innovations radicales introduites par Pollock et Newman en 1950, depuis le caractère gestuel de la peinture et son autonomie spatiale jusqu'à sa perception comme totalité, ont été suivies par des vagues successives d'innovations plastiques, qui conservaient la vigueur de l'élan initial. C'est la raison même du rôle moteur de l'art américain jusque vers 1975. Mais déjà dix ans plus tôt, à l'époque de l'art minimal et d'une prise de conscience plus générale des transformations qui s'étaient accomplies, l'horizon européen, lui aussi, commençait à s'élargir.

Dès ce moment nous trouvons en Europe des artistes qui suivent des voies analogues à celles du post-minimalisme américain. Pour eux aussi, toute restriction concernant les matériaux utilisés ou le support de l'œuvre est supprimée. De même, le temps joue un plus grand rôle et le spectateur est appelé à participer davantage. Ce ne sont pas uniquement les sources d'inspiration américaines qui ont retenu l'attention des artistes. Le Nouveau Réalisme, réponse européenne à la poussée d'innovations engendrée par l'expressionnisme abstrait dans les années cinquante (et qui n'est pas traité ici parce qu'il relève fondamentalement de cette décennie) était encore florissant: que l'on songe à Tinguely, Arman, Spoerri et Christo. En outre, l'exemple d'Yves Klein, malgré la mort de l'artiste, n'avait pas perdu toute sa portée subversive. Dans le même ordre d'idées, il faut citer les recherches de Lucio Fontana et de Piero Manzoni, ainsi que de Dieter Roth. Mais la personnalité européenne la plus influente dès le milieu des années soixante était certainement Joseph Beuys.

Dans ce tissu d'innovations dont est faite l'histoire de l'art, la position de chaque artiste en Amérique, entre 1950 et la période 1970-1975, se détermine relativement à l'apport des prédécesseurs, des contemporains et des successeurs. Si la transformation de la nature même de l'œuvre d'art s'est notablement accélérée, c'est, en partie du moins, parce que chaque nouveau pas en avant pouvait se rapporter directement au précédent. La situation de Beuys, unique artisan d'une transformation radicale, était nettement différente. Bien que cet artiste, né en 1921, fût actif depuis 1946, ses premières manifestations remarquées par les initiés datent seulement de 1963, sa première exposition dans une galerie renommée de 1964, et dans un musée de 1967. Pendant les quinze premières années, Beuys travailla dans un isolement complet par rapport au monde artistique national ou international. En ce qui concerne cette période, on ne peut pas non plus constater de vraies parentés avec l'œuvre des artistes de la même génération en Europe; ce n'est que dans les années soixante que d'autres artistes se montrèrent sensibles à son travail, mais ils étaient pour la plupart beaucoup plus jeunes.

Cela ne veut pas dire qu'il n'y ait pas eu auparavant une correspondance entre l'aspect nouveau de son œuvre et la modification radicale de la forme artistique en Amérique que nous avons évoquée. Tandis que la physionomie de l'art informel en Europe, comme celle de l'art issu des premières vagues d'influence des pionniers en Amérique, était marquée par une explosion du subjectivisme, l'acte artistique chez Beuys se rapportait déjà et se rapporta toujours à des actions ou des transformations objectives de la réalité.

Il est vrai que chez lui l'engagement dans ce sens n'a pas commencé comme en Amérique par la remise en question des formes traditionnelles de la peinture, une attitude qui se nourrissait en fait de toute l'histoire antérieure du modernisme dont l'influence continuait à se faire sentir. Beuys, quant à lui, n'eut pas besoin de s'en libérer. Il s'inspira d'un fonds historique plus ancien, du romantisme et de la fin de siècle. Dans la pensée et dans l'art de ces deux époques, d'ailleurs liées entre elles, la fonction symbolique était assumée à la fois par la totalité de l'œuvre d'art et par ses thèmes. Suivant l'exemple de Cézanne, le XXe siècle héritier de cette tradition favorisa presque exclusivement le rôle symbolique de l'œuvre considérée dans son ensemble. De sorte que la forme, mesure de l'adéquation de chaque élément à l'ensemble, devint le principal critère de valeur: c'est la définition même du modernisme.

Beuys, par contre, resta toujours attaché à la fonction symbolique de l'œuvre d'art selon la conception des romantiques. D'où sa distance par rapport au formalisme de l'art moderne, devenu l'allié volontaire ou involontaire de l'esprit scientifique et technologique. Aucun déchirement donc dans son œuvre, contrairement à tant d'autres, entre le rationalisme du projet global et l'irrationalisme du message symbolique ou expressif. D'où aussi le caractère particulier de l'objectivité de sa méthode artistique: ce ne sont pas des images d'un équilibre idéal qu'il communique, ni des états d'âme, mais, sur le plan analogique de l'expression artistique, des témoignages concernant la réalité. Cette objectivité réaliste le rapproche, encore une fois, de l'art innovatif américain des années soixante.

Beuys utilisait le dessin (avec des effets quelquefois fortement picturaux) pour se concentrer sur certaines données. C'est là une forme de recherche et de pensée agissante qui a permis à l'artiste dès 1945 de s'approcher de plus en plus d'une conception du monde capable d'intégrer des aspects discordants.

Sa sculpture, qui participait au début de la tradition symboliste, changea d'aspect en 1952. Elle servait désormais à fournir des témoins tangibles de la pensée en action. Cette nouvelle fonction demandait l'abandon de beaucoup de conventions enracinées relatives à la sculpture, notamment le renvoi constant à la forme idéalisée ou à l'expression subjective. Beuys, qui était resté en dehors du modernisme, sut y renoncer. En revanche, la matérialité de l'œuvre et sa position dans l'espace réel revêtaient à présent de nouvelles significations. Beuys utilisa des objets dont la structure et la fonction anciennes devaient transmettre des messages spécifiques, ainsi que des matières (la graisse, le feutre, etc.) dont les propriétés physiques ou chimiques correspondaient à des possibilités d'action bien déterminées (*Schneefall*, 1965, p. 210, *Site*, 1967). Ces objets et ces matériaux permettent de représenter symboliquement des mécanismes énergétiques comme la transmission des charges électriques, et aussi les oppositions binaires froid/chaud ou état cristallin/état amorphe. Puisqu'il s'agit toujours d'une pensée en action, chaque élément renvoie à l'autre: c'est le mouvement que le spectateur est censé percevoir et tout contribue à déclencher dans son esprit un processus analogue.

Vers 1960, Beuys assimila immédiatement les formes artistiques nouvelles de l'environnement et de l'œuvre comme action. Le premier concept permettait d'agrandir la sphère d'opération, le second autorisa les tranformations décisives. Participant à «Fluxus» dès 1962, Beuys s'en sépara bientôt pour développer dans les années soixante ce troisième aspect essentiel de son œuvre qu'était la performance. Beaucoup d'objets présentés aujourd'hui comme des sculptures ont été conçus à l'origine pour fonctionner dans ce contexte et, bien qu'il s'agisse d'œuvres indépendantes, ils prennent tout leur sens par référence à un processus très précis d'action et de pensée (*Hauptstrom,* 1967, *Eisenkiste aus «Vakuum-Masse»*, p. 212).

Joseph Beuys
Site (1967)

Sorte d'élargissement de l'activité sculpturale, la performance confronte le spectateur non seulement avec des objets, mais aussi avec l'intervention physique de l'artiste et finalement avec la dimension temporelle. Un élargissement analogue est représenté par l'action pédagogique et politique dès 1968: l'œuvre sculpturale de Beuys se déploie sur plusieurs plans, d'abord le double plan de la production d'objets et de la performance, ensuite celui de l'action dans la vie et enfin celui de la pensée.

Pendant l'époque correspondant au post-minimalisme américain, Beuys resta le sculpteur le plus actif et le plus influent en Europe. Mais l'apport d'une vingtaine d'autres artistes n'est pas négligeable non plus.

En première ligne, il faut mentionner la personnalité singulière de Marcel Broodthaers, ce poète qui choisit l'objet comme moyen d'expression parce qu'il le jugeait plus apte que les mots seuls à transmettre l'ambiguïté des attitudes. L'artiste utilisait l'objet, en l'opposant au langage, pour déclencher une réflexion critique, teintée d'ironie, sur le monde artistique et la culture. Quelques autres artistes rendent compte par leurs œuvres de la diversité des centres d'intérêt à l'époque. Ainsi le Hollandais Jan Dibbets, dont les séries de photos suggèrent des sculptures purement imaginaires, le Belge Panamarenko, constructeur utopiste d'appareils aéronautiques, le Français Christian Boltanski, présentateur de reliques fictives de son enfance qui nous renvoient à notre histoire intime, et le Suisse Franz Eggenschwiler qui convertissait des objets en signes sans entamer pour autant leur mutisme obstiné et expressif. Parmi les Allemands, il faut surtout citer (outre Rückriem dont il sera question plus loin) Franz Erhard Walther, qui inventait des accessoires pour des actions destinées à stimuler chez le spectateur la prise de conscience de son propre corps et de sa relation aux autres, Klaus Rinke, qui s'attachait à visualiser les mouvements de l'eau, le temps ou la pesanteur, et Reiner Ruthenbeck, qui jouait sur des effets de tension (tiges flexibles attachées à des étoffes) ou d'équilibre apparemment instable (disposition de certains objets) pour provoquer une activité perceptive plus intense.

On a pris l'habitude de désigner l'art italien de cette époque par l'appellation *Arte povera* («art pauvre»). Ce terme fut utilisé un temps pour caractériser une tendance internationale de la fin des années soixante, avant d'être réservé à la seule contribution des Italiens. L'aîné, Mario Merz, commença une carrière de peintre et travailla dès 1967 avec des tubes de néon, qui transperçaient des objets comme des flèches ou composaient des inscriptions insérées dans la cire, pour visualiser l'énergie spirituelle transformant la matière. Merz utilise l'effet sensuel produit par certains matériaux comme la pierre, la terre, le bois, des métaux ou le verre, mais aussi l'accumulation d'objets, comme des fagots de bois, des monceaux de fruits ou même des piles de journaux. Les matériaux et les objets servent à recréer les caractères de l'espace humain primitif dans des maisons en coupole, appelées «igloos» (*Igloo de Giap*, 1968, p. 218), ou à faire la démonstration des lois de progression des phénomènes de la vie, sur le modèle de la suite récurrente du mathématicien Fibonacci. Merz ne renonce pas à la richesse sensuelle de la peinture: des images quelquefois gigantesques de figures, de plantes ou d'animaux préhistoriques accompagnent la sculpture et répondent aux résonances spirituelles des structures conceptuelles (*Vento preistorico*, p. 219).

L'Arte povera n'est nullement uniforme. Douze personnalités marquantes, sans compter Mario Merz, occupent une place importante dans l'histoire de ce mouvement, mais nous devons nous contenter ici d'évoquer brièvement l'œuvre d'Anselmo, de Fabro, de Paolini, de Kounellis, de Zorio et de Penone, et nous borner à citer le nom des autres: Marisa Merz, Michelangelo Pistoletto, Pino Pascali, Alighiero Boetti, Pierpaolo Calzolari et Salvo.

Pour chacun d'eux la sculpture est de nature matérielle et immatérielle à la fois. Ainsi Giovanni Anselmo utilise des objets pour attirer l'attention sur des faits que nous ne percevons pas dans les circonstances normales. Par exemple des accumulations d'énergie (*Torsion*, 1968, p. 223), la dilatation et la contraction d'une barre de fer (*Respiration*, 1969, p. 221) ou la très lente perte de substance d'une autre barre attaquée par la rouille sur une toute petite surface. Le mot «*infinito*», projeté sur les alentours avec un réglage optique qui le rend flou, doit nous rappeler précisément la finitude de ce que nous voyons, et le mot «*particolare*» la nature fragmentaire (eu égard à la totalité du monde) des objets.

Giulio Paolini
Senza titolo (1962)

L'œuvre de Luciano Fabro est plus complexe. Pour évoquer la bipolarité matériel-immatériel, il fait souvent appel à des stéréotypes, tels que le contour géographique de la botte italienne, à des formes puisées dans l'iconographie traditionnelle ou à des éléments d'architecture classique. Il les confronte avec des matériaux quelquefois très précieux, choisis avec un soin extrême, qui redéfinissent chaque fois le contenu des thèmes et incitent à réfléchir sur eux. Un bon exemple en est fourni par le *Pied* (p. 224), une œuvre qui existe en plusieurs versions, en marbre ou en verre, drapées dans de la soie de couleurs différentes. Le thème est en l'occurrence la figure humaine en tant que sujet artistique, la statue représentée par un attribut emblématique : le pied sur lequel repose le poids et le vêtement. L'imagination brode sur ces éléments, qu'elle transforme pour atteindre finalement un degré de réalité fantasmatique extraordinaire.

Giulio Paolini appartient, avec l'Américain Joseph Kosuth et le Français Daniel Buren sur lequel nous reviendrons, à ce courant de l'art conceptuel qui s'est attaché à analyser la nature et la fonction du fait artistique. Dès 1962, Paolini entreprit un questionnement sur les éléments constitutifs du tableau en tant que tel, plus particulièrement la réalité physique du châssis et de la toile, la structure de la surface picturale et son sujet. La multiplication des thèmes de réflexion, tels l'idéal artistique de la représentation fidèle (*Mimésis*), le rôle de la mémoire garante de la continuité culturelle (*Mnémosyne*) ou les mythes concernant le destin de l'artiste, allaient de pair avec l'élargissement des compositions, qui rappellent quelquefois des mises en scène savamment orchestrées.

Dans le cadre de performances à caractère très personnel, Jannis Kounellis, d'origine grecque, avait déjà commencé en 1958-1958 à peindre sur fond blanc des lettres, chiffres et autres signes qui traduisaient le mouvement même de l'action. Nous retrouvons dans son travail avec des objets, vers 1967, la même vitalité et la même sensualité picturale. Mais c'est toujours en qualité de signes que Kounellis y introduit des matériaux bien particuliers (*Sans titre*, 1968, p. 220), des objets trouvés, des flammes de brûleurs à gaz, des plantations de cactées (*Sans titre*, 1967, p. 220), un perroquet sur son perchoir ou même une douzaine de chevaux rassemblés dans une galerie. Tout concourt à conjurer la force élémentaire que se manifeste dans tout être vivant et qui régit l'ordre du monde. Pour communiquer la sensation de cette présence, Kounellis utilise même la danse classique et la musique, ou bien l'image mythique d'Apollon, qu'il incarne lui-même, sous un masque en or. A la suggestion par la lumière répondent le noir de la suie que laissent les flammes, des dessins de crânes empilés, et les murs en pierre qui bouchent des ouvertures. Dans cet art qui possède une forte charge poétique, la mort n'est pas moins présente que la vie.

Gilberto Zorio et Giuseppe Penone sont les plus jeunes représentants de l'Arte povera. Zorio privilégie le thème de la purification, et ses œuvres en donnent une démonstration symbolique. Ce sont des formes gonflées, des étoiles percées par des tubes ou des ensembles d'outres et de récipients contenant de l'alcool ou des produits chimiques, destinés à purifier les paroles qui les traversent avec le souffle humain (*Pour purifier les paroles*, 1967-1968, p. 222). Le même rôle purificateur est dévolu aux formes symboliques de l'étoile, déjà mentionnée, et du javelot,

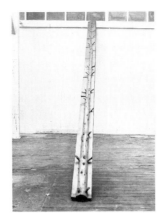

Giuseppe Penone
Arbre de 5 m (1972)

Ulrich Rückriem
Bloc géométrique haut (1968-1969)

dont la trajectoire est censée représenter l'énergie de l'action humaine, libérée de l'emprise de la matière.

Chez Penone il faut distinguer une première période de travail à la campagne et une seconde en ville. Au cours de la première période, la nature lui procurait ses sujets; c'étaient surtout des arbres, dont il «rectifiait» la croissance par ses interventions (à partir de 1968). Dans une autre œuvre, en laissant intacte la moitié d'un bloc de bois équarri et en dégageant de l'autre moitié la forme exacte du tronc et des branches de l'arbre d'origine à un moment précis de sa croissance, il analysait la relation entre le rôle conceptuel de notre idée de l'histoire et la réalité tangible. Plus tard, en ville, son propre corps et ses relations à l'entourage deviennent l'objet de ses recherches. Aveuglé par des verres de contact à réflexion, il présente au monde un visage durci par l'absence de regard et la luminosité artificielle des yeux. Souvent, il agrandit des empreintes de sa peau et en fixe une projection sur le mur. Plus mystérieuses encore sont les demi-figures creuses en argile, en forme de moitiés de bouteilles, les *Soffi* qui renferment des empreintes de visage et révèlent par là qu'elles abritent symboliquement le souffle humain.

Chez chacun des artistes appartenant à l'Arte povera, on pourrait mettre en évidence des analogies avec l'art post-minimal américain en même temps que des aspects spécifiquement européens. Les œuvres de trois autres artistes, l'Allemand Ulrich Rückriem, l'Anglais Richard Long et le Français Daniel Buren, permettent de distinguer plus précisément ce qui dans la démarche de ces Européens ressortit à leur propre tradition d'une part et aux innovations américaines de l'autre.

L'importance des gestes du sculpteur et des opérations subies par la matière dans l'œuvre de Rückriem fait penser à Andre et Serra. Comme eux, cet artiste applique un concept de travail dont les traces restent visibles et permettent au spectateur de reconstituer le processus. Mais au lieu de la disposition d'éléments neutres comme chez Andre, son travail porte sur diverses manières de traiter la pierre. Contrairement à Serra, Rückriem n'utilise non plus les propriétés physiques de la matière elle-même comme principe de construction. Le système conceptuel concerne ici le rapport entre les différentes manières de diviser la pierre, de la scier ou de la fendre, d'en traiter la surface, travaillée au ciseau, aplatie ou même polie comme un miroir, pour reconstituer ensuite un tout à partir des mêmes éléments. Comme les Américains, Rückriem se propose de restituer à la sculpture sa présence originelle, c'est-à-dire sa capacité de définir un lieu dans l'espace, et d'inviter le spectateur à assister aux dialogues qui s'instaurent simultanément entre le tout et ses parties, et entre le bloc de pierre et son environnement. Rückriem parvient lui aussi à obtenir ces résultats en restant en prise directe sur les attitudes de notre temps. Mais en renonçant au neutralisme des éléments et à l'action constructive du matériau, il atténue le radicalisme de sa démarche. Le recours au prestige ancestral de la pierre correspond chez lui à un attachement plus général aux formes traditionnelles de la sculpture.

L'œuvre de l'Anglais Richard Long paraît très proche des stratégies du «land art» américain. Mais il y a apporté son intérêt profond pour l'expressivité du paysage, caractéristique de la culture anglaise depuis le XVIIIe siècle, et sa passion pour les promenades solitaires, autre héritage britannique. Comme son ami Hamish Fulton, et en accord avec le conceptualisme de l'époque, il soumit ces promenades à des programmes déduits de la topographie, du système cartographique ou de leur durée. Tandis que Fulton ne conserve de ces exploits que des photographies, Long avait commencé en 1968 à laisser dans le paysage certains signes bien distincts en étroite correspondance avec le site, utilisant pour cela de la pierre ou du bois trouvé sur place. Le bois ou d'autres matériaux naturels lui serviront peu après pour son travail dans des intérieurs, la sculpture évoquant cette fois la nature. En n'employant plus tard que des pierres ou des morceaux de bois de caractère semblable, chaque fois posés par terre selon un schéma établi d'avance, il peut sensibiliser le spectateur à leurs formes naturelles fortuites grâce à l'opposition avec la géométrie rigoureuse des cercles et des rectangles où elles sont inscrites. L'impression monumentale qui se dégage de ses sculptures repose sur la dialectique de la matière rendue expressive et de la forme élémentaire. En partant de sa propre tradition nationale, mais en mettant pleinement à profit les innovations américaines, Long sut ajouter à l'histoire de la sculpture un chapitre très particulier et tout à fait inédit.

La position de Daniel Buren est différente. Peintre, il réduit l'«œuvre» en 1966 à des toiles rayées de blanc et de couleur dans le sens de la verticale, éliminant ainsi tout contenu spécifique. Ce qui compte, c'est la fonction de l'œuvre dans le contexte particulier où elle apparaît: l'étoffe peut être collée sur des panneaux d'affichage, fermer un passage, couvrir un mur dans un musée ou y servir de rideau, ou encore plus discrètement, être placée sous un «vrai» tableau d'une collection. Même dispersées de cette façon-là, laissant à peine percevoir leur présence, les toiles gardent leur identité, rappelée chaque fois par la peinture en blanc de la dernière rayure, sur la droite du motif imprimé. Parce qu'elle est un témoin du rôle habituel de l'art, l'œuvre permet d'analyser ce rôle dans le cadre d'un musée, d'une galerie ou d'un lieu public. L'analyse porte sur les attitudes des milieux artistiques et du public, le rôle des institutions et les rapports entre la culture et la société. Buren s'est orienté plus tard vers des œuvres de plus grandes dimensions capables de transformer l'espace. Mais déjà avant ces environnements, toute l'opération concrétisée par les bouts de tissu fixés au mur mérite d'être considérée comme de la sculpture conceptuelle. Bien qu'il y ait des analogies, du côté américain, avec les «investigations» de Kosuth, l'analyse de Buren suit un cours différent; sa spécificité repose certainement sur la clarté rationaliste et l'engagement social de la pensée française.

Après avoir brossé ce panorama, comment classer les différentes manières nouvelles d'aborder la sculpture? Les réponses à deux questions permettent d'établir des typologies: l'une concerne la forme que prend la participation du spectateur, l'autre le champ d'expérience auquel il pourra accéder.

On peut ainsi distinguer trois formes de participation du spectateur: la perception pure et simple, considérée sous son aspect actif, la récapitulation mentale et spontanée du procès de l'acte créatif, et enfin l'activité physique. Il est bien entendu qu'un artiste fait souvent appel à une forme de participation à une certaine époque et à une autre plus tard, voire à plusieurs en même temps avec une œuvre donnée. Pour prendre des exemples, l'art minimal de Judd et de Morris correspondrait au premier type, la performance ainsi que certaines œuvres de

Richard Long
Une ligne dans l'Himalaya (1975)

LeWitt (récapitulation de la genèse d'une œuvre engendrée par une idée), d'Andre ou de Rückriem (récapitulation de l'action de l'artiste) et de Serra (récapitulation de l'action conjuguée de la matière et de la main) au deuxième, enfin les «parcours» de De Maria ou de Nauman au troisième.

La seconde typologie prend en compte le caractère spécifique de l'expérience du spectateur. Les sept groupes que l'on peut distinguer se situent par rapport à la polarité subjectif-objectif. A l'intérieur de chaque champ d'expérience nous pouvons de nouveau classer les œuvres d'après la forme que prend la participation du spectateur.

En commençant par le pôle de la subjectivité, nous distinguerons le champ d'expérience de la perception de soi-même en tant qu'individu appréhendant le monde (1) de celui de la perception de soi-même en tant qu'individu adoptant certaines attitudes (2). L'art minimal dans tous ses aspects est représentatif du premier groupe; certaines sculptures de De Maria et d'Artschwager, ainsi que les œuvres de Franz Erhard Walther, du second.

Un premier décalage vers le pôle de l'objectivité nous amène au thème du corps et de l'intimité personnelle (3), puis au langage et à la dimension linguistique de l'art (4). Les représentants sont cette fois Eva Hesse, Nauman, Dennis Oppenheim, Acconci, Boltanski et Penone pour le groupe 3, Broodthaers, Nauman encore, Paolini et Buren pour le groupe 4. Un peu plus loin nous trouvons le thème de la nature (5), et ceux de la culture et de la société (6). Pour le groupe 5 nous citerons Heizer, De Maria, Smithson, Long, mais aussi Rinke, Anselmo et Penone, pour le groupe 6 les artistes déjà mentionnés pour le groupe 4 ainsi que Pascali, Pana-marenko et Oppenheim (avec ses dispositifs d'après 1973), dont les œuvres constituent des réponses à l'agressivité, à l'utopie et à l'irrationalité de la technologie.

Le dernier champ d'expérience représente une synthèse de la nature et de la culture, qui correspond à la vision globale du mythe. Nous trouvons des éléments d'une réévaluation du mythe et des références à des mythologies anciennes chez Merz et Kounellis, chez Fabro et Zorio, chez Smithson et Long. Mais là encore c'est Beuys qui fournit l'exemple le plus significatif. Les traditions mythologiques ont toujours joué un rôle important dans sa réflexion personnelle et dans le symbolisme de son art. On peut en outre voir dans son œuvre une tentative visant à redonner à l'art son rôle et son pouvoir spirituels, autrefois assumés par le mythe et appelés à pénétrer tous les aspects discordants de la réalité, tout en rétablissant la continuité entre les origines et le présent.

Jean-Pierre Criqui

Actualité de Robert Smithson

« Et in Utah ego. »
R. Smithson
The Spiral Jetty

Longtemps peu ou mal connue en France, si ce n'est par les habituels clichés (photos et idées toutes faites) concernant *Spiral Jetty,* l'œuvre de l'artiste américain Robert Smithson a fait l'objet au début des années quatre-vingt, sous l'impulsion de Robert Hobbs et du Herbert F. Johnson Museum of Art de Cornell University, d'expositions rétrospectives qui l'ont consacrée comme une des plus importantes de ces vingt dernières années. « Robert Smithson : Sculpture » a circulé en 1980-1982 dans plusieurs grands musées américains, dont le Whitney Museum de New York, et connu divers prolongements, notamment au pavillon américain de la Biennale de Venise durant l'été 1982 et à l'ARC/Musée d'art moderne de la Ville de Paris de novembre 1982 à janvier 1983.

Robert Smithson est mort dans un accident d'avion le 20 juillet 1973, pendant le repérage du site d'*Amarillo Ramp,* un de ses *earthworks*[1]. Il était âgé de trente-cinq ans. Les caractéristiques fondamentales de cette œuvre arrêtée brusquement, en plein développement, font qu'elle occupe une place symptomatique dans le champ de l'art actuel. A quoi tient l'actualité de Robert Smithson ?

De même que des artistes comme Robert Morris, Carl Andre, Sol LeWitt, Donald Judd, Bruce Nauman, Michael Heizer, Dennis Oppenheim ou Walter De Maria, Smithson opère à partir de ce que Rosalind Krauss a nommé l'« espace de la pratique postmoderniste »[2]. En effet, on pourrait dire de lui qu'il « n'est pas un spécialiste d'un travail particulier, mais un artiste engagé tout entier dans une multiplicité de techniques », ainsi qu'il l'avait écrit lui-même à propos de Donald Judd[3] : sculpture apparentée, plus ou moins justement, à l'art minimal, installations mettant en relation une pièce dans la galerie ou le musée avec un lieu extérieur, « actions » à caractère temporaire dans le paysage, *earthworks,* écrits, dessins, photos, films, collages, projets de récupération de terrains abandonnés par l'industrie en vue de leur recyclage artistique, en dix ans à peine d'activité les domaines les plus divers ont été abordés[4]. Mais tous sont à mettre en relation, car ils renvoient à des idées de première importance pour Smithson : refus de fonder une approche des différents arts sur leur séparation rigoureuse, abandon d'une pratique d'« atelier », établissement d'une dialectique entre le visible et le non-visible, entre le centre et les bords, manifestation d'une loi d'entropie générale. Il serait donc difficile, et singulièrement ambigu, de définir Smithson uniquement comme un « sculpteur », puisqu'on peut le dire également « écrivain », « critique d'art », « dessinateur » ou « photographe », sans que ces activités ne soient forcément secondaires par rapport à sa sculpture (la pertinence de ce dernier terme en ce qui concerne les *earthworks* ou les pièces installées en intérieur demandant aussi sans doute à être discutée).

Une telle conception de l'art et de l'artiste s'oppose très directement, en une sorte d'avatar de la querelle du *paragone* (cette comparaison des mérites respectifs

1 *Earthwork :* réalisation de grandes dimensions, construite en plein air et mise en relation avec son site d'implantation, dont on peut dire qu'elle manifeste une conception de la sculpture comme « lieu »; je garde le terme américain par commodité, en l'absence d'équivalent français vraiment satisfaisant.
2 Rosalind Krauss, « Sculpture in the Expanded Field », *October* nº 8, printemps 1979. Repris dans *The Originality of the Avant-Garde and Other Modernist Myths,* Cambridge (Mass.), 1985.
3 « Donald Judd », dans *The Writings of Robert Smithson,* rassemblés et présentés par Nancy Holt, New York, 1979.
4 Robert Hobbs distingue neuf catégories dans l'activité artistique de Smithson (compte tenu de son activité de peintre à la fin des années cinquante) : « pré-sculpturale », « biologique de transition », « quasi minimaliste », « cartographique », « dialectique », « conceptuelle narrative », « gravitationnelle », « monumentale » et « de récupération de terrains ». *Cf.* R. Hobbs, « Introduction », dans *Robert Smithson : Sculpture,* sous la direction de R. Hobbs, New York, 1981.
5 Leo Steinberg, « Other Criteria », dans le

de la peinture et de la sculpture tant prisée par les artistes et les érudits de la Renaissance italienne), aux idées des critiques dits « modernistes » ou « formalistes », à savoir Clement Greenberg et ses disciples. On sait l'influence qu'eut Greenberg sur le monde de l'art américain de l'après-guerre, lorsque New York supplanta Paris en tant que capitale mondiale de l'art. Influencé par Benedetto Croce et par les premiers critiques formalistes anglo-saxons Clive Bell et Roger Fry, ce qui lui permit une rigueur nouvelle dans l'analyse des éléments formels des œuvres d'art, Greenberg n'en élabora pas moins une histoire de la peinture moderne sur l'idée d'un courant principal qui va de Manet jusqu'à Morris Louis ou Kenneth Noland en passant par Cézanne, Picasso et Pollock, selon ce que Leo Steinberg a appelé plaisamment « the corporate model of developing art », autrement dit en considérant la peinture comme « une technologie évolutive à l'intérieur de laquelle, à chaque instant, des tâches spécifiques requièrent des solutions et s'imposent à l'artiste à la manière des problèmes qu'ont à résoudre les chercheurs des grandes compagnies industrielles »[5].

Dans le domaine de la sculpture, la critique moderniste s'intéressera tout spécialement à une sculpture faite d'éléments assemblés, soudés, comme celle de Julio González, de David Smith ou d'Anthony Caro, ce qui la conduira par exemple à faire l'impasse sur l'œuvre d'Arp et sur une grande partie de celle de Brancusi. Ce mode d'exclusion particulièrement sévère se fonde en fait sur la foi en une recherche de l'« essence » de l'art à travers ce qui serait ses conditions les plus spécifiques, ainsi que l'explique Greenberg lui-même dans un texte resté célèbre :

« L'essence du modernisme réside, à mon avis, dans l'usage des méthodes caractéristiques d'une discipline afin de critiquer cette même discipline — non pour la subvertir, mais pour la cantonner plus nettement dans son aire de compétence [...] Chaque art a dû déterminer, par une opération qui lui est particulière, l'effet qui lui est strictement particulier [...] Il en résulta rapidement que le champ de compétence propre et unique de chaque art coïncidait avec ce que la nature de son moyen d'expression avait d'unique. Le but de l'autocritique devint l'élimination, dans les effets de chaque art, de tout ce qui avait pu être emprunté aux effets des autres arts. »[6]

Cette séparation rigoureuse entre les divers arts est pour Smithson l'erreur radicale de la théorie moderniste[7]. En surdéterminant les productions réductibles au dogme et en laissant de côté les autres, jugées déviantes ou ahistoriques, elle ne peut mener qu'à un académisme[8]. C'est de plus, comme tous les purismes, une vision téléologique de l'art, qui le suppose en progression graduelle vers son acmé, de la même façon que pour Marx (et Greenberg est marxiste, ou du moins l'a longtemps été) le socialisme était censé mener au communisme puis à la disparition de l'État. Si ce culte de la planéité veut évacuer toute perspective illusionniste de la peinture, il n'en est pas moins placé sous le joug de la perspective historique, tout aussi illusionniste pour quelqu'un comme Smithson qui pense avec Nabokov que « l'avenir n'est que l'inverse du périmé »[9]. Smithson maintiendra cette position constamment : « Il me semble que toute tendance à la pureté suppose également un achèvement, et cela signifie qu'il y aurait une quelconque pertinence en art. Je pense comme Flaubert que l'art est la poursuite de l'inutile, et plus les idées sont vaines plus je les aime, n'étant pas prisonnier de la recherche de la pureté. »[10]

Rien que dans le champ de la sculpture, Smithson rompt deux fois avec la tradition moderniste : en (ré)intégrant les notions de temps et de site. Le temps est un facteur capital dans une de ses toutes premières pièces, *The Eliminator,* qui comprend un néon rouge placé entre des miroirs et s'allumant puis s'éteignant à intervalles réguliers (un texte accompagne la pièce : *The Eliminator* est une horloge qui ne donne pas l'heure, mais la perd *(« a clock that doesn't keep time but loses it »).* Les intervalles entre les flashes de néon sont des « intervalles vides », ce que George Kubler appelle la « rupture entre le passé et le futur ». « *The Eliminator*

recueil d'articles du même titre, New York, 1972.

6 Clement Greenberg, « Modernist Painting », *Arts Yearbook 4* (1963), repris (entre autres) dans *The New Art,* présenté par G. Battcock, New York, 1966.

7 « La séparation de l'art en catégories telles que peinture, architecture et sculpture est sans doute une des choses les plus malheureuses que l'on ait pu faire. Maintenant ces catégories éclatent en catégories toujours plus nombreuses, c'est une avalanche de catégories. » (« What is a Museum ? », entretien de Robert Smithson avec Allan Kaprow, 1967, dans *The Writings of Robert Smithson, op. cit.*).

8 *Cf.* l'excellente définition donnée par Robert Klein : « On peut définir l'académisme par ce postulat que toute œuvre d'art est la solution approximative d'une tâche qui comporte une solution idéale, le rôle du critique étant alors de comparer les deux solutions. » (R. Klein, « Notes sur la fin de l'image », dans *La Forme et l'intelligible,* Paris, 1970.).

9 Cité dans « Entropy and the New Monuments » (1966), *The Writings of Robert Smithson, op. cit.*

10 « What is a Museum ? », *loc. cit.*

ordonne négativement le temps tout en évitant l'espace historique. »[11] D'autre part on peut dire que le modernisme en sculpture avait rompu totalement avec le site, avec un lieu d'intégration donné, et, par une annexion croissante du socle à l'intérieur même de l'œuvre, fait de l'objet sculpture un objet autonome, cela, peut-être, depuis le *Balzac* de Rodin, qui ne put devenir ce qu'on attendait de lui ni être placé là où on l'avait prévu[12]. Smithson, dès la série des *Sites/Nonsites,* puis de façon évidente avec les *earthworks,* réintroduira le rapport site/sculpture, jusqu'à faire même de la sculpture un site, un lieu dont l'occupation comporte, elle aussi, une dimension temporelle évidente.

Il peut être intéressant de comparer Smithson et Frank Stella, une autre personnalité centrale de l'art américain à partir de 1960. Smithson, qui faisait à la fin des années cinquante une peinture de type « expressionniste abstrait » dans la lignée de Pollock et de Kooning, peinture reniée et presque entièrement détruite par la suite, débute sa carrière de « sculpteur » en s'inscrivant en opposition, entre autres choses, à une peinture de cette sorte, supposée porter la trace, le témoignage, des conflits internes de l'artiste (c'était l'opinion, notamment, du critique Harold Rosenberg). Stella, qui a sa première exposition en 1959 à New York, réagit également contre une telle conception, mais il reste sous l'influence de la pensée moderniste dans la mesure où, ayant décidé de débarrasser la peinture de toute valeur expressive, il s'assigne comme tâche la résolution des « problèmes formels » laissés en suspens selon lui par ses prédécesseurs directs : élimination radicale de toute possibilité d'illusion spatiale (ce qu'il trouve encore chez Rothko, par exemple) et mise au point d'une « meilleure » organisation de la surface de la toile, ne privilégiant pas son centre par rapport à ses bords (d'où son utilisation de « structures déductives » qui permettent une composition interne dépendant de la forme externe du tableau).[13] Stella finit par faire, ou vouloir faire, une peinture qui ne relève plus que du « rétinien », selon l'expression de Marcel Duchamp.[14]

Tout le sépare alors de Smithson, qui refuse de souscrire à une conception de l'art comme autocritique réductionniste de l'art (en 1967 il écrit : « L'art aujourd'hui est prisonnier d'une notion datée, celle de l'art comme critique de l'art qui l'a précédé »[15]). Bien que Smithson n'ait jamais pensé, à la différence des artistes conceptuels qui allaient se faire connaître à la fin des années soixante, que l'œuvre d'art en tant qu'objet était définitivement désuète (que l'on songe par exemple à Lawrence Weiner ou à Robert Barry), il veilla à distraire l'attention du seul objet afin de faire prendre conscience d'un jeu avec l'absence inclus dans presque toutes ses réalisations. Ainsi, si une sculpture est avant tout pour le spectateur un objet qui s'offre à sa vision, elle peut aussi faire intervenir la non-perception (comme dans les *Enantiomorphic Chambers* de 1965); si une sculpture est un objet placé dans une galerie ou un musée, elle peut aussi très explicitement renvoyer à un lieu extérieur et établir un dialogue entre présence et absence, entre conception et perception (c'est le cas dans la série des *Sites/Nonsites,* à partir de 1968). Si une quelconque opération artistique a lieu à un moment donné en un lieu donné, elle peut n'être que temporaire et accessible au spectateur uniquement par l'intermédiaire d'un texte et de photos qui en sont la « trace-souvenir », et dans lesquels « c'est la dimension de l'absence qui reste à découvrir », comme dans l'article publié en septembre 1969 par *Artforum,* «Incidents of Mirror-Travel in the Yucatan».

Les propositions de Smithson sont antithétiques, et renvoient constamment l'une à l'autre, d'où sa prédilection pour les reflets — sur les miroirs, le verre, la surface de l'eau — et sa fascination pour les photographies et le cinéma. Elles se fondent sur un aller et retour perpétuel qui tend très souvent au mouvement brownien, à la perte de tout repère stable entre le présent et l'absent, le proche et le lointain dans le temps et dans l'espace, l'infiniment grand et l'infiniment petit, le rationnel et l'irrationnel. Une véritable stratégie de la confusion — mot

11 « The Eliminator » (1964), dans *The Writings of Robert Smithson, op. cit.*

12 Je reprends ici le point de vue exposé par Rosalind Krauss dans son livre fondamental, *Passages in Modern Sculpture,* New York, 1977.

13 Un des plus importants admirateurs et commentateurs de l'œuvre de Stella est le critique américain Michael Fried, un élève de Clement Greenberg. Un différend opposa Fried et Smithson à travers les colonnes d'*Artforum* en 1967, Smithson répondant par une lettre quelque peu fracassante dans le courrier des lecteurs (*Artforum,* oct. 1967) à un article de Fried, « Art and Objecthood » (*Artforum,* été 1967), dans lequel celui-ci s'en prenait au minimalisme et au « théâtre » qui le sous-tendait selon lui.

14 Stella : « Ma peinture est axée sur le fait qu'il ne s'y trouve que ce qui peut y être vu. C'est vraiment un objet. » (« Questions to Stella and Judd », entretien radiodiffusé avec B. Glaser, transcrit par L.

Robert Smithson
Second Mirror Displacement (1969)
Yucatan, Mexique

à entendre dans ses différents sens de désordre, désarroi et amalgame de ce qui est ordinairement distinct — est à l'œuvre dans ce réseau d'activités et de techniques diverses, faisant de Smithson un artiste inclassable, sinon dans la catégorie ouverte du « postmodernisme », qu'il contribua lui-même à instaurer. Ainsi, en considérant de la même manière la matière et les mots[16], Smithson fait passer la sculpture du statut de moyen d'expression très éloigné du langage à celui de sous-ensemble d'un texte général susceptible d'être déchiffré: le monde. Mais la « lecture » du monde n'aboutit finalement qu'à cette évidence : il « échappe à l'ordre rationnel » et déjoue les systèmes construits par les hommes. L'ensemble *Spiral Jetty* (*earthwork,* texte, film, photographies) peut être considéré comme une allégorie de cet impossible.

Ce que Smithson remet en cause, c'est la séparation absolue entre art verbal et art visuel telle qu'elle a été établie à l'époque moderne par Lessing et Diderot. En fait l'œuvre polymorphe de Smithson tente de renouer, par delà l'histoire et l'histoire de l'art, avec le mythe d'un temps d'avant la diversité des langues[17]. Et pourtant elle est ancrée dans l'époque présente, celle des banlieues informes et des zones de pollution intense du New Jersey, celle des buildings new-yorkais et des gigantesques mines à ciel ouvert de l'Ohio. Ce n'est pas le moindre paradoxe d'un artiste qui, tel un nouveau Dédale, inventa des labyrinthes dans lesquels la pensée est invitée à venir se perdre.

Lippard et publié dans *Art News,* sept. 1966, repris dans *Minimal Art,* sous la direction de G. Battcock, New York, 1968).

15 « Towards the Development of an Air Terminal Site » (1967), dans *The Writings of Robert Smithson, op. cit.*

16 « Les mots et les pierres forment un langage régi par une syntaxe d'éclatement et de ruptures », écrit Smithson dans un texte de 1968, *A Sedimentation of the Mind : Earth Projects.* Sur cette question, voir l'essai de Craig Owens, « Earthwords », *October* n° 10, automne 1979.

17 C'est ce que suggère J.M. Poinsot lorsqu'il écrit à propos de Smithson : « L'ensemble de ses projets envisage aussi bien le traitement des matériaux que le remodelage complet de certains sites ou que la construction d'architectures utopiques. Tout en impliquant les moyens les plus modernes de terrassement ses projets renouent avec le mythe de la tour de Babel. » (*Sculpture/Nature,* catalogue du Capc de Bordeaux, 1978).

Jean-Marc Poinsot

In situ, lieux et espaces
de la sculpture contemporaine

« Les trois dimensions sont l'espace réel. Cela élimine le problème de l'illu-sionnisme et de l'espace littéral, l'espace dans les marques et les couleurs (et autour d'elles), ce qui est une élimination de l'un des vestiges les plus frappants et les plus contestables de l'art européen. Les nombreuses limitations de la peinture n'existent plus. Une œuvre peut être aussi forte dans sa réalisation qu'elle a pu l'être en pensée. Un espace réel est fondamentalement plus fort et plus spécifique que de la peinture sur une surface plane. A l'évidence, tout objet en trois dimensions peut prendre n'importe quelle forme, régulière ou irrégulière, et peut avoir toutes sortes de relations avec le mur, le sol, le plafond, la pièce, les pièces ou l'extérieur ou n'en avoir pas. N'importe quel matériau peut être utilisé, tel quel ou peint. »

Don Judd, 1965[1]

« A l'exception de la représentation, qu'il ne faut pas confondre avec l'illu-sionnisme, les éléments constitutifs de la sculpture, à savoir l'espace, la lumière et les matériaux, ont toujours fonctionné concrètement et littéralement. »

Robert Morris, 1966[2]

En formulant respectivement en 1965 et 1966 leur conception de l'espace de la sculpture contemporaine, Judd et Morris abordaient une question qui allait être au centre des préoccupations des sculpteurs pendant près de vingt ans : la sculpture avait-elle pour espace l'espace réel ? Dire que la sculpture est dans l'espace réel, c'est entre autres choses affirmer qu'il y a une solution de continuité irrévocable entre ce que l'artiste produit, arrange, marque et le reste du monde de l'expérience. C'est revendiquer l'ensemble de l'espace physique avec ses caractéristiques d'ho-mogénéité, de continuité et d'infinité pour un donné non susceptible d'être remis en cause et c'est le confondre avec le champ dans lequel œuvre le sculpteur. Aussi le discours théorique de Judd et Morris a-t-il plus brouillé les cartes qu'il n'a permis une clarification. En effet, considérer que l'espace de la sculpture était l'espace physique, et qui plus est l'espace euclidien (ils ne le nomment pas ainsi, ils croient s'en être débarrassés, mais ils donnent à leur espace toutes les caractéristiques ou presque de cet espace physique euclidien), revenait pour eux à prendre ce qu'ils appelaient l'espace réel pour un espace vierge de toute construction, de toute signification et comme tel exempt de contraintes et de limitations. A leurs yeux, cet espace était devenu un matériau susceptible d'une utilisation qui précisément aurait échappé à ces codifications qui avaient si lourdement pesé sur l'histoire de la peinture. Mais on peut se demander ici quelle avancée pouvait permettre l'investissement d'un espace dont le modèle avait servi à élaborer l'espace fictif de la peinture dont Judd et Morris voulaient s'affranchir. En laissant croire que la sculpture, n'étant pas concernée par la question de l'illusionnisme au contraire de la peinture, n'avait pas à opérer la critique de la conception euclidienne de l'espace,

Judd et Morris assimilaient l'espace réel à l'espace des galeries et des musées dans lequel ils plaçaient leurs volumes simples et réguliers, espace qui jusqu'à preuve du contraire était la grande pièce vide et blanche dans laquelle le peintre euclidien était censé placer tous les objets de son tableau. Cette grande pièce blanche faisait en quelque sorte partie de l'ensemble des composantes axiomatiques de l'œuvre bien qu'elle échappât au contrôle direct de l'artiste. Ainsi, Judd a exprimé très tôt ses souhaits relatifs au lieu d'exposition dans une réponse à une question de Lawrence Alloway sur le musée idéal :

« Un grand espace rectangulaire avec un plafond relativement haut convient bien. Ainsi la salle du haut du Jewish Museum ou le quatrième étage du Whitney tel qu'il a été laissé pour l'exposition annuelle de sculpture. Une salle plus petite peut très bien aller si le plafond est haut et s'il n'y a pas trop d'œuvres dedans. Il ne doit y avoir ni moulures, ni rainures. Les murs et les sols doivent être lisses et d'équerre, sans carrelage, comme au Whitney par exemple. Le sol ne doit pas présenter de motif. Idéalement, l'architecture du bâtiment doit être adéquate à l'extérieur comme à l'intérieur. Ce qui exclut l'élégance de la plupart des nouveaux musées et galeries. »[3]

En 1967, les musées étaient loin de correspondre tous aux souhaits exprimés par Judd, et il faut prendre en considération le rôle des demandes concrètes de Flavin, Morris ou LeWitt , à l'occasion d'expositions ou de présentations de plus longue durée, dans la manière dont les musées ont été amenés à repenser leur pseudo-neutralité afin de la rapprocher au plus près du grand parallélépipède blanc et vide. On saisit ici la différence fondamentale qu'il va falloir établir entre le lieu d'accueil de l'œuvre, cadre social particulier, et l'espace dont l'œuvre a besoin pour exister (cet espace étant considéré ici comme une composante axiomatique de l'œuvre). On a à juste titre[4] reproché à Judd de ne pas avoir su penser cette différence, et bien des années après il ne semble pas, malgré divers déboires, avoir fait véritablement avancer sa position sur ce plan. Au contraire, dans un texte sur l'installation qui est une longue complainte sur l'incompréhension à laquelle les artistes se heurtent, il apporte la preuve que malgré la différence qui persiste entre l'espace axiomatique nécessaire à la mise en vue de son œuvre et les lieux (et pratiques qui y sont associées) effectivement disponibles, il ne voit pas d'autre issue que de se plaindre de la stupidité des bourgeois qui en assurent le contrôle. Pourtant ce texte révèle une donnée extrêmement importante, à savoir la nécessaire existence de cet espace axiomatique pour les œuvres passées et présentes qui, faute d'être actualisées, ne peuvent lui servir d'expérience pour l'œuvre à venir.

« La présentation et le contexte de l'art tels qu'ils sont pratiqués maintenant sont pauvres et inadaptés. La situation normale est une présentation permanente d'une bonne partie de l'œuvre de chacun des meilleurs artistes. Après le travail lui-même, mes efforts depuis dix-huit ans ont tendu, en commençant dans un "loft" sur la 90ᵉ rue à New York, à présenter de manière permanente le plus grand nombre possible de mes œuvres, mais aussi à en présenter quelques-unes d'autres artistes. La principale motivation fut de pouvoir vivre avec l'œuvre et y réfléchir, mais aussi de pouvoir observer l'œuvre présentée comme elle devait l'être. Les présentations permanentes élaborées posément fournissent un point de comparaison pour juger de mes propres installations hâtives ou d'autres présentées dans des lieux inhabituels et souvent inadaptés. Il me paraît normal de faire cet effort, mais peu d'artistes le font, bien qu'ils aient tendance à conserver des œuvres anciennes, et l'idée d'une présentation permanente est pratiquement inconnue du public des arts plastiques. »[5]

Ce qui s'impose à Judd comme une nécessité pour la poursuite de son œuvre et sa compréhension par le public avait aussi attiré l'attention de Morris dès 1966:

« La forme, les proportions, les dimensions et les surfaces spécifiques d'un

1 Donald Judd, « Specific Objects », *Arts Yearbook* 8, 1965. Traduction française dans *Regards sur l'art américain des années soixante,* Paris, éd. Territoires, 1979 (*cf* l'anthologie *infra*).
2 Robert Morris, « Notes on Sculpture », *Artforum*, février 1966, octobre 1966. Traduction française *ibid.*, p 85.
3 Donald Judd, « Artists on Museums », *Arts Yearbook* 9, 1967, repris dans Donald Judd, *Complete Writings 1959-1975,* Halifax, The Press of the Nova Scotia College of Art and Design, 1975, pp. 195-196.
4 *Cf.* Daniel Buren, *Limites critiques*, Paris, Y. Lambert, 1970.
5 Donald Judd, « On installation », catalogue *Documenta 7*, vol. 2, Kassel, 1982, P. 164.

objet donné continuent d'avoir une influence cruciale sur les qualités particulières de l'œuvre. Mais on ne peut plus à présent séparer ces décisions qui relèvent de l'objet, en tant que tel, de celles qui sont extérieures à sa présence physique. Ainsi, pour beaucoup d'œuvres nouvelles dont les formes sont unitaires, la mise en place a acquis une importance qu'elle n'avait jamais eue auparavant dans la détermination des qualités particulières de l'œuvre. Une poutre posée sur son extrémité n'est pas la même chose que cette même poutre posée sur un de ses côtés. »[6]

On perçoit ici que la présentation de l'œuvre n'est pas un accrochage d'un objet peu susceptible de poser des problèmes hors de la convention, mais qu'elle fait partie de la syntaxe même de l'œuvre qui a stipulé de manière axiomatique l'existence préalable d'un espace donné. Si la confusion a été entretenue pendant de nombreuses années à ce sujet, cela ne tient pas seulement à la non-dissociation théorique de l'espace axiomatique et du lieu contingent d'accueil de l'œuvre, mais aussi au fait que tout en étant axiomatique l'espace de l'œuvre n'était accessible dans certaines de ses dimensions que par l'expérience concrète et unique de la présentation. En effet Judd et Morris ont attiré l'attention dans leurs œuvres sur le fait que tout corps dans l'espace est pour celui qui le perçoit anisotrope et ce, semble-t-il, de manière encore plus manifeste dans le cas des volumes les plus réguliers[7], soit du fait du déplacement de la forme en question dans l'espace, soit du fait du déplacement du spectateur.

Ainsi, la notion d'espace réel pour Judd et Morris recouvrait l'espace axiomatique nécessaire à l'œuvre et le lieu contingent qui devait jouer le rôle de cet espace, mais aussi, à l'intérieur même de cet espace axiomatique, une dimension pragmatique modifiant sensiblement les paramètres initialement présupposés en reconnaissant notamment à cet espace des caractéristiques d'orientation, d'échelle, et en même temps des propriétés locales déterminées par les interrelations des objets et de l'espace donné en présence d'un spectateur.[8]

Ce qu'a révélé la réflexion de Judd et Morris sur l'espace de la sculpture au milieu des années soixante, c'est la complexité des paramètres mis en cause. Dans la mesure où l'œuvre du sculpteur ne s'en tient plus à un territoire strictement délimité dont l'organisation relève d'une conception cohérente et stable de l'espace (le lieu comme cadre social et culturel, le lieu comme architecture ou comme site), les traits instaurateurs d'un espace, d'un lieu et d'un territoire propres à l'œuvre vont faire irruption simultanément, sans compter le rôle imparti au spectateur dans l'ensemble de ces constructions. Ainsi, avec les œuvres qu'on a alors qualifiées d'*antiforme*, de *land-art*, d'« art pauvre » et d'autres encore, s'est instaurée à la fin des années soixante une relation au lieu caractérisée par les données suivantes :

— une approche critique du lieu culturel, reconnu par là même comme un des lieux de l'œuvre;

— la dématérialisation[9] de l'œuvre, c'est-à-dire la fin du tableau et de la sculpture comme matière exclusive du découpage du visuel dans le signe artistique (phénomène à l'origine du développement des pratiques parasculpturales);

— le recours croissant à des signes indiciels (des signes en contiguïté avec l'objet dénoté: la fumée pour le feu, l'orientation de la girouette pour la direction du vent, etc.) au détriment des signes conventionnels[10].

La concomitance d'une dialectique lieu culturel/autre lieu et de la dématérialisation de l'œuvre oblige à penser le rôle du lieu de l'œuvre en d'autres termes que le simple déplacement de l'artiste et de son activité d'une institution surdéterminée sur le plan idéologique vers un lieu non institutionnel[11], et donc à penser le lieu de l'œuvre en d'autres termes que la seule valeur. En effet, la question du lieu dépasse de loin la notion de territoire social accordé ou garanti à l'œuvre, lorsque ce lieu constitue le champ de l'œuvre, voire lorsqu'il lui fournit sa matière, ne serait-ce que de façon partielle. C'est à une expérience qui touche à la fois au

6   R. Morris, *op. cit.*, p. 90.
7   En particulier ceux qui ont une « bonne forme » au sens de la *Gestalt Theorie*.
8   La présence du spectateur implique une dimension temporelle de l'espace qui vient s'ajouter aux autres propriétés. Cette dimension a été signalée par Judd dans « Specific Objects ». *Cf.* à ce sujet Y.A. Bois, « Promenade pittoresque autour de *Clara, Clara* », catalogue *Serra*, Paris, Musée national d'art moderne, 1983.
9   Si j'emprunte ce terme à Lucy Lippard, je m'en tiens à la définition que je donne et non à celle qu'elle formule dans *Six Years : the Dematerialization of the Art Object from 1966 to 1972*, New York, Praeger, 1973. J'entends ici tableau et sculpture au sens strict et non comme synecdoque de la peinture ou de tout travail tridimensionnel.
10 *Cf.* Rosalind E. Krauss, « Note on the In-

découpage du visuel et au découpage sémantique que les artistes se sont attaqués en investissant des lieux divers dans la nature et la cité, mais aussi, et ceci est d'une extrême importance, en investissant suivant des modalités nouvelles le lieu culturel lui-même.

Une des hypothèses qui ont placé les observateurs face à de sérieuses difficultés théoriques a consisté à croire à l'isomorphisme du redécoupage dans les deux plans du visuel et du sémantique, c'est-à-dire à la coïncidence du lieu ou du matériau et du contenu sémantique. On a en quelque sorte considéré que l'intervention de l'artiste recouvrait le lieu qu'elle investissait ou qu'elle s'y fondait de telle sorte qu'il n'était plus possible d'opérer un découpage, une dissociation qui permette d'accéder au sens par la seule analyse du signe[12]. Je voudrais citer ici deux analyses qui font toucher du doigt cette aporie. Lawrence Alloway, après sa visite des *earthworks* dans leurs sites, rapporte ainsi son expérience :

« Les sculptures de Walter De Maria, Michael Heizer et Smithson que je suis allé voir sont toutes spécifiques de leurs sites, en ce sens qu'elles ont été placées par les artistes dans des lieux qui sont uniques pour chaque œuvre. La forme de la sculpture ne peut pas être séparée du terrain qu'elle occupe (elle a une mobilité nulle), et les distances qui doivent être parcourues pour y parvenir font également partie du contenu. Dans ce qui suit, je décrirai la topographie comme partie intégrante du système de la sculpture. »[13]

Rosalind Krauss a eu la même conviction de la dépendance de l'œuvre par rapport à son site en voyant les travaux de Matta-Clark et de Pozzi à l'exposition inaugurale de P.S. 1 (mai 1976). Elle a qualifié ces œuvres d'indicielles. Les artistes auraient abandonné les codes picturaux et sculpturaux pour des messages sans codes analogues à la photographie qui, comme le note Barthes, résiste à toute division interne et ne peut qu'être dupliquée par le langage[14].

Il est vrai que dans de nombreux cas il est tout à fait impossible de fragmenter le message de l'intérieur, d'y opérer des découpages susceptibles de faciliter le recours aux éléments connus d'un code. Mais au lieu de s'inquiéter de ce qui apparaît ici comme une privation, surtout aux yeux du critique qui est censé avoir pour lui la maîtrise des codes, ne pourrait-on se préoccuper plus précisément de la manière dont de tels messages nous concernent et dont les artistes les manipulent ? Il nous faut pour cela retourner aux sources, c'est-à-dire à Peirce. Voici ce qu'il écrit, dans sa théorie des signes, à propos des signes indiciels que sont les odeurs :

« [...]les odeurs ont une tendance remarquable à se "présenter", c'est-à-dire à occuper tout le champ de la conscience, si bien qu'on vit presque sur le moment dans un monde d'odeurs. Or, dans la vacuité de ce monde, il n'y a rien qui empêche les suggestions de l'association. Voilà une première façon, par association de contiguïté, dont les odeurs sont particulièrement aptes à agir comme signes. »[15]

Ne peut-on pas considérer que les artistes ont cherché à nous placer dans des situations de « présentation » où ce qu'ils nous donnent à voir vient à occuper tout le champ de notre conscience ? Ainsi un certain ordre de signes serait susceptible de nous couper du monde en nous plaçant en position d'effectuer un réglage de la conscience sur un seul registre très délimité. On comprend l'intérêt de cette remarque de Peirce, non pas pour les seules œuvres situées dans les déserts américains ou dans des bâtiments abandonnés, mais pour tous les travaux en relation avec toutes sortes de lieux, et même pour les performances. Chaque fois, l'artiste nous placerait face à un dispositif exigeant un réglage de la conscience qui nous fasse entrer dans ce que Peirce appelle un « monde », mais qu'on pourrait qualifier d'« espace mental »[16].

Citons à titre d'exemple concret le récit que fait Merz de la manière dont il passe d'un registre conventionnel et codé à une œuvre relevant d'un « monde », d'un espace propre susceptible d'occuper tout le champ de la conscience :

dex », *October* 3 et 4, 1977, traduit dans *Macula*, 5/6, 1979.

11 Richard Serra s'est exprimé sur ce point dans « Extended Notes from Sight Road Point », *Plus* 2, 1er trimestre 1986, p. 7.

12 *Cf.* R. Krauss, *op. cit.*

13 Lawrence Alloway, « Site Inspection », *Artforum*, octobre 1976. On pourrait citer de nombreux exemples qui prouveraient le contraire, ce qui ne veut pas dire que les conditions d'accès au site de l'œuvre ne jouent pas le rôle d'une sorte de déclencheur qui permettrait au spectateur de considérer l'œuvre comme il faut, mais ceci n'a pas grand-chose à voir avec la notion très imprécise de rapport spécifique au site.

14 R. Krauss, *op. cit.*

15 Charles S. Peirce, *Ecrits sur le signe,* Paris, Seuil, 1978, p. 125.

16 *Cf.* Gilles Fauconnier, *Espaces mentaux,* Paris, Minuit, 1984.

« J'ai fait l'igloo pour trois raisons qui se recoupent. La première, c'est l'abandon du plan comme saillie ou du plan mural, donc l'idée de créer un espace indépendant du fait d'accrocher des choses au mur ou bien de les décrocher du mur et de les mettre sur la table. Donc, l'idée de l'igloo comme idée de l'espace absolu en soi; il n'est pas modelé, c'est un hémisphère posé par terre. Ça m'intéressait que cet hémisphère ne soit pas géométrique, à tel point que cette forme hémisphérique, faite d'une structure métallique, était recouverte de petits sacs ou de morceaux de matériaux informes comme de la terre, de l'argile, des vitres. Puis, sur cette structure, j'ai commencé le travail d'écriture. »[17]

Mario Merz
Igloo de Giap (1968)

Dans ce récit de la conception de l'*Igloo de Giap*, Mario Merz marque les étapes de la création de son « monde ». Tout d'abord, il veut abandonner le plan du mur ou le support de la table comme dispositif préservant le rapport d'altérité, d'extériorité entre l'œuvre et le spectateur. Il veut produire un « espace absolu », et pour cela choisit la forme hémisphérique de l'igloo. Cette forme, tout en relevant de l'habitat, ne doit pas se situer sur un plan architectural conventionnel. Malgré sa structure géométrique, l'igloo ne doit pas avoir une apparence géométrique. Les matériaux informes qui le recouvrent s'opposent à la perception d'une « bonne forme » codable dans le registre de la géométrie comme hémisphère. Enfin, Merz annonce le travail d'écriture qui doit jouer un rôle de liaison auprès du spectateur, qui doit faciliter le réglage sur l'« espace absolu » de Merz. Ce dernier point est d'une extrême importance. Rosalind Krauss avait observé la similitude entre les œuvres indicielles de certains artistes et la photographie, mais avait noté également la nécessité d'un recours pour l'artiste à un discours supplémentaire, parallèle à l'œuvre. Or, outre le fait que l'artiste peut être amené à utiliser les moyens les plus divers pour la production d'*une* œuvre, force est de constater, et ceci indépendamment des discours que les artistes ont pu tenir à ce propos entre 1965 et 1975, qu'ils ont systématiquement joué sur les changements de ce que Peirce appelait l'instance (c'est-à-dire le moyen — son ou graphie pour la langue — par lequel le message est actualisé). Mais, au-delà de l'instance, car on ne peut rendre compte par ce terme de la différence entre une intervention à même le paysage et une photographie de cette même intervention, c'est à de curieux glissements d'un registre (car les signes indiciels ne forment pas de systèmes) de signes à un autre que se livrent les artistes, jouant soit sur l'objet dont l'œuvre intègre le signe, soit sur d'autres points. Je peux citer ici Richard Long se promenant et décrivant sa promenade dans un texte laconique sous une carte, disposant des pierres dans le paysage pour les photographier, ou le même encore installant des pierres analogues dans un musée ou une galerie. Je peux citer Kosuth et Weiner qui ont présenté des propositions réalisées en plusieurs instances et actualisables en plusieurs registres de signes, y compris des registres tridimensionnels.

Comment certains ensembles de signes ont-ils la capacité de composer un monde ? Il n'y a pas besoin pour cela d'engloutir le spectateur dans un microcosme, dans un modèle réduit ou dans un contenant clos; le monde des odeurs n'est pas un modèle réduit. L'ensemble des signes qui composent un monde peuvent, s'ils ne donnent pas prise à un découpage interne, nécessiter un réglage pour être compris. Ce réglage est souvent perçu comme une adaptation au site (*site specificity*). Or, pour qui a considéré attentivement dans un lieu donné la multiplicité des formes possibles, chacune se présente alors non comme une adaptation, mais comme un trait de l'homogénéité du « monde ». Buren a fait l'expérience de la pertinence du réglage avec la pièce qu'il a réalisée en 1971 pour l'exposition internationale du Guggenheim. Il avait prévu initialement de placer une grande toile [18] entre deux immeubles à l'extérieur, et une autre dans le vide central du musée. Ce projet conforme à la logique qui consistait à rendre l'œuvre indépendante et indifférente au lieu, non comme architecture, mais comme institution, s'est trouvé en conflit avec sa propre pertinence architecturale. La première toile

17 Mario Merz, entretien avec G. Celant, 10 mars 1971, dans Germano Celant, *Mario Merz,* Milan, Mazzotta, 1983 (catalogue de l'exposition de San Marin), p. 52.

18 Je tiens à préciser que malgré l'usage d'une toile, et d'une toile seulement, cette œuvre de Buren peut être considérée dans le cadre élargi de la sculpture par sa mise en espace et son interaction avec l'architecture. *Cf.* note 20 *infra* et, pour l'« affaire du Guggenheim », D. Buren, « Absence-Présence, autour d'un détour », *Opus International* 24-25, mai 1971, pp. 70-73.

19 A ma connaissance, la locution « in situ » fut employée pour la première fois par Buren au moment de sa participation à l'exposition internationale du musée Guggenheim, et, toujours à ce propos, en 1974 dans un entretien avec Liza Bear, « Kunst bleibt Politik », *Avalanche*, décembre 1974, p. 18. Cette même locution apparaît de manière systématique, avec des sens différents précisés chaque fois, pour désigner des travaux réalisés dans des conditions particulières à un lieu

Daniel Buren
photo-souvenir *La rencontre des sites*,
site in situ (Biennele de Paris, 1985)

donné dans le cours de l'année 1976 (Otterlo, Eindhoven, Amsterdam, Milan, Gênes). Une définition détaillée a été donnée par Buren dans *Du volume de la couleur*, Cadillac, 1985, d'où est tirée la citation ci-dessus.

20 Je renvoie le lecteur au texte du Buren, « La rencontre des sites », publié dans le catalogue de la *Biennale de Paris 1985* (p. 172) et traitant particulièrement des questions évoquées ici. Son premier paragraphe en donne une idée assez précise : « 1-Comment réaliser avec les éléments caractéristiques de la peinture (châssis, tissus tendus, peinture...) un travail en trois dimensions (sculpture et/ou architecture) qui soit non seulement par rapport à/et dans un lieu précis (la grande halle de La Villette) mais aussi son propre lieu, un site (le projet une fois réalisé), et que, en plus, il puisse se reconstruire autre part, mettant à la fois et de nouveau le lieu d'accueil et lui-même en jeu ? Avant toute forme de projet et a fortiori de réalisation, ces paramètres forment le pari qu'il me plaît ici de tenir. »

installée dans le musée était tellement pertinente par rapport à l'architecture muséale avec toutes ses significations et par rapport au contexte d'une exposition d'« installateurs » que, comme on sait, elle suscita des protestations de certains exposants qui obtinrent son décrochage et, bien sûr, qu'était devenue inutile, voire injustifiée, l'installation de la deuxième toile. Si l'événement fut malheureux pour le public privé ainsi d'une prestation exceptionnelle, il fut particulièrement bénéfique à Buren car il lui fit prendre conscience que le réglage de son travail sur l'architecture seule ne perdait pas de sa pertinence générale et qu'il lui permettait au contraire de gagner en concision et en efficacité. Il fallait pour cela que s'établisse un certain rapport entre son matériau rayé et le lieu que Buren a thématisé avec la notion de « travail in situ » dont il a donné une définition précise en 1985 :

« Employée pour accompagner mon travail depuis une quinzaine d'années, cette locution ne veut pas dire seulement que le travail est situé ou en situation, mais que son rapport au lieu est aussi contraignant que ce qu'il implique lui-même au lieu dans lequel il se trouve. Le mot travail étant extrêmememt douteux il est néanmoins à comprendre dans un sens actif : "un certain travail est effectué ici" et non dans le sens d'un résultat : "regardez le travail fait". En effet, dans cette dernière interprétation il serait bien délicat de parler de ce travail, et pour commencer de le distinguer de son lieu. La locution "travail in situ" prise au plus près de ce que j'entends par là, pourrait se traduire par la "transformation du lieu d'accueil". Transformation du lieu d'accueil faite grâce à différentes opérations dont l'usage de mon outil visuel. Cette transformation pouvant être faite pour ce lieu, contre ce lieu ou en osmose avec ce lieu tout comme le caméléon sur une feuille devient vert, ou gris sur un mur de pierres. Même dans ce cas il y a transformation du lieu, même si le plus transformé se trouve être l'agent transformateur. Il y a donc toujours deux transformants à l'œuvre, l'outil sur le lieu et le lieu sur l'outil, qui exercent selon les cas une influence plus ou moins grande l'un sur l'autre. Le résultat en est toujours la transformation du lieu par l'outil et l'accès au sens de ce dernier grâce à son usage dans et par le lieu en question. "In situ" veut dire enfin dans mon esprit qu'il y a un lien volontairement accepté entre le lieu d'accueil et le "travail" qui s'y fait, s'y présente, s'y expose. Ceci vaut pour mon travail sans aucune exception, ici et ailleurs depuis 1965. »[19]

Au-delà de cette interaction avec le lieu, chaque œuvre de Buren se caractérise par certains types de rapports qui sont reproductibles et éventuellement déclinables. Ainsi la prestation du Guggenheim fut-elle reproduite par l'occupation similaire du puits de lumière du parking de la villa Borghese lors de l'exposition "Contemporanea" à Rome en décembre 1973 et déclinée avec la pyramide renversée réalisée dans la grande halle de la Villette à l'occasion de la Biennale de Paris en 1985. Il apparaît donc que le registre sur lequel se situe l'œuvre de Buren peut présenter dans ses « occurrences » différentes autant de réglages que de lieux investis sans exclure pour autant la possibilité que la série se poursuive et produise d'autres occurrences tout aussi pertinentes en d'autres lieux. La multiplicité même de ces occurrences n'empêche pas alors d'envisager non pas véritablement l'idée « type » d'une œuvre indépendante de tout contexte, mais plutôt le fait que le réglage pragmatique par rapport au lieu ne soit pas un fait purement historique et totalement contingent. La notion d'*in situ* devient alors le terme qui désigne la pertinence du réglage susceptible de placer le spectateur dans un « espace mental » donné et non une quelconque fusion magique de l'œuvre dans le réel.

Ce point étant éclairci, il reste à saisir la particularité et l'intérêt des changements radicaux de moyens d'une œuvre à l'autre effectués sans que l'artiste ne nous introduise dans un « monde » totalement différent. En fait, ce que je voudrais

Giovanni Anselmo
*Panorama avec la main qui le montre tandis
que vers l'outremer les gris s'allègent* (1982)

faire apparaître ici réside principalement dans l'idée que les notions associées de spécificité du lieu et de signes indiciels ont été avancées dans une idéologie d'une unicité irreproductible du vécu, alors que non seulement les sites sont interchangeables à certaines conditions, mais aussi que des rapports indiciels du même ordre peuvent être maintenus en en changeant les composantes, faute de quoi les artistes ne seraient que des individus ayant eu des activités sans aucune relation entre elles et avec d'autres qui permettent de les considérer comme autant d'œuvres. Anselmo est un de ces artistes qui ont travaillé à l'élaboration de "mondes" ayant des traits structuraux communs et des formes très différentes sans pour autant avoir produit des répliques en utilisant des moyens différents.

En 1972, à la galerie Sperone à Turin, Anselmo a disposé quatre projecteurs dont chacun inscrivait en lettres lumineuses sur différents points de la galerie le mot *particolare* ("détail"). Le «monde» dans lequel nous nous trouvons avec une telle œuvre, même s'il ne nous englobe pas physiquement, même s'il reste peu spectaculaire, a une cohérence telle que nous pouvons à partir de ces quatre mots lumineux de quelques centimètres en étendre la portée à tout le lieu où nous nous trouvons et par là même nous y intégrer totalement comme somme ultime de détails. Le rapport indiciel de l'inscription *particolare* et du support qui la présente n'offre peut-être pas des parties susceptibles d'être décomposées et décodées, mais il a la propriété d'induire d'autres rapports du même type entre d'autres parties du lieu et d'autres «projections» possibles.

Anselmo ne nous donne pas une traduction (décodage et recodage) dans un texte ou une autre œuvre, mais va produire des «mondes» présentant certains traits comparables. Il me semble par exemple que peut relever de cette capacité à créer un «monde»[21], dans lequel le principe même de construction nous absorbe, cette photographie qu'Anselmo a faite de lui-même courant dans le champ de son appareil photographique dont il a déclenché la prise de vue au moyen d'un retardeur (*Entrer dans l'œuvre*, 1971). Qui nous oblige à croire Anselmo, à accepter l'information qu'il nous donne avec et après son titre (photo prise avec déclencheur automatique) et à ne pas envisager la tricherie invérifiable d'un photographe

21 Je voudrais attirer l'attention sur le fait historique de l'instauration du fonctionnement sémiotique nouveau que présentent des œuvres comme celles évoquées ici. En effet, nous n'avons pas seulement assisté à un changement à vue dans l'ordre des signes, mais les artistes ont dû instaurer ce nouvel ordre à un moment donné, et une partie de leurs travaux ont des qualités, des thèmes ou des formes qui demanderaient une analyse plus historique que celle que je mène ici.

22 Documenta 7, Kassel, 1982. L'œuvre a donné lieu à diverses variantes dont une au Castello di Rivoli, Turin, 1984.

anonyme, si ce n'est l'intérêt de la configuration que représente le photographe photographié, non par un trucage quelconque, non par un effet de miroir, mais par la véritable structure indicielle que figure l'irruption de l'artiste dans le champ de la photographie ?

Le *Panorama avec la main qui le montre tandis que vers l'outremer les gris s'allègent*[22] est une configuration paysagère. Pris isolément, chacun des éléments (un bloc allongé et plat de granite, le dessin d'une main pointée, une surface recouverte de bleu outremer et des blocs de granite suspendus en haut d'un mur par des câbles d'acier) a un fonctionnement purement indiciel, à commencer par le signe structurant l'ensemble de l'œuvre : la main qui «montre» le panorama. Dès l'énoncé du titre, le «monde» du panorama est complet depuis le point de vue jusqu'à l'horizon dont le *sfumato* est ici décomposé en outremer et en gris qui s'alllègent. Le titre correspond donc trait pour trait au dispositif qui se trouve dans l'espace d'exposition, mais si la phrase est décodable comme un discours parlant d'une institutionnalisation du regard porté sur le paysage, les gris qui s'allègent sous la forme de blocs de granite ne le sont pas. Des pierres suspendues au-dessus du spectateur sont même l'antithèse de la notion de légèreté si tant est que l'on puisse parler de sens pour l'effet que produisent les pierres dans cette situation-là. Nous voici avec cette œuvre d'Anselmo de retour à l'espace réel de Judd ou de Morris. Si Anselmo nous parle de la différence qui sépare x tonnes de pierres accrochées à un mur et les lointains vaporeux d'un paysage peint, il ne nous donne pas son panorama pour plus « réel » que la peinture qui l'a instauré comme motif puis comme « monde ». Car que sont les dispositifs installés par l'industrie touristique, sinon des déclencheurs susceptibles de faire prendre un morceau d'un territoire pour un objet esthétique « grandeur nature », c'est-à-dire des dispositifs instaurateurs d'un « monde »? On saisit en quoi cette œuvre d'Anselmo fait en quelque sorte le récit, avec son mode de fonctionnement propre, du passage d'une conception axiomatique de l'espace dans la sculpture et la peinture à un autre type d'organisation dont j'ai essayé de faire apparaître quelques caractéristiques.

Avril 1986

Anthologie de textes historiques

Sarah Stein

Notes d'après l'enseignement de Matisse
1908

Dans la célèbre «cage aux fauves» du Salon d'automne, Gertrude et Leo Stein, soutenus dans leur décision par leur belle-sœur Sarah (Mrs. Michael Stein), faisaient en 1905 l'acquisition de la Femme au chapeau *d'Henri Matisse. Des relations d'amitié s'établirent entre eux à la suite de cet achat et si les Stein[1] comptèrent bientôt parmi les plus importants collectionneurs de Matisse, l'artiste, quant à lui, devint très vite un des habitués de la rue de Fleurus. Il y fit des rencontres essentielles et notamment, en 1906, celle de Picasso.*

L'année suivante, sur les instances de Sarah Stein et de Hans Purrmann, il accepta la responsabilité de «chef d'école» et l'académie Matisse[2], sise d'abord rue de Sèvres puis boulevard des Invalides, ouvrit ses portes à une cinquantaine d'élèves pour la plupart d'origine américaine et nordique (allemande, scandinave). Sarah Stein, une des élèves les plus assidues, se mit alors à noter soigneusement toutes les remarques faites par le maître au cours de son enseignement. Bien qu'elles n'aient pas été destinées à la publication, ces notes constituent pour nous un document très précieux sur l'art et la pensée de Matisse à cette époque. Pendant ces deux années, l'artiste qui commence juste à sortir de l'anonymat ressent en effet le besoin d'expliciter sa démarche artistique et la finalité de son travail. En 1908, il publie les «Notes d'un peintre»[3] et il est intéressant de comparer ce texte à celui de Sarah Stein car tous deux se complètent admirablement. D'un côté, un discours linéaire dénotant une parfaite maîtrise de l'expression écrite, élaboré au profit d'un spectateur anonyme que l'artiste veut convaincre de la justesse de ses préoccupations en lui «dévoilant quelques-unes de ses idées sur l'art». De l'autre, le charme d'une parole en liberté qui, se déployant circulairement autour de son objet, finit par le cerner au plus près. Destinée cette fois à de futurs praticiens, elle s'entend comme un énoncé des conseils dispensés dans l'atelier par un «maître» à ses «compagnons». Ici on parle «métier», dessin d'abord puis sculpture et enfin peinture. Tout se tient cependant et Matisse lui-même passe fréquemment d'un moyen d'expression à un autre. En ce qui concerne la sculpture[4], s'il est vrai qu'elle constitue à coup sûr un support pour ses recherches picturales, à l'inverse, n'est-ce pas parce qu'il est d'abord et avant tout

peintre qu'il manifeste à son égard une absence totale de préjugé? Cette liberté qu'il s'accorde dans le traitement du corps ou dans la pratique du modelage est finalement le maître mot de son enseignement. S'il s'agit devant le sujet d'oublier théorie et effet prémédité, il n'est pas question non plus de faire moderne à tout prix. Ce qui compte c'est l'«expression de l'émotion éveillée en vous par le sujet», dit Matisse à ses élèves, leur transmettant ainsi, à l'instar de Gustave Moreau (son propre maître à l'École des beaux-arts), un héritage libre de tout académisme.

N.R.C.

Dessin

La statuaire antique, par-dessus tout, vous aidera à réaliser la plénitude de la forme. D'emblée, je perçois ce torse comme une seule et unique forme, comme un tout. Autrement aucune de vos subdivisions ne compte, si caractéristique soit-elle. Dans l'antique, toutes les parties ont été considérées au même titre. D'où unité, et repos de l'esprit.

Chez les modernes, on trouve souvent l'expression et la représentation passionnées de certaines parties au détriment des autres; il en résulte un manque d'unité, par conséquent une faiblesse, et un trouble dans l'esprit.

Ce casque, qui a son mouvement propre, coiffe ces mèches de cheveux, qui ont le leur. L'artiste a donné aux deux une importance égale, et il les a parfaitement rendus. Voyez-le aussi comme motif décoratif, comme ornement — les volutes des épaules coiffées par la circonférence de la tête.

1   Cf. à ce sujet *Four Americans in Paris: the Collection of Gertrude Stein and her Family,* New York, Museum of Modern Art, 1971.
2   Pour ce qui concerne l'académie Matisse, cf. A.H. Barr, *Matisse, his Art and his Public,* New York, Museum of Modern Art, 1951, ainsi que les autres publications citées par Jack D. Flan dans *Matisse on Art,* New York, Phaidon Publishers, 1973, p. 161.
3   H. Matisse, «Notes d'un peintre», *La Grande Revue,* n° 24, 25 décembre 1908.
4   Comme le rappelle très justement Isabelle Monod-Fontaine *(The Sculpture of Henri Matisse,* Londres, Arts Council of Great-Britain et Hudson Ltd, 1984), *plus de la moitié de l'œuvre sculpté de Matisse (69 œuvres)* fut *exécuté entre 1900 et 1909.*

Chez les anciens, la tête est une boule sur laquelle les traits se détachent. Ces sourcils sont comme les ailes d'un papillon sur le point de s'envoler.

Souvenez-vous qu'un pied est un pont. Considérez ces pieds à l'intérieur de l'ensemble. Lorsque les jambes du modèle sont très minces, elles doivent montrer par leur vigueur de construction qu'elles peuvent supporter le corps. On ne met jamais en doute que les pattes ténues d'un moineau puissent porter *son* corps. La verticale de cette jambe va droit à travers le torse rencontrer l'épaule presque à angle droit. L'autre jambe, sur laquelle le modèle repose également, décrit une courbe qui s'enfle puis décroît comme l'arc-boutant d'une cathédrale, et joue un rôle analogue. Une règle académique veut que l'épaule correspondant à la jambe sur laquelle le corps prend son principal appui soit toujours plus basse que l'autre.

Les bras sont comme des rouleaux d'argile, mais les avant-bras ressemblent aussi à des cordes car on peut leur imprimer une torsion. Ces mains croisées sont là, calmement, comme l'anse redescendue peu à peu à sa position de repos sur le corps du panier.

Ce bassin s'emboîte dans les cuisses et suggère une amphore. Emboîtez vos parties les unes dans les autres et construisez votre figure comme un charpentier une maison. Tout doit être construit — composé de parties qui forment un tout: un arbre comme un corps humain, un corps humain comme une cathédrale. Dans le travail doivent entrer: connaissances, contemplation nourrie du modèle ou autre sujet, et l'imagination qui enrichit ce que l'on voit. Fermez les yeux et gardez présente à l'esprit votre vision, ensuite travaillez avec votre sensibilité propre. Si c'est d'un modèle qu'il s'agit, prenez vous-même la pose du modèle; l'endroit où la tension se fait sentir est la clef du mouvement.

Il ne faut pas que vous considériez les parties avec un prosaïsme tel que la ressemblance de ce mollet avec un beau vase — une ligne recouvrant l'autre, en quelque sorte — ne vous émeuve pas. Pas plus que la plénitude de ce bras étendu et le fait qu'il a véritablement l'aspect d'une olive ne devraient vous échapper. Je ne dis pas que vous ne devez pas exagérer, mais je dis que votre exagération doit être en harmonie avec le caractère du modèle — et non point une exagération dénuée de sens qui ne fasse que vous éloigner de l'expression particulière que vous cherchez à fixer.

Dès l'abord voyez vos proportions, et ne les perdez plus. Mais des proportions qui concordent avec les mensurations exactes ne sont après tout que bien peu de chose, si le sentiment ne les confirme et si elles n'expriment pas le caractère physique particulier du modèle. Lorsque le modèle est jeune, faites-le jeune. Notez soigneusement les caractéristiques essentielles du modèle: l'œuvre achevée, il faut qu'elles y figurent, autrement c'est que vous avez perdu votre idée en chemin.

Le mécanisme de la construction consiste à établir les oppositions qui créent l'équilibre des directions. C'est au cours des périodes de décadence que l'intérêt de l'artiste s'est porté sur le développement des détails et des formes secondaires. Mais à toutes les grandes époques, il s'est attaché avant toute autre considération à l'essentiel de la forme, aux grandes masses et à leurs rapports — comme dans l'antiquité. Il n'allait pas plus loin avant que ceci fût établi. Non que la sculpture antique ne témoigne de la sensibilité de l'artiste, dont nous faisons parfois l'apanage exclusif des modernes; elle s'y trouve bien, mais elle est mieux contrôlée.

Toute chose a un caractère physique déterminé — par exemple un carré, ou un rectangle. Mais une forme physique indéterminée, indéfinie n'est capable d'exprimer ni l'un ni l'autre. Par conséquent exagérez conformément au caractère défini, pour les besoins de l'expression. Vous pouvez considérer ce modèle nègre comme une cathédrale, composée de parties qui forment une construction solide, noble, tout en hauteur — et vous pouvez le considérer comme un homard, à cause de ses muscles tendus comme une carapace dont les parties s'emboîtent les unes dans les autres d'une façon très précise et très évidente, avec des articulations juste assez grosses pour tenir les os. Mais il sera très nécessaire que vous vous souveniez de temps à autre que ce modèle est un nègre, sous peine de le perdre et de vous perdre vous-même dans votre construction.

Nous avons convenu que l'on pouvait tordre les avant-bras, comme des cordes. Dans le cas présent l'originalité de la pose tient en grande partie dans le fait que les avant-bras forment une sorte de nœud serré, au lieu d'être mollement entrelacés. Remarquez comme ils reposent haut sur la poitrine; ceci ajoute à la détermination et à la vigueur nerveuse de la pose. N'hésitez pas à arrondir cette tête, et laissez-la se détacher sur le fond. Elle est ronde comme une boule, et noire.

Il faut toujours rechercher le désir de la ligne, le point où elle veut entrer ou mourir. Et aussi toujours s'assurer de sa source; ceci doit se faire d'après le modèle. Il est d'une grande aide de sentir un axe central dans la direction du mouvement général du corps, et de construire autour. Dépressions et contours peuvent nuire au volume. Si l'on conçoit un œuf en tant que forme, une faille ne l'affectera pas; mais s'il est conçu en tant que contour, il en souffrira certainement. De la même manière un bras est toujours avant tout une forme ronde, quelles que soient les nuances de son caractère particulier.

Commencez par dessiner vos grandes masses. Il peut être nécessaire d'exagérer les lignes entre l'abdomen et la cuisse pour raffermir une pose debout. Les vides peuvent servir de correctifs. Souvenez-vous qu'une ligne ne peut pas exister seule; elle amène toujours une compagne. N'oubliez pas qu'une ligne ne traduit rien; ce n'est qu'en rapport avec une autre qu'elle crée un volume. Et tracez les deux ensemble.

Donnez aux éléments l'arrondi de leur forme, comme en sculpture. Cherchez-en le volume et la plénitude, que leurs contours doivent rendre. De même qu'en parlant d'un melon on se sert des deux mains pour l'exprimer d'un geste, les deux lignes qui délimitent une forme doivent la restituer. Dessiner revient à faire un geste expressif, avec l'avantage de la permanence. Un dessin est une sculpture, mais il a l'avantage de pouvoir être regardé d'assez près pour que l'on y discerne des suggestions de formes que la sculpture, faite pour porter à distance, doit exprimer beaucoup plus catégoriquement.

Il ne faut jamais oublier les lignes de construction, les axes des épaules et du bassin; non plus que ceux des jambes, des bras, du cou et de la tête. C'est cette construction de la forme qui donne à celle-ci son expression essentielle. Les caractéristiques particulières peuvent toujours en rehausser l'effet, mais la construction doit exister d'abord.

Les lignes ne peuvent jamais être lâchées en liberté; chaque ligne doit avoir sa fonction. Celle-ci conduit le torse jusqu'au bras; observez comment. Toutes les lignes doivent se refermer sur un centre; autrement votre dessin ne peut exister en tant qu'unité, car ces lignes de fuite entraînent l'attention — elles ne l'arrêtent pas.

Avec la courbe des sourcils, des épaules, du bassin et des pieds, on peut presque entièrement construire son dessin, et certainement en indiquer le caractère.

Il est important d'inclure dans votre dessin le modèle dans son entier, de décider de la place du sommet de la tête et de la base des pieds, et de circonscrire votre travail à l'intérieur de ces limites. La valeur de cette expérience dans l'étude ultérieure de la composition est tout à fait évidente.

Souvenez-vous que le caractère spécifique d'une courbe est plus aisément et plus fortement marqué par contraste avec la ligne droite qui l'accompagne si souvent. L'inverse est également vrai. Si vous voyez toutes vos formes en arrondi, elles ne tarderont pas à perdre tout caractère. Les lignes doivent jouer en harmonie et en contrepoint, comme en musique. Vous pouvez broder et faire des fioritures, mais il vous faut revenir à votre thème pour établir l'unité essentielle à l'œuvre d'art.

Le pied du modèle posé sur l'estrade fait une ligne aussi droite et tranchée qu'une incision. Donnez à ce trait son importance. Cette enflure de chair légèrement affaissée n'est qu'une vétille que l'on peut ajouter, mais seule compte la ligne dans le caractère de la pose. Souvenez-vous que le pied enveloppe la jambe et n'en faites pas une silhouette même si vous le dessinez de profil. C'est à la cheville que la jambe s'emboîte dans le corps [?] — et le talon remonte vers la cheville pour l'entourer.

Ingres disait: «N'omettez jamais l'oreille en dessinant la tête.» Sans insister là-dessus, je vous rappellerai que l'oreille ajoute énormément au caractère de la tête, et qu'il est très important de l'exprimer entièrement et avec soin et de ne pas se contenter de la suggérer d'un trait.

Un dessin ombré requiert un fond ombré sous peine de ressembler à une silhouette découpée et collée sur du papier blanc.

Sculpture

Les articulations, poignets, chevilles, genoux et coudes, doivent montrer qu'elles sont à même de soutenir les membres — surtout lorsque les membres soutiennent le corps. Et dans le cas de poses prenant appui sur un membre en particulier, bras ou jambe, il est préférable de mettre l'accent sur l'articulation plutôt que de ne pas l'exprimer avec assez de vigueur. Surtout il faut veiller à ne pas couper le membre aux articulations, mais au contraire à intégrer les articulations au membre dont elles font partie. Le cou doit être assez gros pour porter la tête (dans le cas de la statue nègre dont la tête était grosse et le cou mince, le menton reposait sur les mains, qui donnaient à la tête un support supplémentaire).

Il ne faut à aucun prix faire coïncider le modèle avec une théorie ou un effet préconçu. Le modèle doit vous marquer, éveiller en vous une émotion qu'à votre tour vous cherchez à exprimer. Devant le sujet, vous devez oublier toutes vos théories, toutes vos idées. La part de celles-ci qui vous revient réellement ressortira dans l'expression de l'émotion éveillée en vous par le sujet.

Vous ne pourrez que profiter du fait de prendre conscience avant de commencer que ce modèle, par exemple, a un large bassin qui remonte vers des épaules plutôt étroites et plonge par de fortes cuisses jusqu'aux jambes — suggérant une forme d'œuf, d'un beau volume. Les cheveux du modèle décrivent une courbe protectrice, reprise qui parachève le thème.

Votre imagination se trouve ainsi stimulée et contribue à la conception plastique du modèle avant que vous ne commenciez. Cette jambe, n'était l'accident de la courbe du mollet, décrirait une forme ovale plus allongée, plus mince; et il faudra insister sur cette forme, comme dans les antiques, pour aider à l'unité de la figure.

N'introduisez pas de vides préjudiciables à l'ensemble, par exemple entre le pouce et les doigts côte à côte. Traduisez par des rapports de masses, et de grands mouvements de lignes en corrélation. Il faut déterminer la forme caractéristique des différentes parties du corps et la direction des contours qui donneront cette forme. Pour un homme qui se tient debout, toutes les parties doivent se diriger de façon à contribuer à donner cette impression. Les jambes remontent à l'intérieur du torse, qui lui-même

Matisse et sa classe de sculpture dans l'ancien couvent du Sacré-Cœur, boulevard des Invalides.

se referme sur elles. Il faut qu'il ait une colonne vertébrale. On peut diviser son travail en opposant les lignes (ou axes) indiquant la direction des parties et construire ainsi le corps d'une manière qui suggère immédiatement son caractère général et son mouvement.

Outre les sensations que l'on tire d'un dessin, une sculpture doit nous inviter à la manier en tant qu'objet; de la même façon le sculpteur doit éprouver en cours d'exécution les exigences particulières que sa sculpture pose en matière de volume et de masse. Plus la sculpture est petite, plus l'essentiel de la forme doit s'imposer.

Peinture

Pour peindre, commencez par regarder longtemps et attentivement votre modèle ou sujet, et décidez de votre gamme générale de coloris. Ceci doit prévaloir. Quand vous peignez un paysage, vous le choisissez pour certaines beautés — taches de couleurs, possibilités de composition. Fermez les yeux et représentez-vous le tableau; puis mettez-vous au travail, en gardant toujours ces caractéristiques comme traits dominants du tableau. Et il vous faut de suite indiquer ce que vous voudrez trouver dans l'œuvre achevée. Tout doit être envisagé corrélativement en cours de travail — rien ne peut être ajouté.

Il faut s'arrêter de temps à autre pour considérer le sujet (modèle, paysage, etc.) dans son ensemble. Ce que vous recherchez avant tout, c'est l'unité.

En matière de couleur, de l'ordre avant tout. Mettez sur la toile trois ou quatre touches de couleurs que vous avez comprises, ajoutez-en encore une si vous le pouvez. Sinon mettez la toile de côté et recommencez.

Construisez avec des rapports de couleurs, proches et éloignées — équivalant aux rapports que vous voyez sur le modèle.

Il s'agit de représenter le modèle, ou tout autre sujet, et non de le copier; et il ne peut y avoir de rapports de couleurs entre lui et votre tableau; il ne faut considérer que l'équivalence des rapports de couleurs de votre tableau avec les rapports de couleurs du modèle.

J'ai toujours cherché à copier le modèle; des considérations très importantes m'en ont souvent empêché. Pour mes études, je choisissais une couleur de fond et un coloris général pour le modèle; lesquels étaient évidemment modifiés pour les besoins de l'ambiance, de l'harmonie du fond et du modèle, et de l'unité de qualité sculpturale du modèle.

La nature incite l'imagination à la représentation. Mais, pour améliorer la qualité picturale de cette représentation, il faut y ajouter l'esprit du paysage. Votre composition doit indiquer le caractère plus ou moins complet de ces arbres, même si le nombre exact que vous avez choisi ne traduit pas le paysage avec précision.

Peindre une nature morte consiste à transposer les rapports des objets du thème par l'intelligence des différentes valeurs de couleurs et de leurs corrélations.

Lorsque les yeux se fatiguent et que les rapports semblent tous faux, regardez simplement l'un des objets. «Mais ce cuivre est jaune!» Mettez franchement de l'ocre jaune, par exemple en un point clair, et recommencez à partir de là pour réconcilier les différentes parties.

Dans la nature morte, copier les objets n'est rien; il faut rendre les émotions qu'ils éveillent en nous. L'émotion de l'ensemble, la corrélation des objets, le caractère spécifique de chaque objet — modifié par sa relation avec les autres — tout cela entremêlé comme une corde ou un serpent.

La forme en goutte d'eau de ce vase élancé, à grosse panse — le volume généreux de ce cuivre — doivent vous toucher. La nature morte est aussi difficile que l'antique et les proportions de ses diverses parties aussi importantes que celles de la tête ou des mains, par exemple, de l'antique.

(Texte publié pour la première fois en anglais par Alfred H. Barr, sous le titre «A great artist speaks to his students», dans *Matisse, his Art and his Public*, New York, Museum of Modern Art, 1951. Traduction par Paulette Vielhomme dans *Henri Matisse, Écrits et propos sur l'art*, Paris, Hermann, 1972.)

Umberto Boccioni

Manifeste technique de la sculpture futuriste

août 1912

De nombreux historiens d'art ont étudié le Manifeste technique de la sculpture futuriste de Boccioni par rapport aux recherches menées dans les milieux du cubisme parisien. Leurs analyses ont été souvent faussées par la date fictive du 11 avril 1912 que l'artiste a inscrite au bas de son texte. Il est possible que Boccioni ait eu ses intuitions révolutionnaires sur la sculpture totale, c'est-à-dire l'ensemble sculptural chromatique, plurimatériel, lumineux et cinétique, dès ce mois d'avril 1912, comme l'indiquerait la date officielle du texte. Pourtant son manifeste ne peut pas avoir été publié dès cette date: on y trouve en effet une citation des «mots en liberté» de Marinetti, qui n'ont connu leur première formulation théorique qu'à la fin du mois de juin de la même année. Une datation correcte, fondée sur une étude philologique, s'impose. Les phases et les circonstances de la gestation permettent d'autre part d'expliquer le décalage qui a subsisté entre la théorie et les œuvres de l'artiste. C'est dans une lettre du 15 mars 1912, adressée au collectionneur Vico Baer, que Boccioni écrit: «Ces jours-ci je suis obsédé par la sculpture! Je crois que j'ai entrevu une complète rénovation de cet art momifié.» Le peintre est alors à Paris où il espère d'ailleurs s'installer de façon définitive. Au cours des mois suivants il se rend à Berlin, Milan et Bruxelles pour y présenter une exposition de peintures futuristes. Ses réflexions sur la sculpture ne l'occupent de nouveau pleinement que lors d'un autre séjour dans la capitale française, en compagnie de Marinetti, en juin 1912. Selon un témoignage malveillant de Severini, Boccioni aurait alors visité en sa compagnie les ateliers de Brancusi, Archipenko, Agero, Duchamp-Villon et lancé «quinze jours plus tard» son manifeste. Une telle légèreté et une telle improvisation sont peu crédibles surtout lorsque l'on connaît le tempérament exigeant et tourmenté de Boccioni.

Sont en revanche tout à fait dignes de foi les souvenirs de Marinetti. Celui-ci relate deux épisodes très précis. Il s'agit d'abord d'une visite que l'artiste a rendue à Medardo Rosso pour s'entretenir longuement avec lui sur «les rapports à établir entre la forme sculpturale et les variations de la lumière». On trouve un écho de cette rencontre dans le texte même du Manifeste technique de la sculpture futuriste. Le second épisode concerne une visite que Boc-

cioni fit, en compagnie de Marinetti, chez Archipenko. Ce dernier travaillait déjà, semble-t-il, à des sculptures aux volumes concaves et s'essayait au renouvellement des matières. Il exposera d'autre part une «statuette en ciment» dès octobre 1912. Sur les répercussions de cette visite, qui aurait suscité une certaine perplexité chez l'artiste italien, Marinetti rapporte: «En sortant dans les rues animées de lumières trépidantes, enflammé d'ardeur poétique, je commence à faire appel au génie orgueilleux de Boccioni pour qu'il réponde tout de suite à ma pression: "Mon cher Boccioni, il n'y a pas de temps à perdre. Tu es prêt au plus grand effort d'invention que nous exigeons de toi; tu dois triompher en sculpteur en créant la sculpture du mouvement..." Nous rentrons à Milan et dans l'atelier de Boccioni s'élèvent des muscles en vitesse et plus particulièrement de grandes vitesses plurimatérielles, avec l'apparition des premières sculptures de milieu ambiant ombres lumières solidifiées.»

Le radicalisme et la détermination de Marinetti sont ainsi à l'origine des propositions les plus audacieuses du manifeste. C'est pourquoi ce programme restera en partie inexploré dans l'œuvre de Boccioni. Deux lettres expédiées à Severini en juillet et en août témoignent du travail fébrile accompli par l'artiste pendant l'été 1912. Très angoissé au sujet de la signification même de ses recherches, Boccioni rédige alors quelques notes lapidaires: «Détruire le sublime et l'artistique. Revenir à la réalité grâce à des détails réels. Le renouvellement de la sculpture passe par une sculpture qui devient elle-même architecturale. La compénétration des plans doit être appliquée dans le bloc même de la statue.» Il note également: «Palais de carton des enfants qui font éprouver le plaisir sculptural.» C'est la solution ludique qu'il adoptera dans Tête + maison + lumière et Muscles en vitesse en terminant l'ensemble sculptural par une sorte de maison-jouet. Le texte définitif du manifeste n'a donc pu être écrit que pendant le mois d'août, lorsque le travail expérimental de Boccioni commençait à donner ses premiers résultats concrets. Le 28 septembre 1912, les journaux Excelsior, Paris-Journal et L'Intransigeant sont les premiers à signaler l'arrivée à Paris du manifeste imprimé sur un tract replié. Le lancement en Italie ne se fera que le mois suivant. Les réactions indignées

Umberto Boccioni
Tête+maison+lumière (1912)
Œuvre détruite

Umberto Boccioni
Muscles en vitesse (1913)
Œuvre exposée en septembre 1915 à San Francisco, détruite depuis

Umberto Boccioni
Compénétration de tête+fenêtre+lumière (1912)
Œuvre détruite

suscitées à Paris par le manifeste, aussitôt relayées par le scandale du Salon de la Section d'or deux semaines plus tard, amèneront Marcel Boulenger à forger le terme méprisant de «cubo-futuristes» dans le Gil Blas du 8 octobre 1912. Et le journaliste de L'Intransigeant d'ajouter: «Le petit salon de la Section d'or a permis aux cubistes parisiens de couper l'herbe sous les pieds de leurs confrères italiens.»

Vers la fin de 1912, deux sculptures représentaient aux yeux de Boccioni des aboutissements déjà satisfaisants de son travail: Développement d'une bouteille dans l'espace[1] et Compénétration de tête + fenêtre + lumière. Dans l'une il avait adopté l'«architecture spiralique» susceptible de déployer le noyau d'énergie constituant l'objet. Dans l'autre il avait utilisé plusieurs fragments de réalité, dont une véritable «croisée de fenêtre», surtout pour imposer l'évidence matérielle de l'œuvre. L'association étroite entre objet et milieu ambiant produisait directement l'hétérogénéité de l'assemblage, mais aucun effet dynamique n'était recherché au niveau des propriétés tactiles des matières. A ce stade, le plurimatiérisme de Boccioni visait plutôt la «destruction du sublime» en misant sur une artificialité qui revigorerait l'art par un emploi tautologique, à savoir sensuel autant que polémique, de la matière brute. Ce type de recherche allait vite être abandonné au profit d'une réflexion bergsonienne sur le devenir de la forme en mouvement qui culminera dans le célèbre Formes uniques de la continuité dans l'espace[2]. C'est en juin 1913, dans le catalogue de l'exposition de sculpture futuriste *présentée à Paris, que Boccioni amènera à maturité théo- rique ses idées sur le plurimatiérisme: «On pourrait obtenir un premier élément dynamique en décomposant cette unité de matière en un certain nombre de matières dif- férentes dont chacune peut caractériser par sa diversité même une différence de poids et d'expansion de volumes moléculaires.» Mais Boccioni ne devait reprendre ses re- cherches qu'au début de 1915, stimulé par les premiers «ensembles plastiques» lumineux, cinétiques, plurimaté- riels et abstraits que venait de construire le jeune Depero. Il réalisait alors l'assemblage Dynamisme de cheval courant + bâtiments, la meilleure réussite du programme sculp- tural qu'il avait énoncé en septembre 1912.*

G.L.

1 *Cf.* page 44.
2 *Cf.* page 45.

La sculpture, telle qu'elle nous apparaît dans les monu- ments et dans les expositions d'Europe, nous offre un spectacle si lamentable de barbarie et de balourdise que mon œil futuriste s'en éloigne avec horreur et dégoût.

Nous voyons à peu près partout l'imitation aveugle et grossière de toutes les formules héritées du passé: imita- tion que la lâcheté de la tradition et la veulerie de la facilité encouragent systématiquement. L'art sculptural dans les pays latins agonise sous le joug ignominieux de la Grèce et de Michel-Ange, porté avec l'aisance du génie en France et en Belgique, avec le plus morne des abrutissements en Italie. Nous notons dans les pays germaniques l'obsession ridicule d'un style gothique hellénisé que Berlin industria- lise et Munich ramollit avec de lourdes mains professorales. Les pays slaves au contraire se distinguent par un mélange chaotique d'archaïsmes grecs, de démons conçus par les littératures du Nord et de monstres enfantés par l'imagi- nation orientale. C'est un amas d'influences qui du parti- cularisme excessif et sibyllin du génie asiatique monte jusqu'à la puérile et grotesque ingéniosité des Lapons et des Esquimaux.

Dans toutes ces manifestations de la sculpture, dans les plus routinières aussi bien que dans celles qui sont agitées par un souffle novateur, persiste la même erreur: l'artiste copie le nu et étudie la statue classique avec la conviction ingénue de pouvoir trouver un style qui corres- ponde à la sensibilité moderne, sans sortir de la conception traditionnelle de la forme sculpturale. Il faut ajouter d'autre part que cette conception, avec son vénérable *idéal de beauté,* ne se détache jamais de la période de Phidias et de la décadence artistique qui la suit.

Il est à peu près inexplicable que des générations de sculpteurs continuent à construire des fantoches sans se demander pourquoi tous les salons de sculpture sont de- venus des réservoirs d'ennui et de nausée et les inaugu-

rations des monuments dans les places publiques des ren- dez-vous d'hilarité irréfrénable. Cela ne se vérifie guère dans la peinture, qui, par ses rénovations lentes mais conti- nuelles, condamne brutalement l'œuvre plagiaire et stérile de tous les sculpteurs de notre temps. Quand donc les sculpteurs comprendront-ils que s'efforcer de construire et de créer avec des éléments égyptiens, grecs ou hérités de Michel-Ange est aussi absurde que de vouloir tirer de l'eau d'une citerne vide au moyen d'un seau défoncé?

Il ne peut y avoir aucun renouvellement dans un art si on ne renouvelle pas en même temps l'essence de cet art, c'est-à-dire la vision et la conception de la ligne et des masses qui forment l'arabesque. Ce n'est pas en reprodui- sant seulement les aspects extérieurs de la vie que l'art devient l'expression de son temps; c'est pourquoi la sculp- ture telle qu'elle a été comprise par les artistes du siècle passé et d'aujourd'hui est un monstrueux anachronisme. La sculpture ne pouvait absolument pas faire de progrès dans le domaine étroit qui lui a été assigné par la concep- tion académique du nu. Un art qui a besoin de déshabiller entièrement un homme ou une femme pour commencer sa fonction émotive est un art mort-né.

La peinture s'est fortifiée, intensifiée et élargie moyen- nant le paysage et l'ambiance que les peintres impression- nistes ont fait agir simultanément sur la figure humaine et sur les objets. C'est en prolongeant leur effort que nous avons enrichi la peinture de notre **compénétration des plans** (*Manifeste technique de la peinture futuriste;* 11 avril 1910). La sculpture trouvera une nouvelle source d'émotion, et par conséquent de style, en élargissant sa plastique dans l'immense domaine que l'esprit humain a sottement considéré jusqu'ici comme le domaine du divisé, de l'impalpable et de l'inexprimable.

Il faut partir du noyau central de l'objet que l'on veut créer pour découvrir les nouvelles formes qui le rattachent invisiblement et mathématiquement à **l'infini plastique apparent** et à **l'infini plastique intérieur.** La nouvelle plastique sera donc la traduction par la craie, le bronze, le verre, le bois ou toute autre matière, des plans atmosphé- riques qui lient et intersectent les choses. Ce que j'ai appelé **transcendantalisme physique** (*Conférence sur la pein- ture futuriste au Cercle artistique de Rome;* mai 1911) pourra rendre plastiques les sympathies et les affinités mystérieuses qui produisent les influences réciproques et formelles de plans des objets.

La sculpture doit donner la vie aux objets en rendant sensible, systématique et plastique leur prolongement dans l'espace, car personne ne peut plus nier aujourd'hui qu'un objet continue là où un autre commence et que toutes les choses qui environnent notre corps (bouteille, automobile, maison, arbre, rue) le tranchent et le section- nent en formant une arabesque de courbes et de lignes droites.

Il y a eu deux tentatives de renouvellement moderne

Manifesto tecnico
della
scultura futurista

La scultura, nei monumenti e nelle esposizioni di tutte le città d'Europa, offre uno spettacolo così compassionevole di barbarie, di goffaggine e di monotona imitazione, che il mio occhio futurista se ne **ritrae** con profondo disgusto!

Nella scultura d'ogni paese domina l'imitazione cieca e balorda delle formule ereditate dal **passato**, imitazione che viene incoraggiata dalla doppia vigliaccheria della tradizione e della facilità. Nei paesi latini abbiamo il peso obbrobrioso della Grecia e di Michelangelo, che è sopportato con qualche serietà d'ingegno in Francia e nel Belgio, con grottesca imbecillaggine in Italia. Nei paesi germanici abbiamo un insulso goticume grecizzante, industrializzato a Berlino o smidollato con cura effeminata dal professorume tedesco a Monaco di Baviera. Nei paesi slavi, invece, un cozzo confuso tra il greco arcaico e i mostri nordici od orientali. Ammasso informe di influenze che vanno dall'eccesso di particolari astrusi dell'Asia, alla infantile e grottesca ingegnosità dei Lapponi e degli Eschimesi.

In tutte queste manifestazioni della scultura ed anche in quelle che hanno maggior soffio di audacia innovatrice si perpetua lo stesso equivoco: l'artista copia il nudo e studia la statua classica con l'ingenua convinzione di poter trovare uno stile che corrisponda alla sensibilità moderna senza **uscire dalla** tradizionale concezione della forma scultoria. La quale concezione col suo famoso « ideale di bellezza » di cui tutti parlano genuflessi, non si stacca mai dal periodo fidiaco e dalla sua decadenza.

Ed è quasi inspiegabile come le migliaia di scultori che continuano di generazione in generazione a costruire fantocci non si siano ancora chiesti perchè le sale di scultura siano frequentate con noia ed orrore, quando non siano assolutamente deserte, e perchè i monumenti si inaugurino sulle piazze di tutto il mondo tra l'incomprensione e l'ilarità generale. Questo non accade per la pittura, a causa del suo rinnovamento continuo, che, per quanto lento, è la più chiara condanna dell'opera plagiaria e sterile di tutti gli scultori della nostra epoca!

Bisogna che gli scultori si convincano di questa verità assoluta: costruire ancora e voler creare con gli elementi egizi, greci o michelangioleschi è come voler attingere acqua con una secchia senza fondo in una cisterna disseccata!

Non vi può essere rinnovamento alcuno in un'arte se non ne viene rinnovata l'essenza, cioè la visione e la concezione della linea e delle masse che formano l'arabesco. Non è solo riproducendo gli aspetti esteriori della vita contemporanea che l'arte diventa espressione del proprio tempo, e perciò la scultura come è stata intesa fino ad oggi dagli artisti del secolo passato e del presente è un mostruoso anacronismo!

La scultura non ha progredito, a causa della ristrettezza del campo assegnatole dal concetto accademico del nudo. Un'arte che ha bisogno di spogliare interamente un uomo o una donna per cominciare la sua funzione emotiva è un'arte morta! La pittura s'è rinsanguata, approfondita e allargata mediante il paesaggio e l'ambiente fatti simultaneamente agire sulla figura umana o su gli oggetti, giungendo alla nostra futurista **compenetrazione dei piani**, [Manifesto tecnico della Pittura futurista: 11 Aprile 1910]. Così la scultura troverà nuova sorgente di emozione, quindi di stile, estendendo la sua plastica a quello che la nostra rozzezza barbarici ha fatto sino ad oggi considerare come suddiviso, impalpabile, quindi inesprimibile plasticamente.

Noi dobbiamo partire dal nucleo centrale dell'oggetto che si vuol creare, per scoprire le nuove **leggi**, cioè le nuove forme che lo legano invisibilmente ma matematicamente all'**infinito plastico apparente** e all'**infinito plastico interiore**. La nuova plastica sarà dunque la traduzione nel gesso, nel bronzo, nel vetro, nel legno e in qualsiasi altra materia, dei piani atmosferici che legano e intersecano le cose. Questa visione che io ho chiamato **trascendentalismo fisico** [Conferenza sulla Pittura futurista al Circolo Artistico di Roma; Maggio 1911] potrà rendere plastiche le simpatie e le affinità misteriose che creano le reciproche influenze formali dei piani degli oggetti.

La scultura deve quindi far vivere gli oggetti rendendo sensibile, sistematico e plastico il loro prolungamento nello spazio, poichè nessuno può più dubitare che un oggetto finisca dove un altro comincia e non v'è cosa che circondi il nostro corpo: bottiglia, automobile, casa, albero, strada, che non lo tagli e non lo sezioni con un arabesco di curve e di rette.

Due sono stati i tentativi di rinnovamento moderno della scultura: uno decorativo per lo stile, l'altro prettamente plastico per la materia. Il primo, anonimo e disordinato, mancava del genio tecnico coordinatore, e, troppo legato alle necessità economiche dell'edilizia, non produsse che pezzi di scultura tradizionale più o meno decorativamente sintetizzati e inquadrati in motivi o sagome architettoniche o decorative. Tutti i palazzi e le case costruite con un criterio di modernità hanno in loro questi tentativi in marmo, in cemento o in placche metalliche.

Il secondo, più geniale, disinteressato e poetico, ma troppo isolato e frammentario, mancava di un pensiero sintetico che affermasse una legge. Poichè nell'opera di rinnovamento non basta credere con fervore, ma occorre propugnare e determinare qualche norma che segni una strada. Alludo al genio di Medardo Rosso, a un italiano, al solo grande scultore moderno che abbia tentato di aprire alla scultura un campo più vasto, di rendere con la plastica le influenze d'un ambiente e i legami atmosferici che lo avvincono al soggetto.

Degli altri tre grandi scultori contemporanei, Constantin Meunier nulla ha portato di nuovo nella sensibilità scultoria. Le sue statue sono quasi sempre fusioni geniali dell'eroico greco con l'atletica umiltà dello scaricatore, del marinaio, del minatore. La sua concezione plastica e costruttiva della statua e del bassorilievo è ancora quella del Partenone o dell'eroe classico, non ha tentato di **creare** e divinizzare soggetti prima di lui disprezzati o lasciati alla bassa riproduzione veristica.

La Bourdelle porta nel blocco scultorio una severità quasi rabbiosa di masse astrattamente architettoniche. Temperamento appassionato, torvo, sincero di cercatore, non sa purtroppo liberarsi di una certa influenza arcaica e da quella anonima di tutti i tagliapietra delle cattedrali gotiche.

Rodin è di una agilità spirituale più vasta, che gli permette di andare dall'impressionismo del *Balzac* all'incertezza dei *Borghesi di Calais* e a tutti gli altri peccati michelangioleschi. Egli porta nella sua scultura un'ispirazione inquieta, un impeto lirico grandioso, che sarebbero veramente moderni se Michelangelo e Donatello non li avessero avuti, con le quasi identiche forme, quattrocento anni or sono e se servissero invece ad animare una realtà completamente ricreata.

Abbiamo quindi nell'opera di questi tre grandi ingegni tre influenze di periodi diversi: greca in Meunier; gotica in La Bourdelle; della rinascenza italiana in Rodin.

L'opera di Medardo Rosso è invece rivoluzionaria, modernissima, più profonda e necessariamente ristretta. In essa non si agitano eroi nè simboli, ma il piano d'una fronte di donna o di bimbo accenna ad una liberazione verso lo spazio, che avrà nella storia dello spirito una importanza ben maggiore di quella che non gli abbia data il nostro tempo. Purtroppo le necessità impressionistiche del tentativo hanno limitato le ricerche di Medardo Rosso ad una specie di alto o bassorilievo, la qual cosa dimostra che la figura è ancora concepita come mondo a sè, con base tradizionale e scopi episodici.

La rivoluzione di Medardo Rosso, per quanto importantissima, parte da un concetto troppo esteriormente pittorico, trascura il problema d'una nuova costruzione dei piani e il tocco sensuale del pollice che imita la leggerezza della pennellata impressionista, dà un senso di vivace immediatezza, ma obbliga alla esecuzione rapida dal vero e toglie all'opera d'arte il suo carattere di creazione universale. Ha quindi gli stessi pregi e difetti dell'impressionismo pittorico, dalle cui ricerche parte la nostra rivoluzione estetica la quale, continuandole, se ne allontana fino all'estremo opposto.

---

de la sculpture: l'une décorative pour le style, l'autre nettement plastique pour la matière. La première tentative reste anonyme et désordonnée, faute d'un génie technique capable de la coordonner. Elle reste enchaînée aux nécessités économiques de l'édilité et ne produisit que des pièces de sculpture traditionnelle plus ou moins synthétisée décorativement et encadrée dans des formes architecturales ou décoratives. Tous les palais, toutes les maisons construites avec un goût et des intentions modernes manifestent cette tentative dans le marbre, le ciment ou dans des plaques métalliques.

La seconde tentative, plus sérieuse, plus désintéressée et plus poétique, mais trop isolée et trop fragmentaire, manquait d'un esprit synthétique capable d'affirmer une loi. Car dans toute œuvre de rénovation il ne suffit pas de croire avec ferveur, mais il faut en outre déterminer, creuser et imposer la route à suivre. C'est à un grand sculpteur italien que je fais allusion: au génie de Medardo Rosso, au seul grand sculpteur moderne qui ait essayé d'élargir l'horizon de la sculpture en rendant par la plastique les influences d'un milieu et les invisibles liens atmosphériques qui le rattachent au sujet.

Constantin Meunier n'a absolument rien apporté de nouveau dans la sensibilité sculpturale. Ses statues sont presque toujours des fusions puissantes du style héroïque grec et de l'humilité athlétique du débardeur, du matelot et du mineur. Sa conception plastique et constructive de la statue et du bas-relief est encore la construction du Parthénon et du héros classique. Il a néanmoins le très grand mérite d'avoir essayé avant tout autre de diviniser des sujets qu'on avait jusque-là méprisés ou abandonnés aux reproductions réalistes.

Bourdelle manifeste sa personnalité en mettant dans le bloc sculptural une sévérité violente et rageuse de masses abstraitement architectoniques. Tempérament passionné, sombre et sincère de chercheur, il ne sait malheureusement pas se délivrer d'une certaine influence archaïque et de l'influence anonyme de tous les tailleurs de pierres des cathédrales gothiques.

Rodin déploie une agilité intellectuelle plus vaste, qui lui permet de passer avec aisance de l'impressionnisme du *Balzac* à l'indécision des *Bourgeois de Calais* et à toutes ses autres œuvres marquées par la lourde influence de Michel-Ange. Il manifeste dans sa sculpture une inspiration

In scultura come in pittura non si può rinnovare se non cercando **lo stile del movimento,** cioè rendendo sistematico e definitivo come sintesi quello che l'impressionismo ha dato come frammentario, accidentale, quindi analitico. E questa sistematizzazione delle vibrazioni delle luci e delle compenetrazioni dei piani produrrà la scultura futurista, il cui fondamento sarà architettonico, non soltanto come costruzione di masse, ma in modo che il blocco scultorio abbia in sè gli elementi architettonici dell'**ambiente scultorio** in cui vive il soggetto.

Naturalmente, noi daremo una **scultura d'ambiente.**

Una composizione scultoria futurista avrà in sè i meravigliosi elementi matematici e geometrici che compongono gli oggetti del nostro tempo. E questi oggetti non saranno vicini alla statua come attributi esplicativi o elementi decorativi staccati, ma, seguendo le leggi di una nuova concezione dell'armonia, saranno incastrati nelle linee muscolari d'un corpo. Così, dall'ascella di un meccanico potrà uscire la ruota d'un congegno, così la linea di un tavolo potrà tagliare la testa di chi legge, e il libro sezionare col suo ventaglio di pagine lo stomaco del lettore.

Tradizionalmente, la statua si intaglia e si delinea sullo sfondo atmosferico dell'ambiente in cui è esposta. La pittura futurista ha superata questa concezione della continuità ritmica delle linee in una figura e dell'isolamento di essa dal fondo e dallo **spazio avviluppante invisibile.** « La poesia futurista — secondo il poeta Marinetti — dopo aver distrutta la metrica tradizionale e creato il verso libero, distrugge ora la sintassi e il periodo latino. La poesia futurista è una corrente spontanea ininterrotta di analogie, ognuna riassunta intuitivamente nel sostantivo essenziale. Dunque, immaginazione senza fili e parole in libertà ». La musica futurista di Balilla Pratella infrange la tirannia cronometrica del ritmo.

Perchè la scultura dovrebbe rimanere indietro, legata a leggi che nessuno ha il diritto di imporle? Rovesciamo tutto, dunque, e proclamiamo l'**assoluta e completa abolizione della linea finita e della statua chiusa. Spalanchiamo la figura e chiudiamo in essa l'ambiente.** Proclamiamo che l'ambiente deve far parte del blocco plastico come un mondo a sè e con leggi proprie; che il marciapiede può salire sulla vostra tavola, e che la vostra testa può attraversare la strada mentre tra una casa e l'altra la vostra lampada allaccia la sua ragnatela di raggi di gesso.

Proclamiamo che tutto il mondo apparente deve precipitarsi su di noi, amalgamarsi, creando un'armonia colla sola misura dell'intuizione creativa; che una gamba, un braccio o un oggetto, non avendo importanza se non come elementi del ritmo plastico, possono essere aboliti, non per imitare un frammento greco o romano, ma per ubbidire all'armonia che l'autore vuol creare. Un insieme scultorio, come un quadro, non può assomigliare che a sè stesso, poichè la figura e le cose devono vivere in arte al di fuori della logica fisionomica.

Così una figura può essere vestita in un braccio e nuda nell'altro, e le diverse linee d'un vaso di fiori possono rincorrersi agilmente fra le linee del cappello e quelle del collo.

Così dei piani trasparenti, dei vetri, delle lastre di metallo, dei fili, delle luci elettriche esterne o interne potranno indicare i piani, le tendenze, i toni, i semitoni di una nuova realtà.

Così una nuova intuitiva colorazione di bianco, di grigio, di nero, può aumentare la forza emotiva dei piani, mentre la nota di un piano colorato accentuerà con violenza il significato astratto del fatto plastico!

Ciò che abbiamo detto sulle **linee forze** in pittura [Prefazione-manifesto al catalogo della I* Esposizione futurista di Parigi. Ottobre 1911] può dirsi anche per la scultura, facendo vivere la linea muscolare statica nella linea-forza dinamica. In questa linea muscolare predominerà la linea retta, che è la sola corrispondente alla semplicità interna della sintesi che noi contrapponiamo al barocchismo esterno dell'analisi.

Ma la linea retta non ci condurrà alla imitazione degli egizi, dei primitivi o dei selvaggi, come qualche scultore moderno ha disperatamente tentato per liberarsi dal greco. La nostra linea retta sarà viva e palpitante; si presterà a tutte le necessità delle infinite espressioni della materia, e la sua nuda severità fondamentale sarà il simbolo dalla severità di acciaio delle linee del macchinario moderno.

Possiamo infine affermare che nella scultura l'artista non deve indietreggiare davanti a nessun mezzo pur di ottenere una **realtà.** Nessuna paura è più stupida di quella che ci fa temere di uscire dall'arte che esercitiamo. Non v'è nè pittura, nè scultura, nè musica, nè poesia, non v'è che creazione! Quindi se una composizione sente il bisogno d'un ritmo speciale di movimento che aiuti o contrasti il ritmo fermato dell'**insieme scultorio** (necessità dell'opera d'arte) si potrà applicarvi un qualsiasi congegno che possa dare un movimento ritmico adeguato a dei piani o delle linee.

Non possiamo dimenticare che il tic-tac e le sfere in moto di un orologio, che l'entrata o l'uscita di uno stantuffo in un cilindro, che l'aprirsi e il chiudersi di due ruote dentate con l'apparire e lo scomparire continuo dei loro rettangoletti d'acciaio, che la furia di un volante o il turbine di un'elica, sono tutti elementi plastici e pittorici, di cui un'opera scultoria futurista deve valersi. L'aprirsi e il richiudersi di una valvola crea un ritmo altrettanto bello ma infinitamente più nuovo di quello d'una palpebra animale!

CONCLUSIONI:

1. — Proclamare che la scultura si prefigge la ricostruzione astratta dei piani e dei volumi che determinano le forme, non il loro valore figurativo.

2. — **Abolire in scultura,** come in qualsiasi altra arte, **il sublime tradizionale dei soggetti.**

3. — Negare alla scultura qualsiasi scopo di ricostruzione episodica veristica, ma affermare la necessità assoluta di servirsi di tutte le realtà per tornare agli elementi essenziali della sensibilità plastica. Quindi percependo i corpi e le loro parti come **zone plastiche,** avremo in una composizione scultoria futurista, piani di legno o di metallo, immobili o meccanicamente mobili, per un oggetto, forme sferiche pelose per i capelli, semicerchi di vetro per un vaso, fili di ferro e reticolati per un piano atmosferico, ecc. ecc.

4. — Distruggere la nobiltà tutta letteraria e tradizionale del marmo e del bronzo. Negare l'esclusività di una materia per l'intera costruzione d'un insieme scultorio. Affermare che anche venti materie diverse possono concorrere in una sola opera allo scopo dell'emozione plastica. Ne enumeriamo alcune: vetro, legno cartone, ferro, cemento, crine, cuoio, stoffa, specchi, luce elettrica, ecc. ecc.

5. — Proclamare nell'intersecazione dei piani di un libro con gli angoli d'una tavola, nelle rette di un fiammifero, nel telaio di una finestra, v'è più verità che in tutti i grovigli di muscoli, in tutti i seni e in tutte le natiche di eroi o di veneri che ispirano la moderna idiozia scultoria.

6. — Che solo una modernissima scelta di soggetti potrà portare alla scoperta di nuove **idee plastiche.**

7. — Che la linea retta è il solo mezzo che possa condurre alla verginità primitiva di una nuova costruzione architettonica delle masse o zone scultorie.

8. — Che non vi può essere rinnovamento se non attraverso la **scultura d'ambiente** perchè con essa la plastica si svilupperà, prolungandosi nello spazio per modellarlo. Quindi da oggi anche la creta potrà **modellare l'atmosfera** che circonda le cose.

9. La cosa che si crea non è che il ponte tra l'**infinito plastico esteriore** e l'**infinito plastico interiore,** quindi gli oggetti non finiscono mai e si intersecano con infinite combinazioni di simpatia e urti di avversione.

10. — Bisogna distruggere il nudo sistematico; il concetto tradizionale della statua e del monumento!

11. — Rifiutare coraggiosamente qualsiasi lavoro, a qualsiasi prezzo, che non abbia in sè una pura costruzione di elementi plastici completamente rinnovati.

Umberto Boccioni.
pittore e scultore

MILANO, 11 Aprile 1912.

---

inquiète, une puissance lyrique grandiose, qui seraient vraiment modernes si Michel-Ange et Donatello ne les avaient pas manifestées avec des formes presque identiques il y a quatre cents ans, et si elles servaient au contraire à animer une réalité complètement recréée.

On découvre donc dans l'œuvre de ces trois génies les trois influences de trois périodes différentes: influence grecque dans l'œuvre de Meunier, gothique dans l'œuvre de Bourdelle, influence de la Renaissance italienne dans l'œuvre de Rodin.

L'œuvre de Medardo Rosso est en revanche révolutionnaire, très moderne, plus profonde et nécessairement restreinte. Il n'y a guère de héros ni de symboles dans ses œuvres sculpturales mais le plan d'un de ses fronts de femmes ou d'enfants propose et indique une délivrance vers l'espace qui aura un jour dans l'histoire de l'esprit humain une importance bien supérieure à celle que lui ont donnée les critiques de notre temps. Les lois fatalement impressionnistes de sa tentative ont malheureusement borné les recherches de Medardo Rosso à une espèce de haut-relief ou de bas-relief; cela prouve qu'il conçoit encore la figure comme un monde isolé, avec une essence

traditionnelle et des intentions épisodiques.

La révolution artistique de Medardo Rosso, bien que très importante, part d'un point de vue trop extérieurement pictural, et néglige absolument le problème d'une nouvelle construction de plans. Son modelage sensuel, qui s'efforce d'imiter la légèreté d'un coup de pinceau impressionniste, donne un beau résultat de sensation vivace et immédiate, mais l'oblige à exécuter trop rapidement d'après nature, et prive son œuvre de tout caractère d'universalité. La révolution artistique de Medardo Rosso a donc les qualités et les défauts de l'impressionnisme en peinture. Nous sommes partis comme lui de cet impressionnisme mais notre révolution futuriste, tout en le continuant, s'en est éloignée jusqu'au pôle opposé.

En sculpture aussi bien qu'en peinture, on ne peut rénover si ce n'est en cherchant **le style du mouvement,** c'est-à-dire en rendant systématique et définitif comme synthèse ce que l'impressionnisme a donné d'un façon fragmentaire, accidentelle et par conséquent analytique. Cette systématisation des vibrations de lumière et des compénétrations de plans produira la sculpture futuriste: son caractère sera architectonique, non seulement au point de vue de la construction des masses, mais aussi parce que le bloc sculptural contiendra les éléments architectoniques du milieu sculptural où vit le sujet.

Naturellement nous donnerons une **sculpture d'ambiance.** Une composition sculpturale futuriste aura en soi les merveilleux éléments mathématiques et géométriques des objets modernes. Ces objets ne seront pas placés tout près de la statue, comme des attributs explicatifs ou des éléments décoratifs détachés, mais suivant les lois d'une nouvelle conception de l'harmonie ils seront encastrés dans les lignes musculaires d'un corps. Nous verrons par exemple la roue d'un moteur sortir de l'aisselle d'un mécanicien, la ligne d'une table trancher la tête d'un homme qui lit, et son livre lui sectionner l'estomac avec l'éventail de ses pages tranchantes.

Dans la tradition courante de la sculpture la statue découpe nettement sa forme sur le fond atmosphérique du milieu où elle se dresse. La peinture futuriste a surpassé cette conception de la continuité rythmique des lignes dans une figure et de son isolement absolu, sans contact avec le fond et avec **l'espace enveloppant invisible.** La poésie futuriste, selon le poète Marinetti, après avoir détruit la prosodie traditionnelle et créé le vers libre, abolit aujourd'hui la syntaxe et la période latine. La poésie futuriste est un courant spontané ininterrompu d'analogies dont chacune est résumée intuitivement dans son substantif essentiel. D'où **l'imagination sans fil et les mots en liberté.** La musique futuriste de Balilla Pratella détruit la tyrannie chronométrique du rythme.

Pourquoi donc la sculpture devrait-elle rester entravée par des lois qui n'ont aucune raison d'être? Brisons-les crânement et proclamons **l'abolition complète de la ligne finie et de la statue fermée. Ouvrons la figure comme une fenêtre et enfermons en elle le milieu où elle vit.** Proclamons que le milieu doit faire partie du bloc plastique comme un monde spécial régi par ses propres lois. Proclamons que le trottoir peut grimper sur votre table, que votre tête peut traverser la rue, et qu'en même temps votre lampe familière peut suspendre d'une maison à l'autre l'immense toile d'araignée de ses rayons de craie.

Proclamons que tout le monde apparent doit se précipiter sur nous, s'amalgamant à nous, en créant une harmonie qui ne sera gouvernée que par l'intuition créatrice. Une jambe, un bras ou un objet quelconque n'ayant que l'importance d'un élément du rythme plastique, peuvent aisément être abolis dans la sculpture futuriste, non pour imiter un fragment grec ou romain, mais pour obéir à l'harmonie que le sculpteur veut créer. Un ensemble sculptural aussi bien qu'un tableau ne peut ressembler qu'à lui-même, parce que la figure humaine et les objets doivent vivre en art en dehors et en dépit de toute logique physionomique.

Une figure peut avoir un bras habillé et tout le reste nu. Les différentes lignes d'un vase de fleurs peuvent se poursuivre avec agilité en se mêlant aux lignes du chapeau et à celles du cou.

Des plans transparents de verre ou de celluloïd, des lames de métal, des fils, des lumières électriques intérieures ou extérieures, pourront indiquer les plans, les tendances, les tons et les demi-tons d'une nouvelle réalité. De même, une nouvelle coloration intuitive de blanc, de gris et de noir, peut augmenter la force émotive des plans, tandis qu'un plan coloré peut accentuer violemment la signification abstraite d'une valeur plastique.

Ce que nous avons dit sur les **lignes-forces** en peinture (*préface-manifeste du catalogue de la première exposition futuriste de Paris,* octobre 1911) s'applique également à la sculpture. En effet nous donnerons la vie à la ligne musculaire statique en la fondant avec la ligne-force dynamique. Ce sera presque toujours la ligne droite, qui est la seule ligne correspondant à la simplicité intérieure de la synthèse que nous opposons à l'extériorité baroque de l'analyse. La ligne droite pourtant ne nous entraînera pas à l'imitation des Égyptiens, des Primitifs ou des sauvages, en suivant l'exemple absurde de quelques sculpteurs modernes qui se sont efforcés ainsi de se délivrer de l'influence grecque. Notre ligne droite sera vive et palpitante; elle se prêtera aux exigences des innombrables expressions de la matière et sa sévérité fondamentale et nue exprimera la sévérité de l'acier qui caractérise les lignes du machinisme moderne. Nous pouvons enfin affirmer que le sculpteur ne doit reculer devant aucun moyen pour obtenir une **réalité.** Rien n'est plus sot que de craindre de sortir de l'art que nous exerçons. Il n'y a ni peinture, ni sculpture, ni musique, ni poésie. Il n'y a de vrai que la création. Par conséquent, si une composition sculpturale a besoin d'un rythme spécial de mouvement pour augmenter ou contraster le rythme arrêté de **l'ensemble sculptural** (nécessité de l'œuvre d'art), on pourra lui appliquer un petit moteur qui donnera un mouvement rythmique adapté à tel plan et à telle ligne.

Il ne faut pas oublier que le tic-tac et le mouvement des aiguilles d'une horloge, l'entrée ou la sortie d'un piston dans un cylindre, l'engrenage tour à tour ouvert et fermé de deux roues dentées, avec l'apparition et la disparition continuelles de leurs petits rectangles d'acier, la rage folle d'un volant, le tourbillon d'une hélice, sont autant d'éléments plastiques et picturaux dont l'œuvre sculpturale futuriste doit se servir. Par exemple: une soupape qui s'ouvre et se referme crée un rythme aussi beau mais infiniment plus nouveau que celui d'une paupière animale!

Conclusions

1. La sculpture se propose la reconstruction abstraite et non la valeur figurative des plans et des volumes qui déterminent les formes.

2. Il faut **abolir en sculpture,** comme dans tout autre art, le **sublime traditionnel des sujets.**

3. La sculpture ne peut pas avoir pour but une reconstruction réaliste épisodique. Elle doit se servir absolument de toutes les réalités pour reconquérir les éléments essentiels de la sensibilité plastique. Par conséquent le sculpteur futuriste percevant les corps et leurs parties comme des **zones plastiques** introduira dans la composition sculpturale des plans de bois ou de métal, immobiles ou mis en mouvement, pour donner un objet; des formes sphériques poilues pour donner des cheveux; des demi-cercles de verre, s'il s'agit par exemple d'un vase; des fils de fer ou des treillis pour indiquer un plan atmosphérique, etc., etc.

4. Il faut détruire la prétendue noblesse, toute littéraire et traditionnelle, du marbre et du bronze et nier carrément que l'on doive se servir exclusivement d'une seule matière pour un ensemble sculptural. Le sculpteur peut se servir de vingt matières différentes, ou davantage, dans une seule œuvre, pourvu que l'émotion plastique l'exige. Voici une petite partie de ce choix de matières: verre, bois, carton, ciment, béton, crin, cuir, étoffe, miroirs, lumière électrique, etc.

5. Il faut proclamer à haute voix que dans l'intersection des plans d'un livre et les angles d'une table, dans les lignes droites d'une allumette, dans le châssis d'une fenêtre, il y a bien plus de vérité que dans tous les enchevêtrements de muscles, dans tous les seins et dans toutes les cuisses de héros et de Vénus qui enthousiasment l'incurable sottise des sculpteurs contemporains.

6. C'est uniquement par un choix de sujets très modernes que l'on parviendra à la découverte de **nouvelles idées plastiques.**

7. La ligne est le seul moyen qui puisse nous conduire à la virginité primitive d'une nouvelle construction architectonique de masses et de zones sculpturales.

8. Il ne peut y avoir de renouvellement qu'en faisant **la sculpture de milieu ou d'ambiance,** car c'est ainsi seulement que la plastique se développera en se prolongeant dans l'espace pour le modeler. C'est pourquoi le sculpteur futuriste peut enfin aujourd'hui **modeler l'atmosphère** qui environne les choses, au moyen de la glaise.

9. Ce que le sculpteur futuriste crée est en quelque sorte le pont idéal qui unit **l'infini plastique extérieur** à **l'infini plastique intérieur.** C'est pourquoi les objets ne finissent jamais; ils s'intersectent avec d'innombrables combinaisons de sympathie et d'innombrables chocs d'aversion. L'émotion du spectateur occupera le centre de l'œuvre sculpturale.

10. Il faut détruire le nu systématique et la conception traditionnelle de la statue et du monument.

11. Il faut enfin refuser à tout prix les commandes à sujet fixe, et qui par conséquent ne peuvent contenir une pure construction d'éléments plastiques complètement rénovés.

Umberto Boccioni.
peintre et sculpteur

Milan, le 11 avril 1912

Carl Einstein

Negerplastik («La sculpture nègre»)
1915

Premier ouvrage du philosophe et homme de lettres allemand Carl Einstein (1885-1940), Negerplastik, *paru en 1915 dans une collection regroupant des écrits de poètes et d'écrivains expressionnistes, fut immédiatement perçu comme un événement dans les milieux artistiques de l'époque. Par sa date de parution, il est en effet le premier essai sur l'esthétique négro-africaine qui soit connu en Europe. L'étude consacrée au même sujet par le peintre russe V. Matvei-Markov[1], si elle fut rédigée au plus tard en 1914, ne parut qu'en 1919. Quant à l'essai de Marius de Zayas[2] et à la préface de Guillaume Apollinaire[3] pour l'exposition de sculptures africaines organisée par Paul Guillaume, ils ne furent publiés qu'en 1917.*

La personnalité d'Einstein explique aussi ce retentissement. L'auteur, très introduit dans l'avant-garde artistique et littéraire berlinoise (il collaborait aux revues expressionnistes Die Opale, Die Aktion, La Phalange*), s'était rendu dès 1907 à Paris et lié d'amitié avec Braque, Picasso et Gris. Très au fait de leurs préoccupations, il abordait donc l'art africain avec une connaissance parfaite des recherches menées dans le même temps par les avant-gardes artistiques européennes. L'un des intérêts majeurs de* Negerplastik *réside ainsi dans cette constante relation qu'Einstein établit entre l'art africain et la peinture de son temps, expressionniste ou cubiste. Par ailleurs, Einstein manifestait depuis longtemps un intérêt passionné pour l'art africain. Il le collectionnait et l'une des grandes originalités de cette étude, comme l'a très justement noté Liliane Meffre à la suite de Jean Laude[4], vient de ce que «l'analyse part de la réalité que sont les sculptures africaines et non de connaissances historiques, ethnographiques ou autres»[5].*

Après la guerre, Einstein poursuivit ses recherches dans la même direction. En 1921, il publia un deuxième ouvrage sur l'art africain, Afrikanische Plastik[6]. *Puis, installé dès 1928 à Paris et cofondateur avec Michel Leiris et Georges Bataille de la revue* Documents, *il écrivit plusieurs études consacrées à la sculpture africaine, notamment en 1931 à l'occasion de l'exposition d'art africain et océanien présentée à la galerie Pigalle[7]. Pendant ces mêmes années, il prit encore position en faveur du cubisme dans* L'Art du XXe siècle[8] *paru en 1926 et dans son livre sur Braque[9] qui fut en 1934 la première monographie importante consacrée à l'artiste. En 1940, pour ne pas tomber aux mains des nazis, il se suicida[10].*

N.R.C.

1 *Iskusstvo Negrov* [«L'art des nègres»] publié par la section des arts plastiques du Commissariat pour l'éducation du peuple, Petrograd, 1919. Traduction par Jacqueline et Jean-Louis Paudrat, publiée dans les *Travaux et mémoires du Centre de recherches historiques sur les relations artistiques entre les cultures,* fasc. 1, Paris, université de Paris I, 1976.
2 *African Negro Art and its Influence on Modern Art,* New York, 1917.
3 «L'art des Noirs», dans *Sculptures nègres, 24 photographies précédées d'un avertissement de Guillaume Apollinaire et d'un exposé de Paul Guillaume,* Paris, éd. privée, 1917. Préface reprise dans le catalogue de la première exposition d'art nègre et d'art océanien organisée par Paul Guillaume à Paris, galerie Devanbez, 10-31 mai 1919.
4 «L'esthétique de Carl Einstein», *Médiations* n° 3, Paris, 1961.
5 Liliane Meffre, «A propos de *La sculpture nègre* de Carl Einstein». Introduction à la traduction reproduite *infra.*
6 Wasmuth-Verlag, Berlin, 1921. Traduit par Th. et R. Burgard, Paris, 1922.
7 C. Einstein, «A propos de l'exposition de la galerie Pigalle», *Documents,* n° 2, 1930.
8 *Die Kunst des 20. Jahrhundert,* Berlin, Propyläen-Verlag, 1926 (rééditions en 1928 et 1931).
9 *Georges Braque,* Paris, New York, 1934.
10 *Cf.* à ce sujet Jean Laude, «Un portrait de Carl Einstein», *Cahiers du Mnam,* Paris, 1979, n° 1.

Remarques sur la méthode

Il n'y a peut-être pas d'autre art que l'Européen aborde avec autant de méfiance que l'art africain. Son premier mouvement est de nier le fait même d'«art» et il exprime la distance qui sépare ces créations de l'état d'esprit européen par un mépris qui va jusqu'à se créer une terminologie dépréciative. Cette distance et les préjugés qui en découlent rendent difficile tout jugement esthétique, le rendent même impossible car un tel jugement suppose en premier lieu une certaine parenté. Le nègre cependant passe a priori pour l'être inférieur que l'on doit traiter sans ménagement et ce qu'il propose est condamné immédiatement comme insuffisant. Pour le juger on a fait inconsidérément appel à de bien vagues hypothèses évolutionnistes. Il lui fallait se livrer aux uns pour servir de faux

Masque-heaume baoulé, Côte-d'Ivoire
Publié en illustration de *Negerplastik* dans l'édition
originale

Statuette chokwé, Angola.
Publiée en illustration de *Negerplastik* dans l'édition
originale

concepts de primitivité, d'autres paraient avec conviction cet objet sans défense de phrases fausses, parlaient de peuples venus du fond des âges et de bien d'autres choses encore. On espérait saisir dans l'Africain un témoignage des origines, d'un état qui n'avait jamais évolué. La plupart des opinions avancées sur les Africains reposent sur de tels préjugés édifiés pour justifier une théorie commode. Dans ses jugements sur les Noirs, l'Européen revendique un postulat, celui d'une supériorité absolue, vraiment irréaliste.

De fait, notre absence de considération pour le Noir correspond simplement à une absence de connaissances à son sujet, ce qui l'accable de façon parfaitement injuste.

On pourra peut-être tirer des planches[1] présentées dans cet ouvrage la conclusion suivante: le nègre n'est pas un être non développé; une culture africaine d'importance a disparu; le nègre actuel correspond peut-être à un possible type «antique» comme le fellah à l'Égyptien ancien.

Certains problèmes qui se posent à l'art moderne ont provoqué une approche moins inconsidérée qu'auparavant de l'art des peuples africains. Comme toujours, ici aussi, un processus artistique actuel a créé son histoire: en son centre s'est élevé l'art africain. Ce qui paraissait auparavant dépourvu de sens a trouvé dans les plus récents efforts des sculpteurs sa signification. On a deviné que rarement ailleurs que chez les Noirs on avait posé avec autant de pureté des problèmes précis d'espace et formulé une manière propre de création artistique. Conséquence:

le jugement jusqu'alors porté sur le Noir et son art a caractérisé davantage celui qui portait le jugement que l'objet de ce jugement. A ce nouveau type de relation a répondu aussitôt une passion nouvelle: on a collectionné l'art nègre en tant qu'art. Avec passion, c'est-à-dire qu'avec une activité parfaitement justifiée on a constitué avec les anciens matériaux un objet revêtu d'une signification nouvelle.

Ma brève description de l'art africain ne pourra se soustraire aux expériences faites par l'art contemporain, d'autant que ce qui prend de l'importance historique est toujours fonction du présent immédiat. Cependant, ces relations, je ne les développerai que plus tard afin de ne traiter qu'un seul sujet et de ne pas troubler le lecteur par des comparaisons.

Les connaissances que l'on a sur l'art africain sont dans l'ensemble minces et imprécises; mis à part certaines œuvres du Bénin, rien n'est daté. Plusieurs types d'œuvres sont désignés à partir du lieu où ils furent trouvés, mais je ne pense pas que cela soit de quelque utilité. Les peuplades ont migré et se sont repoussées les unes les autres en Afrique; de plus il faut supposer qu'ici, comme ailleurs, les

1   Il s'agit des 119 reproductions de statues et masques africains que contenait la première édition de 1915 (Leipzig, Verlag der weissen Bücher). Dans celle de 1920 (Munich, Kurt Wolff Verlag), il n'y en a plus que 116. Ces objets, d'ailleurs d'origines diverses (Afrique, Madagascar, Océanie), ne sont pas reproduits ici, ce qui ne gêne en rien la compréhension du texte puisque Carl Einstein ne s'y réfère jamais de façon précise.

tribus se sont battues pour des fétiches et que le vainqueur s'est approprié les idoles du vaincu pour avoir part à leur force et à leur protection. Des styles complètement différents proviennent souvent d'une même région; plusieurs explications sont alors possibles, sans que l'on puisse décider laquelle serait la bonne. Dans ce cas on peut supposer qu'il s'agit d'art récent ou ancien, ou bien de deux styles qui ont coexisté ou alors qu'une forme d'art a été importée. Dans chaque cas ni les connaissances historiques ni les connaissances géographiques ne nous permettent présentement de donner les moindres précisions sur cet art. Je sens poindre l'objection: que l'on déduise donc une succession chronologique de considérations critiques sur le style et que l'on procède du plus simple au plus complexe. Mais il faut se défaire de cette illusion que simple et originel sont deux termes identiques; c'est un plaisir de débusquer cette opinion qui prétend que le point de départ et la méthode de la pensée seraient aussi le commencement et la nature de l'événement, alors que tout commencement (par lequel toutefois j'entends un commencement individuel et relatif — car on ne peut en effet rien constater d'autre) est extrêmement complexe, puisque l'homme, dans chaque cas particulier, désire exprimer beaucoup de choses, trop même.

En conséquence il paraît assez vain d'essayer de dire quoi que ce soit sur la sculpture africaine. D'autant plus que la majorité des gens exigent encore que l'on prouve que cette sculpture est vraiment de l'art. Il faut alors craindre d'en rester à une description purement extérieure qui n'aura jamais d'autre résultat que de dire qu'un pagne est bien un pagne, qui nulle part n'aboutira à une conclusion générale, à savoir à quel ensemble appartiennent tous ces pagnes et toutes ces bouches lippues. (Utiliser l'art à des fins anthropologiques ou ethnologiques, c'est à mon avis un procédé douteux, car la représentation artistique n'exprime presque rien des faits auxquels s'attache une telle connaissance scientifique.)

Malgré tout, nous allons partir des faits et non d'un succédané. A mon sens quelque chose s'avère plus sûr que toute connaissance possible d'ordre ethnographique ou autre: ce sont les sculptures africaines! On va exclure tout ce qui est objet, le cas échéant les objets nés des associations faites par l'environnement, et l'on analysera ces figures comme autant de créations. On essayera de voir s'il résulte des caractéristiques formelles des sculptures une représentation générale d'une forme analogue à celle que l'on a habituellement des formes artistiques. Deux impératifs absolus, cependant: il faudra s'en tenir à l'appréhension et progresser dans le cadre de ses lois spécifiques, mais que nulle part on n'aille substituer à la perception ou à la création que l'on recherche la structure de ses propres réflexions. Que l'on s'abstienne de déduire des théories évolutionnistes commodes et que l'on ne mette pas à égalité le processus de pensée et la création artistique. Il

faut se défaire du préjugé qui consiste à supposer que les processus psychiques peuvent simplement être affectés de signes contraires, et que la réflexion sur l'art est en opposition avec la création artistique. Cette réflexion, bien au contraire, est un processus général différent qui dépasse justement la forme et son univers pour intégrer l'œuvre d'art dans le devenir général.

La description des sculptures comme créations de formes va beaucoup plus loin que celle des objets; le dénombrement objectif dépasse la création donnée en détournant cette création de son usage pour la considérer non comme création mais comme révélateur d'une pratique qui n'est pas de son domaine. L'analyse des formes, en revanche, demeure dans le champ du donné immédiat, car on n'a que quelques formes quelconques à présupposer. Celles-ci, cependant, en tant qu'objets particuliers, servent plutôt à la compréhension, puisqu'en tant que formes elles expriment et les manières de voir et les lois de la perception; elles imposent justement une connaissance qui demeure dans la sphère du donné immédiat.

S'il est possible de faire une analyse formelle qui s'appuie sur certains éléments particuliers de la création de l'espace et de la vision et qui les englobe, alors il est prouvé implicitement que les créations données sont de l'art. On risque peut-être d'objecter qu'un penchant à la généralisation et qu'une volonté préalable ont dicté en secret une telle conclusion. C'est faux; car la forme particulière investit les éléments valables de la vision, les représente même, puisque ces éléments ne peuvent être présentés que comme formes. Le cas particulier en revanche ne touche pas à l'essence même du concept. Plus exactement ils entretiennent tous deux des relations de dualité. C'est précisément l'accord essentiel entre la perception universelle et la réalisation particulière qui fait vraiment une œuvre d'art. De plus, que l'on songe que la création artistique est tout aussi «arbitraire» que le penchant, pourtant nécessaire, à relier en un réseau de lois les formes particulières de la perception; car dans les deux cas on a visé et atteint un système organisé.

Le pictural

L'incompréhension habituelle de l'Européen pour l'art africain est à la mesure de la force stylistique de ce dernier: cet art ne représente-t-il pas cependant un cas remarquable de vision plastique?

Il est permis d'affirmer que la sculpture continentale est fortement mêlée de succédanés picturaux. Dans l'ouvrage de Hildebrand sur le «Problème de la forme»[2] nous

2 Adolf Hildebrand, *Das Problem der Form in der bildenden Kunst*, Strasbourg, 1893. Carl Einstein dans son analyse morphologique se fonde sur deux notions centrales de cet ouvrage, *das Malerische* (le pictural) et *das Plastiche* (le plastique).

trouvons un équilibre parfait entre le pictural et le plastique. Un art aussi marquant que la sculpture française paraît, jusqu'à Rodin, s'évertuer justement à faire disparaître le caractère plastique. La frontalité même, dans laquelle on voit d'habitude une ordonnance stricte et «primitive» de la forme, doit être considérée comme une appréhension picturale du volume; car ici la tridimensionnalité est concentrée en quelques plans qui réduisent le volume. On accentue pourtant les parties les plus proches du spectateur et on les ordonne en surface en considérant que les parties postérieures sont des modulations de la surface antérieure qui en est affaiblie dans sa dynamique. On met l'accent sur les motifs placés à l'avant. Dans d'autres cas on a remplacé le volume par un équivalent concret du mouvement ou bien on a escamoté par un mouvement de la forme, dessiné ou modelé, l'essentiel, l'expression immédiate de la troisième dimension. Même des essais de perspective ont nui à la vision plastique. On comprend ainsi aisément que depuis la Renaissance les limites indispensables et précises entre la ronde-bosse et le relief se soient de plus en plus estompées et que l'émotion picturale qui naît autour d'un volume seulement matériel (la masse) ait envahi toute structuration tridimensionnelle de la forme. Conséquence logique: ce furent les peintres et non les sculpteurs qui soulevèrent les questions décisives sur la tridimensionnalité.

Ce qui précède explique aisément que notre art avec de pareilles tendances formelles ait dû traverser une période de confusion totale entre le pictural et le sculptural (ce fut le baroque) et qu'un tel procédé n'ait pu prendre fin qu'avec la défaite complète de la sculpture, qui dut, pour du moins conserver l'état émotionnel du créateur et le communiquer au spectateur, recourir à des moyens entièrement impressionnistes et picturaux. La tridimensionnalité disparaissait sous le sentiment; l'écriture personnelle l'emportait. Cette histoire de la forme était nécessairement liée à un devenir psychique. Les conventions artistiques firent figure de paradoxes; la convention, c'était un créateur au sommet de son affectivité et en face un spectateur au comble de l'émotion; la dynamique des processus individuels l'emporta; ceux-ci faisaient loi et on s'y attacha avec une particulière insistance. L'essentiel de l'œuvre se trouvait alors dans ce qui la précédait ou lui succédait jusqu'à devenir un véhicule d'émotions psychologiques. Ce qui est mouvant dans l'individu, l'acte de création et son objet prirent des formes fixes. Ces sculptures étaient plutôt des témoins d'une genèse que des formes objectivées, plutôt un contact fulgurant de deux individus. C'était, le plus souvent, au caractère dramatique du jugement sur les œuvres d'art plutôt qu'à celles-ci mêmes que l'on accordait le plus d'importance. Ce fut une nécessité de dissoudre tout canon important de la forme et de la vision.

On rechercha un développement toujours plus grand de la plasticité, un éclatement et une démultiplication des moyens. Contre l'absence réelle de plasticité la légende, parée des plumes du réalisme, du modèle «tâté», était impuissante; bien au contraire, c'est elle justement qui confirmait l'absence d'une conception approfondie et homogène de l'espace.

Un tel procédé détruit la distance envers les objets et ne donne d'importance qu'au sens fonctionnel qu'ils détiennent par rapport à l'individu. Cette sorte d'art signifie l'accumulation potentielle du plus grand effet fonctionnel possible. Oui, nous avons vu que ce facteur potentiel, le spectateur, a été rendu virtuel et apparent dans quelques tentatives modernes. Rares sont les styles apparus en Europe qui s'en sont écartés. Citons le style roman-byzantin: son origine orientale cependant est démontrée, est connu également son rapide passage au mouvement (c'est le gothique).

Le spectateur fut intégré à la sculpture dont il devint la fonction désormais inséparable (par exemple pour la sculpture fondée sur la perspective); il eut partie liée avec le renversement, d'ordre essentiellement psychologique, de la personne du créateur, quand il ne la contestait pas dans ses jugements. La sculpture était un sujet de conversation entre deux personnes. Ce qui devait avant tout intéresser un sculpteur avec une pareille orientation, c'était de déterminer à l'avance l'effet et le spectateur. Pour anticiper l'effet et le tester, il fut amené à s'identifier au spectateur (comme le fait le sculpteur futuriste) et les sculptures furent alors considérées comme des périphrases de l'effet produit. Le facteur psycho-temporel l'emporta complètement sur la détermination de l'espace. Pour atteindre le but, d'ailleurs le plus souvent inconsciemment recherché, on fabriqua l'identité du spectateur et du créateur car c'est ainsi seulement qu'était possible un effet illimité.

Il est significatif de cet état de choses que l'on considère généralement l'effet produit sur le spectateur, même s'il a une faible intensité, comme le renversement du processus créateur. Le sculpteur se soumettait à la majorité des processus psychiques et se transformait en spectateur. Il prenait continuellement au cours de son travail une distance qui serait celle du spectateur et modelait l'effet en conséquence; il déplaçait le centre de gravité pour le soumettre à l'activité visuelle du spectateur et modelait en touches, pour que ce soit le spectateur seul qui constitue la forme véritable. La construction de l'espace fut sacrifiée à un procédé secondaire, étranger même à ce domaine, c'est-à-dire à celui du mouvement de la matière. Le préalable à toute sculpture, l'espace cubique, fut oublié.

Il y a quelques années seulement nous avons vécu en France une crise décisive. Grâce à un prodigieux effort de la conscience on s'est rendu compte du caractère irréaliste et douteux de ce procédé. Quelques peintres eurent assez de force pour se détourner d'un métier appliqué mécaniquement. Une fois détachés des procédés habituels, ils examinèrent les éléments de la perception de l'espace pour trouver ce qui pouvait bien l'engendrer et le déterminer. Les résultats de cet important effort sont très bien connus. Au même moment on découvrit la sculpture nègre et l'on reconnut que, dans son isolement, elle avait cultivé les formes pures de la plastique.

C'est l'usage de qualifier d'abstraction les efforts de ces peintres. Quoique l'on ne puisse nier que c'est seulement grâce à une formidable critique des égarements et circonlocutions passés que l'on a pu aborder une perception immédiate de l'espace. Ceci cependant est essentiel et distingue fortement la sculpture nègre d'un art qui l'a prise comme référence et a acquis une conscience semblable à la sienne; ce qui fait ici figure d'abstraction est donné là-bas comme nature immédiate. La sculpture nègre va se révéler à la sensibilité plastique comme un réalisme très puissant.

L'artiste actuel ne fait pas seulement porter son action sur la forme pure, il la ressent encore comme une opposition à son histoire antérieure et mêle à ses efforts des réactions excessives; la critique qu'il fait nécessairement renforce le caractère analytique de son art.

Religion et art africain

L'art du Noir est avant tout déterminé par la religion. Les œuvres sculptées sont vénérées comme elles le furent par tout peuple de l'Antiquité. L'exécutant façonne son œuvre comme le ferait la divinité ou celui qui en a la garde, c'est-à-dire qu'il a, dès le début, pris ses distances par rapport à l'œuvre qui est le dieu ou son réceptacle. Son travail est une adoration à distance et ainsi l'œuvre est a priori quelque chose d'indépendant, de plus puissant que l'exécutant; d'autant plus que celui-ci fait passer toutes ses énergies dans son œuvre et se sacrifie, lui, l'inférieur, à elle. Par son travail il accomplit une fonction religieuse. L'œuvre comme divinité est libre et détachée de tout; l'artisan comme l'adorateur s'en trouvent à une distance infinie. Elle ne se mêlera jamais au devenir humain et, si elle le faisait, ce serait en tant que souveraine et une fois de plus en gardant ses distances. La transcendance de l'œuvre est d'ordre religieux, elle est déterminée et supposée par la religion. L'œuvre est créée dans l'adoration, dans l'effroi d'essence divine, et elle provoquera les mêmes effets, adoration et crainte. Artisan et adorateur sont a priori psychiquement identiques, c'est-à-dire identiques dans leur essence même; l'effet ne réside pas dans l'œuvre d'art mais dans son être divin posé en hypothèse et incontesté. L'artiste n'aura pas la prétention de se mesurer au dieu et de viser un effet artistique; celui-ci est donné avec certitude et prédéterminé. L'œuvre d'art comme recherche d'un effet perd, en l'occurrence, tout sens, d'autant que les idoles sont souvent adorées dans l'obscurité.

L'œuvre, fruit du travail de l'artiste, demeure indépendante, transcendante et dégagée de tout lien. A cette transcendance correspond une conception de l'espace qui exclut toute fonction du spectateur. Il faut donner et garantir un espace dont on a épuisé toutes les ressources, un espace total et non fragmentaire. L'espace refermé et autonome ne signifie pas ici abstraction mais sensation immédiate. Cette fermeture n'est garantie que lorsque le volume est pleinement rendu, lorsqu'on ne peut plus rien lui ajouter. L'activité du spectateur n'entre pas en ligne de compte. (Quand il s'agit de peinture religieuse celle-ci se limite entièrement à la surface de l'image pour atteindre le même but. On ne peut accéder à une telle peinture ni par le biais du décoratif ni par l'ornemental qui en sont des conséquences secondaires.)

Je viens de dire que la tridimensionnalité doit être rendue parfaitement et sans restriction, que la perception est prédéterminée par la religion et renforcée par des canons religieux. Cette détermination de la vision produit un style non soumis à l'arbitraire de l'individu. Bien au contraire, ce style est fixé par des canons et seuls des bouleversements d'ordre religieux peuvent le modifier. Le fidèle adore souvent les objets dans l'obscurité; il est, dans ses dévotions, complètement absorbé par son dieu et lui est entièrement abandonné, à tel point qu'il n'aura presque aucune influence sur la nature de l'œuvre d'art, qu'il n'y prêtera même pas attention. C'est la même chose quand on représente un roi ou un chef de tribu; de même dans l'effigie de l'homme du peuple on voit un principe divin, que l'on vénère; c'est lui ici aussi qui déterminera l'œuvre.

Dans un tel art il n'y a pas de place pour le modèle individuel et le portrait, tout au plus comme art profane accessoire qui peut à peine se distinguer de la pratique artistique religieuse ou bien qui contraste avec elle, parce que c'est un domaine sans importance, peu considéré. L'œuvre est érigée en modèle type de la puissance adorée.

Ce qui caractérise les sculptures africaines, c'est une forte autonomie des parties; cela aussi est fixé par une règle religieuse. L'orientation de ces parties est fixée non en fonction du spectateur mais en fonction d'elles-mêmes; elles sont ressenties à partir de la masse compacte, et non avec un recul qui les affaiblirait. C'est ainsi qu'elles-mêmes et leurs limites s'en trouvent renforcées.

Autre chose de frappant: la plupart de ces œuvres n'ont pas de socle ni de semblables accessoires pour les exposer. Ceci pourrait nous étonner car dans notre esprit les statues sont hautement décoratives. Cependant, le dieu n'est jamais représenté autrement que comme un être autonome qui n'a besoin d'aucune aide. Des mains pieuses et respectueuses ne lui manquent pas, quand il est porté en procession par un fidèle.

Un tel art concrétisera rarement l'élément métaphysique puisque c'est pour lui un préalable évident. Il lui faudra le montrer entièrement dans la perfection de la forme et se concentrer en elle avec une étonnante intensité, c'est-à-dire que la forme sera élaborée jusqu'à ce qu'elle soit parfaitement refermée sur elle-même. Un puissant réalisme de la forme va apparaître, car c'est ainsi seulement qu'entrent en action les forces qui ne parviennent pas à la forme par des voies abstraites ou par les voies de la réaction polémique mais qui sont immédiatement formes. (Le caractère métaphysique des peintres actuels continue de refléter la critique, faite antérieurement, de la peinture et il entre dans la représentation en tant qu'essence concrète et formelle, ce par quoi le caractère absolu de la religion et de l'art, leur corrélation rigoureusement limitée s'effacent dans une confusion destructrice.) Dans un réalisme formel — nous n'entendons pas par là un réalisme de l'imitation —, la transcendance existe; car l'imitation est exclue. Qui donc un dieu pourrait-il imiter, à qui pourrait-il se soumettre? Il s'ensuit un réalisme de la forme transcendantale. L'œuvre d'art ne sera pas perçue comme une création arbitraire et superficielle, mais au contraire comme une réalité mythique qui dépasse en force la réalité naturelle. L'œuvre d'art est réelle grâce à sa forme close; comme elle est autonome et surpuissante, le sentiment de distance qu'on a à son égard va exiger un art d'une intensité prodigieuse.

Tandis que l'art européen est soumis à une interprétation par les sentiments et même par la forme, dans la mesure où le spectateur est appelé à avoir une fonction optique active, l'œuvre d'art nègre n'a, pour des raisons formelles, et religieuses aussi, qu'une seule interprétation possible. Elle ne signifie rien, elle n'est pas un symbole; elle est le dieu qui conserve sa réalité mythique close, dans laquelle il inclut l'adorateur, le transforme lui aussi en être mythique et abolit son existence humaine.

Le caractère fini et clos de la forme et celui de la religion se correspondent, de même que le réalisme formel et le réalisme religieux. L'œuvre d'art européenne est devenue justement la métaphore de l'effet, qui incite le spectateur à une liberté indolente. L'œuvre d'art nègre est catégorique et elle détient une existence essentielle qui exclut toute réserve.

Pour faire ressortir la présence de l'œuvre d'art il faut exclure toute fonction temporelle; il faut empêcher que l'on tourne autour de l'œuvre, qu'on la tâte. Le dieu n'a pas de devenir; ce serait contester la nature de son existence définitive. Il fallait donc trouver une forme de représentation qui s'exprime immédiatement dans le matériau solide, et sans le modelé qu'trahit une main impie, portant personnellement atteinte au dieu. La conception de l'espace que traduit une telle œuvre d'art doit absorber complètement l'espace à trois dimensions et exprimer son unité. La perspective et la frontalité habituelle sont ici interdites, elles seraient impies. L'œuvre d'art doit donner l'équation générale de l'espace; car c'est seulement lorsqu'elle exclut toute interprétation temporelle fondée sur des représentations du mouvement qu'elle devient intemporelle. Elle absorbe le temps en intégrant dans sa propre forme ce que nous vivons comme mouvement.

Perception du volume

C'est un fait: toute analyse abstraite, quelle que soit la part qu'elle laisse à la perception, fait acte d'indépendance, et en vertu de sa structure spécifique n'exprime pas toutes les divergences du devenir artistique.

En premier lieu il s'agit d'examiner quelle est la nature formelle de la perception qui est à la base de la sculpture africaine. Nous pouvons maintenant nous détacher entièrement du corrélatif métaphysique, puisque nous avons montré qu'il était un élément constitutif de l'œuvre d'art et puisque nous savons que c'est précisément de la religion qu'elle tire sa forme absolue.

Ainsi nous revient la tâche d'élucider, sur le plan formel, la perception qui s'exprime dans cet art. Nous éviterons l'erreur d'annihiler l'art nègre en supposant qu'il est un souvenir inconscient d'une quelconque forme artistique de l'Europe, puisque pour des raisons de forme l'art africain constitue visiblement un domaine bien délimité.

La sculpture nègre représente une formulation claire de la vision plastique pure. Aux yeux du naïf la sculpture, dont c'est la tâche de rendre la tridimensionnalité, apparaît comme quelque chose qui va tout bonnement de soi puisqu'elle travaille la masse, qui est elle-même définie par les trois dimensions. Cette tâche se révèle difficile au premier abord, presque insoluble même, quand on pense qu'il faut rendre par la forme l'espace, non pas n'importe comment mais dans ses trois dimensions. Quand on réfléchit on est saisi d'une émotion presque indescriptible; ces trois dimensions, que l'on ne peut embrasser d'un seul regard, il faut les figurer non par une vague suggestion optique, mais bien plutôt leur donner une expression achevée et réelle. Les solutions européennes confrontées à la statuaire africaine comptent plutôt au nombre des expédients. Elles sont familières à nos yeux, elles nous convainquent de façon mécanique et par habitude. La frontalité, les aspects multiples, le modelé bien retouché et la silhouette sculpturale en sont les moyens usuels.

La frontalité camoufle presque le volume au spectateur et concentre toute la force expressive sur un seul côté de l'œuvre. Elle ordonne les parties antérieures de l'objet selon un point de fuite et leur confère une certaine plasticité. C'est la perspective naturaliste la plus simple qui est choisie, le côté le plus proche du spectateur, celui qui normalement est le premier à lui fournir des indications sur l'objet lui-même et sur son importance à ses yeux. Les autres aspects, secondaires, suggèrent par leurs ruptures de rythme la sensation qui correspond aux représentations du mouvement dans la tridimensionnalité. De ces mouvements abrupts, essentiellement reliés entre eux par l'objet, naît une impression d'homogénéité de l'espace qui n'est pas justifiée sur le plan formel.

C'est la même chose pour le procédé de la silhouette qui, étayé dans toute la mesure du possible par des trucs de perspective, fait pressentir le volume. Si on y regarde de plus près on voit qu'il a été emprunté au dessin qui n'est en aucun cas un élément plastique.

Dans tous ces cas on trouve un procédé de peinture ou de dessin; la profondeur est suggérée, mais rarement rendue de façon immédiate par la forme. Ces procédés reposent sur le préjugé suivant: que le volume serait plus ou moins garanti par la masse matérielle, qu'une émotion intérieure qui la parcourait ou une indication partielle de forme suffirait à faire exister le volume comme forme. Ces méthodes visent plutôt à suggérer et signifier la plasticité qu'à arriver aux conséquences logiques. De toute façon cependant c'est difficilement possible puisqu'ici le volume est représenté comme masse et non comme forme immédiate. La masse cependant n'est pas identique à la forme, car la masse ne peut être en effet perçue instantanément. A ces procédés sont toujours liés des mouvements psychologiques qui désagrègent la forme en lui donnant une histoire, et qui l'anéantissent complètement. C'est le début des difficultés: fixer la troisième dimension dans un seul acte de représentation visuelle et la percevoir comme totalité, faire en sorte qu'elle soit saisie dans un seul acte d'intégration. Mais qu'est-ce qui est forme dans le volume?

Il est clair qu'elle doit être saisie d'un seul coup, et cependant pas comme une suggestion émanant de la matière. Ce qui est mouvement doit être fixé dans l'absolu. Les éléments situés dans les trois dimensions doivent être représentés simultanément, c'est-à-dire que l'espace dispersé doit être intégré dans un seul champ visuel. La tridimensionnalité ne doit être ni suggérée ni rendue tout simplement par la masse. Il faut au contraire qu'elle soit concentrée en une présence définie tandis que ce qui engendre la perception de la tridimensionnalité, et qui est ressenti de façon habituelle et naturaliste comme mouvement, est exprimé par une forme immobile.

Chaque point d'intersection des trois dimensions dans une masse peut être interprété à l'infini; ceci déjà paraît opposer des difficultés insolubles à toute interprétation univoque et fait paraître impossible tout effort de totalisation. Même la continuité des relations du point avec la masse ne fait que rendre plus faible l'espoir d'une solution précise. Ni l'ordonnance rythmique, ni la relation au dessin, ni la diversification du mouvement, si riche soit-elle, ne parviennent à nous faire croire que le volume soit rassemblé là en une forme immédiate et instantanée. Le nègre paraît avoir trouvé à ce problème une solution claire et valable. Il a trouvé, c'est pour nous tout d'abord paradoxal, une dimension formelle.

La représentation du volume comme forme — c'est avec elle seulement et non avec la masse matérielle que la sculpture doit travailler — a pour résultat immédiat de devoir déterminer ce qui constitue la forme; ce sont les parties non visibles simultanément. Elles doivent être réunies avec les parties visibles dans une forme totale qui détermine le spectateur à un seul acte visuel et correspond à une perception tridimensionnelle établie, afin que le volume irrationnel devienne visible et mis en forme. La vision naturaliste de l'art occidental n'est pas l'imitation de la nature extérieure; la nature, qui est ici passivement imitée, est organisée selon le point de vue du spectateur. On comprend ainsi le processus génétique, terriblement relatif, qui s'attache à la majeure partie de notre art. Celui-ci s'est conformé au spectateur (frontalité, vue à distance) et de plus en plus la création de la forme visuelle définitive a été confiée à un spectateur actif et coopératif.

La forme est une équation comme notre représentation. Cette équation a une valeur esthétique si elle est comprise indépendamment des éléments étrangers et de façon absolue. Car la forme, c'est cette identité parfaite de la perception et de la réalisation particulière qui, en vertu de leur structure, coïncident parfaitement et n'ont pas le type de relations qu'ont entre eux le concept et le cas particulier. La perception englobe bien plusieurs cas de réalisation, elle ne possède cependant pas un niveau de qualité dans la réalité supérieur à ceux-ci. Il est donc clair que l'art représente un cas particulier d'intensité absolue et qu'il doit engendrer la qualité dans toute son intégrité.

C'est la mission de la sculpture de former une équation qui absorbe totalement les sensations naturalistes du mouvement, et de ce fait la masse, et qui transpose en un ordre formel leur succession et diversité. Cet équivalent doit être total pour que l'œuvre d'art ne soit plus ressentie comme une expression de tendances humaines opposées mais bien plutôt comme quelque chose d'indépendant, d'absolu et de clos.

Les dimensions de l'espace habituel sont au nombre de trois. La troisième cependant, une dimension du mouvement, n'a été que dénombrée et non pas analysée dans son essence. Étant donné que l'œuvre d'art extrait la simple nature, la troisième dimension connaît une partition. Par mouvement on entend un continuum qui enferme l'espace dans ses modulations. Étant donné que l'art plastique immobilise, cette unité est scindée, c'est-à-dire saisie dans deux directions opposées et renferme ainsi deux directions complètement différentes qui demeurent sans importance dans l'espace infini du mathématicien par exemple.

La profondeur et le mouvement vers l'avant sont, en sculpture, deux façons totalement distinctes d'engendrer l'espace. Elles ne sont pas différentes sur le plan linéaire, elles sont bien plutôt des différences de formes fondamentales, quand elles ne sont pas fondues de façon impressionniste, c'est-à-dire à nouveau sous l'influence de représentations naturalistes du mouvement. De cette connaissance il ressort que la sculpture est dans un certain sens discontinue, d'autant plus qu'on ne peut se passer du moyen fondamental que sont les contrastes pour créer l'espace dans sa totalité. Le volume ne doit pas être voilé comme un modelé suggestif de second ordre ni être introduit en tant que relation matérialisée, mais bien plutôt mis en première place comme essentiel.

Celui qui regarde une sculpture est porté à croire que son impression se compose d'une vision et, d'autre part, d'une représentation qu'il se fait des parties placées plus en profondeur; un tel effet, par son ambiguïté, n'aurait rien à voir avec l'art.

Nous l'avons souligné, la sculpture n'a rien à voir avec la masse naturaliste mais seulement avec l'organisation de la forme. Il s'agit donc de figurer sur les parties visibles les parties invisibles dans leur fonction formelle, en tant que formes et le volume, le coefficient de profondeur comme j'aimerais le nommer, seulement comme forme sans y mêler le concret, la masse. Les parties ne doivent pas être figurées de façon matérielle et picturale, mais au contraire de telle sorte que la forme qui leur donne leur valeur plastique et qui est donnée dans le mouvement naturaliste soit immobilisée et simultanément rendue visible. C'est-à-dire que chaque partie doit trouver son autonomie plastique et être déformée de façon à absorber la profondeur tandis que la représentation, comme si le revers apparaissait, est intégrée dans le côté frontal qui a cependant une fonction tridimensionnelle. Ainsi chaque partie est un résultat de la représentation formelle qui crée l'espace comme totalité et comme identité parfaite entre la perception individuelle et la perception en général, et qui rejette l'échappatoire du succédané qui affaiblit l'espace en le ramenant à la masse.

Une telle sculpture est fortement centrée sur une face, étant donné qu'elle rend alors sans le déformer l'espace dans son ensemble, comme résultante, tandis que la frontalité accumule tout sur le premier plan. Cette intégration de l'élément plastique doit engendrer des centres de fonction autour desquels elle s'ordonne. Ces «points centraux» du volume provoquent naturellement et nécessairement une nette distribution du volume que l'on peut qualifier de renforcement de l'autonomie des parties. C'est compréhensible, car justement la masse naturaliste n'y joue aucun rôle, la fameuse masse compacte et intégrale des chefs-d'œuvre du passé est sans importance. D'autre part la figure est ici saisie non comme effet mais au contraire immédiatement dans son existence spatiale. Le corps du dieu se soustrait — c'est lui le maître — aux mains empressées de l'artisan; le corps est conçu à partir de sa fonction propre. Souvent on reproche aux statues nègres

les prétendues erreurs de proportions. Que l'on comprenne que la discontinuité optique de l'espace est traduite dans une organisation de la forme, dans une ordonnance des parties qui sont, puisqu'il s'agit de plasticité, diversement mises en valeur d'après leur expression plastique. Ce n'est justement pas leur grandeur qui est déterminante mais bien plutôt l'expression du volume qu'il leur revient de figurer sans concession. Toutefois, il est une chose que le Noir rejette et vers laquelle est entraîné l'Européen par le compromis qu'il accepte: c'est de faire, par interpolation, du modelé un élément fondamental; car ce procédé purement plastique a besoin de la distribution rigoureuse du volume. Les faces sont en quelque sorte des fonctions subalternes, puisque la forme doit en être dégagée, concentrée et intensifiée, pour être vraiment forme, car le volume est précisément représenté indépendamment de la masse comme résultante et expression. Et ceci seulement est acceptable; car l'art relevant de l'ordre de la qualité est une question d'intensité; le volume doit se manifester dans la subordination des images comme intensité architecturée. C'est le moment d'aborder le concept de monumentalité. Cette conception est certainement celle d'époques où, négligeant toute perception, on mesurait les travaux à l'aune. Puisque l'art est affaire d'intensité, la monumentalité en tant que grandeur disparaît. Il y a autre chose encore à éliminer. Il ne sera jamais permis d'aborder ces ordonnances plastiques par le moyen d'interpolations linéaires; cette démarche révèle une faculté visuelle affaiblie par des souvenirs conceptuels, rien de plus. Mais on comprendra le réalisme rigoureux du Noir si l'on apprend à voir comment l'espace délimité de l'œuvre d'art peut être fixé immédiatement. La fonction de profondeur ne s'exprime justement pas par des mesures mais par la résultante des orientations contrastantes de l'espace, soudées et non ajoutées les unes aux autres. Cette résultante ne peut jamais être perçue globalement dans la représentation du mouvement que donne la masse; car le volume ne réside pas dans les parties séparées, situées de façon différente mais bien plutôt dans leur résultante, toujours saisie d'un seul coup, qui n'a rien à voir avec la masse ou la ligne géométrique. Elle décrit l'existence du volume comme un résultat absolu, sans genèse, puisque le mouvement est absorbé.

Après cet examen de la concentration plastique, il est aisé d'en expliquer les conséquences. On a souvent objecté que les statues nègres manquent de sens des proportions, d'autres en revanche voulaient y lire la structure anatomique des différentes tribus. Ces deux opinions se détruisent d'elles-mêmes, car l'élément organique n'a aucun sens particulier en art, puisqu'il montre seulement la possibilité effective du mouvement. En mettant à égalité la réflexion sur l'art et la création artistique, tout en renversant l'ordre, on s'est mis à construire des théories sans nuances comme si l'art venait en quelque sorte du modèle et s'en déduisait.

Il est alors évident que la condition préalable d'un tel procédé serait déjà de l'art; au cours d'une analyse on ne devra jamais quitter le plan de son objet, sinon on parlera de tout mais pas de l'objet en question. Abstrait comme organique sont des critères (soit conceptuels soit naturalistes) qui sont étrangers à l'art et de ce fait complètement extérieurs à lui. Que l'on abandonne aussi les explications vitalistes ou mécaniques à propos des formes artistiques. Des pieds larges, par exemple, ne sont pas larges parce qu'ils ont la fonction de porter mais parce que le regard plongeant pourrait les rétrécir ou que l'on cherche par contraste un équilibre avec le bassin. Étant donné que la forme n'est liée ni à l'élément organique ni à la masse, la plupart des statues nègres n'ont pas de socle (l'organique nécessite ici et là le socle pour former un contraste de géométrie et de densité). Quand elles ont un socle, celui-ci est accentué plastiquement par des aspérités ou autres moyens.

Revenons cependant à la question des proportions. Elles dépendent de la force avec laquelle la profondeur doit être exprimée à partir du coefficient de profondeur par lequel je désigne la résultante plastique. Les relations des parties entre elles dépendent exclusivement de leur fonction dans le volume. Des parties importantes exigent une résultante cubique appropriée. C'est ainsi qu'il faut comprendre les prétendues articulations tordues et les proportions des membres des statues nègres; cette contorsion décrit de façon visible et concentrée ce qu'est justement le volume engendré par deux directions contrastantes par ailleurs brusquement interrompues. Des parties éloignées qu'autrement on devine à peine deviennent actives et fonctionnelles au sein d'une expression concentrée et unifiée, elles deviennent ainsi formes, et absolument nécessaires à la représentation immédiate du volume. A ces parties intégrées il faut subordonner les autres côtés selon une rare cohérence. Ils ne sont cependant pas demeurés matériau suggestif et non travaillé; ils ont pris une part active dans la forme. D'autre part, la profondeur devient visible en totalité. Cette forme qui est identique à la perception unifiée s'exprime en constantes et en contrastes. Mais ceux-ci ne sont plus interprétables à l'infini. Au contraire, le double sens de la profondeur, c'est-à-dire le mouvement vers l'avant et celui vers l'arrière, est relié dans une même expression du volume. Chaque point du volume peut être déterminé par deux directions; il est ici intégré et fixé dans la résultante cubique et ainsi contient en lui-même, et non comme relation interpolée, les deux contrastes qui font la profondeur.

Il se peut que dans la sculpture nègre, comme dans d'autres arts dits primitifs, on remarque que quelques statues sont terriblement longues et minces: les résultantes cubiques n'en sont pas trop accentuées. Peut-être que s'exprime ici la volonté de saisir dans cette forme élancée le volume complètement dépouillé. On a l'impression de n'avoir aucune prise sur ces formes fines, comprimées et simples grâce à l'espace qui les entoure.

Sur les statues de groupe je n'ajouterai que quelques mots. Elles confirment manifestement l'opinion exposée: le volume est exprimé non par la masse mais par la forme; sinon ces statues seraient comme toute statue ajourée un paradoxe et une monstruosité. Ce type de statues représente la manifestation extrême de ce que j'aimerais nommer effet plastique à distance. Deux parties d'un groupe ne se comportent pas, à y regarder de plus près, autrement que deux parties éloignées d'une même statue.

Leur unité s'exprime dans une subordination à une intégration plastique, en supposant qu'il n'y ait pas seulement répétition du thème formel avec soit effet de contraste, soit effet additif. Le contraste présente l'intérêt de renverser les valeurs des coordonnées, et par là même la justification de l'orientation plastique. La juxtaposition en revanche rassemble en un seul champ visuel les variations d'un système plastique. Les deux procédés sont perçus en totalité puisqu'il y a système unique.

Masques et pratiques similaires

Un peuple pour lequel l'art, l'élément religieux et la morale ont un pouvoir immédiat, va, dominé et encerclé par ces puissances, les rendre visibles sur lui-même. Se tatouer c'est faire de son corps le support d'une conception du monde. Le Noir sacrifie son corps et lui donne une nouvelle intensité; son corps est ouvertement abandonné au grand Tout et cet abandon revêt chez lui une forme sensible. C'est caractéristique d'une religion despotique, régnant sans partage, et d'un culte de l'humanité tout aussi puissant, que de voir homme et femme transformer par le tatouage leur corps individuel en un corps collectif; bien entendu aussi d'une force intensifiée de l'érotisme. Quelle prise de consience cela représente de concevoir son propre corps comme une œuvre inachevée que l'on transforme sans plus attendre! Par-delà le corps naturel c'est la forme esquissée par la nature que le tatoueur renforce et le tatouage atteint sa perfection quand il vise la forme naturelle et la remplace par une forme imaginaire supérieure. Dans ce cas le corps est tout au plus toile et argile; il devient même un obstacle qui doit provoquer un maximum de création de forme. Se tatouer suppose une conscience non moins forte de la pratique objective de la forme. Ici se retrouve ce que j'ai qualifié de sentiment de la distance, un don prodigieux de création objective.

Le tatouage n'est qu'une partie de l'objectivation de soi-même qui consiste à exercer une influence sur l'ensemble de son corps, à le produire consciemment en public et pas uniquement dans la danse par exemple, expression immédiate du mouvement, ou dans la coiffure, expression immobile du mouvement. Le Noir définit son type avec tant de force qu'il le transforme. Partout il intervient pour signer une expression que l'on ne pourra plus falsifier. On comprend que l'homme qui se sent chat, rivière, temps qu'il fait, se transforme; il est ce qu'il ressent et en assume les conséquences sur son corps trop univoque.

C'est à propos du masque que l'Européen, versé dans la psychologie et dans l'art du théâtre, comprend le mieux ce sentiment. L'être humain se transforme toujours quelque peu, il s'efforce cependant de conserver une certaine continuité, de conserver son identité. L'Européen précisément a fait de ce sentiment l'objet d'un culte presque hypertrophié. Le Noir, qui est moins prisonnier du moi subjectif et révère des puissances objectives, doit, pour s'affirmer à côté d'elles, se changer en ces puissances, justement quand il les fête avec le plus de ferveur. Par cette métamorphose il établit l'équilibre avec l'adoration qui risque de l'annihiler; il prie le dieu, il danse pour la tribu dans l'extase et se transforme lui-même au moyen du masque en cette tribu et en ce dieu. Cette métamorphose lui permet de saisir radicalement ce qui est extérieur à lui; il l'incarne en lui-même et il est cette objectivité qui réduit à néant tout événement individuel.

C'est pourquoi le masque n'a de sens que s'il est inhumain, impersonnel, c'est-à-dire quand c'est une construction pure de toute expérience individuelle. Il est possible que le Noir révère le masque comme une divinité quand il ne le porte pas. J'aimerais dire que le masque c'est l'extase immobile, peut être aussi le fantastique stimulant toujours prêt pour éveiller l'extase, puisqu'il porte fixé en lui le visage de la puissance ou de l'animal adoré.

On pourrait être quelque peu surpris de voir que souvent des arts à forte dominante religieuse s'en tiennent à la figure humaine. Cela me paraît facile à concevoir puisque l'existence mythique indépendante de l'apparence est déjà convention. Le dieu existe déjà et son être est indestructible, quelle que soit l'apparence qu'il prend. Ce serait presque contredire ce sentiment artistique si radical sur le plan de la forme que de s'épuiser sur des contenus concrets et de ne pas consacrer toutes ses forces à adorer la forme — l'existence même du dieu. Car seule la forme en art est à la mesure de l'être divin. Peut-être l'adorateur veut-il enchaîner le dieu à l'homme en le représentant comme tel, et peut être l'envoûte-t-il ainsi par sa piété; car personne n'est aussi égoïste que le fidèle qui donne certes tout au dieu mais, sans le savoir vraiment, le fait homme.

C'est le moment d'expliquer aussi l'expression singulièrement figée des visages. Cette fixité n'est rien d'autre que le dernier degré d'intensité de l'expression, libérée de toute origine psychologique; elle permet en même temps l'élaboration d'une structure purifiée.

J'ai montré une série de masques[3] qui vont du masque architectural jusqu'au masque humain pour illustrer la diversité des aptitudes de l'âme de ce peuple. Ici et là il est impossible de déterminer le type d'expression que représente l'œuvre d'art nègre: exprime-t-elle la peur ou la suscite-t-elle? Nous tenons là un bel exemple de l'ambiguïté de l'expression psychologique. Déjà par expérience nous avons tous constaté que les formes physiologiques de l'expression de deux sensations opposées sont semblables.

Les masques d'animaux m'impressionnent beaucoup quand je songe que le Noir prend l'aspect de l'animal que, dans d'autres circonstances, il tue. Dans l'animal tué lui-même réside le dieu et peut-être le Noir a-t-il le sentiment de se sacrifier lui-même quand, en mettant le masque de l'animal, il paye son tribut à la bête abattue, et, grâce à elle, devient plus proche du dieu. Il voit en elle la puissance qui le dépasse: sa tribu. Peut-être, en se métamorphosant en l'animal tué, échappe-t-il à la vengeance qui sinon le poursuivrait.

Entre le masque humain et le masque animal, il y a le masque qui détient le pouvoir d'autométamorphose. Nous touchons ici à des formes mixtes qui malgré le contenu fantastique ou grotesque traduisent l'équilibre typiquement africain. C'est la ferveur religieuse à laquelle ne suffit plus le monde visible qui engendre un monde intermédiaire. Et dans le grotesque s'affirme, menaçante, la disparité entre les dieux et la créature.

Je ne me livrerai pas à un commentaire stylistique du masque nègre. Nous avons vu comment l'Africain condense les forces plastiques en résultantes visibles. Dans les masques encore s'exprime la force de la vision cubique qui fait s'affronter les surfaces, qui condense tout le sens de la partie antérieure du visage dans quelques formes plastiques et qui élabore en résultantes les moindres éléments capables d'exprimer l'espace à trois dimensions.

(Texte publié pour la première fois en 1915 à Leipzig, Verlag der weissen Bücher. Traduction de la deuxième édition, Munich, Kurt Wolff Verlag, 1920, par Liliane Meffre, publiée dans *Travaux et mémoires du Centre de recherches historiques sur les relations artistiques entre les cultures*, fasc. 1, Paris, université de Paris I, 1976).

3 *Cf.* note 1.

Jacques Lipchitz

Lettre à Kahnweiler sur la sculpture cubiste
1947

Ce que les historiens d'art appellent la «révolution cubiste» recouvre une pratique artistique liée aux recherches entreprises entre 1907 et 1914 par un certain nombre de peintres dont les plus célèbres sont Picasso, Braque, Gris et les membres de la Section d'or. Il est généralement entendu que ces artistes influencèrent quelques sculpteurs, comme Laurens, Lipchitz ou Archipenko, qui à leur tour créèrent une sculpture cubiste. Ce point de vue n'est peut-être pas incontestable, comme en témoigne une lettre inédite du sculpteur Jacques Lipchitz (1891-1973) adressée en 1947 à Daniel-Henry Kahnweiler, le marchand des cubistes et leur tout premier défenseur.

A cette date, le sculpteur vivait aux États-Unis et, à l'occasion de la traduction anglaise du livre de Kahnweiler sur Juan Gris en particulier et sur le cubisme en général, il ressentit la «nécessité» de s'adresser à l'auteur dont il contestait un certain nombre d'opinions concernant l'histoire de la sculpture cubiste, pour rétablir ce qu'il estimait être la vérité historique. En l'absence de tout manifeste du cubisme et dans la mesure où il ne semble pas que Kahnweiler ait tenu compte des objections formulées par le sculpteur, il nous a paru important de recueillir et de publier ce témoignage. C'est un document précieux à plusieurs égards. Émanant d'un artiste aussi profondément engagé que le fut Lipchitz dans la découverte et l'établissement d'un nouveau type de sculpture, il atteste les difficultés et l'enjeu de ces recherches: «Se lancer à la découverte n'est pas encore découvrir, surtout quand il s'agit d'un nouveau monde.» Ailleurs, à propos de cette sculpture en gestation dont il retrace l'histoire, il prend soin de souligner quelles furent les innovations essentielles, ainsi «cette première tentative de faire circuler l'espace à travers le volume d'une statue». Enfin, s'il s'étend longuement sur son apport personnel car il lui est (précise-t-il avec simplicité) le plus familier, il n'a garde d'oublier plusieurs des œuvres majeures de ses contemporains, notamment Développement d'une bouteille dans l'espace de Boccioni. Découverte à l'occasion de l'exposition futuriste de 1912, cette œuvre lui semble avoir ouvert une nouvelle voie pour «la sculpture à venir». Il se trouve que cette pièce évoquée par Lipchitz figure dans notre catalogue, mais ce n'est pas la seule: il en est de même pour plusieurs sculptures de Picasso sur lesquelles Lipchitz projette un éclairage inédit. Ami et complice de ce grand compagnon de route, il ne se veut point dupe des mythes fallacieusement entretenus et précise: «Ainsi Picasso porteur de la flamme et chacun à son tour entrant dans la lice, portant sa flamme à soi qui enrichissait la flamme commune.» Seul un artiste qui prit part à l'aventure pouvait parler de la sculpture cubiste avec une telle indépendance d'esprit.

N.R.C.

42 Washington Square South, New York 12, n.,
le 27 mai 1947

Mon cher Kahnweiler,
Je viens tout juste de terminer votre Gris[1] que Curt[2] m'a offert et une violente nécessité me vient de vous écrire. L'histoire, certes, apportera quelques retouches au portrait que vous avez tracé de lui, mais tel quel c'est un vrai monument à la mémoire de notre ami, dont tous nous ne pouvons que vous être reconnaissants.

De notre côté Curt, moi-même et quelques autres nous faisons ici, non sans efficacité, tout ce qui est en notre pouvoir pour montrer la vraie face de cet artiste admirable.

Si de l'autre côté il nous observe, il ne peut qu'être content de nous. Mais sans doute ne serait-il pas content de la façon dont vous traitez de la sculpture cubiste et partant des sculpteurs.

Quand, à la page 240, vous dites, pour conclure à ce que vous avancez sur la sculpture tout le long de votre livre et dont je vous laisse seul responsable, «l'on a vu qu'elle (la sculpture cubiste) a été créée entièrement par les peintres cubistes», vous vous avancez, il me semble, un peu trop et je ne peux que vous crier : gare!

Voyons un peu où en était la sculpture en ronde-bosse au moment où, après quelques autres sculpteurs, j'ai éprouvé l'impérieux besoin de me lancer à la découverte de nouvelles expressions dans notre art. Si dans ce qui va

1 Daniel-Henry Kahnweiler, *Juan Gris, sa vie, son œuvre, ses écrits*, Paris, Gallimard, 1946.
2 Curt Valentin, le marchand américain de Lipchitz, rencontré en 1941 peu après l'arrivée du sculpteur à New York.

suivre je parlerai surtout de mon apport personnel, c'est pour la simple raison qu'il m'est plus familier. [...].

Donc Rodin, Maillol, Bourdelle, Lehmbruck, Picasso qui a fait sa *Tête de femme* en 1910[3], Brancusi, Nadelman, Archipenko, Matisse qui «rodinisait», avec éclat d'ailleurs, Modigliani qui «négroïdait», Boccioni et Duchamp-Villon, Epstein en Angleterre. Voilà l'état de la sculpture dite moderne en Europe au début de 1913. La *Tête de femme* de Picasso, n'en parlons pas au point de vue de la sculpture cubiste, ses mérites sont ailleurs. Malgré la très grande admiration que je lui porte et malgré tout ce que nous devons à cet homme magnifique, je suis forcé de dire que cette tête est toute bâtie avec des éléments purement illusionnistes. A tel point que lors d'une conférence sur la sculpture de nos jours à laquelle j'ai assisté il y a deux ans ici, cette tête projetée sur l'écran avec une mise au point défectueuse est apparue tout à fait comme une tête naturaliste. Rien de son bosselage, grâce au flou, ne persistait, une tête comme une autre, faite par un homme d'un beau tempérament. C'est que les matériaux avec lesquels elle a été bâtie et ses exagérations anatomiques sont de peu de solidité. Pourtant telle quelle, elle a incité quelques sculpteurs à se lancer à la découverte et c'est là son immense apport.

Mais se lancer à la découverte n'est pas encore découvrir, surtout quand il s'agit d'un nouveau monde.

Archipenko avec ses élucubrations l'a amplement prouvé. Seul Boccioni me paraît, avec sa *Bouteille développée dans l'espace*[4] de 1912, avoir touché au nerf sensible de la sculpture à venir. C'est à cette époque (au début de 1913) que j'ai fait ma *Danseuse*[5] et *Rencontre*[6] — deux sculptures en ronde-bosse bâties avec des éléments solides dont aucune mise au point défectueuse sur aucun écran ne saurait altérer la nature. La première tout en formes contrastées, bien naïvement encore, la seconde bâtie sur des données dont un Villard de Honnecourt[7] ne désavouerait pas les principes — Villard de Honnecourt, dont à cette époque, j'ignorais l'existence même. C'est que, étant fils d'un entrepreneur en construction, j'ai dû sucer avec le lait de ma mère les principes de la construction solide. Comment faire avec peu le plus était la chanson qui berçait mon enfance...

En 1914 venait une autre sculpture en ronde-bosse de Picasso, *Le Verre d'absinthe*[8] dont les éléments constituants sont à peine moins illusionnistes que dans *Tête de femme*. Après bien des vicissitudes dont vous pouvez trouver la preuve dans mon registre de photographies, je suis arrivé à la fin de 1915 à cette *Tête*[9] que je vous prie de bien examiner. C'est déjà une œuvre de pure conception, un objet non illusionniste créé avec des éléments inventés par l'esprit, une sculpture ayant son unité, s'isolant dans un espace, qu'elle crée elle-même, en un mot un vrai «individu» qui en plus porte en lui une base d'une nouvelle anatomie plastique.

Comme vous le savez, je suis de dix ans plus jeune que Picasso, étant né en 1891. C'est pourquoi je me nomme souvent le benjamin des cubistes. L'admirable révolution cubiste se présente à moi comme une espèce de marathon où même les moins forts, pour qui la course était trop lourde, ont leur part de gloire. C'est pourquoi je trouve que ce que vous dites de Maria Blanchard[10], par exemple, n'est pas digne de vous. Cela n'est pas de sa faute si, après sa mort et celle de Gris, des gens ignorants et peu scrupuleux effacent son nom de ses tableaux pour mettre celui de Gris. C'était une cubiste sincère et ses tableaux portent un sentiment douloureux d'une rare violence, sentiments qui font totalement défaut dans les œuvres de Gris qui, lui, est olympien.

Ainsi Picasso porteur de la flamme et chacun à son tour entrant dans la lice, portant sa flamme à soi qui enrichissait la flamme commune. De cette thèse, je tâcherai de vous donner des preuves tangibles.

Après la *Tête* de 1915[11] et pendant toute l'année 1916 je continuais avec une série de pierres qui ont un aspect architectonique. Vous trouverez trace de ces sculptures au début de l'ouvrage de Maurice Raynal[12] ainsi que dans mon registre sous l'année 1916. Ce n'est qu'en arrivant ici que j'ai constaté une grande parenté entre ces sculptures et l'esprit de l'architecture new-yorkaise. Je parle des gratte-ciel. Mais les gratte-ciel datent d'entre les deux guerres. L'Empire State Building, le plus haut, est terminé en 1936, les sculptures en question sont de 1916. Le livre de Raynal est paru en 1920. Ne croyez pas que j'insinue par là avoir influencé les architectes américains mais le fait est tout de même à signaler. Il est vrai que quand j'étais en train de faire celle que j'appelle *Figure*[13], Auguste Perret[14] est venu me voir et a même demandé le prix que j'en voulais, il pensait donc l'acheter. Peut-être son église du Raincy s'est-elle ressentie de cet esprit. Est-ce par le truchement de cette église que les architectes américains s'en sont inspirés, je l'ignore. Je suis plutôt enclin à croire que c'est là un fait du pur hasard. C'est un peu plus tard que j'ai connu Gris en cette même année 1916, à un

3   Pablo Picasso, *Tête de femme (Fernande)*, automne 1909. *Cf.* page 000.
4   Il s'agit du *Développement d'une bouteille dans l'espace*, de 1912. *Cf.* page 000.
5   *Cf.* Jacques Lipchitz, *My life in Sculpture*, Londres, Thames and Hudson, 1972, p. 14, ill. 11.
6   *Ibid.*, p. 13, ill. 7.
7   Lipchitz fait allusion au célèbre architecte de la première moitié du XIIIe siècle, connu par un album de relevés et de modèles, sorte de répertoire de schémas abstraits permettant de construire un corps ou un visage.
8   Picasso, *Le Verre d'absinthe*, 1914. *Cf.* page 000.
9   Lipchitz, *op. cit.*, p. 35, ill. 25.
10 Maria Blanchard (1881-1932), peintre espagnole vivant à Paris à partir de 1916, très liée à Juan Gris et aux peintres cubistes.
11 *Cf.* note 9 *supra*.
12 Maurice Raynal, *Lipchitz*, Paris, Action, 1920.
13 Lipchitz, *Personnage*, 1916. *Cf.* page 40.
14 Auguste Perret (1874-1954). Son église du Raincy date de 1923.

Jacques Lipchitz
Le Couple (1928-1929)

moment où j'étais mûr pour accepter les tabous et les limitations des cubistes orthodoxes. Quand Gris a fait sa sculpture[15] pour laquelle je l'ai aidé dans la partie matérielle, toutes mes sculptures jusqu'à la page 68 de mon registre étaient déjà faites. Déjà fait *Personnage debout avec une mandoline*[16], le trou de la mandoline passant de part en part du volume de la statue la trouant entièrement. J'ai fait cela non seulement pour qualifier le trou de la mandoline mais encore pour relier l'espace qui baigne une part de la statue à l'autre. Cette statue est de la fin de 1916. Je n'arrive pas à repérer dans mes papiers ici le numéro de mon registre touchant cette pierre. En tout cas elle est dans mon atelier cassée et vous pouvez de visu constater ce que j'avance. J'insiste sur ce fait, car c'est là parmi les premières tentatives de faire «circuler l'espace» à travers le volume d'une statue. Plus tard en 1922 j'ai fait

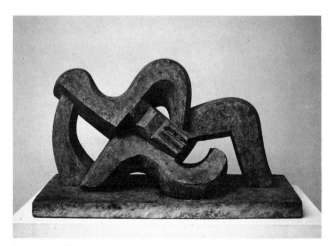

Jacques Lipchitz
Femme couchée et guitare (1923)

une paire de chenets pour Chanel, un projet de colonne trouée surmontée d'un groupe pour son jardin, deux projets pour une statue couchée[17], ensuite vient toute la série de mes statuettes transparentes (à partir de la page 207)[18], mon *Couple* de 1928[19], une statue en basalte *Femme couchée et guitare*[20], ma *Joie de vivre*[21] inspirés du même principe, jusqu'à exécuter en grand en 1930 une esquisse de 1926[22], une statue qui se trouve au Museum of Modern Art de New York[23], où ce principe est exalté à un point tel qu'il a pu devenir «bien de tous». Bien de tous à tel point que ce fruit de mes longs errements dans les ténèbres et de mes illuminations passe à présent aux yeux du public, même averti, comme étant la trouvaille maîtresse du sculpteur anglais Moore, qui en 1930 était encore un disciple de Gaudier-Brzeska (un sculpteur français inconnu en France, mort très jeune pendant l'autre guerre) et d'Epstein. Si je me suis un peu écarté de mon sujet, c'est pour vous montrer comment des opinions erronées peuvent prendre corps pour ainsi dire sous nos yeux. Pas pour longtemps j'espère, car l'histoire est une drôle de dame qui finit toujours par dénicher la vérité.

A la page 216 vous parlez d'une invention par Gris d'une nouvelle façon de «situer» les objets et vous datez cette trouvaille de 1921[24].

Or, je vous prie de vous donner la peine de regarder dans le livre de Raynal[25]. Les sculptures reproduites là ont figuré à mon exposition chez Rosenberg en 1920[26]. Regardez je vous prie, les bas-reliefs, celui enfermé dans un ovale[27]. Regardez comment la guitare est «située» derrière le compotier et avec quels moyens (ce bas-relief est de 1918). Un autre un peu plus loin avec un compotier, une guitare, une clarinette. Examinez comment tout cela est «situé», qualifié, rimé (ce bas-relief est de 1919). C'est en 1914 que j'ai senti la nécessité de cet élément de construction, vous le trouverez assez timidement exprimé déjà dans mon *Marin dansant avec une guitare*[28] qui a été fait en Espagne au début de la guerre de 14.

Dans le livre de Raynal vous trouverez dans une statue

15 Juan Gris, *L'Arlequin*, 1917-1918, Philadelphia Museum of Art, coll. A.E. Gallatin.
16 Lipchitz, *op. cit.*, p. 43, ill. 29.
17 Lipchitz rencontra Coco Chanel en 1921, par l'intermédiaire de l'architecte espagnol J.L. Sert. Lipchitz, *op. cit.*, pp. 64 à 68, ill. 48, 52, 51.
18 *Cf.* par exemple Lipchitz, *op. cit.*, p. 92, ill. 76, 77, 78 et 97, ill. 79, 80.
19 *Ibid.*, p. 101, ill. 82.
20 *Ibid.*, p. 102, ill. 83.
21 *Ibid.*, p. 98, ill. 81.
22 *Ibid.*, p. 88, ill. 74.
23 *Ibid.*, p. 91, ill. 75.
24 Lipchitz évoque ici le passage où Kahnweiler parle de «la dissociation de la couleur et du dessin» qui permet, indépendamment de toute mise en perspective traditionnelle, de situer les objets par «simple recoupement».
25 *Cf.* note 12 *supra*.
26 Sous contrat depuis 1916 avec la galerie de Léonce Rosenberg, l'Effort moderne, Lipchitz eut sa première exposition personnelle en 1920.
27 Lipchitz, *op. cit.*, p. 55, ill. 40.
28 *Ibid.*, p. 21, ill. 12.

en ronde-bosse *Marin à la guitare,* la neuvième reproduction du livre, le même moyen employé encore. Cette statue est de 1917. Elle a été faite avant la sculpture de Juan[29]. C'est entre celle-là et celle qui suit qu'il faut placer la sienne. Dois-je ajouter qu'en tout cas ce sont des sentiments beaucoup plus complexes que ceux que vous attribuez à Gris qui ont fait éclore en moi cet élément si souvent employé parmi les divers matériaux de ma construction.

Et puisque nous sommes toujours dans le livre de Raynal, jetez un coup d'œil sur les deux dernières reproductions. Ces deux statues sont de 1919. La première que je nomme *Liseuse,* que l'on a aussi appelée «La Religieuse», et l'autre *Pierrot à la clarinette,* et dites-moi si, en fait de «cubisme synthétique», il ne faut pas attendre les années 21-22 pour voir dans la peinture cubiste des «objets» aussi clairement conçus et aussi sobrement exécutés.

A la page 243 vous dites que Picasso «commence à songer» à la sculpture transparente. Il y songe peut-être, qui le sait, mais ne la fait pas. C'est moi qui à partir de cette date fais d'abord par des moyens ordinaires des sculptures complètement transparentes. Examinez, je vous prie, ma sculpture *Instruments de musique*[30] de 1925. Dans la même année, par une véritable illumination, je trouve le moyen d'employer la vraie méthode de la cire perdue pour créer précisément des sculptures de petites dimensions que vous décrivez comme si elles avaient été faites

initialement par Picasso. Il les a faites bien plus tard, comme d'ailleurs beaucoup d'autres (forgerons, bijoutiers, poètes même) qui se sont mis à ma suite pour faire des sculptures en fil de fer, en débourre de pipe, en Dieu sait quoi encore.

Gris, qui avec Josette a déjeuné chez nous au printemps 1926 et à qui j'ai montré à table quelques-uns de ces objets, ne cessait de répéter «ça, mon vieux, c'est bon, c'est très bon». Josette pourra certainement se souvenir de cet épisode. A la fin de l'été 1926, Waldemar George publiait toute une série de ces objets dans *L'Amour de l'art*[31]. Et je n'étais pas peu flatté quand Mme Jeanne Bucher m'a dit que Picasso venait de temps en temps dans sa galerie où ils étaient exposés, pour les examiner longuement et attentivement. Comparez, par exemple, *Instruments de musique* de 1925 (207-210) dont j'ai parlé plus haut, avec une peinture de Picasso de la collection de Mme Mary Callery nommée *Baigneuse assise* datée de 1929[32]. Comparez les dates de mes sculptures transparentes avec celles de Picasso et vous serez édifié.

D'ailleurs, après la première période d'enthousiasme, je me suis mis à chercher des justifications de cette nouvelle conception de la sculpture dans l'art du passé; des parents quoi!

Eh bien, j'en ai trouvé un tas, aussi bien en Europe qu'en Asie, en Afrique qu'en Océanie; et j'en trouve toujours. L'autre jour ici un grand-père de l'époque victorienne, n'est-ce pas rassurant? Et grande fut ma surprise quand, à la parution du livre d'Alfred Barr en 1936[33], j'ai trouvé là la reproduction d'un objet transparent en fer, œuvre de Rodtchenko datée de 1920!

Je ne prétends pas pour ma part avoir découvert le cubisme; Gris d'ailleurs non plus ne l'a pas découvert. Je dis seulement que je suis un de ceux qui ont aidé à l'édifier, à le clarifier (je n'ai par exemple sur ma conscience aucun portrait cubiste, hérésie suprême!) et je continue à le bâtir. Plus que jamais il y a à faire. Seulement à présent c'est plus dur à cause de la confusion qui règne autour et de la solitude dans laquelle nous nous trouvons tous. En tout cas, je pense être un de ceux qui ont créé la sculpture cubiste. L'histoire dira la part exacte de mon apport. [...]

Jacques Lipchitz
Instruments de musique (1925)

29 *Cf.* note 15 *supra.*
30 Lipchitz, *op. cit.,* p. 83, ill. 64.
31 Waldemar George, «Bronzes de Jacques Lipchitz», *L'Amour de l'art,* vol. 27, Paris. 1926, pp. 229-302.
32 Cette œuvre de Picasso est probablement celle qui se trouve aujourd'hui au Museum of Modern Art de New York. Elle daterait du début de 1930. *Cf.* à ce sujet William Rubin, *Picasso in the Collections of the Museum of Modern Art,* New York, the Museum of Modern Art, 1972, pp. 132 et 222, ill. p. 133.
33 Alfred H. Barr, catalogue de l'exposition *Cubism and Abstract Art,* New York, the Museum of Modern Art, 1936.

(Notes de Noëlle Réveillaud-Chabert)

Tristan Tzara

Manifeste Dada 1918, *Dada 3*

Zurich, décembre 1918

Entre 1916 et 1920, le jeune poète roumain Tristan Tzara (1896-1963) écrivit dans le cadre du mouvement dada sept manifestes[1]. Le deuxième, dont nous reproduisons ici la version originale telle qu'elle fut publiée dans la revue Dada[2], *est le plus important de tous tant par sa date de parution que parce que pour la première et la dernière fois Tzara tente réellement de formuler verbalement ce qu'il y a de fécond et d'absolument novateur derrière cette appellation* Dada *qui, il le rappelle d'emblée de peur que nous ne l'oubliions, « ne signifie rien ».*

Dès son arrivée à Zurich à l'automne 1915, Tzara a déployé une activité considérable au sein de Dada. Le 5 février 1916, il participa à l'inauguration du cabaret Voltaire par Hugo Ball puis, trois jours plus tard, découvrit avec Arp et Huelsenbeck le mot même de «dada» au moyen d'un coupe-papier glissé au hasard entre les pages d'un dictionnaire[2]. En juillet de la même année il lut, à la première soirée dada, le «Manifeste de monsieur Antipyrine», puis ouvrit la «Collection Dada» par un recueil de poèmes. En 1917, il fit une série de conférences sur l'art moderne à l'occasion de l'ouverture de la galerie Dada et prit, en juillet, la direction de la revue[3]. Au terme de cette foisonnante production, 1918 apparaît un peu comme une année charnière: Tzara, qui vient de publier Vingt-cinq poèmes[4], *s'attache surtout à nouer tout un réseau de relations avec les différentes avant-gardes européennes. C'est notamment le début de sa correspondance avec Picabia qui sera déterminante pour l'avenir de Dada à Paris[5] et la volonté délibérée de diffuser hors des frontières suisses l'esprit dada.*

Rédigé dans ce sens, le second manifeste rappelle les raisons qui sont à l'origine de Dada: Ainsi naquit DADA d'un besoin d'indépendance, de méfiance envers la communauté. *Est également soulignée l'incompatibilité totale entre l'esprit dadaïste et l'élaboration de toute théorie: «Je suis contre les systèmes, le plus acceptable des systèmes est celui de n'en avoir par principe aucun.» Comment justifier alors la rédaction même d'un manifeste*

dont l'objet est de cerner l'esprit dada à travers les grands principes qui l'inspirent: volonté de négation, spontanéité absolue et jusqu'au dégoût dadaïste?

La réponse tient peut-être dans le dépassement de notre pensée occidentale dualiste et dans cette vision du monde profondément unitaire si caractéristique du génie de Tzara: « J'écris le manifeste pour montrer qu'on peut faire les actions opposées ensemble, dans une seule fraîche respiration. » Ce manifeste est aussi un poème et la séparation n'est pas forcément nécessaire entre l'action poétique et la critique de cette même action.

N.R.C.

1   Le «Manifeste de monsieur Antipyrine» a été lu à la première manifestation dada à Zurich (salle Waag), le 14 juillet 1916. Paru dans *La 1re Aventure céleste de M. Antipyrine*, Zurich, Collection Dada, 1916. Le «Manifeste Dada 1918» a été lu à Zurich (salle Meise), le 23 mars 1918. Paru dans *Dada 3*, Zurich 1918.
    La «Proclamation sans prétention» a été lue à la 8e soirée Dada à Zurich (salle Kaufleuten), le 8 avril 1919. Parue dans l'«Anthologie Dada», *Dada 4-5*, Zurich 1919.
    Le «Manifeste de M. Aa l'antiphilosophe» a été lu au Grand Palais des Champs-Élysées, le 5 février 1920. Paru dans *Littérature* n° 13, Paris 1920.
    Le «Manifeste Tristan Tzara» a été lu à l'Université populaire, le 19 février 1920. Paru dans *Littérature* n° 13, Paris, 1920.
    «Monsieur Aa nous envoie ce manifeste» a été lu au festival Dada, à la salle Gaveau, à Paris, le 22 mai 1920. Paru dans *391* n° 12, Paris 1920.
    Le «Manifeste sur l'amour faible et l'amour amer» a été lu à la galerie Povolozky, à Paris, le 12 décembre 1920. Paru dans *La Vie des lettres* n° 4, Paris, 1921.
    L'annexe «Comment je suis devenu charmant, sympathique et délicieux» a été lue à la galerie Povolozky, à Paris, le 19 décembre 1920. Parue dans *La Vie des lettres* n° 4, 1921.
2   Henri Béhar, *Tristan Tzara, œuvres complètes*, Tome I (1912-1924), Paris, Flammarion, 1975.
3   La revue *Dada* prit la suite de celle d'Hugo Ball *Cabaret Voltaire* parue en juin 1916. Elle compta huit numéros échelonnés de juillet 1917 à septembre 1921. Une réimpression intégrale et un dossier critique de la revue ont été réalisés par Michel Sanouillet, Centre du XXe siècle, Nice 1976.
4   *Vingt-cinq poèmes*, avec des bois gravés de Hans Arp, Zurich, Collection Dada, 1918.
5   Le développement de l'activité dadaïste à Paris est lié à l'installation de Tzara chez Picabia (avenue Charles-Floquet, nouvelle adresse de *Dada*) en janvier 1920. Elle durera jusqu'en 1924, date de la fondation du surréalisme.

MANIFESTE DADA 1918.

Note et de publicité d'un "isme" nouveau nouveau leur rendit impossible compréhension et puissance de se crever à l'abstraction, la magie d'une parole (DADA), les ayant mis, (par sa simplicité de ne rien signifier), veaux devant la porte d'un monde présent: vraiment trop forte éruption pour leur habitude de se tirer facilement d'affaire.

Ce manifeste a été lu par Tristan Tzara le 23 juillet à la Meise (Zürich). Avec le manque de sérieux inné à ces sortes de manifestations, les journalistes nommèrent Dadaïsme ce que l'intensité d'un art si banal. Le Dadaïsme. Pour introduire l'idée de folie passagère en mal de scandale nouveau devant la porte d'un monde présent.

Pour lancer un manifeste, il faut vouloir A.B.C. foudroyer contre 1. 2. 3.

s'énerver et aiguiser les ailes pour conquérir et répandre de petits et de grands a. b. c.

signer, crier, jurer, arranger la prose sous une forme d'évidence absolue, irréfutable, prouver son nonplus-ultra et soutenir que la nouveauté ressemble à la vie comme la dernière apparition d'une cocotte prouve l'essentiel de Dieu. Son existence fut déjà prouvée par l'acordéon, le paysage et la parole douce. ■ Imposer son A.B.C. est une chose naturelle, – donc regrettable. Tout le monde le fait sous forme de cristalbluffmadone, système monétaire, produit pharmaceutique, jambe nue conviant au printemps ardent et stérile. L'amour de la nouveauté est la croix sympathique, fait preuve d'un jem'entoutisme naïf, signe sans cause, passager, positif. Mais ce besoin est aussi vieilli. En documentant l'art avec la suprême simplicité: nouveauté, on est humain et vrai pour l'amusement, impulsif vibrant pour crucifier l'ennui. Au carrefour des lumières, alerte, attentif en guettant les années, dans la forêt. ■

J'écris un manifeste et je ne veux rien, je dis pourtant certaines choses, et je suis par principe contre les manifestes, comme je suis aussi contre les principes (décilitres pour la valeur morale de toute phrase – trop de commodité; l'aproximation fut inventée par les impressionnistes.) J'écris ce manifeste pour montrer qu'on peut faire les actions opposées ensemble, dans une seule fraîche respiration; je suis contre l'action; pour la continuelle contradiction pour l'affirmation aussi, je ne suis ni pour ni contre et je n'explique car je hais le bon-sens.

DADA – voilà un mot qui mène les idées à la chasse; chaque bourgeois est un petit dramaturge, invente des propos différents, au lieu de placer les personnages convenables à la qualité de son intelligence, chrysalides sur les chaises, cherche les causes ou les buts (suivant la méthode psycho-analytique qu'il pratique) pour cimenter son intrigue, histoire qui parle et se définit. ■ Chaque spectateur est un intriguant, s'il cherche à expliquer un mot: (c o n n a î t r e!) Du refuge ouaté des complications serpentines il laisse manipuler ses instincts. De là les malheurs de la vie conjugale.

Expliquer: Amusement des ventrerouges aux moulins de crânes vides.

☛ Dada ne signifie rien.

Si l'on trouve futile et l'on ne perd son temps pour un mot qui ne signifie rien. . . .

La première pensée qui tourne dans ces têtes est d'ordre bactéorologique: trouver son origine étimologique, historique ou psychologique, au moins. On apprend dans les journaux que les nègres Krou appellent la queue d'une vache sainte: DADA. Le cube et la mère en une certaine contrée d'Italie: DADA. Un cheval de bois, la nourrice, double affirmation en russe et en roumain: DADA. Des savants journalistes y voient un art pour les bébés, d'autres saints jésusappelantlespetitsenfants du jour, le retour à un primitivisme sec et bruyant, bruyant et monotone. ■ On ne construit sur un mot la sensibilité; toute construction converge à la perfection qui ennuie, idée stagnante d'un marécage doré, relatif produit humain. L'œuvre d'art ne doit pas être la beauté en elle-même, car elle est morte; ni gaie ni triste, ni claire ni obscure, réjouir ou maltraiter les individualités en leur servant les gâteaux des auréoles saintes ou les sueurs d'une course cambré à travers les atmosphères. Une œuvre d'art n'est jamais belle, par decret, objectivement, pour tous. La critique est donc inutile, elle n'existe que subjectivement, pour chacun, et sans le moindre caractère de généralité. Croit-on avoir trouvé la base psychique commune à toute l'humanité? L'essai de Jesus et la bible couvrent sous leurs ailes larges et bien-veillantes: la merde, les bêtes, les journées. Comment veut-on ordonner le chaos qui constitue cette infinie informe variation: l'homme? Le principe: „aime ton prochain" est une hypocrisie. „Connais-toi" est une utopie, mais plus acceptable, contient la méchanceté aussi. Pas de pitié. Il nous reste après le carnage, l'espoir d'une humanité purifiée.

Je parle toujours de moi puisque je ne veux convaincre, je n'ai pas le droit d'entraîner d'autres dans mon fleuve, je n'oblige personne à me suivre et tout le monde fait son art à sa façon, s'il connaît la joie montant en flèches vers les couches astrales, ou celle qui descend dans les mines aux fleurs de cadavres et de spasmes fertiles. Stalactytes: les chercher partout, dans les crèches agrandis par la douleur, les yeux blancs comme les lièvres des anges. ■ Ainsi naquit DADA*) d'un besoin d'indépendance, de méfiance envers la communauté. Ceux qui appartiennent à nous gardent leur liberté. Nous ne reconnaissons aucune théorie. Nous avons assez des académies cubistes et futuristes: laboratoires d'idées formelles. Fait-on l'art pour gagner l'argent et caresser les gentils bourgeois? Les rimes sonnent l'assonance des monnaies et l'inflexion glisse le long de la ligne du ventre en profil. Tous les groupements d'artistes ont abouti à cette banque en chevauchant sur de diverses comètes. La porte ouverte aux possibilités de se vautrer dans les coussins et la nourriture.

Ici nous jettons l'ancre, dans la terre grasse. Ici nous avons le droit de proclamer, car nous avons connu les frissons et l'éveil. Revenants ivres d'énergie nous enfonçons le triton dans la chair insoucieuse. Nous sommes ruissellements de malédictions en abondance tropique de végétations vertigineuses, gomme et pluie est notre sueur, nous saignons et brûlons la soif, notre sang est vigueur.

Le cubisme naquit de la simple façon de regarder l'objet: Cézanne peignait une tasse 20 centimètres plus bas que ses yeux, les cubistes la regardent tout d'en haut; d'autres compliquent l'apparence en faisant une section perpendiculaire et en l'arrangeant sagement à côté. (Je n'oublie pourtant les créateurs, ni les grandes raisons et la matière qu'ils rendirent définitive). ■ Le futuriste voit la même tasse en mouvement, succession d'objets un à côté de l'autre et ajoute malicieusement quelques lignes-forces. Cela n'empêche que la toile soit une bonne ou mauvaise peinture déstinée au placement des capitaux intellectuels.

Le peintre nouveau crée un monde, dont les éléments sont aussi les moyens, une œuvre sobre et définie, sans argument. L'artiste nouveau proteste: il ne peint plus (reproduction symbolique et illusionniste/ mais crée directement en pierre, bois, fer, étain, des rocs des organismeslocomotives pouvant être tournés de tous les côtés par le vent limpide de la sensation momentanée. ■ Toute œuvre picturale ou plastique est inutile;

*) en 1916 dans le *CABARET VOLTAIRE* à Zurich.

qu'elle soit un monstre qui fait peur aux esprits ser-viles, et non douce-âtre pour orner les réfectoires des animaux mis en costumes humains, illustrations de cette fable de l'humanité. —

Un tableau est l'art de faire se rencontrer deux lignes géometriquement constatées parallèles, sur une toile, devant nos yeux, dans une réalité qui transpose sur un monde à d'autres conditions et possibilités. Ce monde n'est pas spécifié ni défini dans l'œuvre, appartient dans ses innombrables variations au spec-tateur. Pour son créateur, elle est sans cause et sans théorie.

Ordre   désordre, moi   non-moi, affirmation né-gation : rayonnements suprèmes d'un art absolu. Absolu en pureté de chaos cosmique et ordonné, éternel dans la globule seconde sans durée sans re-spiration sans lumière sans contrôle. ▌ J'aime une œuvre ancienne pour sa nouveauté. Il n'y a que le contraste qui nous relie au passé. ▌ Les écrivains qui enseignent la morale et discutent ou améliorent la base psychologique, ont, à part un désir caché de gagner, une ridicule connaissance de la vie, qu'ils ont classifiée, partagée, canalisée; ils s'entêtent à voir danser les catégories lorsqu'ils battent la mesure. Leurs lecteurs ricanent et continuent : à quoi bon ?

Il y a une littérature qui n'arrive jusqu'à la masse vorace. Œuvre de créateurs, sortie d'une vraie né-cessité de l'auteur, et pour lui-même. Connaissance d'un suprême égoïsme, où les lois s'étiolent. ▌ Chaque page doit exploser, soit par le sérieux profond et lourd, le tourbillon, le vertige, le nouveau, l'éternel, par la blague écrasante, par l'enthousiasme des principes ou par la façon d'être imprimée. Voilà un monde chancelant qui fuie, fiancé au grelots de la gamme infernale, voilà de l'autre côté : des hommes nouveaux. Rudes, bondissants, chevaucheurs de hoquets. Voilà un monde mutilé et les médicastres littéraires en mal d'amélioration.

Je vous dis : il n'y a pas de commencement et nous ne tremblons, nous ne sommes pas sentimentaux. Nous déchirons, vent furieux le linge des nuages et des prières, et préparons le grand spectacle du désastre, l'incendie, la décomposition. Préparons la supression du deuil et replaçons les larmes par les sirènes tendues d'un continent à l'autre. Pavillons de joie intense et veufs de la tristesse du poison. ▌ DADA est l'enseigne de l'abstraction; la réclame et les affaires sont aussi des éléments poétiques.

Je détruis les tiroirs du cerveau, et ceux de l'organi-sation sociale : démoraliser partout et jeter la main du ciel en enfer, les yeux de l'enfer au ciel, rétablir la roue féconde d'un cirque universel dans les puis-sances réelles et la fantaisie de chaque individu.

La philosophie est la question : de quel côté commen-cer à regarder la vie, dieu, l'idée, ou les autres ap-paritions. Tout ce qu'on regarde est faux. Je ne crois pas plus important le résultat relatif, que le choix entre gâteau et cerises après dîner. La façon de regarder vite l'autre côté d'une chose, pour im-poser indirectement son opinion, s'appelle dialectique, c'est-à-dire marchander l'esprit des pommes frites, en dansant la méthode autour.

Si je crie :

  Idéal, idéal, idéal,
  Connaissance, connaissance, connaissance,
  Boumboum, boumboum, boumboum,

j'ai enrégistré assez exactement le progrès, la loi, la morale et toutes les autres belles qualités que de différents gens très intelligents ont discuté dans tant de livres, pour arriver à la fin, à dire que tout de même chacun a dansé d'après son boumboum per-

sonnel, et qu'il a raison pour son boumboum, satis-faction de la curiosité maladive ; sonnerie privée pour besoins inexplicable ; bain ; difficultés pécuniaires ; estomac avec répercussion sur la vie ; autorité de la baguette mystique formulée en bouquet d'orchestre-fantôme aux archets muets, graissés de philtres à base d'amoniaque animal. Avec le lorgnon bleu d'un ange ils ont fossoyé l'intérieur pour vingt sous d'una-nime reconnaissance. ▌ Si tous ont raison, et si toutes les pilules ne sont que Pink, essayons une fois de ne pas avoir raison. ▌ On croit pouvoir ex-pliquer rationnellement, par la pensée, ce qu'on écrit. Mais c'est très relatif. La pensée est une belle chose pour la philosophie mais elle est relative. La psycho-analyse est une maladie dangereuse, endort les pen-chants anti-réels de l'homme et systématise la bour-geoisie. Il n'y a pas de dernière Vérité. La dialec-tique est une machine amusante qui nous conduit d'une manière banale aux opinions que nous au-rions eu en tout cas. Croit-on, par le raffinement minutieux de la logique, avoir démontré la vérité et établi l'exactitude de ces opinions ? Logique serrée par les sens est une maladie organique. Les philo-sophes aiment ajouter à cet élément : Le pouvoir d'observer. Mais justement cette magnifique qualité de l'esprit est la preuve de son impuissance. On observe, on regarde d'un ou de plusieurs points de vue, on les choisit parmi les millions qui existent. L'expérience est aussi un résultat de l'hazard et des facultés individuelles. ▌ La science me répugne dès qu'elle devient spéculative-système, perd son caractère d'utilité — tellement inutile — mais au moins in-dividuel. Je hais l'objectivité grasse et la harmonie, cette science qui trouve tout en ordre. Continuez, mes enfants, humanité . . . La science dit que nous sommes les serviteurs de la nature : tout est en ordre, faites l'amour et cassez vos têtes. Continuez mes enfants, humanité, gentils burgeois et journalistes vierges . . . . . ▌ Je suis contre les systèmes, le plus acceptable des systèmes est celui de n'avoir par prin-cipe aucun. ▌ Se compléter, se perfectionner dans sa propre petitesse jusqu'à remplir le vase de son moi, courage de combattre pour et contre la pensée, mystère du pain déclanchement subit d'un hélice infernal en lys économiques :

La spontanéité dadaïste.

Je nomme jem'enfoutisme l'état d'une vie où chacun garde ses propres conditions, en sachant toute-fois respecter les autres individualités, sinon se défendre, le two-step devenant hymne national, magazin de bric-à-brac, T. S. F. téléphone sans fil transmettant les fugues de Bach réclames lumineuses et affichage pour les bordels, l'orgue diffusant des œillets pour Dieu, tout cela ensemble, et réellement, remplaçant la photo-graphie et le catéchisme unilatéral.

La simplicité active.

L'impuissance de discérner entre les degrés de clarté : lécher la pénombre et flotter dans la grande bouche remplie de miel et d'excrément. Mésurée à l'échelle Eternité, toute action est vaine — (si nous laissons la pensée courir une aventure dont le résultat serait in-finiment grotesque — donnée importante pour la connaissance de impuissance humaine). Mais si la vie est une mauvaise farce, sans but ni accouchement initial, et parceque nous croyons devoir nous tirer proprement, en chrysantèmes lavées de l'affaire, nous avons proclamé seule base d'entendement : l'art. Il n'a pas l'importance que nous, reîtres de l'esprit, lui chantons depuis des siècles. L'art n'afflige personne et ceux qui sachent s'y intéresser, recevront des caresses et belle occasion de peupler le pays de leur conversation. L'art est une chose privée, l'artiste le fait pour lui ; une œuvre compréhensible est produit de journaliste, et parcequ'il me plait en ce moment de mélanger ce monstre aux couleurs à l'huile : tube en papier imitant le métal qu'on presse et verse automatiquement haine lacheté vilenie. L'artiste, le poète se réjouit du vénin de la masse condensée en un chef de rayon de cette industrie, il est heureux en étant injurié : preuve de son immuabilité. L'auteur, l'artiste loué par les journaux constate la compréhensibilité de son œuvre : misérable doublure d'un manteau à utilité publique ; haillons qui couvrent la brutalité, pissat collaborant à la chaleur d'un animal couvant les bas instincts. Flasque et insipide chair se multipliant à l'aide des microbes typographiques. ▮ Nous avons bousculé le penchant pleurnichard en nous. Toute filtration de cette nature est diarrhée confie. Encourager cet art veut dire la digérer. Il nous faut des œuvres fortes droites précises et à jamais incomprises. La logique est une complication. La logique est toujours fausse. Elle tire les fils des notions, paroles, dans leur extérieur formel, vers des bouts des centres illusoires. Ses chaînes tuent, myriapode énorme asphixiant l'indépendance. ▮

Marié à la logique l'art vivrait dans l'inceste, engloutissant, avalant sa propre queue toujours son corps, se forniquant en lui-même, et le tempérament deviendrait un cauchemar goudroné de protestantisme, un monument, un tas d'intestins grisâtres et lourds. ▮ Mais la souplesse, l'enthousiasme et même la joie de l'injustice, cette petite vérité que nous pratiquons innocents et qui nous rend beaux : nous sommes fins et nos doigts sont maléables et glissent comme des branches de cette plante insinuante et presque liquide ; elle précise notre âme, disent les cyniques. ▮ C'est aussi un point de vue ; mais pas toutes les fleurs sont saintes, heureusement, et ce qu'il y a de divin en nous est l'éveil de l'action anti-humaine. Il s'agit ici d'une fleur en papier pour la boutonnière des messieurs qui fréquentent le bal de la vie masquée, cuisine de la grâce, blanches cousines souples ou grasses. ▮ Ils trafiquent avec ce que nous avons sélectioné. ▮ Contraditiction et unité des pollaires dans un seul jet, peuvent être vérité. Si l'on tient en tout cas à prononcer cette banalité, appendice d'une moralité libidineuse, mal odorante. La morale atrophie comme tout fléau fabricat de l'intelligence. Le contrôle de la morale et de la logique nous ont infligé l'impassibilité devant les agents de police — cause de l'esclavage, rats putrides dont les bourgeois en ont plein le ventre, et qui ont infecté les seuls corridors de verre clairs et propres qui restèrent ouverts aux artistes.

Que chaque homme crie : il y a un grand travail destructif, négatif à accomplir. Balayer, nettoyer. La propreté de l'individu s'affirme après l'état de folie, de folie agressive, complète, d'un monde laissé entre les mains des bandits, qui se déchirent et détruisent les siècles. Sans but ni dessein, sans organisation : la folie indomptable, la décomposition. Les forts par la parole ou par la force survivront, car ils sont vifs dans la défense, l'agilité des membres et des sentiments flambe sur leurs flancs facettés.

La morale a déterminé la charité et la pitié, deux boules de suif qui ont poussé comme des éléphants, des planètes et qu'on nomme bonnes. Elles n'ont rien de la bonté. La bonté est lucide, claire et décidée, impitoyable envers le compromis et la politique. ▮ La moralité est l'infusion du chocolat dans les veines de tous les hommes. Cette tâche n'est pas ordonnée par une force surnaturelle, mais par le trust des marchands d'idées et accapareurs universitaires. ▮ Sentimentalité : en voyant un groupe d'hommes qui se quérelle et s'ennuie ils ont inventé le calandrier et le médicament sagesse. En collant les étiquettes, la bataille des philosophes se dechaîna (mercantilisme, balance, mesures méticuleuses et mesquines) et l'on comprit pour la seconde fois que la pitié est un sentiment, comme la diarhée aussi, en rapport au dégoût qui gâte la santé, immonde tâche de charognes de compromettre le soleil.

Je proclame l'opposition de toutes les facultés cosmiques à cette blénoragie d'un soleil putride sorti des usines de la pensée philosophique, la lutte acharnée, avec tous les moyens du

Dégoût dadaïste.

Tout produit du dégoût susceptible de devenir une négation de la famille, est *dada* ; proteste aux poings de tout son être en action destructive : **dada** ; connaissance de tous les moyens rejétés jusqu'à présent par le sexe pudique du compromis commode et de la politesse : **dada** : abolition de la logique, danse des impuissants de la création : **dada** : de toute hiérarchie et équation sociale installée pour les valeurs par nos vallets : DADA : chaque objet, tous les objets, les sentiments et les obscurités, les apparitions et le choc précis des lignes parallèles, sont des moyens pour le combat : DADA ; abolition de la mémoire : DADA ; abolition de l'archéologie : *DADA* ; abolition des prophètes : DADA, abolition du futur : DADA ; croyance absolue indiscutable dans chaque dieu produit immédiat de la spontanéité : **DADA** ; saut élégant et sans préjudice, d'une harmonie à l'autre sphère ; trajectoire d'une parole jettée comme un disque sonore cri ; respecter toutes les individualités dans leur folie du moment : sérieuse, craintive, timide, ardente, vigoureuse, décidée, enthousiaste ; peler son église de tout accessoire inutil et lourd ; cracher comme une cascade lumineuse la pensée désobligente ou amoureuse, ou la choyer — avec la vive satisfaction que c'est tout-à-fait égal — avec la même intensité dans le buisson, pur d'insectes pour le sang bien né, et doré de corps d'archanges, de son âme. Liberté : **DADA DADA DADA**, hurlement des couleurs crispées, entrelacement des contraires et de toutes les contradictions, des grotesques, des inconséquences : **LA VIE.**

TRISTAN TZARA.

Naum Gabo et Antoine Pevsner

Manifeste réaliste

1920

Au matin du 5 août 1920 fut placardé dans les rues de Moscou, aux endroits traditionnellement réservés aux proclamations gouvernementales, le «Manifeste réaliste» rédigé par Naum Gabo (1890-1977) et cosigné par son frère Noton [Antoine] Pevsner (1886-1962). On sait par divers témoignages[1] que cet affichage, qui allait de pair avec une exposition de peintures et de sculptures en plein air à laquelle participaient les deux frères Pevsner, fit grande sensation à Moscou. En effet, en cette période de guerre civile et de famine, les Moscovites, croyant à un affichage du gouvernement, défilèrent jusqu'à la nuit devant ce qu'ils pensaient être un nouveau décret. Par ailleurs, le manifeste circula dans tous les cercles intellectuels et artistiques de la Russie d'après 1917, c'est-à-dire dans des milieux en pleine effervescence et à une époque d'intense activité créatrice. La révolution d'Octobre a consacré l'art d'avant-garde mais très vite, et c'est déjà le cas en 1920, des options divergentes se sont fait jour parmi les artistes qui ont accédé brutalement à des postes de haute responsabilité dans le cadre des célèbres Vkhoutemas. Sans mésestimer le rôle de Kandinsky, les deux chefs de file à l'époque sont incontestablement Malevitch et Tatline. Si le premier a publié en 1915 le «Manifeste du suprématisme»[2], introduisant un concept d'art pur et non objectif, le second a véritablement été à la source du constructivisme avec ses contre-reliefs de 1913. En 1920, la question qui les divise est celle du rôle de l'art dans la société communiste. A Malevitch qui prône un art non utilitaire et libre de toute référence idéologique, Tatline et à sa suite Rodtchenko répondent que l'art doit être entièrement au service du peuple. C'est dans ce contexte de vive controverse qu'il faut donc envisager la rédaction du «Manifeste réaliste».

1 Cf. Alexei Pevsner, *A Biographical Sketch of my Brothers, N. Gabo and A. Pevsner,* Amsterdam, 1964, p. 24.
2 Il s'agit de la brochure-programme intitulée «Du cubisme et du futurisme au suprématisme» distribuée par Malevitch lors de la 2ᵉ exposition futuriste «0,10» organisée en décembre 1915 à Petrograd.
3 George Rickey, *Constructivism, Origins and Evolution,* New York, 1967, p. 25.
4 Texte reproduit par Herbert Read et Leslie Martin dans *Gabo,* Neuchâtel, 1957, pp. 155-156.

Il s'agit en fait d'un manifeste constructiviste. Pour l'historien d'art George Rickey, le mot «réaliste» n'existe pas en russe. Il est importé de l'Occident et doit être entendu au sens français de «réaliser»[3]. «Nous construisons notre œuvre», est-il dit dans le texte, et s'affirme ainsi la volonté de distance de Gabo vis-à-vis des théories métaphysiques de Malevitch. Le manifeste se veut aussi une défense de l'art pur, un plaidoyer pour la sculpture au-delà de l'«accidentel» et indépendamment des «États, des systèmes politiques et économiques».

Après la parution du manifeste de Gabo, la scission du groupe constructiviste est un fait acquis. En réponse au manifeste des Pevsner paraît le «Programme du groupe constructiviste»[4] qui ne conçoit l'art qu'en liaison avec la production industrielle. Face à cette tendance qui sera en Union soviétique celle de l'avenir, le «Manifeste réaliste» témoigne d'une démarche qui se donne une autre proposition de départ, et sera celle qui s'épanouira ensuite en Europe occidentale.

N.R.C.

Au-dessus des tempêtes de nos vies quotidiennes.
Au-dessus des terrains vagues et des cendres d'un passé en ruine.
Devant les portes du futur à construire **nous vous annonçons aujourd'hui à vous peintres, sculpteurs,** musiciens, acteurs, poètes, **à vous** pour qui l'art n'est pas seulement un sujet de conversation mais une source de joie réelle **Notre Parole et Notre Action.**
L'impasse dans laquelle l'art s'est enfoncé suite aux vingt dernières années de recherches doit être détruite.
L'essor irrépressible des connaissances humaines qui a pris naissance déjà à l'aube de notre siècle a pénétré puissamment dans les profondeurs des lois hier encore obscures du monde; — **l'épanouissement d'une nouvelle culture** et d'une nouvelle civilisation dans **un élan** encore jamais vu dans l'histoire **de très larges masses populaires vers la possession de biens reconquis à la nature,** élan qui est étroitement lié à l'expansion des peuples marchant vers la seule union d'une seule humanité et enfin, **La Guerre et la Révolution** — ces **orages**

purificateurs de l'époque future — nous ont mis face au fait accompli de nouvelles formes de vie déjà nées, déjà actives.

Quel est l'apport de l'art à cette époque de l'histoire humaine en plein épanouissement? A-t-il en main les moyens nécessaires à la construction d'un Nouveau Grand Style? Ou suppose-t-il que la nouvelle époque puisse aussi ne pas avoir de nouveau style? Ou suppose-t-il que la nouvelle vie puisse accepter une création fondée sur les bases de l'ancien?

En dépit des exigences de l'esprit régénéré de notre époque, l'art se nourrit encore de l'impression, de l'apparence et erre désespérément du Naturalisme au Symbolisme, du Romantisme au Mysticisme et vice-versa.

Les tentatives des cubistes et des futuristes pour tirer les arts plastiques du marécage du passé n'ont conduit à rien d'autre qu'à de nouvelles errances.

Le **Cubisme** ayant commencé par une simplification de la technique de représentation a abouti à son analyse et s'y est figé.

Le monde des cubistes brisé en mille éclats par une anarchie logique ne peut nous satisfaire nous, qui avons déjà accompli une révolution, nous constructeurs, nous créateurs, nous bâtisseurs.

On pouvait suivre avec intérêt les expériences des cubistes mais il ne faut pas les suivre sans être convaincu que ces expériences se déroulent sur la surface de l'art sans s'attaquer à ses bases, sans être convaincu qu'on aboutit au même aspect graphique, au même volume, à la même décoration de surface que dans l'art ancien.

On a pu saluer en son temps le **Futurisme** pour l'élan rafraîchissant de la révolution qu'il annonçait, pour sa critique destructrice du passé, parce qu'il n'y aurait eu aucun moyen d'enlever ces barricades artistiques du bon goût pour lesquelles il était besoin de poudre, de beaucoup de poudre, mais on ne doit pas construire de système artistique sur une seule phrase révolutionnaire.

Il nous suffit de considérer la substance même du futurisme par-delà sa surface brillante pour nous retrouver face à face avec le même beau parleur, un gars très habile et très menteur, portant les oripeaux élimés du Patriotisme, du Militarisme, du Mépris des femmes et autres loques provinciales.

Dans le domaine des problèmes picturaux, le futurisme n'est pas allé plus loin que la tentative radicale de fixer sur la toile le réflexe optique, tentative qui s'était déjà soldée chez les impressionnistes par un échec.

Il est clair à chacun que le simple enregistrement graphique d'une série d'instantanés d'un mouvement **arrêté** ne recrée pas le mouvement lui-même.

Enfin une absence totale de rythmique linéaire transforme le tableau futuriste en un pouls de cadavre.

Le slogan grandiloquent de la vitesse a servi d'atout maître dans les mains du Futurisme.

Nous reconnaissons totalement la résonance de ce slogan et comprenons qu'il est capable de faire basculer le provincial le plus robuste.

Mais il suffit de demander à un futuriste comment il se représente la vitesse et entre en scène tout l'arsenal d'automobiles folles, de gares tonitruantes, de fils de fer emmêlés, de cliquetis, de coups, de bruits, de tintements, de rues qui tourbillonnent. Faut-il les convaincre que tout cela n'est absolument pas nécessaire à la vitesse et à ses rythmes?

Voyez le rayon du soleil, la plus silencieuse des forces les plus silencieuses, il parcourt 300 000 km à la seconde.

Notre ciel étoilé, quelqu'un l'entend-il? Que sont nos gares face à cette gare universelle? Que sont nos trains face à ces trains ultra-rapides universels!

Non, **tout ce vacarme futuriste autour de la vitesse est une plaisanterie trop manifeste.**

Et à partir du moment où le futurisme a annoncé que l'Espace et le Temps étaient morts hier, il a sombré pour nous dans les ténèbres de l'Abstraction.

Ni lui, ni le cubisme n'ont donné ce que notre époque attendait d'eux.

En dehors de ces deux écoles artistiques, notre passé proche n'a rien vu de déterminant qui mérite l'attention mais la vie n'attend pas et la croissance des générations ne s'arrête pas et nous qui venons prendre la relève de ceux qui sont passés dans l'histoire, avec dans les mains les résultats de leurs expériences, leurs erreurs et leurs succès — avons vécu des années qui valent des siècles.

Nous disons:

Aucun des systèmes artistiques nouveaux ne résistera à la poussée de la demande de la nouvelle culture en formation tant que les **bases mêmes de l'art** ne seront pas **assises** sur le sol ferme des **lois réelles de la vie.**

Tant que les artistes ne diront pas avec nous:

— Tout est mensonge — **seules sont véritables la vie et ses lois.**

Et dans la vie seul **celui qui agit est beau et fort et sage et juste.**

Car la vie ne reconnaît pas la beauté comme critère esthétique.

La Réalité est la beauté la plus élevée.

La vie ne reconnaît ni le bien ni le mal ni la justice comme critères moraux.

La Nécessité est la plus élevée et la plus juste des morales.

La vie ne reconnaît pas la vérité rendue abstraite par l'intellect comme critère de connaissance.

L'Action est la vérité la plus élevée et la plus exacte.

Telles sont les lois d'une vie inflexible.

Comment un art fondé sur l'Abstraction, sur un mirage, sur une fiction peut-il ne pas être broyé dans les meules de ces lois?

Nous disons:

L'Espace et le Temps sont nés pour nous aujourd'hui.
L'Espace et le Temps sont les seules formes dans lesquelles se construit la vie et dans lesquelles par conséquent il faudrait construire l'art.

L'État, les systèmes politiques et économiques périssent sous la poussée des siècles. Les idées s'émiettent mais la vie est forte et elle avance et les corps ne peuvent être arrachés à l'espace et le temps est continu dans sa durée réelle.

Qui nous montrera des formes plus réelles que celles-ci.

Quel grand homme nous donnera des fondations plus solides que celles-ci.

Quel génie composera une légende plus grisante que cette histoire prosaïque appelée vie.

La concrétisation de notre perception du monde en formes d'espace et de temps, voilà qui apparaît comme le seul but de notre création plastique.

Et nous ne mesurons pas nos créations en archines[1] de beauté, nous ne les pesons pas en pouds[2] de tendresse et de sentiments.

Avec un fil à plomb dans les mains, avec des yeux aussi précis qu'une règle, l'esprit tendu comme un compas, nous construirons notre œuvre comme l'univers construit la sienne, l'ingénieur un pont, le mathématicien ses calculs d'orbites.

Nous savons que **chaque chose possède sa propre essence.**

La table, la chaise, la lampe, le téléphone, le livre, la maison, l'homme — tous sont des univers entiers avec leurs rythmes particuliers dans leurs orbites particulières.

C'est pourquoi nous représentons les choses, nous arrachons les étiquettes de leurs propriétaires, tout ce qui est

1 Archine = 0,71 m
2 Poud = 16,38 kg

accidentel et local, en ne leur laissant que le réel et le permanent, révélant le rythme caché des forces qui sont en elles et c'est pourquoi

1. **Nous rejetons dans la peinture la couleur comme élément pictural.**
La couleur est la face optique idéalisée des choses. Elle est leur impression extérieure et superficielle. La couleur est accidentelle et n'a rien en commun avec le contenu interne du corps.
Nous affirmons que le TON du corps c'est-à-dire sa capacité matérielle à absorber la lumière est la seule réalité picturale.

2. **Nous rejetons dans la ligne sa valeur graphique. Dans la vie réelle des corps, il n'y a pas de lignes graphiques. Le tracé est la marque accidentelle laissée par l'homme sur les objets. Il n'est pas lié à la vie essentielle et à la structure permanente du corps. Le tracé est un élément graphique, illustratif, décoratif.**
Nous n'affirmons la LIGNE que comme DIRECTION des forces statiques et de leurs rythmes cachés dans le corps.

3. **Nous rejetons le volume comme forme plastique de l'espace. Il ne faut pas mesurer l'espace en volumes comme il ne faut pas mesurer le liquide en archines. Regardez notre espace réel, qu'est-il sinon une profondeur continue?**
Nous affirmons la PROFONDEUR comme seule forme plastique de l'espace.

4. **Nous rejetons dans la sculpture la masse en tant qu'élément sculptural. Tout ingénieur sait depuis longtemps que la force statique des corps, leur résistance matérielle, ne dépend pas de leur masse. Par exemple, le rail, le contrefort, la poutre, etc. Et vous sculpteurs de toutes teintes et tendances, vous vous accrochez au préjugé séculaire qui veut que le volume ne puisse s'affranchir de la masse. Voilà, nous prenons quatre plans et avec eux nous construisons le même volume qu'avec une masse de 4 pouds.**
Ainsi nous restituons à la sculpture la ligne en tant que direction, ligne qui lui avait été ravie par un préjugé séculaire. Ainsi nous affirmons en elle la PROFONDEUR comme forme unique de l'espace.

5. **Nous rejetons l'erreur millénaire égyptienne en art selon laquelle les rythmes statiques sont les seuls éléments de la création plastique.**

Nous affirmons dans l'art plastique un nouvel élément: les RYTHMES CINÉTIQUES comme formes essentielles de nos perceptions du temps réel.
Tels sont les cinq principes immuables de notre création et de notre technique de construction. **Sur les places et dans les rues,** nous vous annonçons à Vous, notre Parole: sur les places et dans les rues nous portons notre Action, convaincus que **l'art** ne peut et **ne doit rester** un refuge **pour les oisifs,** une consolation **pour les hommes las,** une justification pour **les paresseux.** L'art est appelé à accompagner l'homme partout où coule et opère sa vie sans répit, au métier, à table, au travail, au repos, au jeu, les jours de travail et les jours de fête, à la maison et en voyage **pour que ne s'éteigne pas en l'homme la flamme de la vie.**
Nous ne cherchons à nous justifier ni dans le passé ni dans le Futur.
Personne ne nous dira ce qu'est le Futur ni comment il faut le manger.
On ne peut que mentir au sujet du Futur mais on peut mentir comme on veut.
Et nous déclarons que les cris sur le Futur sont pour nous comme les larmes sur le passé — le rêve des romantiques remis à neuf.
Un délire monacal sur un royaume des cieux de vieux chrétiens habillés en costume d'aujourd'hui.
Celui qui aujourd'hui est occupé par le lendemain, celui-là ne s'occupe à rien.
Et celui qui demain n'apportera rien de ce qu'il a fait aujourd'hui n'est pas utile à l'avenir.
L'action est pour aujourd'hui.
Nous en rendrons compte demain.
Le passé nous le laissons derrière nous comme une charogne.
Le futur nous le jetons en pâture aux chiromanciens.
Le jour d'aujourd'hui nous le prenons pour nous.

Moscou, le 5 août 1920   *N. Gabo*
                                          Noton Pevsner

Traduit du russe par Nathalie Brunet.
Il s'agit d'une traduction littérale qui tente de respecter le plus possible le texte original. Elle reprend ainsi l'initiative de Camilla Gray dont la traduction en anglais de ce manifeste semble exemplaire (« A new Translation of the Realistic Manifesto », *The Structurist,* Canada, n° 8, 1968, pp. 43-47).

André Breton

Crise de l'objet

1936

En mai 1936 s'ouvre à Paris chez Charles Ratton, collectionneur et marchand d'art primitif, une «exposition surréaliste d'objets». A cette occasion, dans un numéro spécial des Cahiers d'art consacré à «L'objet», Breton, qui a largement participé à l'élaboration de l'exposition et rédigé une courte préface pour le catalogue[1], publie un article sur la «Crise de l'objet». Ce texte, venu en contrepoint d'une exposition (qui est comme la manifestation concrète et longtemps différée d'une nouvelle catégorie d'objets esthétiques), marque l'aboutissement d'une réflexion sur la problématique de l'objet entreprise des années auparavant par le poète.

En fait, il faut remonter près de vingt ans en arrière, à l'époque où Marcel Duchamp réalise en 1914 son premier ready-made, le Porte-bouteilles[2]. Cet objet fondateur est réexposé en 1936 par Breton non comme une référence historique obligée mais comme un objet qui trouve sa juste place dans le cadre d'une exposition surréaliste. Le domaine de l'objet est vaste et Breton n'entend pas en limiter le champ. Si, ailleurs[3], il a affirmé le rôle capital tenu par les ready-mades, il n'en demeure pas moins que pour lui, poète surréaliste, ni les gestes iconoclastes de Duchamp, ni l'impulsion fournie par Dada n'ont épuisé les possibilités de l'objet.

Dès 1924, Breton écrit dans le Manifeste du surréalisme[4] qu'au regard de la poésie peu importent les «propriétés des choses» ou les «règnes de la nature». Un peu plus tard, il appelle de ses vœux la fabrication de «certains de ces objets qu'on n'approche qu'en rêve»[5], puis il imagine le «poème-objet». Cependant il faut attendre quelque temps encore pour qu'en 1930 un sculpteur, Giacometti, réalise avec la Boule suspendue[6] le premier «objet à fonctionnement symbolique»[7]. La voie est alors ouverte aux objets surréalistes qui font dès 1931 une apparition tumultueuse. En 1935 Breton peut faire le point sur ces différentes recherches dans un article précisément intitulé «Situation surréaliste de l'objet»[8]. Vient enfin l'exposition de 1936 et là, tout en respectant le jeu des catégories, il réunit délibérément des objets venus des horizons les plus variés, des «objets mathématiques» aux «objets océaniens». Ce qui compte avant tout c'est la «poursuite de l'expérience», l'important étant d'élire des objets qui tendent à «provoquer le bouleversement total de la sensibilité», conclut Breton dans «Crise de l'objet», texte fondamental dont le mérite est, au terme de vingt années de recherches, d'élargir encore le domaine de l'objet et de l'ouvrir à toutes les investigations futures.

N.R.C.

Regrettons de n'avoir pas encore à notre disposition un volume d'histoire comparée qui nous permette de saisir le développement parallèle, au cours de ce dernier siècle, des idées scientifiques d'une part, poétiques et artistiques d'autre part. Je prendrai pour repères deux dates, littérairement des plus significatives: 1830, à quoi l'on fixe l'apogée du mouvement romantique, 1870 d'où partent, avec Isidore Ducasse et Arthur Rimbaud, les «nouveaux frissons» qui vont être ressentis de plus en plus profondément jusqu'à nous. Il est du plus vif intérêt d'observer que la première de ces dates coïncide avec celle de la découverte de la géométrie non euclidienne qui ébranle à sa base même l'édifice cartésien-kantien et «ouvre», comme on a fort bien dit, le rationalisme. A cette «ouverture» du rationalisme me paraît correspondre étroitement l'ouverture du réalisme antérieur sous la pression des idées romantiques proprement dites: nécessité de fusion de l'esprit et du monde sensible, appel au merveilleux. De même, on ne pourra manquer d'être frappé par le fait que c'est en 1870 qu'il est donné aux mathématiciens de concevoir une «géométrie généralisée» qui intègre à un système d'ensemble, au même titre que toute autre, la géométrie euclidienne et fasse justice de sa passagère négation. Il s'agit ici d'une contradiction surmontée du même type que celle que Ducasse et Rimbaud, dans un autre domaine,

1   Catalogue de l'Exposition surréaliste d'objets, Paris, Charles Ratton, 1936.
2   Cf. page 55.
3   André Breton, «Phare de la mariée», Minotaure, n° 6, 1935.
4   André Breton, Manifeste du surréalisme, Paris, Simon Kra, 1924.
5   André Breton, Introduction au discours sur le peu de réalité, Paris, N.R.F., 1927.
6   Cf. p. 168.
7   Cf. Salvador Dalí, «Objets surréalistes, catalogue général», Le Surréalisme au service de la révolution n° 3, décembre 1931.
8   André Breton, «Situation surréaliste de l'objet», Position politique du surréalisme, Paris, Sagittaire, 1935.

prennent alors pour tremplin, dans le dessein de provoquer le bouleversement total de la sensibilité: mise en déroute de toutes les habitudes rationnelles, éclipse du bien et du mal, réserves expresses sur le *cogito,* découverte du merveilleux quotidien. Le dédoublement de la personnalité géométrique et celui de la personnalité poétique se sont effectués simultanément. Au besoin impérieux de «déconcrétiser» les diverses géométries pour libérer en tous sens les recherches et permettre la coordination ultérieure des résultats obtenus se superpose rigoureusement le besoin de rompre en art les barrières qui séparent le déjà vu du visible, le communément éprouvé de l'éprouvable, etc. La pensée scientifique et la pensée artistique modernes présentent bien à cet égard la même structure: le réel, trop longtemps confondu avec le donné, pour l'une comme pour l'autre s'étoile dans toutes les directions du possible et tend à ne faire qu'un avec lui. Par application de l'adage hégélien «Tout ce qui est réel est rationnel, et tout ce qui est rationnel est réel», on peut s'attendre à ce que le rationnel épouse en tous points la démarche du réel et, effectivement, la raison d'aujourd'hui ne se propose rien tant que l'assimilation continue de l'irrationnel, assimilation durant laquelle le rationnel est appelé à se réorganiser sans cesse, à la fois pour se raffermir et s'accroître. C'est en ce sens qu'il faut admettre que le *surréalisme* s'accompagne nécessairement d'un *surrationalisme* qui le double et le mesure. L'introduction récente, par M. Gaston Bachelard, dans le vocabulaire scientifique du mot *surrationalisme* qui aspire à rendre compte de toute une méthode de pensée, prête un surcroît d'actualité et de vigueur au mot «surréalisme», dont l'acception jusqu'ici était restée strictement artistique. Encore une fois l'un des deux termes vérifie l'autre: cette constatation suffit à mettre en évidence l'esprit commun, fondamental, qui anime de nos jours les recherches de l'homme, qu'il s'agisse du poète, du peintre ou du savant.

De part et d'autre, c'est la même démarche d'une pensée en rupture avec la pensée millénaire, d'une pensée non plus réductive mais indéfiniment inductive et extensive, dont l'objet, au lieu de se situer une fois pour toutes en deçà d'elle-même, se recrée à perte de vue au-delà. Cette pensée ne se découvrirait, en dernière analyse, de plus sûre génératrice que l'anxiété inhérente à un temps où la fraternité humaine fait de plus en plus défaut, cependant que les systèmes les mieux constitués — y compris les systèmes sociaux — entre les mains de ceux qui s'y tiennent, paraissent frappés de pétrification. Elle est, cette pensée, déliée de tout attachement à tout ce qui a pu être tenu pour définitif avant elle. Éprise de son seul mouvement.

Cette pensée se caractérise essentiellement par le fait qu'y préside une *volonté d'objectivation* sans précédent. Que l'on comprenne bien, en effet, que les «objets» mathématiques, au même titre que les «objets» poétiques

reproduits dans ce numéro des *Cahiers d'art,* se recommandent de tout autre chose, aux yeux de ceux qui les ont construits, que de leurs qualités plastiques et que si, d'aventure, ils satisfont à certaines exigences esthétiques, ce n'en serait pas moins une erreur que de chercher à les apprécier sous ce rapport. Lorsque, par exemple, en 1924, je proposais la fabrication et la mise en circulation d'objets apparus en rêve, l'accession à l'existence concrète de ces objets, en dépit de l'aspect insolite qu'ils pouvaient revêtir, était bien plutôt envisagée par moi comme un moyen que comme une fin. Certes j'étais prêt à attendre de la multiplication de tels objets une dépréciation de ceux dont l'*utilité convenue* (bien que souvent contestable) encombre le monde dit réel: cette dépréciation me semblait très particulièrement de nature à déchaîner les *puissances d'invention* qui, au terme de tout ce que nous pouvons savoir du rêve, se fussent exaltées au contact des objets d'origine onirique, véritables désirs solidifiés. Mais, par-delà la création de tels objets, la fin que je poursuivais n'était rien moins que l'objectivation de l'activité de rêve, son passage dans la réalité. Une volonté d'objectivation analogue, touchant cette fois l'activité inconsciente de veille, se fait jour à travers les «objets à fonctionnement symbolique» définis en 1931 par Salvador Dalí et, d'une manière générale, à travers tous ceux, relevant de ces deux catégories ou de catégories connexes, qui figurent à l'exposition de mai 1936.

Tout le pathétique de la vie intellectuelle d'aujourd'hui tient dans cette volonté d'objectivation qui ne peut connaître de trêve et qui renoncerait à elle-même en s'attardant à faire valoir ses conquêtes passées. Il n'est pas de raison qui puisse se tenir durablement pour acquise et négliger, de ce fait, la contradiction qu'est toujours prête à lui apporter l'expérience. C'est avant tout la poursuite de l'expérience qui importe: la raison suivra toujours, son bandeau phosphorescent sur les yeux.

De même que la physique contemporaine tend à se constituer sur des schèmes non euclidiens, la création des «objets surréalistes» répond à la nécessité de fonder, selon l'expression décisive de Paul Eluard, une véritable «physique de la poésie». De même que voisinent dès maintenant, sur les tables des instituts mathématiques du monde entier, des objets construits, les uns sur des données euclidiennes, les autres sur des données non euclidiennes, d'aspect également troublant pour le profane, objets qui n'en entretiennent pas moins dans l'espace tel que nous le concevons généralement les relations les plus passionnantes, les plus équivoques, les objets qui prennent place dans le cadre de l'exposition surréaliste de mai sont avant tout de nature à *lever l'interdit* résultant de la répétition accablante de ceux qui tombent journellement sous nos sens et nous engagent à tenir tout ce qui pourrait *être* en dehors d'eux pour illusoire. Il importe à tout prix de fortifier

Pyrite (épigénisant ammonites)
Muséum. Photo Bernès, Marouteau

les moyens de défense qui peuvent être opposés à l'envahissement du monde sensible par les choses dont, plutôt par habitude que par nécessité, se servent les hommes. Ici comme ailleurs traquer la bête folle de l'*usage*. Ces moyens existent: le sens commun ne pourra faire que le monde des objets concrets, sur quoi se fonde sa détestable souveraineté, ne soit mal gardé, ne soit miné de toutes parts. Les poètes, les artistes se rencontrent avec les savants au sein de ces «champs de force» créés dans l'imagination par le rapprochement de deux images différentes. Cette faculté de rapprochement des deux images leur permet de s'élever au-dessus de la considération de la vie manifeste de l'objet, qui constitue généralement une borne. Sous leurs yeux, au contraire, cet objet, tout achevé qu'il est, retourne à une suite ininterrompue de *latences* qui ne lui sont pas particulières et appellent sa transformation. La valeur de convention de cet objet disparaît pour eux derrière sa valeur de représentation, qui les entraîne à mettre l'accent sur son côté pittoresque, sur son pouvoir évocateur. «Qu'est-ce, écrit M. Bachelard, que la croyance à la réalité, qu'est-ce que l'idée de réalité, quelle est la fonction métaphysique primordiale du réel? C'est essentiellement la conviction qu'une entité dépasse son donné immédiat, ou, pour parler plus clairement, c'est la conviction que (c'est moi qui souligne) *l'on trouvera plus dans le réel caché que dans le donné immédiat.*» Une telle affirmation suffit à justifier d'une manière éclatante la démarche surréaliste tendant à provoquer une *révolution totale de l'objet*: action de le détourner de ses fins en lui accolant un nouveau nom et en le signant, qui entraîne la requalification par le choix («ready-made» de Marcel Duchamp); de le montrer dans l'état où l'ont mis parfois les agents extérieurs, tels les tremblements de terre, le feu et l'eau; de le retenir en raison même du doute qui peut peser sur son affectation antérieure, de l'ambiguïté résultant de son conditionnement totalement ou partiellement irrationnel, qui entraîne la dignification par la trouvaille (objet trouvé)

et laisse une marge appréciable à l'interprétation au besoin la plus active (objet trouvé-interprété de Max Ernst); de le reconstruire enfin de toutes pièces à partir d'éléments épars, pris dans le donné immédiat (objet surréaliste proprement dit). La perturbation et la déformation sont ici recherchées pour elles-mêmes, étant admis toutefois qu'on ne peut attendre d'elles que la rectification continue et vivante de la *loi.*

Les objets ainsi rassemblés ont ceci de commun qu'ils dérivent et parviennent à différer des objets qui nous entourent par simple *mutation de rôle.* Rien, encore, de moins arbitraire si l'on songe que c'est seulement la prise en considération toute spéciale de ce rôle qui permet la résolution du «dilemme sur la substance» de Renouvier: passage du substantif à la substance par l'intermédiaire d'un troisième terme, le «substantif substantialisé».

Ce serait retomber dans le piège du rationalisme fermé que de prétendre opposer les objets mathématiques inventoriés ci-après en termes arides aux objets poétiques, reproduits d'autre part, qui répondent à des désignations plus attrayantes. Observons, en passant, que la pensée qui leur a donné naissance s'est portée, d'un élan on ne peut plus sûr, de l'abstrait au concret quand une partie de l'art contemporain (abstractivisme) s'obstine à prendre le sens inverse et s'expose, comme par la publication de tels documents, à voir ses réalisations définitivement surclassées. Depuis qu'en les photographiant Man Ray, de ses mains extralucides, a porté ces objets presque inconnus jusqu'à nous, il ne nous reste plus qu'à les interpréter à notre guise pour nous les approprier. [...]

(Texte paru dans les *Cahiers d'art,* n° 1-2, 1936, pp. 21-26.)

Cristaux de bismuth
Photo Man Ray

Julio González

Picasso sculpteur

1931-1932 (?)

En 1928, à Paris, Picasso a reçu commande d'un monument à Guillaume Apollinaire. Parce qu'Apollinaire avait été non seulement un ami intime, mais aussi un ardent défenseur de la modernité, Picasso voulait dédier à sa mémoire un monument d'un genre nouveau et absolument inédit. Ce monument serait en métal soudé, mais léger et tout en lignes comme un «calligramme», ou plus exactement comme une calligraphie. Mais si Picasso avait une idée précise, il n'avait pas les connaissances techniques nécessaires pour travailler le fer. Il a donc fait appel à son ami Julio González.

Entre 1928 et 1931, González a aidé Picasso à réaliser une dizaine de sculptures en métal dans son atelier rue de Médéah. Parmi les premiers fruits de cette collaboration se trouvent les célèbres constructions linéaires[1] que González a réalisées d'après des dessins schématiques de Picasso datant d'août 1928. Ont suivi La Femme au jardin, Femme[2], Tête d'homme[3] et Tête de femme[4], œuvres qui ont révolutionné la conception occidentale de la sculpture. Ces sculptures, réalisées par assemblage d'éléments distincts, traduisent la vision spontanée d'un peintre, et leur transparence les rapproche du dessin. C'est d'ailleurs à leur propos et à propos des œuvres ultérieures de González lui-même que l'on a pu parler de dessin dans l'espace.

Le texte ci-dessous, écrit par González, semble dater de 1931-1932 et coïncider avec la fin de cette collaboration historique. Son intérêt réside dans le fait que, tout en parlant de son ami Picasso, González expose sa propre conception de la sculpture et ses objectifs personnels. Le style parfois un peu fruste ne fait que souligner la conviction avec laquelle l'artiste s'exprime.

M.R.

«D'un point à un autre point, la ligne droite est la plus courte» a dit Picasso.

Picasso [...] a fait énormément parler de lui depuis ses premières manifestations artistiques jusqu'à ce jour. Si dans la critique, à partir de 1902, beaucoup l'ont détesté, bien plus nombreux ont été, du côté des intellectuels, ceux qui l'ont loué. Nous allons nous limiter à montrer par quelques constatations, les nouveaux mérites qui complètent son œuvre, car il n'aurait fait simplement que de la peinture, que nous lui placerions volontiers des feuilles de laurier sur le front.

Nous allons donc nous occuper de lui à partir de cette date 1903. Picasso a alors 22 ans, il commence à sentir un monde nouveau s'ouvrir à lui. Le chemin qui y mène, il n'est pas facile de s'y engager; mille choses s'y opposent, il est plein d'entraves. Pour y pénétrer plus librement, soit pour dégager le passage, soit pour se délivrer d'un poids qui le gêne, il commence à brûler ses dessins, des albums entiers! Il se chauffe même ainsi un certain hiver. Par milliers, la cheminée de sa chambre d'hôtel de la rue de Seine à Paris les réduit en cendres...

Si, remis au travail, il continue à être toujours le même idéaliste, à partir de ce moment-là, 1906, il commence à traduire la réalité d'une nouvelle manière, ses toiles prennent une bizarre tournure; une nouvelle force, un esprit très différent les anime, et elles ont, pour ces raisons-là, plus d'ampleur.

Ayant atteint des régions mystérieuses, il se sent *seul*, tremble, craint, se méfie. Il cherche, *car il n'avait jamais cherché*, mais il voit tout de suite son effort récompensé dans cette solitude.

1911

Plus tard, inconsciemment peut-être, pour *donner de l'air* aux plans de ses peintures, l'idée lui vient d'exécuter celles-ci séparément avec les papiers découpés.

L'alerte est donnée... il ne s'arrête pas, il travaille plus que jamais, il cherche toujours, il entreprend de fabriquer des petites boîtes avec du carton, combinées avec des

1 *Cf.* pages 96-97.
2 *Cf.* page 95.
3 *Cf.* page102.
4 *Cf.* page 98.

ficelles. Il réussit à faire des chefs-d'œuvre pleins d'émotion d'une *nouvelle technique*: ces papiers assemblés donnent l'impression de choses taillées dans le roc.

1914

Ensuite, avec des instruments trop rudimentaires, s'égratignant les mains mille fois avec une ténacité opiniâtre, il exécute ses premières tôles, aussi belles qu'originales, les puissantes et magistrales natures mortes.

Il vient de créer ses premières sculptures. On s'imagine la satisfaction que peut éprouver un véritable artiste en créant ses œuvres, mais quand le *peintre* Picasso, rappelant cette période de sa vie, dit encore de lui-même «Je n'avais jamais été aussi content! Ce fut là mon point de départ. Le départ d'une nouvelle voie à suivre, j'étais heureux», c'est que vraiment il y attache une très grande importance!

Dans sa production si abondante, il y a de quoi alimenter des générations d'artistes qui voudraient se donner la peine d'étudier sérieusement ses dessins.

En quelques années seulement, il a trouvé, créé, inventé, dessiné des formes nouvelles (nous parlons sculpture), des plans nouveaux, des oppositions de plans, des perspectives, *des formes dans l'espace.* Il cherche encore, il travaille toujours, il prévoit quelque chose, il ne sait pas encore lui-même quoi. Il peint toujours, mais il ne pense qu'à la sculpture, car chaque couleur pour lui n'est que le moyen de différencier un plan d'un autre plan, la lumière et l'ombre, ou encore des formes.

Un peintre ou un sculpteur peuvent, le premier sur sa toile, le second sur son bloc, faire apparaître ou disparaître une forme, c'est-à-dire une chose qui n'a pas de forme précise en elle-même, puisqu'elle ne commence ni finit nulle part, mais comme ici le sculpteur doit donner forme non à l'imitation d'une autre forme réelle, mais à une lumière, à une couleur ou à une idée, cette forme-là sera toujours, même la plus humaine, déformée du modèle. De là une source nouvelle de problèmes à résoudre, posés par des plans inattendus et *d'une architecture à créer par l'artiste.*

«El gran Homero no escribió en latin, porque era griego, ni Virgilio escribió en griego, porque era latino.» Cervantes.

Picasso est né à Málaga (Espagne) où il est resté jusqu'à l'âge de 4 ans. Cet homme d'une activité étonnante, dont le cerveau mesure tout, pèse tout, doué d'une intelligence claire, qui réfléchit sans cesse, cet homme qui ne pense, qui n'aime, qui ne sent que la liberté, cet homme qui, obéissant à son idéal, sentit qu'il devait quitter la douce Méditerranée, attiré par les charmes de la Seine qui le séduisent toujours, cet homme ne fait que parler de la ville où il a passé sa jeunesse, de ses paysans racés au langage âpre, de sa mer bleue,... il est le fils direct de cette

terre par *son cœur,* par *ses œuvres,* et par les *moyens rudes de les réaliser.* Il a vécu, jusqu'à son départ à Paris, dans ce pays barbare, aussi beau que malheureux... dans ce pays qui, depuis son origine, a toujours été asservi à de nouveaux conquérants, et que le destin finit par couper en deux, faisant de son mystique Montserrat le vassal de l'Espagne et de son haut Canigou le vassal de la France; parmi ce peuple martyr, opprimé, sans liberté propre, sans espoir de l'obtenir jamais, n'importe! attaché à lui comme à un grand malade qu'on aime: on le chérit davantage parce qu'il souffre, on voudrait toujours le soulager de ses maux, les endurer pour lui, et dans l'impossibilité désolé, on se résigne péniblement et on vit l'amertume dans l'âme. Les stigmates de ses misères morales, Picasso les porte profondément et, de même que ses dignes frères de là-bas, rit souvent pour ne pas pleurer: *comme un pur Catalan.*

On ne dira jamais que l'art gothique est géométrique. Quand l'architecte d'une cathédrale conçoit une de ses magnifiques flèches, ce n'est pas à la géométrie qu'il pense; il ne s'agit pour lui, à ce moment-là, que de lui donner une belle forme qui, tout en répondant aux nécessités architecturales, puisse en même temps idéaliser ce que son imagination et son cœur lui inspirent. La géométrie esthétique qui en résulte n'est que secondaire, et la géométrie de chaque pierre ne dépend, pour ainsi dire, que des lois de la construction, et de la qualité et de la résistance des matériaux à employer.

Il n'y a qu'une flèche de cathédrale qui puisse nous signaler une pointe dans le ciel où notre âme reste en suspens!

Comme dans l'inquiétude de la nuit les étoiles nous indiquent des points d'espoir dans le ciel, cette flèche immobile nous en indique aussi un nombre sans fin. Ce sont ces points dans l'infini qui ont été les précurseurs de cet art nouveau: *dessiner dans l'espace.*

Le vrai problème à résoudre ici n'est pas seulement de vouloir faire une œuvre harmonieuse, d'un bel ensemble parfaitement équilibré... Non! Mais de l'obtenir par le mariage de la *matière* et de *l'espace,* par l'union des formes réelles avec des formes imaginées, obtenues ou suggérées par des points établis, ou des perforations, et, telle la loi naturelle de l'amour, de les confondre et de les rendre inséparables les unes des autres, comme le sont le *corps* et *l'esprit.*

L'arc de triomphe romain en est un bel exemple. Plus tard le même problème a préoccupé les constructeurs des cathédrales. Le premier grand pas dans cet ordre d'idées a été l'exécution des rosaces de nos belles cathédrales, où, grâce à des perforations dans la pierre, et grâce aux vitraux, la forme est aussi bien créée par la couleur que par le cerné des figures célestes et terrestres. Pourquoi donc, avec une sorte d'évolution, ces espaces [...] ne deviendraient-ils pas un jour eux-mêmes directement humains, sans avoir recours à la peinture?

Donc, l'art chrétien de tradition purement latine, né de l'esprit de croyance au mystère de la Trinité.

On peut accepter sur une toile une certaine déformation d'ordre optico-géométrique. Si cette déformation est générale, voulue, complètement d'ordre scientifique, elle pourra être curieuse, mais pas sérieuse. Par contre, cette déformation résultant d'une synthèse serait sérieuse en même temps que belle, et pourrait de plus, étant purement création psychologique, devenir déformation géométrique, si la réalisation de l'œuvre en faisait une nécessité.

Si les déformations synthétiques de la matière, de la couleur et de la lumière, les perforations, les manques de plans matériels donnent à l'œuvre un aspect mystérieux, diabolique, fantastique, ici l'artiste, en plus d'idéaliser une matière à laquelle il donne la vie, a affaire en même temps à l'espace qui la divinise.

L'âge de fer a commencé, il y a des siècles, par fournir (malheureusement) des armes — quelques-unes très belles. A présent il permet l'édification de ponts, de rails de chemin de fer! Il est grand temps que ce métal cesse d'être meurtrier et simple instrument d'une science trop mécanique. La porte s'ouvre toute grande aujourd'hui à cette matière pour être (enfin!) forgée et battue par de paisibles mains d'artistes.

1931

Picasso ne trouve jamais le temps matériel d'exécuter un de ses projets. Si, rarement, il se décide, c'est toujours pour le dernier. Car, tellement il est inquiet, voulant toujours faire mieux, il ne fait que remplir de nouvelles pages de ses albums. Voilà la raison pour laquelle, malgré des milliers de croquis, il n'en a pas pris un seul le matin du jour où il s'est mis à la forge; son marteau seul lui a suffi pour tenter de réaliser son monument à Apollinaire. Il y a travaillé de longs mois consécutifs et il l'a terminé. Souvent il répétait: «Je me sens de nouveau aussi heureux qu'en 1912.»

Cette œuvre originale est une interprétation purement sculpturale à son maximum d'expression de la vision spirituelle de la nature, synthétisant le côté forme organique — caractéristique primordiale de la vie. Pleine de fantaisie et de grâce, si bien équilibrée, tellement humaine, tellement personnelle, cette œuvre faite avec tant d'amour et tant de tendresse au souvenir de son cher ami, il voudrait à présent ne pas s'en séparer, ne pas la savoir au Père Lachaise, dans ce bazar de monuments où personne ne va jamais ou rarement. Il voudrait que ce monument devienne le reliquaire qui garderait les cendres du regretté Poète, mais qu'on l'autorisât à le placer près de sa maison, dans son jardin. [...] Et souvent avec les amis, se grouper autour de celui qui n'est plus. [...]

Certains critiques ont prétendu que Picasso était fou, qu'il plaisantait, que son art n'était pas sérieux. [...] Ils n'y ont vu qu'une drôle de fantaisie, qu'une mauvaise peinture. Ils ne se sont pas rendu compte — oh! les aveugles — de la valeur de ce trésor, de cette abondance en moyens nouveaux de s'exprimer.

S'il est vrai que Picasso est doué d'une grande fantaisie qui complète (peut-être) son œuvre, il pourrait aussi ne pas l'avoir et rester aussi personnel. Le réaliste Vélasquez, fidèle interprète de son modèle, est aussi grand artiste que le spirituel Greco dans ses compositions fantaisistes. Les œuvres de Despiau pleines de réalité, ainsi que les spirituelles sculptures de la cathédrale de Chartres, ont la même force et respirent la même beauté. Picasso, qui toujours idéalise, simultanément ou séparément (cela ne dépend pas de lui-même, c'est inconscient chez l'artiste) garde toujours dans ses œuvres sa force et sa personnalité.

On pourrait nous objecter que cette sorte de sculpture est limitée, elle ne l'est pas plus que l'autre (la pleine); là, l'artiste doit s'exprimer par d'autres moyens. Le sculpteur océanien, qui ne dispose que d'un tronc d'arbre pour tailler son *totem*, est forcé de lui *coller* les bras au corps, ce qui fait sa force et sa beauté: il réussit à s'exprimer; de même, le nègre fait à son fétiche assis les cuisses trop courtes, son tronc d'arbre ne lui permettant pas davantage. Nous, les civilisés, qui disposons de tout en bloc, qu'est-ce que nous admirons le plus dans un torse, si ce n'est le tronc d'arbre?

Humble être humain, Picasso se limitera — dans son art — à ne s'inspirer que de la nature et à l'interpréter fidèlement. C'est pour cette raison-là qu'il est original et se renouvelle sans cesse; il veut arriver à la perfection: on n'y arrivera jamais malheureusement.

«Efforcez-vous de tracer à la main un cercle parfait — peine inutile — seules les imperfections montreront votre personnalité», dit Picasso.

Ce n'est pas en faisant des cercles et des carrés tracés à la perfection avec le compas et la règle, ou en s'inspirant des buildings de New York, qu'on fera du grand art. [...] Les œuvres vraiment nouvelles qui ont souvent l'air bizarres, sont, tout simplement, celles inspirées directement de la *nature*, et exécutées avec amour et sincérité.

Afin de donner le maximum de puissance et de beauté à son œuvre, le statuaire est forcé, pour conserver une belle masse, de tenir compte du contour extérieur. C'est donc dans le *centre* de cette masse qu'il lui faudra porter tout son effort, toute son imagination, toute sa science, pour ne pas diminuer sa force. C'est là qu'avec la sculpture vont collaborer l'architecture et la peinture. C'est-à-dire qu'on va supprimer, exagérer ou adoucir divers détails au profit de la masse. Ex.: dans une statue, nous considérons que le contour d'une jambe ou d'un bras est aussi beau d'un côté que de l'autre. Là, l'artiste est tenu de les respecter tous les deux et [de rattacher au bloc le côté le plus proche].

Par contre, dans la sculpture sans bloc, le bloc résulte de l'exécution de l'œuvre et il est possible (sa matière le permettant) de dessiner dans l'espace un seul côté de ce bras qui fermera le bloc. Qu'une draperie dissimule un côté de ce bras, c'est mille fois vu et accepté, nous ne disons donc rien de nouveau.

Alors, notre *matière* étant *espace*, ce bloc peut être constitué autour d'un vide, formant ensemble un seul bloc. Dans la sculpture en *pierre*, il ne faut pas de *trous*. Dans la sculpture ayant affaire à l'espace, ils sont nécessaires. On n'a jamais dit que l'arc de triomphe de Tibère est *troué*. Son architecte a su obtenir une *masse* aussi *pleine* qu'une pyramide.

On pourrait prétendre qu'en architecture c'est permis; mais pourquoi ne le serait-ce pas en sculpture, puisque nous en avons déjà par Picasso des exemples sous les yeux?

Une statue de femme peut être aussi une femme (un portrait) qu'on doit pouvoir regarder de tous côtés; elle est partout représentation de la nature.

Mais si, dans une certaine attitude, elle tient dans sa main une branche d'olivier, elle n'est plus une femme. Elle est devenue le symbole de la Paix. Devenue symbole, ne tournez pas autour, car aussitôt que vous n'apercevez plus l'attribut elle redevient une femme. Donc, cet art classique qu'on croyait complet ne l'est pas tout simplement à cause de sa matière *pleine.*

Ce n'est que par certaines lignes ou plans qu'on doit pouvoir donner l'importance nécessaire à l'attribut. Ces lignes essentielles, ces *traits* au pinceau sur la toile (traitée de fausse peinture, ou de peinture fantaisiste), de conception et de réalisation purement sculpturales, un jour Picasso les remplacera par des barres de fer qu'il prendra et disposera de façon à interpréter le sujet d'une de ses toiles et, les *soudant pour qu'elles tiennent,* il aura obtenu le maximum d'expression à donner à son attribut Paix, lequel deviendra symbole en même temps que statue de femme, par la synthèse de l'être humain grâce à certaines formes (établies — peut-être — dans l'espace) ou par des plans indiqués sur sa toile par des couleurs (peut-être aussi établis dans l'espace).

Alors, réalisant *son plus beau rêve,* Picasso aura obtenu par cet *art incomplet* que cet attribut soit vu de partout.

Que des peintres fassent de la sculpture ou que des sculpteurs fassent de la peinture, c'est chose normale, c'est pour ainsi dire pour se reposer, pour changer. [...] Chez Picasso, les peintures ainsi que des dessins, une fois qu'ils ont pris forme réelle, transformés par lui en sculptures proprement dites, celles-ci redeviennent ses peintures, c'est-à-dire couleur, ou blanc et noir des dessins, selon les modèles choisis. Peinture, dessin et sculpture ne font que devenir une seule chose chez Picasso.

26-12-31: Picasso peint toujours

En regardant sa dernière peinture — très reposante — on s'aperçoit qu'il devient plus sensible à la couleur. Ce ne sont pas des couleurs voulues, ce sont des harmonies sensibles, des contrastes délicats, où l'ensemble vibre par la couleur.

Mais cette peinture abstraite, tellement plate (peut-être plus que jamais), est sa plus belle sculpture. Et comme, étonnés, nous lui demandions le pourquoi, Picasso nous répondit: «Parce que dans cette peinture, il existe en sa plasticité une perspective. Il faut créer les plans d'une perspective. Oui, ces couleurs les ont créés.»

(Texte reproduit dans sa version originale publiée intégralement pour la première fois par Josephine Withers, dans *Julio González, Sculpture in Iron,* New York, New York University Press, 1978, pp. 131-144.
Nous avons pris la liberté de modifier le titre proposé par Josephine Withers «Picasso sculpteur et les cathédrales» et de supprimer les derniers paragraphes du texte afin de lui donner une plus grande unité.)

Lucio Fontana

Manifiesto blanco [Manifeste blanc], 1946
et Spaziali [Les Spatialistes], 1947

En 1939, le sculpteur Lucio Fontana (1899-1968), né en Argentine[1], quittait l'Europe pour retourner après onze ans d'absence dans son pays d'origine. Devenu une des personnalités artistiques les plus célèbres de Buenos Aires[2], il décidait en 1946 d'y fonder l'académie privée d'Altamira qui devint très vite un important foyer de rayonnement culturel. C'est dans le cadre de cette école et en liaison avec son propre enseignement qu'il élabora avec trois jeunes artistes le Manifeste blanc cosigné par sept autres de ses étudiants[3].

Après une longue période abstraite dans les années trente[4], Fontana était revenu dès 1940 à une sculpture franchement figurative à tendance expressionniste. Il exécuta pourtant au début de cette même année 1946 une série de dessins et même de reliefs dans une écriture très libre, «automatique» au sens où l'entend le surréalisme. Le Manifeste blanc, qui fait une large place aux conquêtes artistiques des différentes périodes historiques, notamment la spatialité de l'âge baroque ou plus récemment le dynamisme exalté par les futuristes, insiste justement sur la valeur de l'expérience individuelle: «La raison ne crée pas. Dans la création des formes sa fonction est subordonnée à la fonction du subconscient.»

Cette attitude va à l'encontre de tout le rationalisme qui s'est développé dans l'abstraction de l'entre-deux-guerres, mais n'implique pas pour autant une adhésion aux autres formes connues de l'art. Au contraire, il s'agit de créer un nouvel art tétradimensionnel qui intègre le temps et l'espace. «La couleur, l'élément de l'espace, le son, l'élément du temps, et le mouvement qui se développe dans le temps et l'espace [en] sont les formes fondamentales.» C'est sur cette conclusion que s'achève le Manifeste blanc et c'est sans doute avec l'espoir de diffuser en Europe ces nouvelles idées que Fontana quitte quelques mois plus tard l'Argentine pour l'Italie.

Arrivé en avril 1947 à Milan, après être entré en contact avec un groupe d'intellectuels qui le cosigneront, il rédige le manifeste des Spatialistes également appelé Premier Manifeste spatial qui inaugure une série de six manifestes échelonnés de 1947 à 1953[5]. Nous avons choisi de reproduire ici le premier d'entre eux, car c'est celui dans lequel Fontana donne toute son importance au geste créateur.

Après avoir établi une distinction entre «immortel» et «éternel», il rappelle en effet que si l'œuvre d'art peut disparaître en tant qu'«objet matériel», elle demeure en tant que geste. C'est également par ce biais du geste créateur que l'art se retrouve sur un pied d'égalité avec la science. «Les artistes anticipent les gestes scientifiques. Les gestes scientifiques provoquent toujours des gestes artistiques.»

Au-delà de leur influence directe sur son œuvre personnelle (sculptures et céramiques spatiales de 1947 à 1949, Buchi de 1948 et environnements au néon de 1949 à 1951), les écrits de Fontana ont notablement contribué à frayer la voie aux recherches menées à la fin des années 1950 par des artistes comme Yves Klein ou Piero Manzoni.

N.R.C.

Les spatialistes

L'art est éternel, mais ne peut être immortel. Il est éternel dans le sens qu'un de ses gestes, comme tout autre geste, ne peut ne pas pas continuer à demeurer dans l'esprit de l'homme comme une idée perpétuée. Ainsi le paganisme, le christianisme, et tout ce qui est du domaine de l'esprit, sont des gestes accomplis et éternels qui resteront et persisteront dans l'esprit de l'homme. Au contraire, être éternel ne signifie nullement qu'il soit immortel: aussi n'est-il

1   Sa mère était originaire d'Argentine. Son père, le sculpteur milanais Luigi Fontana, s'établit à Santa Fe à la fin du siècle dernier et ouvrit un atelier de sculpture qui fut très vite renommé.
2   De 1942 à 1944, il remporta les premiers prix de sculpture au Salon national des beaux-arts.
3   Pour illustrer leurs dires, les auteurs du manifeste avaient prévu une intervention: sur un terrain libre en plein centre de Buenos Aires, ils devaient barbouiller de couleurs et détritus de toutes sortes des façades de maisons. Cette «action» fut interdite par la police.
4   Ainsi, en 1935, il adhérait à Paris au mouvement Abstraction-Création, et cosignait en mars, à Turin, le manifeste qui accompagnait la première exposition collective d'art abstrait italien.
5   1948: Deuxième Manifeste spatial, Milan.
    1950: Troisième Manifeste spatial, Milan.
    1951: Manifeste technique pour le Congrès international des propositions à la IXe Triennale, Milan.
    1952: Manifeste du Mouvement spatial pour la télévision, Milan.
    1953: Dernier Manifeste du Mouvement spatial, Venise.

jamais immortel. Il pourra vivre un an, ou mille, mais l'heure de sa destruction matérielle viendra toujours. Il restera comme geste, mais mourra comme matière. Nous sommes arrivés maintenant à la conclusion que jusqu'ici les artistes, consciemment ou inconsciemment, ont toujours confondu les notions d'éternité et d'immortalité, cherchant par conséquent pour tout art la matière la plus apte à le faire durer plus longtemps. Ainsi — conscients ou inconscients — ils sont restés victimes de la matière, et ont rabaissé le geste authentiquement éternel à celui de la durée, dans l'expérience impossible de l'immortalité. Loin de nous de vouloir séparer l'art de la matière, séparer le sens de l'éternel de la préoccupation de l'immortel. La question n'est pas que le geste accompli vive un instant ou mille ans, car nous sommes convaincus qu'une fois accompli, le geste est éternel. L'esprit humain tend aujourd'hui, dans une réalité transcendante, à transcender le particulier pour arriver à l'Unique, à l'Universel, par un acte de l'esprit séparé de toute matière. Nous nous refusons ainsi à penser que l'art et la science soient des faits distincts, et que par conséquent les gestes accomplis dans une des deux activités ne puissent pas appartenir aussi à l'autre. Les artistes anticipent les gestes scientifiques, les gestes scientifiques provoquent toujours des gestes arstistiques. Ni la radio, ni la télévision n'ont pu jaillir de l'esprit de l'homme sans une urgence qui, de la science, va vers l'art. Il est impossible que l'homme ne passe de la toile, du bronze, du plâtre, de l'argile, à l'image pure aérienne, universelle, suspendue, comme il fut impossible de ne pas passer du graphite à la toile, au bronze, au plâtre, à l'argile, sans nullement nier la validité éternelle de l'image créée par l'intermédiaire du graphite, du bronze, de la toile, du plâtre, de l'argile. Il ne sera pas possible d'ajouter à ces nouvelles exigences des images qui relèvent déjà des exigences du passé.

Nous sommes convaincus que, ce fait admis, rien ne se verra éliminé du passé, ni les moyens, ni les buts; nous sommes aussi convaincus que l'on continuera encore à peindre et à sculpter avec les matières du passé, mais nous sommes tout autant convaincus que ces matières, ce fait une fois admis, seront affrontées et considérées avec d'autres mains et d'autres yeux, et seront chargées d'une sensibilité plus affinée.

(Manifeste rédigé en italien, à Milan en 1947.
Traduction française publiée par J. van der Marck et E. Crispolti dans *Lucio Fontana*, Bruxelles, La Connaissance, 1974, p. 146)

Manifeste blanc

NOUS CONTINUONS L'ÉVOLUTION DE L'ART
L'art traverse une période latente. Il existe une force que l'homme ne peut exprimer. Nous l'exprimons sous une forme littéraire dans ce manifeste.

Pour cette raison, nous demandons à tous les hommes de science du monde qui sont conscients du fait que l'art est une nécessité vitale de l'espèce qu'ils orientent une partie de leurs recherches vers la découverte de la substance lumineuse et malléable et des instruments qui produiront les sons et permettront le développement de l'art tétradimensionnel.

Nous remettrons aux chercheurs la documentation nécessaire.

Les idées ne peuvent se récuser. Elles se trouvent sous forme de germes dans la société, et les penseurs et artistes les expriment.

Toute chose surgit par nécessité et est valable dans son époque.

Les transformations des moyens matériels de vie déterminent l'état psychique de l'homme à travers l'histoire. Le système qui dirige la civilisation depuis ses origines se transforme. La place de ce système est prise progressivement par le système opposé dans son essence et dans toutes ses formes. Toutes les conditions de vie de la société et de l'individu se transformeront. Chaque homme vivra en raison d'une organisation intégrale du travail. Les découvertes démesurées de la science gravitent au-dessus de cette nouvelle organisation de la vie. La découverte de nouvelles forces physiques, la maîtrise de la matière et l'espace imposent graduellement à l'homme des conditions qui n'ont jamais existé dans toute l'histoire. L'application de ces découvertes, sous toutes les formes de la vie, produit une modification de la nature de l'homme. La structure psychique de l'homme devient différente.
Nous vivons l'ère de la mécanique. Déjà, le carton peint et le plâtre n'ont plus de sens.
Dès l'instant que furent découvertes les formes connues de l'art, aux diverses époques de l'histoire, un processus analytique se produisit pour chaque art. Chaque art obéit à un système d'ordre indépendant. Toutes les possibilités ont été connues et développées, on a exprimé tout ce qui pouvait être exprimé. Les mêmes conditions d'esprit ont trouvé leur expression dans la musique, dans l'architecture et dans la poésie. L'homme répartissait ses énergies en des manifestations diverses en accord avec cette nécessité de connaître.

L'idéalisme a été pratiqué lorsque l'on ne pouvait expliquer en formes concrètes l'existence. Les mécanismes de la nature étaient ignorés. L'on connaissait les processus de l'intelligence. Tout résidait dans les possibilités propres à l'intelligence. La connaissance consistait en des spéculations confuses qui très rarement atteignaient une vérité. L'art plastique consistait en des représentations idéales de formes connues, en images que l'on rendait idéalement réelles. Le spectateur imaginait un objet après l'autre, il imaginait la différence entre les muscles et les habits représentés. Aujourd'hui, la connaissance expérimentale remplace la connaissance imagée. Nous avons conscience d'un monde qui existe et qui s'explique par lui-même et qui ne peut être modifié par nos idées. Nous avons besoin d'un art valable en soi dans lequel n'intervienne pas l'idée que nous en avons. Le matérialisme ancré dans toutes les consciences exige un art qui ait des valeurs en propre. Loin de ces représentations qui constituent aujourd'hui une farce. Hommes de ce siècle, forgés dans ce matérialisme, nous sommes devenus insensibles à la représentation des formes connues et à la narration des expériences constamment répétées. L'abstraction a été conçue à travers la déformation progressive.

Ce nouvel état de choses ne correspond cependant plus aux exigences de l'homme actuel.

On demande un changement dans l'essence même et dans la forme. On demande de dépasser la peinture, la sculpture, la poésie, la musique. On a besoin d'un art qui soit plus en accord avec les exigences de l'esprit nouveau.

Les conditions fondamentales de l'art moderne se font clairement remarquer au début du XIIIe siècle quand l'espace commence à être représenté. Les grands maîtres qui font successivement leur apparition donnent l'impulsion à cette tendance. L'espace est représenté avec une ampleur toujours plus grande au cours des siècles qui suivent. Les baroques font un saut dans ce sens: ils le représentent avec une grandeur non encore dépassée, et ajoutent à l'art plastique la notion du temps. Les figures semblent abandonner la surface pour continuer dans l'espace les mouvements représentés. Cette conception fut la conséquence de l'idée de l'existence qui se formait dans l'homme. La physique de l'époque pour la première fois expliquait la nature par l'introduction de la dynamique. Il est établi que le mouvement est une condition immanente à la matière, comme principe de la connaissance de l'univers.

Ce point de l'évolution une fois atteint, la nécessité de mouvement est tellement grande qu'elle ne peut être satisfaite par l'art plastique. Alors, l'évolution se poursuit

dans la musique. La peinture et la sculpture entrent dans la période du néo-classicisme qui devient le marais de l'histoire de l'art, et sont dévaluées par l'art du temps. Ayant conquis le temps, la nécessité de mouvement s'est pleinement manifestée. La libération progressive des principes a donné à la musique un dynamisme toujours croissant (Bach, Mozart, Beethoven). L'art continue à progresser dans le sens du mouvement. La musique maintient son emprise durant deux siècles et dès l'impressionnisme évolue parallèlement à l'art plastique. DÈS LORS, L'ÉVOLUTION DE L'HOMME EST UNE MARCHE VERS LE MOUVEMENT ÉVOLUANT DANS LE TEMPS ET L'ESPACE, ON SUPPRIME DANS LA PEINTURE LES ÉLÉMENTS QUI EMPÊCHENT L'IMPRESSION DU DYNAMISME.

Les impressionnistes sacrifient le dessin et la composition. Quelques éléments sont éliminés dans le futurisme, tandis que d'autres perdent de leur importance, restant subordonnés à la sensation. Le futurisme adopte le mouvement comme seul principe et comme seule fin. Les cubistes nient que leur peinture soit dynamique; l'essence du cubisme est la vision de la nature en mouvement.

Lorsque la musique et l'art plastique unissent leur développement dans l'impressionnisme, la musique se base sur les sensations de l'art plastique, la peinture semble se dissoudre dans une atmosphère de sons. Dans la majorité des œuvres de Rodin nous notons que les volumes semblent tourner dans la même ambiance des sons. Sa conception est essentiellement dynamique et très souvent arrive à exacerber le mouvement. Dernièrement n'a-t-on pas perçu la «forme du son» (Schönberg)? ou une superposition ou corrélation de «plans sonores» (Scriabine)? La ressemblance entre les formes de Stravinsky et la planimétrie cubiste est évidente. L'art moderne se trouve dans une situation de transition qui exige la rupture avec l'art antérieur afin d'ouvrir la voie à de nouvelles conceptions. Cet état vu à travers une synthèse est le passage de la statique au dynamisme. Confiné dans cette transition, il n'a pu se détacher entièrement de l'hérédité de la Renaissance. Les mêmes matériaux et disciplines ont été employés pour exprimer une sensibilité complètement transformée. Les anciens éléments furent employés dans un sens contraire. Des forces opposées se trouvèrent en lutte. Le connu et le méconnu, l'avenir et le passé. C'est pour cette raison que se multiplièrent les tendances, appuyées sur des valeurs opposées et poursuivant apparemment des objectifs différents. Nous recueillons cette expérience et la projetons vers un avenir clairement visible.

Conscients ou inconscients de cette recherche, les artistes modernes ne pouvaient y arriver. Ils ne disposaient pas des moyens techniques nécessaires pour donner un mouvement aux corps, ils pouvaient seulement le donner d'une manière illusoire en le représentant avec des moyens conventionnels. De cette manière se détermine le besoin de nouveaux matériaux techniques qui permettent d'arriver au but recherché. Cette circonstance, jointe au développement de la mécanique, a produit le cinéma et son triomphe est un témoignage de plus de l'orientation prise par l'esprit vers le dynamisme.

L'HOMME EST SATURÉ DES FORMES PICTURALES ET SCULPTURALES, SES PROPRES EXPÉRIENCES, SES ÉPUISANTES RÉPÉTITIONS TÉMOIGNENT QUE CES ARTS RESTENT FIGÉS DANS DES VALEURS IMPROPRES À NOTRE CIVILISATION, SANS POSSIBILITÉS DE DÉVELOPPEMENT DANS LE FUTUR.

La vie tranquille a disparu. La notion de vitesse est constante dans la vie de l'homme. L'ère artistique des couleurs et des formes paralytiques est arrivée à sa fin. L'homme devient de plus en plus insensible aux images figées, dépourvues de vitalité. Les anciennes images immobiles ne satisfont plus les désirs de l'homme nouveau formé par la nécessité d'action, par la coexistence avec la mécanique qui lui impose un dynamisme constant. L'esthétique du mouvement organique remplace l'esthétique épuisée des formes figées. Invoquant cette transformation qui s'est opérée dans la nature de l'homme et les changements psychiques et moraux de toutes les relations et activités humaines *nous abandonnons l'usage des formes connues de l'art et abordons le développement d'un art basé sur l'unité du temps et de l'espace.*

L'art nouveau prend ses éléments dans la nature. L'existence, la nature et la matière forment une unité parfaite se développant dans le temps et dans l'espace. Le changement est la condition essentielle de l'existence. Le mouvement, la propriété d'évolution et de développement sont la condition de base de la matière. Celle-ci existe en mouvement et non d'une autre manière. Son développement est éternel. La couleur et le son se trouvent dans la nature liés à la matière.

La matière, la couleur et le son en mouvement sont les phénomènes dont le développement simultané fait partie intégrante du nouvel art.
La couleur, sous forme de volume, se développe dans l'espace, adoptant des formes successives. Le son est produit par des appareils encore inconnus. Les instruments ne correspondent plus à des besoins de grandes sonorités ni ne produisent des sensations de l'amplitude requise.

La construction de formes volumineuses qui se transforment au moyen de substance plastique et mobile.
Placées dans l'espace elles prennent des formes synchroniques, intègrent des images dynamiques. Nous exaltons

ainsi la nature dans son essence. La matière en mouvement manifeste son existence totale et éternelle, se développant dans le temps et dans l'espace, adoptant dans ses changements les différents stades de son existence.
Nous concevons l'homme dans sa rencontre rénovée avec la nature, dans le besoin de s'agripper à elle pour reprendre à nouveau l'exercice de ses valeurs originelles. Nous demandons une compréhension totale des valeurs primaires de l'existence; c'est pourquoi nous instaurons dans l'art les valeurs substantielles de la nature. Nous présentons la substance, non pas les accidents. Nous ne représentons ni l'homme, ni les autres êtres vivants, ni les autres formes. Ceux-ci sont des manifestations de la nature, changeant dans le temps et disparaissant selon la succession des phénomènes. Ses conditions physiques et psychiques sont sujettes à la matière et à son évolution. Nous nous adressons à la matière et à son évolution, sources génératrices de l'existence. Nous prenons l'énergie propre de la matière, son besoin d'être et de se développer. Nous demandons un art libéré de tous les artifices esthétiques. Nous pratiquons ce que l'homme a de naturel, de vrai. Nous rejetons la fausseté esthétique inventée par l'art spéculatif. Nous nous situons dans la nature, comme jamais l'art ne l'a été dans son histoire. L'amour de la nature nous pousse à ne pas la copier. Le sentiment de beauté que nous apporte la forme d'une plante ou d'un oiseau, ou le sentiment sexuel que nous apporte le corps d'une femme, se développe et opère chez l'homme selon sa sensibilité. Nous rejetons les émotions particulières qui provoquent chez nous des formes déterminées. Notre intention est d'aborder en une synthèse des expériences de l'homme, qui, unies à la fonction de ses conditions naturelles, constituent une manifestation propre de l'être. Nous prenons comme principe les premières expériences artistiques. Les hommes de la préhistoire qui ont perçu pour la première fois un son produit par des coups donnés sur un corps vide ont été subjugués par ses combinaisons rythmiques. Poussés par la force de suggestion du rythme, ils durent danser jusqu'à l'ivresse. Tout fut sensation chez l'homme primitif. Sensations en face de la nature méconnue, sensations musicales, sensations du rythme. Notre intention est de développer cette condition originelle de l'homme.
Le subconscient, réceptacle magnifique qui emmagasine toutes les images reçues par l'intellect, adopte l'essence et la forme de ces images, emmagasine les notions qui donnent forme à la nature de l'homme. Ainsi que se transforme le monde objectif, se transforme aussi ce que le subconscient assimile, produisant des modifications de la manière de concevoir l'homme. L'héritage historique reçu des époques antérieures à la civilisation et son adaptation aux nouvelles conditions de la vie se réalisent au moyen de cette fonction du subconscient. Le subconscient modèle l'individu, l'intègre et le transforme. Il lui donne l'ordonnance qu'il reçoit du monde et que l'individu adopte.

Toutes les conceptions artistiques sont dues à la fonction du subconscient. L'art plastique se développa selon les formes de la nature. Les manifestations du subconscient s'adaptaient pleinement à celles-ci par la conception idéaliste de l'existence. La conscience matérialiste, c'est-à-dire la nécessité de choses clairement tangibles, exige que les formes de l'art naissent directement de l'individu après avoir supprimé leur adaptation aux formes naturelles. Un art basé sur les formes créées par le subconscient, équilibrées par la raison, constitue une véritable expression de l'être et une synthèse du moment historique. La position des artistes rationalistes est fausse. Dans leur effort de faire prévaloir la raison et nier la fonction du subconscient, ils ne réussissent qu'à rendre leur présence moins visible. Dans chacune de leurs œuvres, nous remarquons que cette faculté a fonctionné. La raison ne crée pas. Dans la création des formes, sa fonction est subordonnée à la fonction du subconscient. Dans toutes les activités, l'homme est fonction de la totalité de ses facultés. Le libre développement de celles-ci est une condition fondamentale de la créaton et de l'interprétation de l'art nouveau. L'analyse et la synthèse, la méditation et la spontanéité, la construction et la sensation sont des valeurs qui concourent à son intégration en une unité fonctionnelle. Et son développement dans l'expérience est l'unique chemin qui conduit à une complète manifestation de l'être.

La société supprime la séparation entre ses forces et les intègre en une seule force majeure. La science moderne se base sur l'unification progressive entre ses éléments. L'humanité intègre ses valeurs et ses connaissances. C'est un mouvement enraciné dans l'histoire par plusieurs siècles de développement. De ce nouvel état de conscience surgit un art intégral, où l'être fonctionne et se manifeste dans sa totalité. Passé plusieurs millénaires de développement artistico-analytique, arrive le moment de la synthèse. D'abord la séparation fut nécessaire. Aujourd'hui elle constitue une désintégration de l'unité conçue.

Nous concevons la synthèse comme une somme d'éléments physiques: couleur, son, mouvement, temps, espace, intégrant une unité physico-psychique. La couleur, l'élément de l'espace, le son, l'élément du temps, et le mouvement qui se développe dans le temps et dans l'espace sont les formes fondamentales de l'art nouveau, qui comprend les quatre dimensions de l'existence. Temps et espace.

L'art nouveau requiert la fonction de toutes les énergies de l'homme, dans la création et dans l'interprétation. L'être se manifeste intégralement, dans la plénitude de sa vitalité.

Bernardo Arias - Horacio Cazeneuve - Marcos Fridman - Pablo Arias - Rodolfo Burgos - Enrique Benito - Cesar Bernal - Luis Coll - Alfredo Hansen - Jorge Rocamonte.

(Texte publié pour la première fois en espagnol à Buenos Aires en 1946. Traduction française reprise, avec quelques retouches, de la publication monumentale du *Manifiesto blanco*, éd. Galleria Apollinaire, Milan, 1946, reproduite par J. van der Marck et E. Crispolti, *Lucio Fontana*, Bruxelles, La Connaissance, 1974, pp. 144-146.)

Clement Greenberg

The New Sculpture

1949

En dépit de sa célébrité, il nous a semblé utile de rappeler ici quelques aspects essentiels de l'activité du critique d'art américain Clement Greenberg, né en 1909, afin de permettre au lecteur français de mieux situer celui qui, dès 1949, s'interrogeait sur le devenir de la «nouvelle sculpture».

Au début des années quarante, Greenberg, dont la pensée fut d'abord influencée par le marxisme[1] puis par les thèses formalistes de l'historien d'art Heinrich Wölfflin, se fit le défenseur de quelques artistes américains comme Robert Motherwell, Willem de Kooning, David Smith et surtout Jackson Pollock. Ayant largement contribué à les faire connaître et désormais porte-parole attitré de la painterly abstraction[2], il devint un critique redouté et une sorte d'«institution» fidèlement suivie ou violemment contestée de la scène artistique américaine. Son plus célèbre contradicteur fut Harold Rosenberg qui, défendant lui aussi les expressionnistes abstraits, inventa pour désigner leur pratique picturale le terme d' action painting[3]. *Rosenberg entendait bien montrer par l'adoption de cette terminologie toute la distance qui le séparait de Greenberg, de son parti pris formaliste et de son rejet de tout ce qui sur le plan artistique ne relève pas exclusivement d'une évolution intrinsèque des formes.*

Vers 1960, estimant que l'abstraction picturale se trouvait désormais dans une impasse, Greenberg se tourna vers des artistes comme Ellsworth Kelly, Frank Stella, Morris Louis ou Kenneth Noland et s'engagea à leurs côtés pour défendre une nouvelle forme d'abstraction, cette post-painterly abstraction[4] *qui mettait l'accent sur les qualités minimales de l'art pictural, sa bidimensionnalité et la forme spécifique de son support.*

1 *Partisan Review,* publication dirigée par Greenberg, fut fondée par le parti communiste américain.
2 L'«abstraction picturale», terme forgé par Greenberg pour désigner ce courant artistique majeur de l'art américain des années qui ont suivi la Seconde Guerre mondiale.
3 H. Rosenberg, «The American Action Painters», *Art News,* décembre 1952.
4 L'«abstraction post-picturale».
5 Cet article paru dans *Partisan Review* en 1949, fut republié avec quelques modifications apportées par son auteur lui-même dans Greenberg, *Art and Culture, Critical Essays,* Boston, 1961.

Aujourd'hui, près de quarante ans après que Greenberg a écrit «The New Sculpture»[5], il peut être intéressant, à la lumière de notre connaissance de l'évolution des formes artistiques, de relire ce texte qui annonçait déjà la place essentielle qu'occuperait la «nouvelle sculpture» dans les recherches modernistes.

N.R.C.

Il semble que l'art et la littérature renvoient ordinairement à ce qui représente pour l'esprit ou la sensibilité d'une société, à chaque moment donné de l'histoire, le lieu de sa plus sûre vérité. Au Moyen-Age cette aire de certitude, ou plutôt de plausibilité, coïncidait avec la religion; à la Renaissance, et pour quelque temps encore par la suite, avec la raison abstraite. Le XIXe siècle déplaça l'aire de plausibilité vers le factuel, vers la réalité empirique, notion qui s'est considérablement transformée au cours du dernier siècle, et toujours dans le sens d'une conception plus étroite de ce qui constitue un fait d'expérience indiscutable. Notre sensibilité s'est déplacée de façon similaire: répugnant de plus en plus à l'illusion et à la fiction, elle exige désormais de l'expérience esthétique un ordre d'effets toujours plus littéral. Ainsi ce n'est pas seulement parce que notre société pratique à tous les niveaux la division du travail que les divers arts sont allés vers une spécialisation croissante; c'est aussi parce que notre goût pour tout ce qui est réel, immédiat et perçu directement, veut que la peinture, la sculpture, la musique, la poésie deviennent plus concrètes en se limitant strictement à ce qu'elles ont de plus palpable, à savoir leurs moyens d'expression, et en s'interdisant de traiter ou d'imiter tout ce qui ne ressortit pas aux effets qui leur sont propres. Il ne faut pas entendre par là ce que Lessing visait lorsqu'il s'élevait contre la confusion des arts. Pour lui les arts étaient encore l'imitation d'une réalité extérieure qui devait être incarnée au moyen de l'illusion; mais la sensibilité moderne demande l'exclusion de toute réalité extérieure aux moyens d'expression respectifs des arts, elle demande l'exclusion du sujet. Ce n'est que réduits à ce qui leur permet de faire de la virtualité un art, à l'essence littérale de leurs moyens, et préservés autant qu'il se peut de toute référence explicite à des formes d'expérience ne découlant pas directement de ceux-ci, que les arts peuvent communiquer cette sensation d'expérience concrète, irréductible, dans laquelle notre sensibilité trouve sa certitude fondamentale.

C'est cet ensemble de facteurs — qui est loin d'être entièrement énoncé — que je crois à l'origine, entre autres choses, de phénomènes tels que la poésie «pure», le roman «pur», la peinture et la sculpture «pures» ou abstraites. Remarquez, par exemple, la force avec laquelle des écrivains comme Mallarmé, Valéry, Joyce, Gertrude Stein, Cummings, Dylan Thomas, Stefan George et Hart Crane attirent l'attention sur leur moyen d'expression, qui n'est en rien travesti ou rendu transparent dans le but de permettre l'accès le plus rapide au contenu, au sujet, mais devient pour une large part le sujet même de l'œuvre. Je pourrais donner mille exemples de cette tendance dans la littérature moderne, mais ce n'est pas la littérature qu'il m'intéresse d'examiner ici.

Quoi qu'il en soit, nous devons nous rappeler qu'aucune tentative pour faire une «pure» œuvre d'art n'a jamais abouti à plus qu'une approximation — surtout pas en littérature, où l'on se sert des mots qui désignent d'autres choses qu'eux-mêmes. Cette tendance à la «pureté» ou à l'abstraction absolue ne peut exister qu'à l'état de tendance, de dessein, et non de réalisation. Mais en tant que telle elle permet d'expliquer pour une bonne part la situation actuelle non seulement de la littérature mais aussi des arts plastiques, qui tendent à exprimer, avec une insistance semblable à celle de Mallarmé, de Joyce ou de Gertrude Stein, ce que leurs moyens ont de plus palpable.

La nature tangible du moyen d'expression de la peinture consiste en configurations de pigment sur une surface plane, de la même manière que le moyen essentiel de la poésie consiste en configurations rythmiques de mots assemblés selon les règles de la langue. La peinture moderne se conforme à notre attirance pour tout ce qui est concret et positif en s'affirmant ouvertement comme ce que la peinture a toujours été, et qu'elle a longtemps essayé de dissimuler: des couleurs disposées sur une surface bidimensionnelle. L'illusion de la troisième dimension est abandonnée, de même que la fiction de la représentation, qui a aussi peu à voir avec la nature propre de la peinture qu'avec celle de la musique. Transposer, même schématiquement, l'image d'un objet à trois dimensions sur une surface plane équivaut pour un peintre moderne tel que Mondrian à un déni et à une violation de la nature du moyen d'expression. La sensibilité moderne ne voit là qu'une duperie, et donc une chose creuse, dépourvue de caractère concret et impropre à susciter l'émotion.

Mondrian a montré qu'il est encore possible de peindre d'authentiques tableaux de chevalet en adhérant à cette conception on ne peut plus stricte de la peinture. Néanmoins il y a là un danger qui commence à se faire sentir pour l'art de la peinture tel que nous l'avons connu jusqu'à présent. Un art pictural de cet ordre confine en effet à la décoration. On peut dire que la grandeur de Mondrian réside pour une large part dans le fait qu'il a su intégrer les qualités de la décoration dans la peinture de chevalet, mais ce n'est pas tout à fait une garantie pour l'avenir. Une peinture qui s'identifie exclusivement avec sa surface ne peut que tendre à la décoration et souffrir par là même d'un rétrécissement de son champ d'expression. Elle peut compenser cela par une plus grande intensité et une plus grande matérialité (c'est ce que l'art abstrait contemporain a fait avec un bonheur insigne), mais une perte reste toujours sensible dans la mesure où l'unité et la dynamique du tableau sont affaiblies, comme elles le sont fatalement par toute peinture absolument plane. Et j'ai bien peur que la peinture de chevalet, sous la forme littéralement bidimensionnelle que lui impose notre époque de certitudes, ne soit bientôt plus capable d'en dire assez sur ce que nous ressentons pour nous satisfaire pleinement, de sorte que nous ne pourrons plus désormais nous en remettre aussi totalement à la peinture pour ordonner visuellement nos sensations.

Je ne voudrais pas suggérer par là que la peinture sera bientôt un art sur le déclin; cela ne cadrerait pas avec mon propos. Ce qui doit être souligné, c'est que la peinture, qu'elle soit ou non sur le déclin, est maintenant menacée dans sa position d'art plastique par excellence. Et j'aimerais attirer l'attention sur la sculpture, un art relativement délaissé pendant plusieurs siècles mais qui a subi récemment une transformation telle qu'il semble désormais offrir à la sensibilité moderne un champ d'expression plus étendu que celui de la peinture contemporaine. Cette transformation, cette révolution, est l'œuvre du cubisme.

De la Renaissance à Rodin, la sculpture, en tant que véhicule de l'expression, a souffert de ne pouvoir se dégager de la tradition gréco-romaine de la taille et du modelage, monolithique et physique. Dans cette tradition le sujet idéal était la tête ou le buste humain; toute chose inanimée, immobile, paraissait impropre à la sculpture. Un art limité au monolithe ne pouvait guère parler à l'homme d'après la Renaissance. La peinture put donc s'arroger le monopole des sujets, de l'imagination et du talent dans les arts plastiques, et la toile fut le lieu de presque tout ce qui se passa de Michel-Ange à Rodin. Le fait que la sculpture était plus proche de ce qu'elle imitait (de son sujet) que les autres arts, qu'il fallait un moins grand pouvoir d'abstraction pour transposer une image, disons celle d'un animal, dans une ronde-bosse que sur une surface plane ou dans une phrase, tout cela joua aussi en sa défaveur pendant plusieurs siècles. La sculpture était un moyen d'expression trop *littéral*.

Rodin fut le premier sculpteur qui tenta véritablement de réduire l'écart entre sculpture et peinture. Cherchant des effets analogues à ceux de la peinture impressionniste, il dissolut dans l'air et la lumière des formes en pierre. Ce fut un grand artiste mais il abolit sa tradition et ne légua que des équivoques. Maillol et Lehmbruck furent aussi de grands sculpteurs, peut-être grâce à Rodin justement, mais le premier tira son inspiration de l'archéologie et le second de la peinture expressionniste. Ils se situent à un terme, et leur art fit place aux tendances radicalement nouvelles qui vinrent combler le vide laissé par l'extinction de la tradition gréco-romaine issue de la Renaissance.

Entre-temps le cubisme fit son apparition dans la peinture. Sous son influence indirecte, ainsi que sous celle, plus directe, de la sculpture nègre, Brancusi put amorcer la transition entre le monolithe et un nouveau genre de sculpture inspiré de la peinture moderne et des sculptures en bois d'Afrique et d'Océanie. Il s'agissait d'un genre entièrement nouveau pour la civilisation européenne: la sculpture comme dessin dans l'espace, délimitant l'espace, un art qui ne serait plus limité au volume plein et aux formes humaines et animales. Brancusi ne mène pas lui-même cette transition jusqu'à son terme. Mais, du moins dans son travail sur la pierre et le métal, il pousse le monolithe à une telle extrémité, le réduit à un tel degré de simplicité archétypale, qu'il épuise plus ou moins cette source de formes. La nouvelle sculpture commence véritablement avec les collages cubistes de Braque et de Picasso, nés soudainement d'une peinture qui, plutôt que d'attirer les formes dans les profondeurs d'un espace illusionniste, préfère les projeter vers l'extérieur de la surface du tableau[1]. Dès lors, la nouvelle sculpture se développa grâce aux constructions en bas-relief que Picasso, puis Arp et Schwitters, créèrent en soulevant le collage au-dessus du plan du tableau. Ensuite Picasso, qui fut aussi grand sculpteur que peintre, ainsi que les constructivistes russes Tatline, Pevsner et Gabo, et aussi Archipenko, Duchamp-Villon, Lipchitz et Laurens puis Giacometti, le sépara entièrement du plan du tableau et le restitua à la réalité authentique de l'espace libre.

Cette nouvelle sculpture de dessinateur, picturale, a plus ou moins abandonné les matériaux traditionnels que sont la pierre et le bronze pour d'autres plus aptes à être travaillés avec des outils modernes comme le chalumeau: l'acier, le fer, les alliages, le verre, les matières plastiques. Elle ne se soucie pas de l'homogénéité matérielle des œuvres et peut utiliser toutes sortes de matériaux différents pour la même pièce, et toutes sortes de couleurs, comme il sied à un art qui accorde autant d'importance à l'aspect pictural qu'à l'aspect sculptural de ses productions. Ce qui caractérise le sculpteur-constructeur, c'est qu'il est plus attiré par les idées formées par analogie avec le paysage que par celles que l'on peut déduire de simples objets.

La nouvelle sculpture, est-il besoin de le préciser après ce que je viens de dire, est aussi délivrée des exigences de la représentation imitative. C'est là que réside justement sa supériorité sur la peinture moderne pour ce qui concerne l'étendue de leur champ d'expression. L'évolution de la sensibilité qui refusa à la peinture l'illusion de la profondeur et de la représentation se traduisit en sculpture par une tendance à lui refuser le monolithe, qui, dans l'art tridimensionnel, a trop de connotations figuratives. Dégagée de la masse et du volume plein, la sculpture voit s'ouvrir devant elle un univers bien plus vaste et se trouve en position de dire tout ce que ne peut plus dire la peinture. C'est le même processus qui a appauvri la peinture et enrichi la sculpture. La sculpture a toujours été capable de créer des objets dont la réalité semble plus dense, plus tangible, que celle des objets créés par la peinture. Et cela, qui était autrefois son désavantage, constitue désormais son plus grand attrait pour notre toute nouvelle sensibilité positiviste; c'est aussi ce qui lui donne de plus grandes prérogatives. Elle est désormais libre d'inventer une infinité de nouveaux objets et dispose d'un réservoir potentiel de formes auxquelles notre goût ne peut en principe trouver à redire puisqu'elles ont toutes leur réalité physique évidente, aussi palpable, indépendante et présente que celle de nos maisons et de nos meubles. La sculpture, qui, parce qu'elle restait au plus près de la nature physique de son sujet, était à l'origine le plus limpide de tous les arts, a désormais l'avantage d'être l'art le plus dépouillé de connotations de l'ordre de la fiction ou de l'illusion.

La nouvelle sculpture jouit également d'un autre avantage. La peinture, même la plus abstraite et la plus plane, porte toujours des traces du passé, simplement parce qu'elle est peinture, et que son passé est extrêmement riche et encore tout frais. C'était naguère encore un atout, mais je crains qu'il ne se réduise maintenant comme une peau de chagrin. La nouvelle sculpture n'a pratiquement aucune attache historique, du moins pas dans le passé de notre propre civilisation, ce qui lui confère un caractère virginal tout à fait apte à encourager l'artiste dans son audace, à l'inciter à tout dire sans crainte d'une quelconque censure de la tradition[2]. La peinture cubiste est la seule chose qu'il doive retenir du passé, et le naturalisme la seule qu'il doive éviter.

Tout cela, je crois, explique pourquoi il y a dans ce pays, toutes proportions gardées, tellement plus de jeunes sculpteurs prometteurs que de jeunes peintres prometteurs. Parmi ces derniers quatre ou cinq resteront peut-être dans l'histoire de l'art de notre temps. Mais il y a bien neuf ou dix jeunes sculpteurs-constructeurs qui ont une chance, selon toute vraisemblance, de se distinguer par un apport ambitieux, considérable et original: David Smith, Theodore Roszak, David Hare, Herbert Ferber, Seymour Lipton, Richard Lippold, Peter Grippe, Burgoyne Diller, Adaline Kent, Ibram Lassaw, Noguchi et d'autres encore. Ces artistes ne sont pas tous magnifiquement doués et tous n'ont pas rompu avec le monolithe; leurs styles sont aussi divers que la sculpture est variée depuis 1905. Mais aussi inégaux que puissent être leurs talents, ils n'en font pas moins tous montre d'une vigueur, d'une inventivité et d'une sûreté de goût qu'ils doivent, me semble-t-il, au fait que leur moyen d'expression, parce qu'il est si nouveau et si puissant, engendre des œuvres intéressantes presque automatiquement, de la même manière que la nouvelle peinture naturaliste, dans l'Italie et les Flandres du XVe siècle, put faire sortir des chefs-d'œuvre des mains d'artistes médiocres. Il en va de même, d'après ce que je peux savoir, pour la nouvelle sculpture à Paris et à Londres.

Jusqu'à maintenant on a prêté trop peu d'attention à toutes les innovations de la nouvelle sculpture. Mais l'on prête toujours trop peu d'attention à la sculpture. Pour la plupart d'entre nous, éduqués comme nous le sommes à ne regarder que la peinture, une sculpture se fond trop vite dans un décor banal comme un simple objet ornemental. La nouvelle sculpture-construction doit lutter contre cette habitude, et c'est pour cela, je pense, que l'on a si peu essayé de l'envisager sérieusement dans ses relations avec le reste de l'art et la sensibilité de notre époque. Néanmoins ce nouveau «genre» est peut-être ce que les arts plastiques ont connu de plus important depuis la peinture cubiste. Et il est aujourd'hui plus stimulant que tout autre art à l'exception de la musique.

1 Il y a ici une curieuse symétrie historique. Notre peinture naturaliste occidentale a son origine dans la sculpture des XIIe et XIIIe siècles, qui était en avance de deux cents ans sur la peinture pour ce qui concerne la capacité d'imiter la nature, et qui continua de dominer les autres arts jusqu'à la fin du XVe siècle.
2 L'avantage de la sculpture sur la peinture se révèle entre autres choses par le sentiment que nous avons, lorsque nous regardons les tableaux de peintres comme Matta, Lam, parfois Sutherland (qui tous trois doivent tant à Picasso) et souvent de Picasso lui-même, d'être en présence d'une sorte de sculpture illégitime, d'illustrations de la sculpture ou d'idées foncièrement sculpturales. Mais jamais nous n'avons l'impression que la nouvelle sculpture est une forme de peinture illégitime. Elle est trop neuve pour cela, de même que la peinture de Mantegna, qui devait tant à la sculpture, était trop neuve pour être qualifiée de sculpture illégitime.

Pierre Restany

Les Nouveaux Réalistes

16 avril 1960

En mai 1960 eut lieu à Milan, à l'initiative de Pierre Restany, jeune critique d'art, une exposition intitulée «Les nouveaux réalistes» qui réunissait Arman, Hains, Dufrêne, Klein, Tinguely et Villeglé. En prévision de cette manifestation, Restany avait publié dès avril un texte où le terme de «nouveau réalisme» apparaissait pour la première fois.

Le groupe du même nom ne fut fondé, quant à lui, que quelques mois plus tard, le 27 octobre 1960, au domicile d'Yves Klein, à Paris. Les artistes précédemment réunis à Milan ainsi que Restany, Raysse et Spoerri signèrent alors la déclaration constitutive du groupe. César et Rotella, qui avaient été invités mais n'étaient pas présents ce soir-là, participèrent plus tard aux manifestations du groupe auquel se joignirent Niki de Saint Phalle en 1961, Christo et Deschamps en 1962.

Par son antériorité, le texte de Restany constitue donc bien la première réflexion théorique visant à considérer dans leur ensemble des démarches artistiques aussi diverses que celles du sculpteur Tinguely, des peintres Arman et Klein ou des affichistes Hains, Villeglé et Dufrêne. Il s'agissait pour Restany de trouver un dénominateur commun à ces recherches singulières et il l'a découvert à l'époque dans une même volonté d'appropriation du «réel perçu en soi et non à travers le prisme de la transcription conceptuelle ou imaginative».

A ce titre, et bien que la plupart des artistes présents le 27 octobre au domicile de Klein se soient rencontrés avant 1960 et qu'ils aient même pour certains d'entre eux déjà exposé ensemble[1], la réflexion de Restany les a peut-être aidés à «prendre conscience de leur singularité collective» selon l'expression employée dans la déclaration d'octobre. On comprend mieux dans ces circonstances pourquoi Restany a ultérieurement désigné ce texte comme le premier Manifeste du Nouveau Réalisme[2] alors même que le groupe n'était pas encore fondé.

A défaut d'avoir été officiellement cosigné par les artistes eux-mêmes, le texte se parait d'une couverture qui constituait presque une signature en soi. En effet, Hains y avait reproduit, grâce à un objectif photographique en verre cannelé, les noms «éclatés» des différents participants. Dix ans plus tard, il en tira des sérigraphies où les signatures se détachent en bleu sur fond blanc[3]. Il faut y voir un rappel de la déclaration d'octobre 1960 rédigée, elle, en blanc sur fond bleu. Dans les deux cas, hommage et coup de chapeau à «Yves le monochrome», il s'agit du même bleu, l'IKB (International Klein Blue).

N.R.C.

C'est en vain que des sages académiciens ou des braves gens effarés par l'accélération de l'histoire de l'art et l'extraordinaire pouvoir d'usure de notre durée moderne, essaient d'arrêter le soleil ou de suspendre le vol du temps en suivant le sens inverse à celui qu'empruntent les aiguilles d'une montre.

Nous assistons aujourd'hui à l'épuisement et à la sclérose de tous les vocabulaires établis, de tous les langages, de tous les styles. A cette carence — par exhaustion — des moyens traditionnels, s'affrontent des aventures individuelles encore éparses en Europe et en Amérique, mais qui tendent toutes, quelle que soit l'envergure de leur champ d'investigation, à définir les bases normatives d'une nouvelle expressivité.

Il ne s'agit pas d'une recette supplémentaire de médium à l'huile ou au ripolin. La peinture de chevalet (comme n'importe quel autre moyen d'expression classique dans le domaine de la peinture ou de la sculpture) a fait son temps. Elle vit en ce moment les derniers instants, encore sublimes parfois, d'un long monopole.

Que nous propose-t-on par ailleurs? La passionnante

---

1 Novembre 1958: collaboration Yves Klein-Jean Tinguely, «Vitesse pure et stabilité monochrome» (exposition présentée à la galerie Iris Clert à Paris).
1959: à la Première Biennale de Paris sont exposés la «Palissade des emplacements réservés» de Raymond Hains, la *Proposition monochrome* d'Yves Klein, le *Métamatic géant n⁰ 17* de Tinguely et des affiches lacérées de Dufrêne et Villeglé.
2 Restany rédigea d'autres manifestes par la suite, dans lesquels il reprit et précisa les idées exprimées en 1960: *A quarante degrés au-dessus de dada* (2e manifeste), Paris, mai 1961. *Le nouveau réalisme: que faut-il en penser?* (3e manifeste), Munich, février 1963.
3 A l'occasion du dixième anniversaire de la fondation du mouvement, célébré officiellement à Milan en 1970.

aventure du réel perçu en soi et non à travers le prisme de la transcription conceptuelle ou imaginative. Quelle en est la marque? L'introduction d'un *relais sociologique* au stade essentiel de la communication. La sociologie vient au secours de la conscience et du hasard, que ce soit au niveau du choix ou de la lacération de l'affiche, de l'allure d'un objet, d'une ordure de ménage ou d'un déchet de salon, du déchaînement de l'affectivité mécanique, de la diffusion de la sensibilité au-delà des limites logiques de sa perception.

Toutes ces aventures (et il y en a, il y en aura d'autres) abolissent l'abusive distance créée par l'entendement catégorique entre la contingence objective générale et l'urgence expressive individuelle. C'est la réalité sociologique tout entière, le bien commun de l'activité de tous les hommes, la grande république de nos échanges sociaux, de notre commerce en société, qui est assignée à comparaître. Sa vocation artistique ne devrait faire aucun doute, s'il n'y avait encore tant de gens qui croient en l'éternelle immanence des genres soi-disant nobles et de la peinture en particulier.

Au stade, plus essentiel dans son urgence, de la pleine expression affective et de la mise hors de soi de l'individu créateur, et à travers les apparences naturellement baroques de certaines expériences, nous nous acheminons vers un *nouveau réalisme* de la pure sensibilité. Voilà à tout le moins l'un des chemins de l'avenir. Avec Yves Klein et Tinguely, Hains et Arman, Dufrêne et Villeglé, des prémisses très diverses sont ainsi posées à Paris. Le ferment sera fécond, imprévisible encore dans ses totales conséquences, à coup sûr iconoclaste (par la faute des icônes et la bêtise de leurs adorateurs).

Nous voilà dans le bain de l'expressivité directe jusqu'au cou et à quarante degrés au-dessus du zéro dada, sans complexe d'agressivité, sans volonté polémique caractérisée, sans autre prurit de justification que notre réalisme. Et ça travaille, positivement. L'homme, s'il parvient à se réintégrer au réel, l'identifie à sa propre transcendance, qui est émotion, sentiment et finalement poésie, encore.

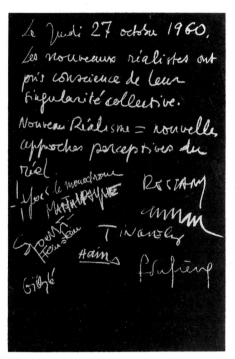

Couverture du premier *Manifeste des Nouveaux Réalistes* (avril 1960)

Déclaration de constitution du groupe des Nouveaux Réalistes (octobre 1960)

Don Judd

Specific Objects

1965

Au début des années soixante, le peintre américain Don Judd (né en 1928), surtout connu comme critique d'art[1], commençait à réaliser des objets en trois dimensions. Le véritable tournant dans son travail se situe en 1962, car cette année-là il travailla simultanément dans les trois domaines (peinture, relief, structure) et, par ailleurs, rencontra Richard Bellamy, directeur de la Green Gallery, qui lui demanda de participer à des expositions collectives en février puis en mai 1963. En décembre, une exposition personnelle lui fut consacrée.

Reconnu comme artiste, Judd poursuivit néanmoins jusqu'en 1965 son activité de critique d'art et ses écrits sont particulièrement éclairants pour nous car, alors même qu'il parle du travail d'autres artistes, il est évident que ce sont les mêmes convictions qui sous-tendent ses propres recherches. Celles-ci n'étaient pas du reste le fait d'un artiste isolé. Le célèbre entretien radiophonique mené en février 1964 par l'historien d'art Bruce Glaser avec Judd et le peintre Frank Stella[2] attestait déjà que les deux artistes avaient en commun une même volonté de refuser toute sorte d'illusionnisme et de supprimer les rapports spatiaux traditionnels à l'intérieur de l'œuvre, ce que l'on pourrait appeler les «effets de composition». Dans «Specific Objects», texte publié postérieurement à cette interview mais écrit, selon les dires de l'artiste, peu de temps après sa première exposition à la Green Gallery, Judd va si loin dans son rejet de l'espace pictural que Claude Gintz, qui a parfaitement résumé les propos de l'artiste, peut écrire: «Specific Objects est d'abord un réquisitoire contre la peinture, contre toute peinture à venir.»[3] Si la même exclusion vaut pour la sculpture en tant que catégorie traditionnelle, ces critiques négatives n'ont cependant aucun caractère rétroactif. Judd est essentiellement intéressé par les multiples possibilités, par les «plus» qu'induisent les œuvres nouvelles. «Ses objets inertes excluent toute idée de mouvement (cela risquerait de suggérer quelque chose d'autre), de gestualité (ils peuvent être réalisés par un exécutant anonyme), de frontalité ou de quelque autre réminiscence de sculpture traditionnelle. Ses structures sont des choses en soi qui ne renvoient qu'à elles-mêmes.»[3]

C'est donc bien un programme pour l'avenir que définit ce texte. Judd envisage en effet l'inscription dans l'espace réel d'«objets spécifiques» comme le point de départ d'une troisième voie.

N.R.C.

La moitié ou plus des œuvres nouvelles les meilleures de ces dernières années ne sont ni de la peinture ni de la sculpture. Généralement, elles se rattachent, de près ou de loin, à l'une ou à l'autre. Les œuvres sont diverses et beaucoup de ce qu'elles contiennent, qui n'est ni de la peinture ni de la sculpture, est également divers. Mais elles présentent quelques traits qui sont communs à presque toutes.

Les nouvelles œuvres en trois dimensions ne forment pas un mouvement, une école ou un style. Les aspects communs sont trop généraux et trop peu communs pour définir un mouvement. Les différences sont plus importantes que les similitudes. Les similitudes sont dégagées des œuvres: elles ne sont pas les principes premiers d'un mouvement ou les règles le définissant. La tridimensionnalité n'est pas aussi près d'être simplement un contenant que la peinture et la sculpture ont semblé l'être, mais elle y tend. Mais maintenant la peinture et la sculpture sont moins neutres, moins comme des «contenants»[1], plus définies, pas indiscutables ni inévitables. Ce sont des formes particulières et circonscrites, en définitive, qui produisent des qualités bien définies. Une grande part de ce qui motive ces œuvres nouvelles est le désir de se débarrasser de ces formes. L'emploi des trois dimensions offre à l'évidence une alternative. Une grande partie des raisons qui motivent

---

1 Dès 1959, dans *Art News*, puis dans *Arts Magazine*, il rendait compte régulièrement d'expositions d'art américain contemporain.
2 «Questions à Stella et Judd», interview de Bruce Glaser diffusée en février 1964 par la chaîne de radio new-yorkaise WBAI-FM et publiée dans *Art News*, septembre 1966. Traduction par Claude Gintz dans *Regards sur l'art américain des années soixante, anthologie critique*, Paris, éditions Territoires, 1979, pp. 53-64.
3 C. Gintz, *op. cit.*, p. 65.

1 Il semble que la peinture soit comme un «contenant» lorsque «les bords du rectangle sont une frontière, la fin du tableau».

leur emploi sont négatives, dirigées contre la peinture et la sculpture et comme l'une et l'autre constituent des sources communes, les raisons négatives sont les plus fréquentes. «Le motif du changement se trouve toujours dans une sorte de malaise; rien ne nous incitant à un changement d'état ou à une entreprise nouvelle, à l'exception de quelque sentiment de malaise.» Les raisons positives sont plus particulières. Une autre raison qui pousse à faire l'inventaire des insuffisances de la peinture et de la sculpture est que l'une et l'autre nous sont familières et que leurs éléments et leurs caractéristiques (bonnes ou mauvaises) sont plus facilement décelables.

Les objections formulées à l'égard de la peinture et de la sculpture vont paraître plus intolérantes qu'elles ne le sont. Il y a des restrictions. Le désintérêt à l'égard de la peinture et de la sculpture est un désintérêt pour faire cela à nouveau, non pas à l'égard de ce qui a été fait par ceux qui sont allés le plus loin. De nouvelles œuvres impliquent toujours des objections à l'égard des précédentes, mais ces objections ne s'appliquent réellement qu'aux nouvelles. Elles en font partie. Si une œuvre antérieure est de première qualité, elle est complète. Les incompatibilités et les limitations nouvelles n'ont pas de caractère rétroactif; elles concernent seulement les œuvres en cours d'élaboration. A l'évidence, les œuvres en trois dimensions ne succéderont pas comme ça à la peinture et à la sculpture. Ce n'est pas comme un mouvement; de toute façon, les mouvements ont fait long feu; l'histoire linéaire s'est défaite[2] également. Les nouvelles œuvres surpassent la peinture en puissance pure, mais la puissance n'est pas à prendre seule en considération, bien que la différence entre puissance et expression ne soit jamais trop grande. Il y a d'autres moyens que la puissance et la forme qui font qu'une sorte d'art puisse être supérieure à une autre. Finalement, une surface plane et rectangulaire est trop commode pour qu'elle soit abandonnée. Certaines choses ne peuvent se faire que sur une surface plane. La représentation d'une représentation par Lichtenstein en fournit un bon exemple. Mais ces œuvres qui ne sont ni de la peinture ni de la sculpture mettent en question l'une et l'autre. Les jeunes artistes seront obligés d'en tenir compte. Elles modifieront probablement la peinture et la sculpture.

Le défaut principal de la peinture est d'être un plan rectangulaire posé à plat contre le mur. Un rectangle est une forme en soi; à l'évidence c'est toute la forme; il détermine et limite les arrangements possibles de ce qui est dessus ou à l'intérieur. Dans les œuvres d'avant 1946, les bords du rectangle sont une frontière, la fin du tableau. La composition doit réagir par rapport aux bords et le rectangle doit être unifié, mais l'accent n'est pas mis sur la forme du rectangle; les parties sont plus importantes et il se crée entre elles des relations de couleurs et de formes. Dans les peintures de Pollock, Rothko, Still, Newman et plus récemment de Reinhardt et Noland, l'accent est mis

sur le rectangle. Les éléments à l'intérieur du rectangle sont larges et simples et correspondent de près avec le rectangle. Les formes et les surfaces sont uniquement celles qui peuvent se rencontrer normalement à l'intérieur de — et sur — un plan rectangulaire. Les parties sont peu nombreuses et si subordonnées à l'unité que ce ne sont pas des parties au sens ordinaire du terme. Une peinture est presque une entité, une chose et non la somme indéfinie d'un ensemble d'entités et de références. Cette chose unique dépasse en puissance les peintures antérieures. Elle affirme aussi le rectangle en tant que forme définie; ce n'est plus une limite complètement neutre. Une forme ne peut être utilisée qu'en un nombre limité de façons. On peut donner au plan rectangulaire une durée de vie limitée. La simplicité requise pour mettre l'accent sur le rectangle limite les combinaisons possibles à l'intérieur de celui-ci. Le sens de l'*unicité*[3] a aussi une durée limitée, mais il ne fait que commencer et a un meilleur avenir en dehors de la peinture. Son apparition en peinture aujourd'hui semble un début, dans lequel des formes nouvelles sont souvent créées à partir de schémas et de matériaux antérieurs.

L'accent est mis sur le plan qui est presque *simple*[3]. Il est clair que c'est un plan en avant de 2,5 cm à 5 cm de cet autre plan qu'est le mur, et parallèle à celui-ci. La relation des deux plans est spécifique: c'est une forme. Tout ce qui est *sur* ou légèrement *dans* le plan doit être mis en place latéralement.

Presque toutes les peintures sont spatiales, d'une manière ou d'une autre. Les peintures bleues d'Yves Klein sont les seules qui ne soient pas spatiales et il en est peu qui soient presque non spatiales, à part les œuvres de Stella.

Il est possible que l'on ne puisse pas faire grand-chose avec un plan rectangulaire vertical et une absence d'espace. Tout ce qui se trouve sur une surface a un espace derrière. Deux couleurs sur la même surface se trouvent presque toujours à des profondeurs différentes. Une couleur régulière, spécialement si elle est obtenue avec de la peinture à l'huile qui couvre la totalité ou la plus grande partie d'un tableau, est à la fois plane et infiniment spatiale. L'espace est peu profond dans toutes les œuvres où l'accent est mis sur le plan rectangulaire. L'espace de Rothko est peu profond et ses rectangles adoucis sont parallèles au plan, mais l'espace est presque traditionnellement illusionniste. Dans les peintures de Reinhardt, juste en arrière du plan de la toile, il y a un plan plat et celui-ci, en revanche, paraît indéfiniment profond. La peinture

---

2 Allusion à la vision linéaire et moderniste de l'histoire de l'art selon Greenberg.

3 Faute d'un équivalent français plus satisfaisant *single* a été traduit par *simple* au sens où la monade de Leibniz est une «substance simple... c'est-à-dire sans parties». Chaque fois que le mot simple est la traduction de *single* dans le cours du texte, nous l'avons composé en italique pour éviter toute confusion. En revanche *singleness* a été traduit par *unicité* plutôt que par simplicité qui connote trop de qualités humaines.

Frank Stella
Sidney Guberman (1963)

de Pollock est manifestement *sur* la toile et l'espace est essentiellement celui créé par les marques faites sur une surface, en sorte qu'il n'est ni très descriptif ni très illusionniste. Les bandes concentriques de Noland ne sont pas aussi spécifiquement de la peinture *sur* une surface que la peinture de Pollock, mais les bandes aplanissent davantage l'espace littéral. Si plates et non illusionnistes que soient les peintures de Noland, ses bandes avancent et reculent. Même un seul cercle tirera la surface à lui, laissant un petit espace derrière lui.

Sauf dans le cas d'un champ totalement et uniformément couvert de couleur ou de marques, toute chose placée *dans* un rectangle et *sur* un plan suggère quelque chose qui est *dans* et *sur* quelque chose d'autre, quelque chose dans son environnement, une figure ou un objet dans son espace, cette figure ou cet objet appartenant à un monde similaire: c'est le but essentiel de la peinture. Les récentes peintures ne sont pas complètement *simples.* Il y a quelques zones dominantes, les rectangles de Rothko ou les cercles de Noland, et il y a la place autour. Il y a un fossé entre les formes principales, les parties les plus expressives, et le reste de la toile, le plan et le rectangle. Les formes centrales prennent encore place dans un contexte indéfini et plus vaste, bien que l'*unicité* des peintures réduise le caractère solipsiste général des œuvres antérieures. Le champ[4] (du tableau) aussi n'est habituellement pas limité et évoque des sections découpées de quelque chose d'infiniment plus grand.

La peinture à l'huile et la toile ne sont pas aussi fortes que les peintures du commerce et que les couleurs et les surfaces de matériaux, surtout si ces matériaux sont utilisés en trois dimensions. La peinture à l'huile et la toile nous sont familières et, comme le plan rectangulaire, ont une certaine qualité et ont des limites. Cette qualité s'identifie

spécialement avec l'art.

Les nouvelles œuvres ressemblent à l'évidence davantage à la sculpture qu'à la peinture, mais sont plus proches de la peinture. La plupart des sculptures ressemblent à la peinture qui précéda Pollock, Rothko, Still et Newman. La chose la plus nouvelle en ce qui les concerne, c'est l'échelle. L'accent d'une certaine manière est mis davantage sur les matériaux qu'auparavant. L'imagerie comporte deux ou trois ressemblances frappantes avec d'autres choses visibles et des références plus obliques, l'ensemble étant rendu compatible. Les parties et l'espace sont allusifs, descriptifs et d'une certaine manière naturalistes. La sculpture de Higgins en offre un exemple et, différemment, celle de Di Suvero. La sculpture de Higgins évoque principalement des machines et des corps tronqués. Ses combinaisons de métal et de plâtre sont plus spécifiques. Di Suvero emploie les poutres comme si c'étaient des coups de pinceau, imitant le mouvement comme le fit Kline. Le matériau n'a jamais son propre mouvement. Une poutre s'élance, un morceau de fer suit un geste: l'un dans l'autre, ils forment une image naturaliste et anthropomorphique. L'espace s'y conforme.

La plupart des sculptures sont faites partie par partie, par addition, composées. Les parties principales demeurent assez discrètes. Celles-ci et les parties plus petites forment une gamme de variations allant du petit au grand. Il y a des hiérarchies entre elles de clarté et de force, de distance par rapport à une ou deux idées principales. Le bois et le métal sont les matériaux usuels, ensemble ou séparément, mais si c'est ensemble sans beaucoup d'effets de contraste. Il y a rarement de la couleur. Un contraste atténué et le ton monochrome naturel sont courants et facilitent l'unification des parties.

Il n'y a guère de tout cela dans les nouvelles œuvres en trois dimensions. Jusqu'à présent la différence la plus évidente à l'intérieur de cet ensemble d'œuvres diverses se situe entre celles qui ont quelque chose d'un objet, d'une chose *simple,* et celles qui sont ouvertes, en extension, plus ou moins «environnementales». La différence n'est cependant pas aussi grande dans leur nature que dans leur apparence.

Oldenburg et d'autres ont fait les deux[5]. Il y a des précédents à certaines des caractéristiques des nouvelles œuvres. Les parties sont généralement subordonnées à l'ensemble et ne sont pas séparées dans les sculptures d'Arp et souvent de Brancusi. Les ready-mades de Duchamp et d'autres objets dada se voient d'un seul coup d'œil et non partie par partie. Les boîtes de Cornell ont trop de parties

---

4 En anglais *field*. La notion de champ doit être située ici dans le contexte d'une peinture non illusionniste ou qui tend à se rapprocher de la non-illusion.
5 Le *Bedroom Ensemble (Chambre à coucher),* installé à la galerie Sydney Janis à New York en janvier 1964, fut soigneusement calculé par Oldenburg en fonction de l'environnement de la galerie.

Claes Oldenburg
Chambre à coucher (1964)
Installée dans la galerie Sidney Janis

pour paraître au premier abord structurées. Une structure faite partie par partie ne peut être trop simple ou trop compliquée. Elle doit paraître ordonnée[6]. Le degré d'abstraction d'Arp et ses références limitées au corps humain, ni imitatives ni très obliques, sont différents de l'imagerie de la plupart des nouvelles œuvres en trois dimensions. Le porte-bouteilles de Duchamp est plus proche de certaines d'entre elles. Les œuvres de Johns et Rauschenberg, les assemblages et les bas-reliefs en général, ceux d'Ortman, par exemple, sont des préliminaires. Un petit nombre d'objets moulés de Johns et un petit nombre d'œuvres de Rauschenberg, comme la chèvre avec le pneu, sont des commencements.

Certaines peintures européennes s'apparentent à des objets, celles de Klein, par exemple, et de Castellani, qui ont des champs (de couleur) réguliers sur des éléments de bas-relief. Arman et quelques autres travaillent en trois dimensions. Dick Smith fit à Londres quelques grandes pièces avec de la toile tendue sur des cadres en forme de parallélépipèdes posés de travers et dont les surfaces étaient peintes comme si les pièces étaient des peintures. A Londres, également, Philip King semble faire des objets. Certaines des œuvres faites sur la côte Ouest semblent s'inscrire dans cette ligne, celles de Larry Bell, Kenneth Price, Tony Delap, Sven Lukin, Bruce Conner, Kienholz, bien sûr, et d'autres. A New York, quelques-unes des œuvres ayant peu ou prou ces caractéristiques sont celles de George Brecht, Ronald Bladen, John Willenbecher,

Ralph Ortiz, Anne Truitt, Paul Harris, Barry McDowell, John Chamberlain, Robert Tanner, Aaron Kuriloff, Robert Morris, Nathan Raisen, Tony Smith, Richard Navin, Claes Oldenburg, Robert Watts, Yoshimura, John Anderson, Harry Soviak, Yayoi Kusama, Frank Stella, Salvatore Scarpitta, Neil Williams, George Segal, Michael Snow, Richard Artschwager, Arakawa, Lucas Samaras, Lee Bontecou, Dan Flavin

Jasper Johns
Target with Plaster Casts (1955)
[Cible aux moulages de plâtre]

6   Cette observation pourrait aussi s'appliquer aux *progressions* de Judd où les parties se placent l'une après l'autre, sans qu'il y ait de «jeu» entre elles, c'est-à-dire d'effets de composition dans le sens où il entend ce terme.

Robert Rauschenberg
Monogramme (1955-1959)

et Robert Whitman. H.C. Westermann travaille dans le Connecticut. Certains de ces artistes font à la fois des œuvres en trois dimensions et des peintures. Une petite proportion du travail d'autres, Warhol et Rosenquist, par exemple, est en trois dimensions.

La composition et l'imagerie des œuvres de Chamberlain sont essentiellement les mêmes que celles de la peinture précédente, mais cette composition et cette imagerie se présentent sous un désordre apparent et sont dissimulées, de prime abord, par le matériau. Les tôles froissées demeurent en l'état. Cela est d'abord neutre, non artistique, et ensuite semble avoir un statut d'objet. Quand la structure et l'imagerie deviennent apparentes, il semble qu'il y ait trop de tôle et d'espace, davantage de hasard et d'accidentel que d'ordre. Les aspects de neutralité et de redondance, de forme et d'imagerie ne pourraient être coextensifs sans les trois dimensions et le matériau particulier.

Les couleurs sont également à la fois neutres et sensibles et, à la différence des couleurs à l'huile, s'inscrivent dans un registre étendu. La plupart des couleurs, utilisées de manière non picturale, font partie intégrante des œuvres en trois dimensions. La couleur n'est jamais sans importance, comme c'est habituellement le cas en sculpture.

Les tableaux en forme *(shaped paintings)* de Stella comportent plusieurs caractéristiques importantes des œuvres en trois dimensions. Le pourtour de la pièce et les lignes tracées à l'intérieur se correspondent. Nulle part les bandes n'ont tendance à être des parties distinctes. La surface est plus en avant du mur que d'habitude, bien qu'elle demeure parallèle à lui. Comme la surface est tout particulièrement unifiée, et suggère très peu d'espace ou pas du tout, le parallélisme du plan (du tableau par rapport au mur) se distingue de manière inhabituelle. L'ordre n'est pas rationaliste et fondamental. C'est simplement un ordre, comme celui de la continuité, une chose venant après une autre. Une peinture n'est pas une image. Les formes, l'unité, la projection du tableau en avant du mur, l'ordre et la couleur sont spécifiques, agressifs, et forts.

La peinture et la sculpture sont devenues des formes établies. Une grande partie de leur signification n'est pas crédible. L'emploi des trois dimensions n'est pas l'emploi d'une forme donnée. Il n'y a pas eu encore assez d'œuvres réalisées ni de temps écoulé pour qu'on puisse en apercevoir les limites. Jusqu'à présent les trois dimensions, dans leur acception la plus large, sont surtout un espace dans lequel on peut évoluer.

Les caractéristiques des œuvres en trois dimensions sont seulement celles d'un petit nombre d'œuvres, peu nombreuses par rapport à la peinture et à la sculpture. Quelques-uns de leurs aspects les plus généraux peuvent persister, comme par exemple le fait que les œuvres sont comme des objets et sont spécifiques mais d'autres caractéristiques sont destinées à se développer. Leurs possibilités sont si vastes que les œuvres en trois dimensions se diviseront probablement en de nombreuses formes. En tout cas, elles seront plus diversifiées que la peinture et beaucoup plus que la sculpture qui, par rapport à la peinture, est bien particularisée, beaucoup plus proche de ce qu'on appelle habituellement une forme, et qui a un certain type de forme. Du fait que la nature des œuvres en trois dimensions n'est pas fixée, donnée à l'avance, on peut faire quelque chose de crédible, presque n'importe quoi. Bien sûr on peut réaliser quelque chose à l'intérieur d'une forme donnée, telle que la peinture, mais dans un registre étroit et avec moins de force et de variété. Comme la sculpture n'est pas une forme aussi générale, elle ne peut probablement être que ce qu'elle est maintenant. Ce qui signifie que si elle change beaucoup, cela deviendra quelque chose d'autre; aussi la sculpture est terminée.

Les trois dimensions sont l'espace réel. Cela élimine le problème de l'illusionnisme[7] et de l'espace littéral, l'espace dans les marques et les couleurs (et autour d'elles), ce qui est une élimination de l'un des vestiges les plus frappants et les plus contestables de l'art européen. Les nombreuses limitations de la peinture n'existent plus. Une œuvre peut être aussi forte dans sa réalisation qu'elle a pu l'être en pensée. Un espace réel est fondamentalement plus fort et plus spécifique que de la peinture sur une surface plane. A l'évidence, tout objet en trois dimensions peut prendre n'importe quelle forme, régulière ou irrégulière, et peut avoir toutes sortes de relations avec le mur, le sol, le plafond, la pièce, les pièces ou l'extérieur ou n'en avoir pas. N'importe quel matériau peut être utilisé, tel quel ou peint.

Il suffit qu'une œuvre soit intéressante. La plupart des œuvres n'ont en définitive qu'une seule qualité. Dans l'art antérieur, la complexité était exhibée et constituait la qualité. Dans la peinture récente, la complexité se situait dans le format et dans les quelques formes principales qui avaient été créées en fonction de problèmes et d'intérêts divers. Un tableau de Newman n'est finalement pas plus simple qu'un tableau de Cézanne. Dans les œuvres en trois dimensions, l'ensemble est réalisé en fonction d'intentions complexes et celles-ci ne sont pas dispersées, mais sont affirmés par une seule forme. Il n'est pas nécessaire qu'il y ait dans une œuvre des tas de choses à regarder, comparer, analyser une à une, à contempler. La chose prise comme un tout, sa qualité prise comme un tout, voilà ce qui est intéressant. Les choses essentielles sont isolées et sont plus intenses, plus claires, et plus fortes. Elles ne sont pas édulcorées par un format traditionnel, les variations d'une forme, des contrastes modérés, des parties et des zones reliées les unes aux autres. L'art européen avait à représenter un espace et son contenu et devait avoir en même temps une unité suffisante et un intérêt esthétique. [...]

Les trois dimensions rendent possible l'emploi de toutes sortes de matériaux et de couleurs. La plupart des œuvres font appel à de nouveaux matériaux, récemment mis au point ou qui n'avaient pas auparavant été employés

en art. On avait jusqu'à présent fort peu tiré parti de toute la gamme des produits industriels. Presque rien n'a été fait à partir des techniques industrielles et, en raison de leur coût, ne le sera probablement pendant un certain temps. L'art pourrait faire l'objet d'une production de masse et des possibilités dont on ne peut disposer autrement, telles que l'emboutissage, pourraient être utilisées. Dan Flavin qui emploie des éclairages fluorescents s'est approprié les résultats de la production industrielle. Les matériaux varient beaucoup et sont simplement des matériaux: formica, aluminium, acier laminé à froid, plexiglas, cuivre rouge ou jaune, etc. Ils sont spécifiques. S'ils sont utilisés directement, ils sont encore plus spécifiques. En outre, ils sont habituellement agressifs. Il y a de l'objectivité dans l'identité inaliénable d'un matériau. Bien entendu les qualités des matériaux: dureté, malléabilité, épaisseurs de 1/32, 1/16, 1/8 de pouce, pliabilité, satiné, translucidité, inertie ont également des usages non objectifs. Le vinyle des objets mous d'Oldenburg paraît toujours pareil, satiné, flasque et légèrement désagréable et de ce fait objectif. Mais il est pliable, peut être cousu et empli d'air ou de kapok, suspendu ou posé, affaissé ou croulant. La plupart des nouveaux matériaux ne sont pas aussi accessibles qu'une huile sur toile et il est difficile de les associer les uns aux autres. Ils ne s'identifient pas d'emblée à l'art. Il y a un lien étroit entre la forme d'une œuvre et les matériaux employés. Dans les œuvres antérieures, la structure et l'imagerie étaient exécutées dans un matériau neutre et homogène. Du fait que peu de choses sont informes, il peut y avoir des difficultés à combiner des couleurs et des surfaces différentes et à relier les parties, tout en évitant d'affaiblir l'unité du tout.

Les œuvres en trois dimensions ne comportent pas l'habituelle imagerie anthropomorphique. S'il y a une référence de cet ordre, elle est *simple* et explicite. En tout cas, les préoccupations essentielles sont claires. Chaque relief de Bontecou est une image. L'image, la totalité des parties et la forme tout entière sont coextensives. Les parties font soit partie du creux, soit partie du relief qui détermine le creux. Le creux et le relief sont deux choses qui, après tout, n'en font qu'une seule. Parties et divisions sont radiales ou bien concentriques par rapport au creux, y conduisant ou en faisant sortir, et le délimitant. Les parties radiales et concentriques se rencontrent à peu près à angle droit et en détail sont une structure au sens traditionnel, mais collectivement elles sont subordonnées à la forme *simple*. La plupart des nouvelles œuvres n'ont pas de structure au sens habituel, notamment celles d'Oldenburg et de Stella. Les œuvres de Chamberlain comportent une composition. La nature d'une image *simple* de Bontecou n'est pas très différente de celle des images que l'on rencontrait, dans une faible mesure, dans la peinture semi-abstraite. L'image est essentiellement une seule émotion; en elle-même, elle ne ressemblerait guère à la vieille

7 «J'utilise l'espace réel parce que, quand je faisais de la peinture, je ne voyais pas d'autre moyen d'échapper à une certaine dose d'illusionnisme dans la peinture.» Interview de John Coplans dans le catalogue *Judd,* de l'exposition du Pasadena Art Museum (mai-juillet 1971), p. 10.

imagerie, si n'y étaient ajoutées des références internes et externes, notamment à la violence et à la guerre. Les ajouts sont quelque peu picturaux, mais l'image est pour l'essentiel neuve et surprenante; jamais auparavant une image n'a été l'œuvre tout entière, n'a été si grande, ni si explicite et agressive. L'œuvre a un caractère intense, étroit, obsessionnel. Le bateau et le mobilier que Kusama couvrit de protubérances blanches, associent intensité et obsessivité. Ce sont aussi d'étranges objets. Kusama s'intéresse aux répétitions obsessionnelles, ce qui est un sujet *simple.* Les peintures bleues d'Yves Klein sont aussi étroites et intenses.

Dans une peinture, arbres, personnages, nourriture ou mobilier ont une forme ou renferment des formes qui sont émotives. Oldenburg a poussé cet anthropomorphisme à sa limite extrême et identifié la forme émotive, qui avec lui est primaire et biopsychologique, à la forme même de l'objet. A force de vulgarité criarde, il a subverti la sensation de la présence naturelle de qualités humaines en toutes choses. En outre, Oldenburg évite les arbres et les êtres humains. Tous les objets d'Oldenburg à caractère grossièrement anthropomorphique sont des objets fabriqués par l'homme, ce qui est directement un fait empirique. Un homme ou plusieurs ont fabriqué ces choses, en exprimant leurs préférences. Pratique comme peut l'être un cornet de glaces, toute une quantité de gens le choisirent et un nombre de gens encore plus grand acceptèrent son apparence et son existence. Cet intérêt se manifeste davantage dans les équipements domestiques et ameublements récents et notamment dans la *Chambre à coucher,* où le choix est flagrant. Oldenburg exagère la forme acceptée ou choisie, et la transforme en quelque chose de bien à lui. Rien de ce qu'il crée n'est parfaitement objectif, purement pratique ou simplement présent. Oldenburg se passe très bien de ce qu'on appelle ordinairement une structure. La boule et le cône du grand icecream suffisent. L'ensemble constitue une forme au plein sens du terme, comme on en rencontre parfois dans l'art primitif. Trois couches épaisses et une petite par-dessus suffisent. Telle est également la prise électrique molle accrochée en deux points. Une forme simple et une ou deux couleurs sont considérées comme des «moins» d'après les vieilles normes. Si on compare les changements en art à ce qui précède, on trouve toujours qu'il y a eu réduction, parce que seules y sont prises en compte les caractéristiques anciennes et qu'elles sont toujours en moins grand nombre. Mais à l'évidence, ces choses nouvelles, telles que les techniques et les matériaux d'Oldenburg, sont des *plus.* Oldenburg a besoin de travailler en trois dimensions pour simuler et agrandir un objet réel et pour créer une équivalence entre celui-ci et une forme émotive. Si un hamburger était peint sur un tableau, il garderait un peu de l'anthropomorphisme traditionnel. George Brecht et Robert Morris emploient des objets réels et s'appuient sur la connaissance qu'a l'observateur de ces objets.

(Texte publié pour la première fois dans l'*Arts Yearbook* 8, 1965. Traduction française de Claude Gintz reprise de *Regards sur l'art américain des années soixante, anthologie critique,* Paris, éd. Territoires, 1979.)

Germano Celant

Arte povera

1967

A l'automne 1967, lors de l'exposition «Arte povera e IM spazio» qu'il organisa à Gênes, le critique d'art italien Germano Celant regroupa dans la section baptisée Arte povera *les œuvres de Boetti, Pascali, Fabro, Prini, Kounellis et Paolini[1]. Pour la présentation de cette section, il écrivit le texte intitulé «Arte povera» dont nous donnons ici la traduction française, considérant qu'il constitue l'acte de naissance officiel de ce courant artistique européen des années soixante-dix.*

Celant y explicite, en se référant aux hypothèses de travail de Grotowski[2], le contenu de ce terme qu'il vient de forger pour désigner une «praxis artistique et existentielle dont le procédé linguistique consiste à enlever, à supprimer, à réduire au minimum, à appauvrir les signes, les réduisant à leurs archétypes». Ce texte fut suivi un mois plus tard par un nouvel article de Celant, paru dans la revue Flash Art, *«Arte povera. Appunti para una guerilla»[3], dans lequel il utilisait pour la deuxième fois le terme «Arte povera» en mettant désormais l'accent sur la portée politiquement révolutionnaire de cette nouvelle forme d'art.*

Moins de trois mois après, en février 1968, à l'occasion d'une exposition réunissant à Bologne la plupart des artistes cités précédemment ainsi que Zorio, Pistoletto, Piacentini et Mario Merz, un débat s'établit entre critiques autour de la notion d'art pauvre. Poursuivie tout au long de l'année, cette discussion ne prit fin qu'en septembre avec l'intervention de Celant en faveur du passage de l'art à l'action pauvre. Cette orientation fut confirmée par la teneur de l'exposition d'Amalfi du 4 au 6 octobre 1968, dans laquelle les «actions» de Boetti, Dibbets, Long, van Elk et Pistoletto occupaient la première place.

N.R.C.

1 *Cf.* page 214 *sq.*
2 Jerzy Grotowski, metteur en scène polonais, né en 1933.
3 Milan, novembre-décembre, 1967. Traduction française parue dans *Identité italienne, l'art en Italie depuis 1959,* Paris, Centre G. Pompidou, 1981, pp. 218-221.

Rien ne se passe sur l'écran; un homme dort pendant 12 heures; rien ne se passe sur la toile, si ce n'est la toile elle-même ou le cadre; la mer, c'est de l'eau bleue; une glace fond et les cerises confites qui tombent font un bruit assourdissant; le feu est une flamme de gaz allumé; un drame est fait de gestes et de mouvements mimiques; un plancher est revêtu de carreaux qu'il faut constamment astiquer; des tuyaux en Eternit superposés formant une pile; la chambre est et résonne des quatre coins.

Voici la description d'un film de Warhol, d'une toile ou d'un tableau de Paolini, d'une sculpture de Pascali, d'un film d'Andersen, d'une fleur de feu de Kounellis, d'un texte théâtral de Grotowski ou de Ricci, d'un environnement spatial de Fabro, d'une sculpture de Boetti, d'un «périmètre d'air» de Prini.

Que se passe-t-il? La banalité est élevée au rang de l'art. L'insignifiant commence à exister, il s'impose même. La présence physique, le comportement, tels qu'ils sont et qu'ils existent, sont artistiques. Les sources instrumentales des langages sont soumises à une nouvelle analyse philologique: elles renaissent et font revivre un nouvel humanisme.

Le cinéma, le théâtre et les arts plastiques deviennent une antisimulation: ils visent à enregistrer de façon univoque la réalité et le présent, à écraser par la simple présence toute scolastique conceptuelle. Ils renoncent volontairement aux complications rhétoriques, aux conventions sémantiques, ils ne visent qu'à constater et enregistrer l'univocité du réel, pas son ambiguïté. Ils éliminent de la recherche tout ce qui peut ressembler à la réflexion et à la représentation mimique, à l'habitude linguistique, pour aboutir à un genre d'art que l'on pourrait qualifier de pauvre en employant un terme tiré des textes de théâtre de Grotowski.

Le cinéma (*Sleep* et *Empire* de Warhol ou bien *Melting* de Tom Andersen) est réduit à son expression la plus simple: une seule image en mouvement. Il redevient «cinéma» et ne se fait pas «film»; il reproduit l'action et le présent mais sans aucun montage, aucun rapprochement intellectuel et subjectif, il ne rend pas l'action historique. Au point de vue philosophique, le cinéma fait revivre Muybridge, Dickson, Lumière; il refuse la création et utilise le langage de l'action.

Tout cela est vrai aussi pour le théâtre. Il élimine la superstructure écrite et récitée ou bien la réduit à une voix hors champ (*Sacrificio edilizio* de Ricci), détruit le langage artificiel et retourne aux origines, aux situations élémentaires. Il réalise le silence phonique. Le geste et la mimique revivent, le langage des gestes remplace le texte; les situations humaines élémentaires deviennent des signes. Une vraie sémiologie basée sur le langage de l'action devient donc nécessaire (Pasolini). Le corps est exalté, il devient une sorte d'autel rituel comme dans les représentations du Living Theatre, l'écriture dramatique s'exprime dans les gestes empruntés à la vie.

Le processus linguistique consiste maintenant à éliminer, supprimer, appauvrir les signes, pour les réduire à des archétypes. C'est une période de régression de la culture; les conventions iconographiques sont supprimées ainsi que les langages symboliques et traditionnels.

Dans l'art, la réalité visuelle et plastique est donc vue telle qu'elle est; elle se réduit à ses accessoires et découvre ses artifices linguistiques. La «complicatio» visuelle, non directement liée à l'essence de l'objet, est rejetée; le langage est désaliéné et réduit à un simple élément visuel, libéré de toute superstructure historique et symbolique. Le caractère empirique et non spéculatif de la recherche est exalté ainsi que la donnée réelle, la présence physique d'un objet, le comportement d'un sujet. Et voilà la peinture de la peinture de Paolini, son identification de l'image-instrument, la superposition de l'image à l'idée, son analyse du langage visuel-verbal. Enfin, la prise de pouvoir de la toile, de la couleur, de l'espace (qui est devenu l'espace du monde) qui réapparaissent comme les paradigmes primitifs, indispensables à toute opération visuelle. L'insignifiant visuel, le langage des éléments non symboliques, attaque le spectateur, qu'il soit connaisseur ou non, et se crée ainsi l'horreur pour la réalité culturelle.

Horreur qui devient terreur chez Boetti, Fabro, Kounellis, Prini et Pascali. Le mode de la définition se réduit aux modes d'être et d'agir: présence physique (ou de la matière) et comportement. Les gestes de Boetti ne sont plus une accumulation, un assemblage, un amas de signes; ils sont plutôt les signes de l'accumulation, de l'assemblage, de l'amas. Ils représentent l'appréhension immédiate de tout archétype gestuel, de «toute invention» de comportement. Et voilà les «figures»: l'amas comme amas, la coupe comme coupe, le tas comme tas; des équations mathématiques de réel = action. Une gestuelle univoque qui entraîne «tous les processus possibles de formation et d'organisation», libérés de toute contingence historique ou matérielle.

La constatation de la matière triomphe chez Pascali et Kounellis. La présence physique se modèle et se met en évidence. Les cubes de terre et la mer de Pascali sont faits de terre et d'eau: ce sont des synecdoques naturelles d'un monde naturel. C'est là la nature quotidienne démasquée, violée dans son tabou de banalité, dépouillée et analysée elle aussi en tant que paradigme linguistique. Chez Kounellis, par exemple, le feu de sa fleur devient charbon. C'est le matériau, ou mieux, son utilisation qui détermine le mode d'être. Est-ce le feu l'«autre» signification du charbon, ou bien est-ce le charbon l'«autre» signification du feu? Les deux, bien sûr! Il suffit d'allumer ou d'éteindre: voilà les deux moments d'une connaissance concrète qui lutte contre toute conceptualisation (le feu de l'autel, le feu follet, le feu purificateur, le feu destructeur, ou bien le charbon qui symbolise le grand retour à l'activité, l'avènement de l'ère industrielle) pour mettre en évidence la présence pure et l'existence objective d'une flamme et d'un tas de charbon.

Mais ce n'est pas tout. Comme si cela ne suffisait pas à bouleverser notre perception «cultivée» et délicate, voilà les chocs, abstraits et pourtant bien réels, de Fabro et Prini. Le spectateur apocalyptique célèbre ses rites pour le destin du monde. Fabro, c'est l'*être* comme objet thématique, c'est un art pauvre, qui réduit notre fausse connaissance du réel, c'est un retour à l'«homme réel» qui agit dans un espace quotidien, tel que la chambre. Et voici donc le plancher, le cube, la planche: des tautologies d'un mode d'être avec et dans l'espace, des «répétitions» plastiques d'événements réels et évidents. Les élaborations particulières de Fabro se rapprochent des élaborations totales de Prini. Chez lui, l'espace peut et doit naître partout et soudain; il devient la scène et, en même temps, le parterre. L'attention est concentrée sur le rythme optique-acoustique. L'image et l'élément sonore agissent parallèlement à l'élaboration spatiale. L'attention se tourne vers l'ensemble spatial. La victime destinée au sacrifice est le spectateur n'ayant que la vue et l'ouïe. Et le toucher? La corporalité de la matière et des gestes, toujours réelle et tangible chez les autres, dépend de ce qui la contient. Nous sommes arrivés ainsi à la constatation de ce qu'est l'art pauvre.

(Texte publié pour la première fois dans le catalogue de l'exposition *Arte povera e IM Spazio*, Gênes, galerie La Bertesca, septembre 1967. Traduction française de Jean Georges d'Hoste et Fabio Palmir; reprise du catalogue de l'exposition *Identité italienne, l'art en Italie depuis 1959*, sous la direction de Germano Celant, Paris, Centre Georges Pompidou, 1981.)

Biographie des artistes

Andre
Carl

1935

	Né le 16 septembre 1935 à Quincy près de Boston (Massachusetts), où il passe son enfance.
1951-1953	Suit les cours de la Phillips Academy à Andover, où il rencontre Hollis Frampton, Michael Chapman et Frank Stella. Il étudie l'art avec Patrick Morgan.
1954	Après un bref passage au Kenyon College de Gambier (Ohio), il se rend en France et en Angleterre où il visite les sites mégalithiques dans le sud.
1955-1956	De retour aux États-Unis, fait son service militaire en Caroline du Nord.
1957	S'installe à New York et travaille comme assistant d'un éditeur. Renoue avec Frampton et Stella. Commence à réaliser des sculptures en bois influencées par Brancusi et par les *black paintings* de Stella dont il partage quelque temps l'atelier.
1958-1960	Sa sculpture prend une orientation nouvelle: il procède par construction et obtient des formes par des opérations simples et systématiques. Réalise à ce moment-là *Pyramid,* assemblage de modules en bois de mêmes dimensions, et la série *Element.*
1960-1964	Pour vivre, prend un emploi de garde-frein aux chemins de fer de Pennsylvanie: il réduit considérablement son activité artistique et la plupart de ses sculptures sont perdues ou détruites. Mais il en retient l'importance de l'horizontalité qu'il cherchera dès 1965-1966 à substituer à la verticalité.
1964	E.G. Goosen lui demande de refaire *Pyramid* pour l'exposition «Eight Young Artists» au Hudson River Museum, Yonkers (État de New York).
1965	H. Geldzahler l'invite à participer à l'exposition «Shape and Structure» à la Tibor de Nagy Gallery, New York, avec Robert Morris, Donald Judd, Larry Bell, Larry Zox. Exposition personnelle dans la même galerie quelques mois plus tard.
1966	Participe à l'exposition minimaliste «Primary Structures» au Jewish Museum de New York avec Flavin, Sol LeWitt et Donald Judd, où il expose des œuvres à structure horizontale qu'il présente aussi à son exposition personnelle à la Tibor de Nagy Gallery la même année. Dès lors, expose régulièrement dans les galeries.
1968	Le Städtisches Museum de Mönchengladbach présente sa première exposition personnelle dans un musée.
	Au début des années soixante-dix, il recrée ses œuvres détruites dans les années soixante.
1970-1978	Rétrospectives au Guggenheim Museum de New York (1970), à la Kunsthalle de Berne (1975) et la Whitechapel Art Gallery de Londres (1978).
1977-1985	Participe à la Biennale de Sao Paulo, à «Paris-New York» à Paris, Centre Pompidou (1977), à la Biennale de Venise (1978), à «Westkunst» à Cologne (1981), «60'80» au Stedelijk Museum d'Amsterdam et à la Documenta de Kassel (1982), à «Skulptur im 20. Jahrhundert» à Bâle (1984), à «Art minimal I» à Bordeaux (1985). Figure à «Contrasts of Form» au MoMA de New York et à «Transformations in Sculpture» au Guggenheim Museum de New York.

Vit et travaille à New York.

Bibliographie
Carl Andre et Hollis Frampton, *12 Dialogues, 1962-1963,* présenté par Benjamin H.D. Buchloch, Halifax, The Press of Nova Scotia College of Art and Design, et New York, New York University Press, 1980.
New York, Guggenheim Museum, *Carl Andre,* par Diane Waldman, 1970.
Berne, Kunsthalle, *Carl Andre, Skulptur 1958-1974,* 24 avril-8 juin 1975.
Bordeaux, Capc, *Art minimal I,* sous la direction de J.L. Froment, 2 fév.-21 avril 1985.

Anselmo
Giovanni

1934

	Né à Borgofranco d'Ivrea (Italie) le 5 août 1934.
1960-1965	Période de recherche d'une expression artistique qui lui convienne.
1965-1966	L'expérience privilégiée d'un lever de soleil sur le Stromboli lui découvre la dimension de l'infini et oriente ses réflexions vers la métaphysique (espace, durée, réalité et perception).
1966-1967	Rencontre Sperone qui le fait participer à une exposition de groupe dans sa galerie à Turin. Par lui, il rencontre Pistoletto, Gilardi, Piacento, Zorio, puis Merz quand commencent les expositions d'Arte povera organisées par Germano Celant.
1967-1969	Ses travaux sont axés sur les phénomènes de l'énergie, de la tension, de la torsion, de la précarité, sur la dynamique de situations réelles et vitales. En 1968, première exposition personnelle à Turin chez Sperone qui l'exposera régulièrement jusqu'en 1980. Commence la série des *Directions* en 1967: insertion dans une masse (bois, tissu et le plus souvent pierre) d'une boussole orientée vers le nord. Première exposition à Paris, galerie Sonnabend (1969). Participe à «Quand les attitudes deviennent forme» à la Kunsthalle de Berne (1969).
1970	Expose Galleria Toselli à Milan une pierre attachée par un câble à un mur. A partir de cette époque, ses travaux portent aussi sur le temps et la durée, sur l'infini, puis sur l'invisible, le tout et le détail.
1971	Commence à graver sur du papier des mots tels que *infinito, invisibile, tutto, particolare.* L'exposition chez Speroni à Turin est constituée par une série de projections de ces gravures.
1972-1973	Premières expositions à New York chez John Weber, et en 1973 à Bruxelles, galerie MTL. Le Kunstmuseum de Lucerne lui consacre une exposition en 1973.
A partir de 1974	nombreuses expositions dans les galeries en Italie. La Galeria Sperone e Fisher à Rome organise une exposition qui sera reprise à New York, à Varsovie et dans plusieurs galeries italiennes.
1979-1980	Expositions à Bâle (Kunsthalle, 1979), à Eindhoven (Van Abbemuseum, 1980) et à Grenoble (Musée de peinture et de sculpture, 1980).
1984	Exposition «Anselmo, Long, Kirkeby» au Castello di Rivoli de Turin.
1985	Exposition à l'ARC/Musée d'art moderne de la Ville de Paris. A participé à de nombreuses expositions de groupe depuis 1970 (notamment celles consacrées à l'Arte povera), entre autres: IIIe Biennale de jeune peinture de Bologne (1970), Documenta de Kassel (1972), Biennale de Venise (1980), «Identité italienne» à Paris (1981), «Coerenza in coerenza» à Turin et «Skulptur im 20. Jahrhundert» à Bâle (1984), «Dal arte povera a 1985» à Madrid et «The Knot Arte Povera at P.S.1» à New York (1985).

Vit et travaille à Turin.

Bibliographie
Bordeaux, Capc, *Arte povera, antiform - sculptures 1966-1969,* 12 mars-30 avril 1982.
Grenoble, Musée, *Giovanni Anselmo,* 2 juil.-6 oct. 1980.
Paris, Centre Georges Pompidou, *Identité italienne,* sous la direction de G. Celant, juin-25 sept. 1981.
Paris, ARC/Musée d'art moderne de la Ville de Paris, *Giovanni Anselmo,* 27 juin-22 sept. 1985.

Archipenko
Alexander

1887-1964

Né à Kiev le 30 mai 1887, il entre en 1902 à l'École des beaux-arts de Kiev pour y étudier la peinture et la sculpture. Il rejette vite un enseignement dont l'académisme l'exaspère.

1906	Court séjour à Moscou où il travaille et participe à plusieurs expositions.
1908	S'installe à Paris. Préfère fréquenter le Louvre plutôt que l'École des beaux-arts. Prend un atelier à Montparnasse où Modigliani et Gaudier-Brzeska étudient la sculpture avec lui.
1910	Ouvre sa propre école d'art à Paris. Expose au Salon des Indépendants, puis en 1911 au Salon d'automne.
1912-1913	Réalise ses premières constructions à trois dimensions en divers matériaux peints (bois, verre, fil métallique). Crée les reliefs qu'il appelle «sculpto-peintures» et des sculptures composées de formes concaves abstraites. Participe à la Section d'or jusqu'en 1914. Premières expositions personnelles à Hagen et à Berlin. Participe aux expositions de l'Armory Show à New York et de la galerie Der Sturm à Berlin.
1915-1918	Séjourne à Nice.
1919-1920	Accompagne ses œuvres dans une grande tournée d'expositions à travers l'Europe; est très largement représenté à la Biennale de Venise de 1920.
1921	Première exposition aux États-Unis à la Société Anonyme, New York.
1921-1923	Vit à Berlin où il ouvre une école d'art. Continue à voyager en Europe.
1923-1924	Part à New York où il ouvre une école d'art. Invente en 1924 un système d'image variable connu sous le nom de *Peinture changeante* ou *Archipentura*. Commence à exposer à travers les États-Unis.

A partir de 1924, intense activité d'enseignement: outre les écoles d'art ouvertes à Woodstock (1924) et à Los Angeles (1935), il dispense enseignements et conférences à New York, à Washington, en Californie et à Chicago où il participe au New Bauhaus fondé par Moholy-Nagy (1937-1939).

1928	Devient citoyen américain.
1939	Retourne à New York et y ouvre de nouveau son école de sculpture.
1948-1960	Des expositions lui sont consacrées à l'Associated American Artists Gallery de New York (1948 et 1954), au Musée d'art moderne de Sao Paulo (1952), à travers l'Allemagne (1955-1956) et à la Perls Gallery de New York (1957).
1960	Publie *Archipenko: Fifty Creative Years 1908-1958.*
1960-1963	Rétrospectives à Rome, Milan, Munich.
1964	Meurt à New York le 25 février.

Bibliographie

Alexander Archipenko, *Archipenko: Fifty Creative Years 1908-1958,* New York, Tekhne, 1960.

Donald H. Karshan, *Archipenko. The Early Works 1910-1921,* Tel-Aviv Museum, 1981.

Donald H. Karshan, *Archipenko: Catalogue raisonné,* Tübingen, Ernst Wasmuth, 1974.

Irina Subotić, *Une nouvelle acquisition du Musée national de Belgrade - «Deux femmes» d'Alexander Archipenko,* Belgrade, 1982.

Paris, musée Rodin, *Archipenko, visionnaire international,* texte de D.H. Karshan, 1969.

Sarrebruck, Saarland-Museum, *Alexander Archipenko,* août-oct. 1986.

Washington, National Gallery, *Alexander Archipenko,* automne 1986.

Arman

1928

Armand Fernandez est né le 17 novembre 1928 à Nice.

1940-1946	Entre au lycée de Nice, obtient son baccalauréat en 1946 et s'inscrit à l'École des arts décoratifs de Nice où il suivra des cours jusqu'en 1949.
1947	Rencontre Yves Klein et Claude Pascal.
1949	S'inscrit à Paris à l'école du Louvre qu'il quitte en 1951 pour devenir professeur à l'école de judo Bushido-Kai.
1952	Effectue son service militaire en Indochine.
1953-1955	Commence à s'intéresser à la peinture abstraite. Participe avec Klein à une série d'actions et de happenings. Découvre en 1954 Kurt Schwitters lors d'une exposition à Paris et exécute en 1955 ses premiers *Cachets* qui attirent très vite l'attention de Pierre Restany.
1956	Première exposition personnelle à Paris, galerie du Haut-Pavé. Commence à signer «Arman».
1957	Entreprend un long voyage en Extrême-Orient.
1959	Après les *Allures* en 1958, début des *Accumulations* et des *Poubelles.*
1960	Devient, sous les auspices de Pierre Restany, l'un des membres fondateurs du groupe des Nouveaux Réalistes. Exposition «Le Plein» à la galerie Iris Clert, Paris, contrepoint de l'exposition du vide de Klein. Dès lors, très nombreuses expositions dans les galeries en Europe et aux États-Unis où la première a lieu à New York chez Cordier-Warren en 1961.
1961	Premières *Coupes* et *Colères.*
1963	Début des *Combustions.* Acquiert une résidence à New York: partage son temps entre Nice, Vence, Paris et New York.
1964	Premières expositions de musée au Walker Art Center à Minneapolis et au Stedelijk Museum d'Amsterdam. Le polyester, qu'il utilise comme colle depuis 1961, prend une importance accrue avec ses *Inclusions.*
1966	Rétrospective au Palais des beaux-arts de Bruxelles.
1967	Expose dans le pavillon français à l'«Expo 67» de Montréal. Début d'une collaboration art-industrie avec Renault: une exposition itinérante présentera ces œuvres dans les musées européens en 1969.
1968	Participe à la Biennale de Venise et à la Documenta de Kassel.
1970	Se met à travailler le béton pour des accumulations monumentales extérieures. Est représenté à l'Exposition universelle d'Osaka.
1971	Réalise les *Poubelles organiques.*
1972	Acquiert la nationalité américaine (seconde nationalité).
1975	Exposition «Objets armés» au Musée d'art moderne de la Ville de Paris. Commence à pratiquer les arts martiaux.
1976	Construit un environnement pour le 39e Biennale de Venise.
1982-1983	Rétrospective «La parade des objets» à Hanovre, Darmstadt, Tel-Aviv, Tübingen et Antibes.
1984-1985	Commande par le ministère de la Culture de deux sculptures monumentales inaugurées en 1985 à la gare Saint-Lazare.
1986	Participe à l'exposition «1960 : les nouveaux Réalistes» au Musée d'art moderne de la Ville de Paris.

Vit à New York, Vence et Paris.

Bibliographie

Otto Hahn, *Arman,* Paris, Fernand Hazan («Ateliers d'aujourd'hui»), 1972.

Henry Martin, *Arman,* New York, Harry Abrams Inc., 1973.

Paris, Musée d'art moderne de la Ville de Paris, *Arman, objets armés 1971-1974,* 29 janv.-30 mars 1975.

Hanovre, Kunstmuseum mit Sammlung Sprengel, et Antibes, musée Picasso, *Arman,* 1982 et 1983.

Arp

Jean (ou Hans)

1886-1966

Né le 16 septembre 1886 à Strasbourg, où il entre en 1902 à l'École des arts et métiers.

1905-1908	Élève de l'Académie des beaux-arts de Weimar puis de l'académie Julian à Paris.
1910-1911	Part pour Weggis (Suisse) et participe en 1911 à la fondation du Moderner Bund.
1912-1913	Séjourne à Paris puis à Munich où il rencontre Kandinsky et les artistes du Blaue Reiter. Il participe à leur seconde exposition. En 1913, séjour à Berlin où Herwarth Walden lui confie pour quelques mois la direction de la galerie Der Sturm. Collabore à la revue *Der Sturm*.
1914-1915	Rencontre Max Ernst à l'exposition du Werkbund à Cologne. De retour à Paris, il fréquente Apollinaire et Picasso, puis en 1915 s'établit à Zurich où il réalise ses premiers collages et rencontre Sophie Taeuber (qu'il épousera en 1922).
1916-1917	Participe avec Tzara à la fondation du cabaret Voltaire et aux diverses manifestations dada à Zurich, notamment la création de la galerie Dada.
1920	Prend part au mouvement dadaïste de Cologne avec Max Ernst et Baargeld puis à celui de Berlin avec Schwitters et Grosz. Parallèlement à ses activités artistiques, mènera jusqu'à la fin de sa vie une activité de poète.
1924	Collabore aux revues de Schwitters (*Merz*), H. Walden (*Der Sturm*), Theo van Doesburg (*Mecano, De Stijl*), Hans Richter (*G*). Publie un livre de poèmes, *Der Pyramidenrock*.
1925	Participe à la première exposition surréaliste à Paris, galerie Pierre, et aux autres activités du groupe jusqu'en 1930.
1926	S'installe à Meudon.
1926-1928	Aménagement de l'Aubette à Strasbourg avec Sophie Taeuber-Arp et Theo van Doesburg. Collabore à *La Révolution surréaliste*.
1930-1934	Premières sculptures en ronde-bosse, pour la plupart en plâtre. Inaugure en 1933 le cycle des *Concrétions humaines*. Membre du groupe Abstraction-Création de 1931 à 1934, il participe à la revue *Transition*.
1940-1943	A cause de la guerre, les Arp séjournent en Dordogne, puis en Savoie, et s'installent à Grasse en 1941 avec Sonia Delaunay et Alberto Magnelli. Ils retournent en Suisse en 1942 où Sophie Taeuber meurt à Zurich en 1943.
1944	A partir de cette époque, partage son temps entre Meudon et Bâle.
1949	Premier voyage à New York pour son exposition particulière à la Curt Valentin Gallery. Il y retourne l'année suivante.
1954	Grand prix international de sculpture à la Biennale de Venise.
1958-1962	Rétrospectives au Museum of Modern Art de New York (1958) et au Musée national d'art moderne de Paris (1962).
1961	Inaugure le cycle *Roue-Forêt*.
1964	Grand prix de sculpture Nordrhein-Westfalen et prix Carnegie.
1966	Publie *Soleil recerclé* et *Jours effeuillés*. Meurt le 7 juin à Bâle.

Bibliographie

Carola Giedion-Welcker, *Jean Arp* (documentation Marguerite Hagenbach), New York, Abrams, 1957.

Herbert Read, *The Art of Jean Arp*, New York, Abrams, 1968.

Ionel Jianou, *Jean Arp*, Paris, Arted, 1973.

Paris, Mnam, *Arp*, 21 fév.-21 avril 1962.

Los Angeles, U.C.L.A. Art Galleries, *Jean Arp 1886-1966. A Retrospective Exhibition*, 10 nov.-5 déc. 1968.

Stuttgart, Württembergischer Kunstverein, *Hans Arp*, 14 juil.-31 août 1986; exposition présentée à Strasbourg, Paris, puis aux États-Unis.

Balla

Giacomo

1871-1958

Né le 18 juillet 1871 à Turin. De formation autodidacte, il suit en 1891 pendant deux mois des cours à l'académie Albertina de Turin.

1895	S'installe à Rome.
1900-1902	Séjour à Paris de septembre 1900 à mars 1901; s'intéresse de près au divisionnisme. De retour à Rome, peint plusieurs portraits et ses premiers paysages urbains d'inspiration sociale en adoptant la technique divisionniste. Boccioni et Severini suivent des cours dans son atelier en 1901-1902.
1903	Participe à l'Exposition internationale de Venise.
1910	Signe les deux manifestes de la peinture futuriste avec Boccioni, Carrà, Russolo, Severini... Mais il ne commencera à exposer avec le groupe futuriste que trois ans plus tard.
1912	Juillet: invité à Düsseldorf pour décorer la maison du violoniste Löwenstein. Peint les premières compénétrations iridescentes. Participe à l'exposition «Les peintres futuristes italiens» à Paris, galerie Bernheim-Jeune.
1913	Prend part à l'exposition futuriste au foyer du théâtre Costanzi à Rome. Participe avec les autres futuristes italiens à l'exposition d'avant-garde de la galerie Der Sturm à Berlin. Novembre: exposition futuriste à Florence où apparaissent les premières œuvres de Balla sur les thèmes du mouvement, de la vitesse et de la lumière.
1914	Participe aux expositions futuristes de la galerie Sprovieri à Rome et à Naples. Commence à composer des «panneaux motlibristes». Publie *Le Vêtement antineutraliste [Il vestito antineutrale]* manifeste futuriste.
1915	Signe avec Depero le manifeste *Ricostruzione futurista dell'universo*. Conception et réalisation des *Complexes plastiques*, constructions en plusieurs matières. Peint les *Démonstrations interventionnistes*: nouvelle orientation dans sa peinture.
1916	Signe le *Manifeste de la cinématographie futuriste* et participe à la réalisation du film *Vie futuriste*.
1917	Diaghilev le charge de la mise en scène à Rome du *Feu d'artifice* de Stravinski.
1918	Publie le *Manifeste de la couleur*. Exposition personnelle à la Casa d'arte Bragaglia à Rome. Oriente son activité vers les arts appliqués: réalisation d'objets futuristes (meubles, bibelots, fleurs).
1925	Représente avec Depero et Prampolini la section futuriste italienne à l'exposition internationale des Arts décoratifs à Paris.
1929	Signe le *Manifeste de l'aéropeinture* futuriste.
Après 1935,	retourne à la forme figurative et se sépare du mouvement futuriste.
1958	Meurt le 1er mars à Rome.

Bibliographie

Giovanni Lista, *Balla, Catalogo ragionato dell'opere*, Modène, ed. della Galleria Fonte d'Abisso, 1982.

Paris, Musée d'art moderne de la Ville de Paris, *Balla*, 24 mai-2 juil. 1972.

Paris, Mnam, *Le Futurisme 1909-1916*, 19 sept.-19 nov. 1973.

Baranoff-Rossiné

Vladimir

1888-1942

	Né à Kherson (Ukraine) en 1888.
1903-1907	Fait ses études à Odessa puis entre à l'Académie impériale de Saint-Pétersbourg.
1907-1910	Participe aux premières expositions historiques de l'avant-garde russe avec les groupes «Stephanos» à Moscou, «Zvieno» à Kiev (1908), «Viénok-Stephanos» à Saint-Pétersbourg (1909).
1910	Travaille désormais à Paris. Expose au Salon des Indépendants (jusqu'en 1914).
1913-1914	Dès cette époque, s'essaie à la sculpture qu'il expose en 1913-1914 au Salon des Indépendants. Apollinaire voit des similitudes avec les futuristes dans ses recherches sur la lumière, le mouvement, le dynamisme.
1916	Exposition personnelle à Kristiana en Norvège.
1917-1925	Retourne en Russie; devient professeur à l'Académie de Moscou puis en 1918 ouvre un atelier à Petrograd. Participe à plusieurs manifestations d'avant-garde révolutionnaires: expositions du Bureau artistique de Mme Dobytchina à Petrograd en 1917 et 1918, première exposition libre d'État des œuvres d'art au Palais des beaux-arts de Petrograd en 1919.
1922	Participe à la Erste russische Austellung de la galerie Van Diemen à Berlin.
1923	Donne au théâtre Meyerhold puis au Bolchoï à Moscou deux concerts visualo-colorés où il utilise pour la première fois son *Piano optophonique* sur lequel il travaillait depuis 1915. Ce piano associe son et couleur: les touches du clavier commandent les mouvements de disques colorés au travers desquels passe le faisceau de lumière d'un projecteur.
1925	Retour en France: donne un concert sur son piano optophonique au studio des Ursulines à Paris.
1935-1941	Fonde une académie de peinture. Consacre beaucoup de temps à son piano optophonique mais n'en continue pas moins son travail sur la peinture et la sculpture. Expose régulièrement au Salon des Indépendants. Participe à l'Exposition internationale de Paris (1937), aux Réalités nouvelles (1939) et à l'exposition des artistes musicalistes.
1942	Disparaît pendant l'occupation allemande de Paris.

Bibliographie

Baranoff-Rossiné, thèse, université de Paris VIII, 1979-1980 par Pierre Breuillard-Limondin et Marie-José Mausset, sous la direction de Frank Popper.

Paris, galerie Jean Chauvelin, *Vladimir Baranoff-Rossiné* (texte de Jean-Claude et Valentine Marcadé), 6 fév.-6 mars 1970.

Paris, Mnam, *Baranoff-Rossiné* (texte de Michel Hoog), 12 déc. 1972-29 janv. 1973.

Beuys

Joseph

1921-1986

	Né le 12 mai 1921 à Krefeld; sa famille s'installe à Clèves en 1930. Son intérêt pour les sciences naturelles se manifeste très tôt.
1939	Obtient son baccalauréat à la Hindenburg Oberschule de Clèves. Malgré son attirance pour l'art, il s'oriente vers une carrière scientifique et commence des études de médecine qu'il interrompt pour entrer dans la Luftwaffe comme pilote d'attaque.
1946	De retour à Clèves après une guerre particulièrement mouvementée pour lui, encouragé par son ami Hannes Lamers, il se décide à suivre une carrière artistique. De 1946 à 1951, il suit les cours de Joseph Enseling et Ewald Mataré à l'Akademie de Düsseldorf. Adhère à l'association des artistes de Clèves, où il exposera jusqu'en 1955.
1955-1958	Traverse une grave crise artistique et psychologique qui va l'amener à mettre en place son célèbre inventaire de matériaux (feutre, cuivre, bois, soufre, miel, graisse, os, etc.) en 1958-1963. D'abord conçu comme une pure classification, cet inventaire sera mis en «actions» par la suite.
1961	Nommé professeur de sculpture à l'Akademie de Düsseldorf (jusqu'en 1972), il commence aussi à élaborer sa notion de *sculpture sociale*.
1962	Par l'intermédiaire de Nam June Paik et George Maciunas, il rejoint le mouvement «Fluxus». Avec ce groupe, il s'exprimera à travers des interventions collectives (concerts, happenings, events) et pluridisciplinaires (poésie, musique, arts plastiques, danse, etc.).
1963	Organise avec ses étudiants un séminaire «Festum Fluxuorum Fluxus» et lance le concept générique de son travail: Vehicle-art. Principales actions des années soixante: *Le silence de Marcel Duchamp est surestimé* (1963), *Le Chef* réalisé à Copenhague (1963) puis à Berlin (1964), *Comment expliquer un tableau à un lièvre mort* réalisé en 1965 à la galerie Schmela, Düsseldorf, *Eurasia* (1966), *Titus/Iphigénie* (1969). En référence aux sociétés primitives, il s'investit de la dignité de chaman.
1967	Fonde le Parti étudiant allemand à Düsseldorf.
1970	Fondation de l'Organisation des non-électeurs, élection populaire libre à Düsseldorf.
1971	Projet d'une «Académie libre», première conception de l'Université libre (FIU) créée en 1974.
1970-1980	Principales actions: *Coyote: I like America and America likes me* à New York, galerie René Block (1974), *Montre tes blessures* (1976), exposé au Kunstforum de Munich, *Honey Pump [Pompe à miel]* et *Tallow [Chandelle]* (1977).
1976-1978	Participe à la Biennale de Venise (1976), à la Documenta de Kassel (1977) et à la Biennale de Sao Paulo (1978).
1978 } 1979	Soirée Fluxus de la galerie René Block. Rétrospective au Guggenheim Museum de New York. Exposition de dessins à la Nationalgalerie de Berlin et au Museum Boymans de Rotterdam.
1980	Installation de *Das Kapital* à la Biennale de Venise.
1982	*Dernier espace? 1965-1982* à la galerie Durand-Dessert, Paris. Projet de planter 7000 chênes à Kassel en plusieurs temps dont le premier coïncide avec l'ouverture de la Documenta. S'engage activement pour la campagne électorale des «Verts». Pour l'exposition «Zeitgeist» à Berlin, il construit un grand atelier et fait en 1983 de grands moulages en bronze des objets qu'il contient.
1983	Installe pour l'exposition «Gesamtkunstwerk» une sculpture environnement en pierre, *La Fin du XXe siècle*.

Boccioni
Umberto

1882-1916

1983-1985	Rétrospective itinérante de ses dessins en Europe.
1984-1985	Rétrospective au Seibu Museum, Tokyo (1984). *Is it a bicycle* est présenté à la Biennale de Venise en 1984, et en 1985 à Paris, galerie Beaubourg. Il participe à «Von Hier aus» à Düsseldorf (1984) à «German Art in the 20th Century» à Londres et à «Transformations in Sculpture» à New York (1985).
1986	Meurt à Düsseldorf le 23 janvier.

Bibliographie

Caroline Tisdall, *Joseph Beuys*, Londres, Thames and Hudson, 1979, édité pour l'exposition du Guggenheim Museum, New York (2 nov. 1979-2 janv. 1980).

Bernard Lamarche-Vadel, *Joseph Beuys «is it about a bicycle?»*, Paris, Marval, galerie Beaubourg et Vérone, Sarenco-Strazzer, 1985.

G. Adriani, W. Konnertz, K. Themas, *Joseph Beuys*, Cologne, Verlag M. Dumont Schauberg, 1973.

Heiner Bastian, *Joseph Beuys Dessins*, exposition présentée aux: Musée cantonal des beaux-arts, Lausanne (17 nov. 1983-3 janv. 1984), Kunstmuseum, Winterthur (21 janv.-11 mars 1984), Musée des beaux-arts, Calais (avril-mai 1984), musée d'Art et d'Industrie, Saint-Étienne (juin-sept. 1984), Neue Galerie der Stadt Linz (nov.-déc. 1984), musée Cantini, Marseille (jan.-fév. 1985), Sonja Henies og Niels Onstads Stiftelser, Oslo (mars-avril 1985).

	Né le 19 octobre 1882 à Reggio de Calabre.
1897	Études à l'Institut technique de Catane.
1901	Se rend à Rome. Rencontre les peintres Sironi et Severini et travaille avec ce dernier dans l'atelier de Balla: initiation à la technique divisionniste.
1905-1907	Après un séjour à Padoue, expose à la «Mostra dei rifiutati» au Théâtre national de Rome. Il séjourne à Paris début 1906 et voyage en Russie de juillet à décembre, en particulier à Saint-Pétersbourg. Fin 1907, il s'installe à Milan où il rencontre le peintre Previati.
1909-1910	Rencontre Marinetti avec qui il prépare les deux manifestes de la peinture futuriste publiés en 1910. C'est Boccioni qui, par ses écrits, apportera la plus importante contribution théorique au futurisme. Exposition personnelle à la Ca'Pesaro de Venise.
1911	Séjour à Paris où il rencontre Apollinaire et le groupe cubiste. Premières sculptures. Première grande exposition futuriste au pavillon Ricordi de Milan.
1912	Publication du manifeste de la sculpture futuriste. Exposition de peintures futuristes à la galerie Bernheim-Jeune de Paris, qui fait ensuite le tour des principales villes européennes (Londres, Berlin, Bruxelles, La Haye, Amsterdam et Munich) avant d'être présentée à Chicago en 1913. Ses sculptures sont exposées au Salon d'automne de Paris.
1913	Collabore à la revue *Lacerba*. Première exposition de sculptures à la galerie La Boétie, Paris, présentée ensuite à la galerie Sprovieri de Rome, qui deviendra la galerie des futuristes, puis à Rotterdam.
1914	Publie son livre *Pittura-Sculptura futurista* à l'occasion de son exposition de sculptures futuristes à Florence. A partir de cette époque, l'influence du cubisme et de Cézanne détermine un certain retour en arrière.
1915	S'engage avec d'autres futuristes dans le bataillon des volontaires cyclistes. Participation importante à l'exposition de San Francisco «Panama Pacific International Exhibition».
1916	Ouvre une rubrique des arts dans la revue *Gli avvertimenti*. Retour au front. Mort accidentelle à Vérone le 17 août lors d'un exercice militaire. Décembre: rétrospective Boccioni au Palazzo Cova de Milan.

Bibliographie

Guido Balla, *Boccioni: la vita e l'opera*, Milan, Il saggiatore, 1964.

Giovanni Lista, *Futurisme: manifestes, proclamations, documents*, Lausanne, L'Age d'homme, 1973.

Venise, 33e Biennale, *Retrospettiva di Umberto Boccioni*, 1966.

Paris, Mnam, *Le Futurisme 1909-1916*, sept.-nov. 1973.

Milan, Palazzo Reale, *Boccioni e il suo tiempo*, 1973-1974.

Milan, Palazzo Reale, *Boccioni a Milano*, 1982-1983.

Brancusi

Constantin

1876-1957

Né le 19 février 1876 au hameau de Hobitza, près de Pestisani (Roumanie). Il quitte dès 1887 la maison paternelle et part à Tirgu-Jiu.

1895-1902	Entre à l'École d'art de Craiova; en sort lauréat en 1898 et dès septembre part à Bucarest pour entrer à l'École des beaux-arts. Il obtient son diplôme en septembre 1902.
1904-1906	Arrive à Paris après être passé par Munich et Bâle. Il entre à l'École des beaux-arts dans l'atelier d'Antonin Mercié en 1905. Il expose au Salon d'automne en 1906 et rencontre Rodin mais ne veut pas travailler avec lui.
1907-1914	Quitte l'École des beaux-arts en 1907. S'installe à Montparnasse. A partir de 1908, il expose régulièrement à Bucarest et à Paris dans les Salons. Rencontre le monde artistique parisien de cette période d'avant-guerre (Rousseau, Modigliani, Matisse, Léger, Apollinaire, Lipchitz...).
1913	Participe à l'Armory Show de New York.
1914	Première exposition personnelle organisée à New York par Stieglitz, à la Gallery of the Photo-Secession («291»).
1916	S'installe 8 impasse Ronsin jusqu'en 1928, date à laquelle il s'établira définitivement au 11.
1920	Scandale provoqué par la *Princesse X* au Salon des artistes indépendants. Assiste au Festival dada.
1921-1925	La critique internationale s'intéresse à Brancusi: numéros spéciaux de *Little Review* (1921), *Transatlantic Review* (1924), *This Quarter* (1925).
1926	Se rend à New York où il a une exposition personnelle à la Wildenstein Gallery, puis une autre à la Brummer Gallery.
1927	Procès avec la douane américaine qui conteste le caractère artistique de ses sculptures.
1933	Travaille à la maquette du temple de la Méditation commandé par le maharajah d'Indore, qui ne sera jamais exécuté.
1933-1934	Seconde exposition à la Brummer Gallery de New York.
1937-1938	Réalisation d'un ensemble monumental dans les jardins de Tirgu-Jiu (*Table du silence*, *Porte du Baiser* et *Colonne sans fin*). Voyages en Inde, en Égypte.
1955	Grande rétrospective au Guggenheim Museum de New York.
1956	Acquiert la nationalité française.
1957	Meurt le 16 mars dans son atelier à Paris.

Bibliographie

Christian Zervos, *Constantin Brancusi*, Paris, éditions Cahiers d'art, 1957.
Carola Giedon-Welcker, *Constantin Brancusi 1876-1957*, Neuchâtel, éditions du Griffon, 1958.
Ionel Jianou, *Brancusi*, Paris, Arted, 1963.
Sidney Geist, *Brancusi, the Sculpture and Drawings*, New York, Harry N. Abrams, 1975.
Sidney Geist, *Brancusi/The Kiss*, New York, Harper & Row, 1978.
Natalia Dumitresco, Alexandre Istrati et K.G. Pontus-Hulten, *Brancusi*, Paris, Flammarion, 1986.
New York, The Guggenheim Museum, *Constantin Brancusi, a Retrospective Exhibition* (texte de Sidney Geist), 1979.

Calder

Alexander

1898-1976

	Né le 22 juillet 1898 à Lawnton (Philadelphie), fils et petit-fils de sculpteurs
1919	Diplôme d'ingénieur en mécanique de l'Institut de technologie Stevens à Hoboken (New Jersey).
1923-1926	Études à l'Art Students League de New York. Ses premiers dessins sont publiés dans la *National Police Gazette*.
1926	Arrive à Paris où il fréquente l'académie de la Grande-Chaumière. Premières sculptures et jouets en fil de fer et bois. Commence son *Cirque*. Expose au Salon des humoristes.
1927-1928	Séjourne à New York où il a sa première exposition à la Weyhe Gallery. De retour à Paris, rencontre Miró et Pascin.
1929	Première exposition personnelle à la galerie Billiet, Paris.
1930-1931	Rencontre Arp, Kiesler, Léger, Mondrian. Premiers portraits en fil de fer. Premiers dessins et constructions abstraits après la visite de l'atelier de Mondrian. Adhère au groupe Abstraction-Création.
1932	Expose à la galerie Vignon à Paris des sculptures actionnées à la main ou électriquement, que Duchamp appelle «mobiles». Arp donnera plus tard le nom de «stabiles» aux sculptures non destinées au mouvement. Réalise ses premiers mobiles mus uniquement par l'air.
1933	Retourne aux États-Unis. S'établit à Roxbury (Connecticut).
1934-1936	Première exposition à la Pierre Matisse Gallery de New York. Il expose ensuite à Chicago, à l'Arts Club et à la Renaissance Art Society.
1937	Exécute la *Fontaine de Mercure* au pavillon espagnol de l'Exposition universelle à Paris.
1938-1939	Première rétrospective au Smith Art Museum de Springfield (Massachusetts).
1942-1943	Réalise *Red Petals,* important stabile-mobile, pour l'Arts Club de Chicago et commence la série des *Constellations*, mobiles en bois découpé. Rétrospective au Museum of Modern Art de New York.
1946	Exposition à Paris, galerie Louis Carré, des œuvres réalisées les années précédentes aux États-Unis (préface de Jean-Paul Sartre).
1949	Réalise son premier mobile monumental (*International Mobile*) pour le Philadelphia Museum of Arts.
1950	Exposition galerie Maeght à Paris, et au Massachusetts Institute of Technology.
1951	Film sur Calder, *Works of Calder*, de Burgess Meredith, Herbert Matter (photographie) et John Cage (musique).
1952	Prix international de sculpture à la Biennale de Venise.
1953	S'installe à Saché (Indre-et-Loire). Désormais, partage son temps entre Saché et Roxbury.
1955-1956	Rétrospective à la Kunsthalle de Bâle puis aux Perls Galleries de New York.
1957-1958	Mobiles pour l'aéroport Idlewild (actuel Kennedy Airport) de New York puis pour la Foire internationale de Bruxelles et l'UNESCO à Paris. Obtient le prix Carnegie.
1959	Première exposition de stabiles à la galerie Maeght à Paris.
1959-1974	Rétrospective à Amsterdam, Stedelijk Museum, qui se déplace dans les musées allemands (1959) puis à Londres (1962), New York (1964), Paris (1965), Berlin (1967), Saint-Paul-de-Vence (1969), Chicago (1974).
1962	Grand prix de sculpture de Brandeis University.
1963	Un stabile géant est installé à Spolète.
1965	Grands stabiles pour le Massachusetts Institute of Technology, Cambridge, et le Lincoln Art Center, New York.
1974	Stabile monumental *Flamingo* pour la Federal Plaza de Chicago.
1976	Meurt à New York le 11 novembre alors que le Whitney Museum de New York lui consacre une grande rétrospective.

Bibliographie

Alexander Calder, *Autobiographie*, Paris, Maeght, 1972.
New York, The Whitney Museum, *Calder's Universe*, 14 oct. 1976-6 fév. 1977.
Turin, Palazzo a Vela, *Calder, retrospettiva*, juin-sept. 1983.

Caro

Anthony

1924

Né à New Malden, près de Londres, le 8 mars 1924.

1937-1942	Scolarité à la Charterhouse School de Goldaming (Surrey). Pendant ses vacances, s'initie à la sculpture auprès de Charles Wheeler.
1942-1944	S'inscrit au Christ College de Cambridge, où il obtient son diplôme d'ingénieur. Parallèlement, poursuit ses études de sculpture à la Farnham School of Art.
1944-1946	Sert dans l'armée de l'air.
1946-1947	Études de sculpture au Regent Street Polytechnic Institute avec Geoffroy Deeley.
1947-1952	Va ensuite à la Royal Academy School de Londres où Charles Wheeler est un de ses professeurs. Exécute des sculptures traditionnelles.
1951-1953	S'installe à Much Hadham (Hertfordshire). Assistant à temps partiel de Henry Moore.
1953	Rencontre le sculpteur surréaliste Peter King qui l'initie à l'expressionnisme abstrait. Enseigne (jusqu'en 1973) la sculpture à la St. Martin's School of Art de Londres.
1954	S'installe à Hampstead dans la banlieue de Londres. Achève ses premières sculptures figuratives expressionnistes.
1959	Après la visite du critique américain Clement Greenberg et un voyage aux États-Unis où il voit notamment des œuvres de David Smith, abandonne la figuration et commence à travailler le métal. Prix de sculpture de la Biennale de Paris.
1960	Achève sa première sculpture en métal *Twenty-Four Hours*.
1963	Première exposition de sculptures en métal à la Whitechapel Art Gallery de Londres.
1963-1965	Enseigne au Bennington College dans le Vermont. Rend visite à David Smith.
1964	Première exposition aux États-Unis, à New York, Emmerich Gallery. Expose à la Documenta III de Kassel.
1966	Des discussions avec le critique Michael Fried l'incitent à entreprendre une série de petites œuvres, les *table pieces*. Participe à «Primary Structures» au Jewish Museum de New York.
1967	Rachète des déchets de métal de la succession de David Smith.
1969	Première rétrospective organisée par l'Arts Council of Great-Britain à la Hayward Gallery à Londres. Prix de sculpture à la Biennale de Sao Paulo.
1970-1971	Voyage aux États-Unis, où il travaille dans l'atelier de Noland dans le Vermont, puis autour du monde (Mexique, Nouvelle-Zélande, Australie...).
1972-1973	Travaille quelque temps avec James Wolfe dans une usine de Veduggio, en Italie.
1974	A Toronto, commence une série de sculptures à la York Steel Co.
1975	Rétrospective au Museum of Modern Art de New York, qui circule à Minneapolis, Houston, Boston. Premières sculptures où il intègre des pièces fondues en bronze.
1978-1979	Réintroduit les objets trouvés dans la sculpture, puis commence des séries de bronze. Reçoit une commande pour la nouvelle aile de la National Gallery de Washington.

Vit et travaille à Londres.

Bibliographie

Dieter Blume, *Anthony Caro: Catalogue Raisonné*, Cologne, Verlag Galerie Wentzel, 1980 (5 vol.).

Diane Waldman, *Anthony Caro*, Oxford, Phaidon, 1982.

New York, Museum of Modern Art, *Anthony Caro*, par William Rubin, 30 avril-6 juil. 1975.

Exp. organisée par l'Arts Council of Great-Britain, *Anthony Caro, Sculpture 1969-1984*, présentée à Londres, Serpentine Gallery (12 avril-28 mai 1984), Manchester, Whitworth Art Gallery (9 juin-28 juil.), Leeds, City Art Gallery (10 août-23 sept.), Copenhague, Ordrupgaard Samlingen (12 oct.-18 nov.), Düsseldorf, Kunstmuseum (20 janv.-3 mars 1985), Barcelone, fondation Miró (22 mars-5 mai 1985).

César

1921

César Baldaccini est né à Marseille le 1er janvier 1921. Il va à l'école communale jusqu'à 12 ans puis travaille chez son père qui est marchand de vin.

1935	Entre à l'École des beaux-arts de Marseille.
1943	Étudie la sculpture à l'École nationale des beaux-arts à Paris.
1947-1948	Premières recherches avec le plâtre et le fer.
A partir des années cinquante, sculptures en métal réalisées avec des déchets industriels à Trans (Provence) et à Villetaneuse.	
1954	Première exposition personnelle à Paris, galerie Lucien Durand.
1955-1960	Sculptures en fer: insectes et autres animaux, nus, etc.
1955	Exposition galerie Rive Droite, Paris. Participe au Salon de mai.
1956	A la Biennale de Venise, une salle lui est consacrée dans le pavillon français.
1957	Obtient à la Biennale de Carrare le 1er prix de la participation étrangère. Première exposition personnelle à l'étranger (à Londres, Hanover Gallery).
1958	3e prix du Carnegie Institute à Pittsburgh. Participe à la Biennale de sculpture d'Anvers et à l'Exposition internationale de Bruxelles.
1959	Participe à la Documenta II de Kassel, puis à l'exposition «New Images of Man» au Museum of Modern Art de New York.
1960	Première monographie, par Douglas Cooper. Expose trois compressions de voitures au Salon de mai. Adhère au groupe des Nouveaux Réalistes fondé par Pierre Restany.
1961	Voyage aux États-Unis à l'occasion de son exposition chez Saidenberg à New York. Continue à exposer régulièrement.
1963	S'installe dans un atelier rue Lhomond à Paris.
1964	Participe à la Documenta III de Kassel.
1965	Exposition «La Main» à la galerie Claude Bernard, Paris, où il présente son *Pouce*. Première collaboration avec la Régie Renault.
1966	Exposition au Stedelijk Museum d'Amsterdam et au Wilhelm-Lehmbruck-Museum de Duisbourg. Rétrospective au musée Cantini de Marseille.
1967	Découvre le polyuréthane. Présente une grande expansion orange au Salon de mai et un ensemble rétrospectif à la Biennale de Sao Paulo. Commence les expansions en public. Participe à l'exposition internationale de Montréal et au Carnegie International de Pittsburgh.
1968	Début de sa collaboration avec la cristallerie Daum à Nancy. Participe à la Documenta IV de Kassel et à la Triennale de Milan.
1969	Première exposition de compressions chez Mathias Fels, Paris.
1970	Réalise les décors pour le Ballet-Théâtre contemporain d'Amiens. Nommé professeur chef d'atelier à l'École des beaux-arts à Paris. Exposition au CNAC à Paris.
1971	Premières compressions de bijoux.
1972-1973	Série des *Masques*.
1976	Rétrospective de sculptures au musée Rath de Genève présentée ensuite à Grenoble, Knobbe, Rotterdam puis Paris.
1986	Participe à l'exposition «1960: les Nouveaux Réalistes» au Musée d'art moderne de la Ville de Paris.

Vit et travaille à Paris.

Bibliographie

César par César, Paris, Denoël, 1971, présenté par Pierre Cabanne.

Pierre Restany, *Le Plastique dans l'art*, Monte-Carlo, André Sauret, 1973.

Paris, CNAC, *César: Plastiques*, 19 mai-10 juil. 1970.

Genève, Musée d'art et d'histoire/Grenoble, Musée de peinture et de sculpture/Knobbe, Casino/Rotterdam, Museum Boymans-van Beuningen/Paris, Musée d'art moderne de la Ville de Paris, *César, rétrospective des sculptures*, 1976-1977.

Paris, Musée d'art moderne de la Ville de Paris, *1960: Les Nouveaux Réalistes*, mai-sept. 1986.

Chamberlain
John

1927

	Né le 16 avril 1927 à Rochester, Indiana, il passe son enfance à Chicago.
1950-1952	Études à l'Art Institute de Chicago. Influencé par David Smith, commence à réaliser des sculptures en métal soudé.
1955-1956	Étudie et enseigne la sculpture au Black Mountain College, Caroline du Nord. S'installe à New York en 1956.
1957	Première exposition personnelle à Chicago, Wells Street Gallery. A partir de cette époque, commence à incorporer dans son œuvre des fragments d'épaves de voitures.
1959	Se met à faire des sculptures entièrement réalisées avec les différents morceaux d'une voiture accidentée, qu'il soude ensemble.
1960	Importante exposition personnelle à New York, Martha Jackson Gallery.
1961	Participe à l'exposition «The Art of Assemblage» au Museum of Modern Art de New York et à la Biennale de Sao Paulo. A partir de 1962, expose fréquemment à la galerie Leo Castelli, New York.
1963-1965	Réalise des peintures géométriques en utilisant des bombes aérosol pour carrosserie.
1964	Participe à la Biennale de Venise.
1966	Début d'une série de sculptures en mousse uréthane roulée, pliée et nouée.
1968-1969	Expose au Cleveland Museum of Art puis au Contemporary Arts Center de Cincinnati.
1970	Sculptures en métal fondu ou écrasé, ou en plexiglas froissé à la chaleur.
1971-1975	Rétrospective au Guggenheim Museum de New York (1971), puis au Contemporary Arts Center de Houston (1975).
1978	Participe au programme «Art in Architecture» du gouvernement des États-Unis.
1979-1985	Expositions à la Kunsthalle de Berne (1979), au Van Abbemuseum d'Eindhoven (1980), au Ringling Museum of Art de Sarasota, Floride (1983) et au Palacio de Cristal à Madrid (1984). Participe à «Paris-New York» à Paris (1977), «Westkunst» à Cologne (1981), à la Documenta de Kassel (1982), à «Skulptur im 20. Jahrhundert» à Bâle (1984), «Sculptures» à Jouy-en-Josas et à «Transformations in Sculpture» à New York (1985).

Vit et travaille à Sarasota, Floride.

Bibliographie

New York, Guggenheim Museum, *John Chamberlain: A Retrospective Exhibition,* par D. Waldman, 22 déc. 1971-29 fév. 1972.
Berne, Kunsthalle et Eindhoven, Van Abbemuseum, *Chamberlain,* par R. Fuchs et D. Judd, 1979.
Sarasota, The John and Mable Ringling Museum of Art, *John Chamberlain, Reliefs 1960-1982,* par M. Auping, 28 janv.-27 mars 1983.

Chillida
Eduardo

1924

	Né le 10 janvier 1924 à Saint-Sébastien où il fait ses études secondaires jusqu'en 1942.
1943-1947	Entreprend des études d'architecture à l'université de Madrid, qu'il abandonne en 1946 pour commencer l'année suivante des études de dessin. Premières sculptures en plâtre.
1948-1949	Séjourne à Paris. Se lie d'amitié avec Pablo Palazuelo, avec qui il expose au Salon de mai.
1950	Expose une seconde fois au Salon de mai. S'installe à Villaine-sous-bois. Participe à l'exposition «Mains éblouies», galerie Maeght, Paris.
1951	S'établit à Hernani près de Saint-Sébastien. Premières sculptures abstraites en fer forgé.
1954	Première exposition personnelle à la galerie Clan, Madrid. Participe à la Triennale de Milan qui lui décerne un diplôme d'honneur, à l'exposition «Eisenplastik» de la Kunsthalle de Berne, puis au 1er Salon de la sculpture abstraite, galerie Denise René, Paris.
1956	Première exposition personnelle à Paris, galerie Maeght.
1958	Grand prix international de la sculpture à la Biennale de Venise. Voyage aux États-Unis.
1959	Continue à travailler le bois mais s'attaque pour la première fois à l'acier. S'installe avec sa famille à Saint-Sébastien.
1960	Reçoit le prix Kandinsky.
1961-1964	Expositions à Paris, galerie Maeght (1961 et 1964). Première exposition dans un musée à la Kunsthalle de Berne (1962).
1963	Un voyage en Méditerranée l'incitera à réaliser à partir de 1965 des sculptures en albâtre.
1964	Prix de sculpture du Carnegie Institute de Pittsburgh.
1966-1967	Prix Wilhelm Lehmbruck et prix Nordrhein-Westfalen. Expositions à Duisburg, Houston et St. Louis.
1968	Participe à de nombreuses expositions dont la Documenta IV à Kassel. Rétrospectives à Bâle (Kunstmuseum), Zurich (Kunsthaus) et Amsterdam (Stedelijk Museum).
1969-1971	Installation à Paris, à l'UNESCO, d'une sculpture en acier (*Peine del viento IV,* 1969), à Washington d'une sculpture en acier inoxydable pour la Banque mondiale (1970), puis à Düsseldorf d'une sculpture offerte par la société Thyssen (1971).
1971	Enseigne au Carpenter Center de Harvard University. Exposition à Barcelone, Sala Gaspar. Décide d'illustrer un poème de Jorge Guillén, *Mas Alla* (publié en 1973).
1972	Polémique autour de la sculpture en béton suspendue *Lugar de encuentros III,* donnée à la ville de Madrid, qui sera finalement installée en 1979 au Museo de Escultura, Paseo de la Castellana.
1973	Commence à exécuter des sculptures en terre chamottée.
1975	Prix Rembrandt.
1977	Inauguration des grandes sculptures *Peines del viento* érigées face à la mer, à Saint-Sébastien.
1978	Partage avec de Kooning le prix Andrew W. Mellon qui lui vaut en 1979 une rétrospective au Carnegie Institute de Pittsburgh.
1980	Rétrospectives à New York (Guggenheim Museum), à Madrid, (Palacio de Cristal) et à Barcelone.
1984-1985	Participe à «Skulptur im 20. Jahrhundert» à Bâle (1984) et à «Europalia 85 Espagna» à Bruxelles (1985).

Vit et travaille à Saint-Sébastien.

Bibliographie

Claude Esteban, *Chillida,* Paris, Maeght, 1971.
Octavio Paz, *Chillida,* Paris, Maeght, 1979.
Pittsburgh, Carnegie Institute/New York, Guggenheim Museum, *Chillida, a Retrospective,* 1979-1980.
Hanovre, Kestner Gesellschaft, *Eduardo Chillida: Skulpturen,* 1981.
Bruxelles, Musée d'art moderne, *Tapiés, Chillida, Antonio Lopez,* 26 sept.-22 déc. 1985.

Christo

1935

	Christo Javacheff est né à Gabrovo, Bulgarie, le 13 juin 1935.
1952-1956	Études à l'Académie des beaux-arts de Sofia.
1956-1957	Se rend à Prague où il travaille au théâtre Burian, puis à Vienne où il fréquente quelque temps l'Académie des beaux-arts.
1958	Arrive à Paris où il fait ses premiers empaquetages: bouteilles, chaises, et autres objets.
1961	Premier projet d'empaquetage d'un édifice public. Empilement de bidons et empaquetages dans le port de Cologne. Côtoie à Paris le groupe des Nouveaux Réalistes.
1962	Nouveaux empilements de bidons: le *Rideau de fer* de la rue Visconti à Paris et les *Barils empilés* à Gentilly.
1963-1964	Premiers *Showcases* (vitrines) puis *Store Fronts* (devantures de magasin) qu'il continuera jusqu'en 1967.
1964	S'installe avec sa famille à New York.
1966-1968	Premiers empaquetages d'air et d'arbre au Van Abbemuseum d'Eindhoven (1966-1967), d'une fontaine et une tour médiévale à Spolète et d'un édifice public, *Packed Kunsthalle*, à Berne (1968). Participe à la Documenta IV de Kassel (1968). Projet pour une côte empaquetée, *Wrapped Coast*, réalisé en 1969 près de Sydney.
1969	Empaquetage du Museum of Contemporary Art de Chicago avec notamment le plancher enveloppé, *Wrapped Floor*.
1970	Projet pour le *Valley Curtain* au Colorado (réalisé en août 1972). Empaquetage de monuments à Milan.
1972-1973	Commence à travailler sur le projet de *Wrapped Reichstag*, pour Berlin. Projet pour la *Running Fence* en Californie (réalisé en 1976).
1974	*The Wall*: empaquetage d'une partie de l'enceinte d'Aurélien à Rome (Porta Principia). *Ocean Front* à Newport (Rhode Island).
1977-1978	*Wrapped Walk Ways*: les allées du Loose Park à Kansas City, recouvertes d'un tissu de nylon couleur safran.
1979	Projet d'une *Mastaba* tapissée de barils à Abu Dhabi.
1980	Projet pour Central Park à New York: *The Gates*. Projet d'entourage de 11 îles à Biscayne Bay, Miami, *Surrounded Islands*, réalisé en mai 1983 avec du tissu rose.
1985	*Les Ombrelles*, projet pour le Japon et les États-Unis. Le *Pont-Neuf* empaqueté à Paris d'après un projet de 1975. Vit et travaille à New York.

Bibliographie

Christo, texte de D. Bourdon, mise en pages de Christo, New York, Harry N. Abrams, 1970.

Christo, Complete Edition 1964-1982, cat. raisonné et intr. par Per Povdenakk, New York, New York University Press, 1982.

Christo, Surrounded Islands, Biscayne Bay, Greater Miami Florida, 1980-1983, texte de W. Spies, Cologne, DuMont Buchverlag, 1984.

Dominique G. Laporte, *Christo*, Paris, ArtPress/Flammarion, 1984.

Colla
Ettore

1896-1968

	Né à Parme en avril 1896.
1913-1922	Études à l'Académie des beaux-arts de Parme interrompues par la Première Guerre mondiale dont il revient blessé en 1918.
1923	Se rend à Paris où il fréquente les ateliers de Bourdelle, Despiau, Laurens et Brancusi, puis en 1924 à Munich où il travaille dans l'atelier de Lehmbruck.
1924-1925	Exerce divers métiers: mineur en Belgique, photographe ambulant à Paris, assistant cornac à Vienne.
1925	Regagne Rome: travaille surtout la terre cuite. Il participe à plusieurs expositions de groupe en Italie et notamment à la Biennale de Venise en 1930 et 1932.
1935	Exécute un haut-relief en pierre pour le Palais de l'agriculture à Rome.
1939	Obtient la chaire de sculpture au lycée artistique de Rome.
1941-1946	Abandonne la sculpture figurative: organise des expositions à Rome à la galerie Lo Zodiaco puis à la galerie Del Secolo.
1947	Se remet à la sculpture; première expérience de peinture et de collage abstraits.
1949	Rencontre Alberto Burri et Emilio Villa.
1950-1951	Fonde avec Burri, Ballocco et Caprogrossi le Gruppo Origine et prend part à la première exposition du groupe à la Galleria Origine. Exécute probablement à cette époque sa première sculpture géométrique en fer.
1952	Fonde la revue *Arti visive* qui publiera en 1954 le premier article d'Emilio Villa sur sa sculpture abstraite.
1953	Nommé professeur à l'Institut d'art de Rome.
1955	Exécute les premières sculptures réalisées par assemblage de fer de récupération, qui seront refusées à la Biennale de Venise en 1956. Prend part à la VIIe Quadriennale de Rome.
1957	Participe à «Rome-New York Art Foundation» avec Burri, Caprogrossi, de Kooning, Tapiés et Fontana à Rome. Première exposition personnelle à la Galleria La Tartaruga à Rome, suivie en 1958 d'une autre à la Galleria La Salita.
1959-1961	Exposition personnelle à l'Institute of Contemporary Art de Londres (1959) reprise par le Stedelijk Museum d'Amsterdam (1960). Première série de reliefs. Participe à l'exposition «The Art of Assemblage» au Museum of Modern Art de New York (1961).
1962	Réalise pour l'exposition «La sculpture dans la cité», à Spolète, la *Grande Spirale*.
1964	Salle personnelle à la Biennale de Venise.
1967	Grande exposition personnelle dans le cadre de «Lo spazio dell'immagine» à Foligno.
1968	Meurt à Rome.

Bibliographie

Lawrence Alloway, *Iron Sculpture: Ettore Colla*, Rome, Grafico, 1960.

Giorgio De Marchis et Sandra Pinto, *Colla*, Rome, Bulzoni, 1972.

Rome, Galleria nazionale d'arte moderna, *Ettore Colla*, 18 juin-30 août 1970.

Modène, Galleria Fonte d'Abisso, *Ettore Colla 1896-1968, Progetto manufatto*, 6 sept.-16 oct. 1980.

Cornell
Joseph

1903-1972

	Né le 24 décembre à Nyack (État de New York).
1917-1921	Entre à l'académie Phillips à Andover (Massachusetts). Sa famille s'installe en 1919 à Bayside, Long Island. Dès cette époque, commence à collectionner des objets.
1921	Engagé comme vendeur, par la compagnie William Whitman, une firme de textile, il y restera jusqu'en 1931. Commence à se passionner pour le ballet, la littérature, l'opéra et le cinéma.
1926	Visite l'exposition de la collection John Quinn où il découvre l'art moderne.
1931	Découvre à la Julien Levy Gallery, New York, les collages de Max Ernst et le travail des autres artistes surréalistes. Crée ses premiers montages et collages.
1932	Ses premiers montages et objets sont présentés à l'exposition «Surréalisme» qui se tient à Hartford, Wadsworth Atheneum, puis à New York, Julien Levy Gallery, où il aura la même année sa première exposition personnelle.
1933	Intérêt pour les films surréalistes: il écrit un scénario, *Monsieur Phot*, publié en 1936 par Levy dans le livre *Surrealism*.
1934-1940	Est engagé par l'atelier Traphagen pour y dessiner des tissus. Parallèlement, se familiarise avec les ready-mades de Duchamp et les montages de Schwitters. Parcourt Manhattan à la recherche de matériaux pour la construction de ses boîtes.
1936	Projection de son premier film *Rose Hobart*, montage d'éléments de longs métrages collés. Participe à l'exposition du Museum of Modern Art «Fantastic Art, Dada, Surrealism».
1938-1940	Participe à l'Exposition internationale du surréalisme galerie des Beaux-Arts à Paris organisée en 1938 par A. Breton et P. Eluard; en 1939 et en 1940, exposition personnelle à la Julien Levy Gallery.
1941	Mise en place de son «atelier-galerie-laboratoire». Début de sa collaboration avec la revue *View* de New York.
1945	La composition en porte-folios *Portrait of Ondine* est inaugurée au Museum of Modern Art de New York.
1946	Exposition «Portraits of Women: constructions and arrangements by Joseph Cornell» au Romantic Museum, Hugo Gallery, New York.
1948	Exposition «Objects by Joseph Cornell», Copley Galleries, Beverly Hill.
1949	S'éloigne du surréalisme comme en témoigne l'exposition «Aviary by Joseph Cornell» à la Egan Gallery de New York, qui présentera d'autres expositions de l'artiste en 1950 et 1953.
1953	Première exposition personnelle dans un musée américain, le Walker Art Center de Minneapolis. Continue à exposer dans les galeries new-yorkaises en 1955 et 1957. Participe à l'exposition annuelle du Whitney Museum avec Nevelson et Noguchi.
1954-1955	Au cinéma, se met à la prise de vues directe: réalise *Aviary* avec Burckhardt, *GniR RednoW* et *Centuries of June* avec Brakhage.
1960	Cesse de réaliser de nouvelles boîtes pour reconstruire les anciennes et se remet au collage.
1961	Participe à l'exposition du Museum of Modern Art «The Art of Assemblage» à New York.
1967	Grande rétrospective au Pasadena Art Museum puis au Guggenheim Museum de New York.
1971	Exposition de collages au Metropolitan Museum de New York. Première exposition personnelle en Europe, à Turin, Galleria Galatea.
1972	Meurt le 29 décembre à Flushing, New York.

Bibliographie
Dore Ashton, *A Joseph Cornell Album*, New York, The Viking Press, 1974.
Sandra Leonard Starr, *Joseph Cornell, Art and Metaphysics*, New York, Castelli, Feigen, Corcoran, 1982.
New York, Museum of Modern Art, *Joseph Cornell*, 17 nov.1981-20 janv. 1981.
Paris, Musée d'art moderne de la Ville de Paris, *Joseph Cornell*, 15 oct.- 6 déc. 1981.

Cristòfol
Leandre

1908

	Né à Os de Balaguer le 8 juin 1908.
1922	S'installe à Lérida où il apprend le métier de charpentier, ébéniste et sculpteur. Études à l'Académie artistique de Lérida.
1926	Entre à l'École des beaux-arts de Barcelone pour y étudier la sculpture et le dessin.
1930	Se consacre totalement à la sculpture. Première exposition collective au musée Molera de Lérida.
1936	Appartient à l'avant-garde surréaliste et abstraite. Signe le *Manifiesto logicofobista* à l'occasion de l'exposition «Logicofobista» organisée par ADLAN, et présentée par le critique d'avant-garde M.A. Cassinyes. Retourne ensuite à Lérida.
1938	Participe à l'Exposition internationale du surréalisme, galerie des beaux-arts à Paris.
1946-1950	Nommé professeur au Cercle des beaux-arts de Lérida. Continue de participer aux expositions collectives, notamment le IIIe Salon d'octobre et le «cercle Maillol» de Barcelone.
1951-1955	Participe aux trois biennales hispano-américaines de Madrid, La Havane et Barcelone.
1952-1954	Membre du «cercle Maillol», il expose à l'Institut français de Barcelone et reçoit une bourse pour des études à Paris. De là, avec les membres du «cercle Richelieu», fait un voyage en Italie. A son retour (1955), recommence à enseigner le dessin.
1961-1973	Professeur à l'Institut d'enseignement mixte de Lérida.
1975	Participe à l'exposition «Le surréalisme en Espagne, 1925-1950», Galería Multitud à Madrid.

Vit et travaille à Lérida.

Bibliographie
Guillem Viladot, *Leandre Cristofol*, Lérida, Imp. Mariana, 1964.
Frederic Lara I Peinado, *Leandre Cristofol, Notes de premsa a la seva obra plastica*, Lérida, Instituto de estudios lerdenses, 1977.
«Cristofol», *Cuadernos Guadalimar*, nº 13, Madrid, ed. Raynela, 1978.
Madrid, Palacio de Velázquez, *Escultura española 1900-1936*, 23 mai-22 juil. 1985.

Depero
Fortunato

1892-1960

	Né le 30 mars 1892 à Fondo (Trentin).
1909	N'est pas admis à l'École des beaux-arts de Vienne.
1913	Voyage à Florence, où il découvre la revue *Lacerba*. Décembre: visite l'exposition de sculptures futuristes à la galerie Sprovieri de Rome et rencontre Balla.
1914	S'installe à Rome et fréquente l'atelier de Balla. Participe à la «Prima Esposizione libera futurista internazionale» de la galerie Sprovieri à Rome. Réalise ses premières constructions futuristes et rédige son manifeste personnel demeuré inédit «Complessita plastica. Gioco libero futurista. L'essere vivente artificiale».
1915	Publie avec Balla le manifeste *Ricostruzione futurista dell' universo*.
1916	Exécute pour la compagnie des Ballets russes de Diaghilev le scénario et les costumes du *Chant du rossignol* de Stravinsky. Dès lors consacre une grande partie de son temps au décor de théâtre.
1918	En collaboration avec le poète G. Clavel, présente à Rome un spectacle *I balli plastici [Les Ballets plastiques]* pour lequel il a réalisé décors et marionnettes.
1919-1922	Participe à la grande exposition nationale futuriste à Milan. Jusqu'en 1927, participera à toutes les manifestations futuristes. S'installe à Rovereto, ouvre la Casa d'arte Depero. Réalise de nombreux collages et objets d'art appliqué. Fait des aménagements intérieurs (cabaret del Diavolo et Teatro degli Indipendenti). Réalise des bâtiments pour les foires (Padiglione tipografico...).
1923	Exposition personnelle à la Iʳᵉ Biennale internationale des arts décoratifs de Monza.
1924	Création du ballet ANIHCCAM del 3000 au Nouveau Théâtre futuriste de Milan. Premier congrès national futuriste à Milan.
1925	Représente avec Balla et Prampolini la section futuriste à l'exposition internationale des Arts décoratifs à Paris.
1927	Publie *Depero-Dinami Azari* (ou «Libro imbullonato»), premier livre-objet futuriste.
1929	Signe avec les autres futuristes le *Manifeste de l'aéropeinture*.
1930	S'installe définitivement à Rovereto après un séjour à New York (1928-1930). Publie les revues *Futurismo, Dinamo futurista*.
1948	Nouveau séjour à New York.
1957	Fondation de la Galerie permanente et musée Depero à Rovereto.
1960	Meurt le 29 novembre à Rovereto.

Bibliographie

Giovanni Lista, «Depero et le futurisme», dans *Revues de Depero*, reprint à Paris, éd. Jean-Michel Place, 1979.
Bruno Passamani, *Fortunato Depero*, Rovereto, ed. Musei civici, 1981.

Derain
André

1880-1954

	Né le 17 juin 1880 à Chatou.
1898	Fréquente l'académie Carrière à Paris.
1900	Rencontre Vlaminck, à qui va le lier une longue amitié, puis Matisse.
1901	Service militaire.
1903	Commence à s'intéresser à l'art nègre.
1904	Démobilisé, rentre à Chatou: devient l'ami d'Apollinaire.
1905	Contrat avec Vollard. Expose au Salon des Indépendants et au Salon d'automne avec les Fauves. Il y exposera régulièrement jusqu'en 1908.
1906	S'éloigne du fauvisme et s'inspire des arts primitifs.
1907	Contrat avec Kahnweiler qui sera son marchand jusqu'en 1922. Réalise alors quelques sculptures en pierre. S'installe à Montmartre: contacts avec Picasso qu'il a rencontré en 1906 et avec le groupe du Bateau-Lavoir.
1908	Séjour à Martigues. Il réalise des céramiques chez Mettey.
1909-1912	Gravures sur bois pour *L'Enchanteur pourrissant* d'Apollinaire (1909) et pour *Les Œuvres burlesques et mystiques du frère Matorel mort au couvent* de Max Jacob édités par Kahnweiler.
1910	S'installe rue Bonaparte. Abandonne le cubisme: sa peinture devient figurative dans un esprit plus traditionnel.
1913	Nouveau séjour à Martigues: Vlaminck l'y rejoint.
1914-1918	Se trouve à Montfavet (Provence) lors de la déclaration de guerre, avec Braque et Picasso. Mobilisé, il part pour le front.
1916-1921	Première exposition personnelle à la galerie de Paul Guillaume qui deviendra son marchand en 1923. Illustre *Mont de Piété* d'André Breton (1916) et les *Étoiles peintes* de Pierre Reverdy (1921).
1919-1926	Dessine les décors et costumes pour le ballet de Diaghilev *La Boutique fantasque* présenté à Londres, puis en 1924 pour *Gigue* aux «Soirées de Paris» du comte de Beaumont (1924) et pour *Jack in the Box* d'Erik Satie (1926).
1922	Expositions à Stockholm, Berlin, Francfort, Munich et New York.
1928	Reçoit le Prix Carnegie. Aura de nombreuses expositions en Europe et à New York jusqu'en 1941.
1929-1953	Réalise de nombreuses illustrations ainsi que des décors et costumes, notamment pour les Ballets russes.
1939	Se remet à la sculpture.
1954	Meurt le 8 septembre à Chambourcy.

Bibliographie

Georges Hilaire, *Derain*, Genève, Pierre Cailler, 1959.
Denys Sutton, *André Derain*, Londres, Phaidon, 1959.
Marseille, musée Cantini, *Derain*, 8 juin-1ᵉʳ sept. 1964.
Paris, Grand Palais, *André Derain*, 14 fév.-11 avril 1977.

Di Suvero
Mark

1933

	Né à Shanghai de parents italiens le 18 septembre 1933.
1941	Sa famille émigre aux États-Unis, à San Francisco. Il commence à travailler le bois.
1953-1957	Après divers voyages et expériences, s'inscrit au San Francisco City College (1953-1954), puis à l'université de Santa Barbara où il commence à sculpter avec Robert Thomas (1954-1955) et enfin à l'Université de Berkeley où il travaille avec Stephen Novak (1956-1957).
1957	S'installe à New York, où il participe à sa première exposition collective à la March Gallery en 1958. Travaille le bois.
1960	Victime d'un accident, il restera paralysé jusqu'en 1963. Première exposition personnelle à New York pour l'ouverture de la Green Gallery où il exposera régulièrement.
1961-1962	Réalise sa première sculpture en bois et acier.
1962	Est l'un des fondateurs de la Park Place Gallery à New York, galerie communautaire où il participera jusqu'en 1967 aux expositions de groupe.
1963-1965	Participe aux expositions de l'Art Institute de Chicago, du Jewish Museum de New York, du musée Rodin à Paris.
1964	Travaille le bois et l'acier sur une plage de Californie.
1966	Travaille à New York et dans le New Jersey. Utilise pour la première fois une grue. Construit à Los Angeles la *Tour de la paix* pour protester contre la guerre au Vietnam. Exposition personnelle à la Park Gallery, New York.
1967-1968	Travaille au Canada puis à Chicago. Participe à la Documenta IV de Kassel (1968).
1969	Enseigne à l'université de Berkeley.
1970	Construit une maison flottante au Canada.
1971	Quitte les États-Unis en raison de la guerre du Vietnam et s'installe à Eindhoven, en Hollande, où il expose en 1972.
1972-1974	Est invité par le Cracap à Châlon-sur-Saône où il réalise plusieurs sculptures dans la ville.
1973	Professeur à l'Université internationale d'art de Venise.
1974	Le gouvernement américain lui commande une œuvre pour la ville de Grand Rapids, dans le Michigan.
1975	Expose à Paris, jardin des Tuileries. Participe à la Biennale de Venise. Rétrospective au Whitney Museum de New York.
1976-1985	Participe à la Biennale de Sydney (1976), à «Sculptures in California» au San Diego Museum of Art (1980), à «Skulptur im 20. Jahrhundert» à Bâle (1984) et à «Transformations in Sculpture» à New York, Guggenheim Museum (1985).
1985	Rétrospective au Storm King Art Center de New York.
1986	Travaille sur un projet d'aménagement d'un jardin de sculptures contemporaines dans la ville de Châlon-sur-Saône.

Vit et travaille à Petaluma (Californie) et à New York.

Bibliographie
Châlon-sur-Saône, *Mark Di Suvero,* textes de Marcel Evrard et Barbara Rose, Le Creusot, Cracap, 1975.
New York, Whitney Museum, *Mark Di Suvero,* par James K. Monte, 13 nov. 1975-8 fév. 1976.
New York, Storm King Art Center, *Mark Di Suvero, 25 Years of Sculpture and Drawings,* 22 mai-31 oct. 1985.

Domela
Cesar

1900

	Cesar Domela Nieuwenhuis est né le 15 janvier 1900 à Amsterdam. Il fréquente le lycée d'Hilversum de 1913 à 1918. Lors d'un séjour à Paris en 1914, visite l'atelier de Laurens.
1918	Il commence à peindre en autodidacte, et travaille d'après nature dans une manière très stylisée.
1920-1923	Travaille à Ascona et à Berne. Premières compositions constructivistes abstraites. Participe à l'exposition du Novembergruppe à Berlin. S'installe à Paris jusqu'en 1925.
1924	Rencontre Mondrian et Theo van Doesburg à Paris. Adhère au groupe De Stijl et oriente son travail vers des compositions néo-plastiques qu'il expose la même année à La Haye, galerie d'Audretsch.
1927	Retourne à Berlin où il ouvre un studio de photographie, fait des photos-montages et crée ses premiers tableaux-reliefs. Participe à l'exposition «Die Abstrakten» à Hanovre. En contact avec le Bauhaus, il se lie d'amitié avec Moholy-Nagy et Kandinsky.
1930	Devient membre du groupe Cercle et Carré.
1931	Exposition «Fotomontage» à la Staatliche Kunstbibliothek de Berlin.
1933	Quitte l'Allemagne pour s'installer définitivement à Paris. Commence une série de reliefs polychromes, qui évoluent du constructivisme vers des lignes plus souples, auxquels il intègre divers matériaux: bois, cuivre, acier, plastique... Devient membre du groupe Abstraction-Création.
1934	Exposition galerie Pierre à Paris.
1936	Participe à «Cubism and Abstract Art» au Museum of Modern Art, New York.
1937	Fonde la revue *Plastique* avec Sophie Taeuber-Arp et Hans Arp.
1946	Organise trois expositions d'art abstrait au Centre des recherches à Paris, qui donnent lieu à une édition de ses lithographies. Participe à la fondation du Salon des Réalités nouvelles où il exposera épisodiquement jusqu'en 1968.
1954-1955	Rétrospectives à Rio de Janeiro et Sao Paulo (1954); exposition au Stedelijk Museum d'Amsterdam (1955).
1955	Exécute des reliefs muraux pour la compagnie d'assurances Utrecht à Rotterdam (architecte J.J.P. Oud) et pour l'immeuble «De Nederlanden 1845» à La Haye.
1960-1980	Plusieurs rétrospectives à La Haye (1960), New York (1961), Paris (1965), Düsseldorf (1972), Londres (1973) et La Haye (1980).

Vit à Paris.

Bibliographie
Alain Clairet, *Domela, catalogue raisonné de l'œuvre,* Paris, éd. Carmen Martinez, 1978.
Düsseldorf, Kunsthalle, *Cesar Domela, Werke 1922-1972,* 1972.
Londres, Annely Juda Fine Arts, *Cesar Domela Retrospective,* 10 mai-30 juin 1973

Dubuffet

Jean

1901-1985

Né le 31 juillet 1901 au Havre. Scolarité au lycée de cette ville jusqu'au baccalauréat.

1918	Vient à Paris et suit les cours de l'académie Julian qu'il quitte au bout de six mois. Se met à travailler seul.
1924	Cesse jusqu'en 1933 toute activité artistique. Part pour Buenos-Aires puis retourne en 1925 au Havre où il prend des fonctions dans la société commerciale familiale. En 1930, il fonde un négoce de vins en gros à Paris (Bercy).
1933-1937	Se remet à peindre; il modèle aussi des masques et sculpte des marionnettes. En 1937, insatisfait par ses expériences, abandonne et reprend son commerce de vins.
1942	Décide de se consacrer définitivement à la peinture et dès 1944 a sa première exposition personnelle à la galerie René Drouin à Paris.
1946	Publication d'un ensemble de textes intitulé *Prospectus aux amateurs de tout genre*. Exposition à Paris des «hautes pâtes» (*Mirobolus, Macadam et Cie*).
1947-1949	Fait trois séjours successifs au Sahara. Pierre Matisse organise des expositions à New York et à Chicago. A Paris, Dubuffet commence à organiser des expositions d'Art brut: la Cie d'Art brut est officiellement fondée en 1948 et une collection sera constituée et finalement installée en 1976 à Lausanne. En 1949, il publie *l'Art brut préféré aux arts culturels*.
1950-1954	Série des *Corps de dames* puis des *Sols et terrains*. Séjourne à New York de novembre 1951 à avril 1952, puis rentre à Paris où le Cercle Volney lui organise une rétrospective en 1954.
1955	S'installe à Vence où il restera jusqu'en 1959.
1960	Rétrospective à Paris, au Musée des arts décoratifs (il lui fera en 1967 une importante donation). Se livre à des expériences musicales, d'abord avec Asger Jorn puis seul.
1961	Réside alternativement à Vence et à Paris avec à partir de 1962 de courts séjours au Touquet. Importante rétrospective au Museum of Modern Art de New York.
1962	Début du cycle l'*Hourloupe* exposé en 1964 au Palazzo Grassi à Venise.
1966	Rétrospectives à Dallas, Londres, Amsterdam, New York. Commence une longue série de sculptures en polystyrène expansé peintes au vinyle.
1967-1968	Publication de *Prospectus et tous écrits suivants* (2 vol.) puis d'*Asphyxiante Culture* et d'*Édifices*. Début des *amoncèlements* en polystyrène. Exposition de la *Tour aux figures* au Museum of Modern Art de New York et d'*Architectures* au Musée des arts décoratifs à Paris.
1969-1972	Nouveaux ateliers près de Paris à Périgny-sur-Yerres. Réalisation des constructions *Villa Falbala* et *Jardin d'hiver*, puis en 1971 le *Groupe des quatre arbres* commandé par la Chase Manhattan Bank à New York et installé en 1972. Rétrospective au Musée des beaux-arts de Montréal en 1969.
1970	Exposition du *Cabinet logologique* réalisé en 1967 et du *Mur bleu* au CNAC à Paris. Rétrospective de l'*Hourloupe* à la Kunsthalle de Bâle.
1971	Commence la série des *Praticables* et la série des *Costumes de théâtre*.
1973	Exposition «Monuments, simulacres, praticables» à Minneapolis, Walker Art Center. Rétrospective au Guggenheim Museum de New York et représentation de la première version de *Coucou Bazar*, puis rétrospective au Grand Palais à Paris et représentation de la deuxième version de *Coucou Bazar*.
1974	Début des projets pour le *Salon d'été* de la Régie Renault, qui n'aboutiront pas. Inaugure le *Jardin d'émail* au Kröller-Müller d'Otterlo.
1975	Début des *Parachiffres*, des *Mondanités* et des *Effigies incertaines*. Commence en octobre la série des *Théâtres de mémoire* et de ses variations annexes. Nombreuses expositions et rétrospectives en Europe, aux États-Unis et à Tokyo.
1978-1982	Plusieurs suites de dessins, *Situations*, séries *Annales, Mémorations* en 1978, les *Sites aux figurines* en 1980 et des séries de peintures, *Brefs exercices d'école journalière, Partitions* en 1980, *Psycho-sites* en 1981, les *Sites aléatoires* en 1982.
1983-1985	Réalise les suites *Les Mires* en 1983 et *Les Non-Lieux* en 1984. Meurt à Paris le 12 mai 1985.

Bibliographie

Catalogue des travaux de Jean Dubuffet, établi par Max Loreau, Paris, J.J. Pauvert 1966-1968, Weber 1972-1976, éd. de Minuit 1979-1984.

Gaëtan Picon, *Le Travail de Jean Dubuffet*, Genève, Albert Skira, 1973.

Max Loreau, *Jean Dubuffet, stratégie de la création*, Paris, Gallimard, 1973.

Renato Barilli, *Dubuffet, le cycle de l'Hourloupe*, Paris, éd. du Chêne, 1976.

Saint-Paul-de-Vence, fondation Maeght, *Jean Dubuffet, rétrospective*, 6 juil.-6 oct. 1985.

Duchamp
Marcel

1887-1968

	Né le 28 juillet 1887 à Blainville (Seine-Maritime).
1895-1905	Fait ses études à Rouen de 1895 à 1904 puis rejoint ses frères Jacques Villon et Raymond Duchamp-Villon à Paris où il s'inscrit en 1905 à l'académie Julian.
1909-1910	Expose au Salon d'automne jusqu'en 1911 et au Salon des Indépendants jusqu'en 1912; participe aux réunions du groupe de Puteaux organisées par son frère J. Villon. Il se lie d'amitié avec Picabia et Apollinaire.
1912	Refusé au Salon d'automne, le *Nu descendant l'escalier* est présenté à l'exposition cubiste de la galerie Dalmau de Barcelone, puis à l'exposition de la «Section d'or» à Paris.
1913	Est représenté à l'Armory Show de New York par le *Nu descendant l'escalier*. Réalise son premier ready-made, la *Roue de bicyclette*.
1914-1915	Réformé en 1914, il fait en 1915 son premier voyage aux États-Unis où il se lie d'amitié avec Man Ray et les Arensberg. Continue ses ready-mades et commence *Le Grand Verre*.
1917	L'urinoir baptisé *Fontaine* est refusé à l'exposition de la Société des artistes indépendants de New York.
1918-1919	De retour à Paris, il participe aux réunions dada.
1920-1921	Revenu à New York, il fonde la Société Anonyme Inc. avec Man Ray et Katherine Dreier. Début de ses expériences optiques; premiers roto-reliefs. En 1921, publie avec Man Ray *New York Dada*. Choisit le pseudonyme de Rrose Sélavy. Passe six mois à Paris.
1923-1927	Séjourne tantôt à Paris tantôt à New York où le *Grand Verre* est laissé inachevé. Figure dans le film de René Clair *Entr'acte*. Collabore avec Man Ray et Marc Allégret au film *Anémic Cinéma* (1926). Fêlure du *Grand Verre* à la suite de l'International Exhibition de Brooklyn en 1926. Il ne le réparera qu'en 1936.
1927	S'installe à Paris jusqu'en 1933 et publie en 1932 avec Vitaly Halrerstadt un traité de jeu d'échecs: *L'Opposition et les cases conjuguées sont réconciliées*.
1935-1937	Se remet à l'art qu'il avait pratiquement abandonné depuis 1925. Réalise en 1935-1936 la *Boîte verte* et la *Boîte en valise*. En 1936, il participe aux expositions surréalistes de Londres et de New York. Première exposition personnelle à l'Arts Club de Chicago, 1937.
1938	Est «générateur-arbitre» de l'Exposition internationale du surréalisme organisée par Breton à la galerie des Beaux-Arts à Paris.
1939-1942	Publie *Rrose Sélavy* puis édite la *Boîte en valise* et repart pour New York. Là, publie avec Max Ernst et Breton la revue *VVV*.
1946-47	Se rend à Paris pour préparer avec Breton l'exposition «Le surréalisme en 1947» qui se tient à la galerie Maeght.
1953-1955	Participe à l'organisation de l'exposition «DADA 1916-1923» à la Sidney Janis Gallery de New York. Devient citoyen américain en 1955.
1958	Publie *Marchand de sel*, premier recueil de ses écrits. Parution du premier catalogue raisonné par Robert Lebel.
1963-1967	Première rétrospective au Pasadena Art Museum. Accepte l'idée de la multiplication de ses ready-mades: la première édition est présentée dans l'exposition «Omaggio a Marcel Duchamp», galerie Schwarz, Milan, 1964. Nombreuses expositions en Europe, notamment la première rétrospective européenne à la Tate Gallery, Londres.
1968	Meurt le 2 octobre à Neuilly-sur-Seine.

Bibliographie

Arturo Schwarz, *The Complete Works of Marcel Duchamp*, Londres, Thames and Hudson, et New York, Abrams, 1969.

Londres, Tate Gallery, *The Almost Complete Works of Marcel Duchamp*, Arts Council, juin-juil. 1966.

New York, Museum of Modern Art, et Philadelphia Museum of Art, *Marcel Duchamp*, catalogue établi par Anne d'Harnoncourt et Kynaston McShine, New York Graphic Society, 1973.

Paris, Mnam, Centre Georges Pompidou, *L'œuvre de Marcel Duchamp*, 31 janv.-2 mai 1977.

Duchamp-Villon
Raymond

1876-1918

	Né le 5 novembre 1876 à Damville (Eure).
1894-1898	Après avoir fait ses études à Rouen, commence à Paris des études de médecine, qu'une grave crise de rhumatisme interrompt. Il se met alors à la sculpture.
1902-1908	Expose au Salon de la société nationale des Beaux-Arts.
1905-1913	Participe chaque année au Salon d'automne; il devient membre du jury de la section sculpture en 1907 et vice-président en 1910. Il expose aussi au Salon des Indépendants en 1909-1910.
1910-1911	Formation autour de son frère Jacques Villon du groupe de Puteaux qui réunit de nombreux artistes (Léger, Picabia, Delaunay, Archipenko...) et écrivains (Apollinaire, A. Salmon...). Début de l'influence cubiste sur son œuvre.
1912	Le groupe de Puteaux qui a pris le nom de Section d'or expose à la galerie La Boétie à Paris. Se joint au groupe des Artistes de Passy fondé par Henri-Martin Barzun. Il présente au Salon d'automne, en collaboration avec le peintre André Mare, *La Maison cubiste*.
1913	Participe à l'Armory Show de New York.
1914	Travail interrompu par la mobilisation. Réformé, il s'engage comme médecin auxiliaire et, pendant son affectation à l'hôpital de Saint-Germain-en-Laye, poursuit ses recherches pour le *Cheval*, son œuvre la plus achevée.
1915-1917	Envoyé sur le front de Champagne, il y contracte la typhoïde. Il traînera d'hôpital en hôpital jusqu'à sa mort à Cannes le 7 octobre.
1919	Rétrospective Raymond Duchamp-Villon au Salon d'automne.

Bibliographie

George Heard Hamilton, *Raymond Duchamp-Villon 1876-1918*, New York, Walker and Co., 1967.

Pierre Cabanne, *Les trois Duchamp*, Neuchâtel, Ides et Calendes, 1975.

Rouen, musée des Beaux-Arts, *Raymond Duchamp-Villon*, 1976.

Epstein
Jacob

1880-1959

Né à New York le 10 novembre 1880.

1896	Études à l'Art Students League de New York.
1899-1901	Travaille dans une fonderie de bronze et suit des cours du soir pour apprendre le modelage.
1902-1904	Voyage à Paris où il fréquente d'abord l'École des beaux-arts puis l'académie Julian. Il visite Florence et Londres et commence à acheter des sculptures africaines.
1905	S'installe à Londres.
1907	Première commande de 18 sculptures pour le British Medical Association Building à Londres. Devient citoyen britannique.
1912-1913	A Paris pour la réalisation de la tombe monumentale d'Oscar Wilde à l'automne 1912, il y reste six mois et rencontre Modigliani, Picasso, Brancusi...
1913-1914	Retourne en Angleterre. Il s'isole pour sculpter dans le Sussex de 1913 à 1916 avec de fréquents séjours à Londres où il rencontre Ezra Pound et Henri Gaudier-Brzeska. Expose à l'Armory Show, New York. Participe au Salon de l'Allied Artists' Association à Londres, à la Post-Impressionist and Futurist Exhibition et expose dans la salle cubiste du «Camdem Town Group and Others» à Brighton. Il adhère au mouvement vorticiste. Membre fondateur du London Group, expose avec lui à la Goupil Gallery de Londres en 1914 puis en 1915 où il présente le *Rock Drill*. Première exposition personnelle à la Twenty One Gallery, Londres en 1913 (puis en 1914).
1916	Expose de nouveau à l'Allied Artists' Association, Londres.
1917	Première exposition au Leicester Galleries, Londres, où il sera régulièrement présenté jusqu'en 1960.
1917	Après sa démobilisation en 1919, il voyage en Italie.
1924-1928	Reçoit des commandes publiques pour Londres: *Rima* pour Hyde Park (1924) et *Day* et *Night* pour une station de métro. S'installe définitivement dans un grand atelier à Hyde Park Gate en 1924.
1927	Va à New York pour son exposition personnelle aux Ferragill Galleries. Retour à une sculpture plus traditionnelle axée sur le portrait. Dès lors, expositions fréquentes, presque exclusivement en Angleterre.
1950-1959	La ville de Londres lui confie de nombreuses commandes de sculptures monumentales.
1959	Meurt le 19 août à Londres.

Bibliographie

Jacob Epstein, *An Autobiography*, Londres, Art Treasure Book Club, 1963.
Richard Cork, *Vorticism and Abstract Art in the First Machine Age*, Londres, Gordon Fraser, 1976.
Londres, The Arts Council, *Epstein*, 1961.
Londres, Tate Gallery, *Jacob Epstein Centenary*, nov.-déc. 1980.

Ernst
Max

1891-1976

Né le 2 avril 1891 à Brühl. Il y fait ses études jusqu'en 1908, puis s'inscrit à l'université de Bonn en philosophie, psychologie et histoire de l'art.

1910	S'oriente vers la peinture. Se lie d'amitié avec August Macke.
1911	Entre dans le groupe Das Junge Rheinland [«La jeune Rhénanie»].
1912	A Cologne, il visite l'exposition des futuristes et celle du Sonderbund.
1913	Fait la connaissance d'Apollinaire et de Delaunay lors d'un passage à Bonn. Expose à Berlin, galerie Der Sturm et au 1er Salon d'automne allemand.
1914-1918	Première rencontre avec Hans Arp à Cologne. Mobilisé, il fait la guerre comme artilleur. Petite exposition à la galerie Der Sturm à Berlin en 1916.
1918-1920	Retour à Cologne où il est à l'origine dès 1919 du mouvement Dada Cologne avec Baargeld et Arp. Début des collages et montages. Il visite Munich où il rencontre Paul Klee et découvre De Chirico à l'occasion de l'exposition organisée par *Valori Plastici*. Exposition Dada à Cologne en 1920 puis première exposition à Paris, à l'invitation d'André Breton.
1922	S'établit à Paris où il publie en collaboration avec Paul Eluard *Les Malheurs des Immortels* et *Répétitions*.
1924-1929	Départ pour l'Indochine où il retrouve Paul et Gala Eluard. A son retour à Paris en 1925, il découvre le frotttage: l'année suivante, parution d'*Histoire naturelle*. Réalise également en 1926 avec Miró les costumes et décors pour un ballet de Diaghilev, *Roméo et Juliette*. Grande exposition à la galerie Bernheim-Jeune à Paris en 1928. En 1929, premier roman-collages *La Femme 100 têtes*. Il se lie d'amitié avec Alberto Giacometti.
1930	Collabore avec Luis Buñuel et Salvador Dalí au film *L'Age d'or*.
1931	Première exposition aux États-Unis à la Julien Levy Gallery de New York.
1934	Publie un nouveau roman-collages, *Une semaine de bonté*. Séjour en Suisse, avec Giacometti, où il réalise ses premières sculptures en pierre.
1936-1939	Participe à l'exposition «Fantastic Art. Dada and Surrealism» au Museum of Modern Art de New York en 1936. Quitte le groupe des surréalistes en 1938. La même année, il s'installe à Saint-Martin d'Ardèche. Il est interné dans un camp en 1939, en tant que citoyen allemand.
1941-1946	Quitte la France après bien des difficultés puis arrive à New York où il dirige *VVV* avec André Breton et Marcel Duchamp. Il épouse Peggy Guggenheim en 1941. Rencontre en 1943 Dorothea Tanning qu'il épouse en 1946: ils s'installent alors en Arizona.
1953	Retour en France. Obtient en 1954 le grand prix de peinture de la Biennale de Venise.
1955	S'établit à Huismes, en Touraine. Il obtiendra en 1958 la nationalité française.
1956-1975	Sa renommée s'affirmant, de nombreuses rétrospectives sont désormais organisées: Berne, Kunsthalle (1956), Paris, Mnam (1959), New York, MoMA (1961), Londres, Tate Gallery et Cologne, Wallraf-Richartz-Museum (1962), Zurich, Kunsthaus (1963), Stockholm et Amsterdam (1969), Stuttgart (1970) et New York, Guggenheim Museum (1975).
1970	Publication d'*Écritures* où sont rassemblés tous ses écrits de 1919 à 1969.
1976	Meurt à Paris le 1er avril.

Bibliographie

Marx Ernst, *Écritures*, Paris, Gallimard, 1970.
Werner Spies, Sigrid et Günter Metken, *Max Ernst Œuvre-Katalog* (3 vol.), Cologne, 1975-1976-1979.
New York, The Guggenheim Museum/Paris, Grand Palais, *Max Ernst*, 1975.
Munich, Haus der Kunst, *Max Ernst*, fév.-avril 1979.
Saint-Paul-de-Vence, fondation Maeght, *Max Ernst*, 5 juil.-5 oct. 1983.

Fabro
Luciano

1936

	Né le 20 novembre 1936 à Turin.
1962	Mise en place des premiers éléments d'une esthétique: l'objet, d'abord présence physique, devient le lieu de métaphores et de symboles.
1963-1964	Élabore ses premières œuvres en miroir et en verre transparent qui aboutissent à la dissociation spatiale.
1965	Première exposition personnelle à Milan, Galleria Vismara.
1967-1968	Expositions à Turin, Galleria Notizie, où il présente en 1967 des objets incomplets en équilibre et en 1968 la série des *Tautologies*. Deux autres expositions lui seront consacrées en 1971 et 1974.
1969	Exposition à Milan, Galleria De Nieubourg, où il présente quelques-unes de ses œuvres dont la série des drapés, la série du lierre et celle de la «botte italienne» conçues dans le cadre de ses recherches sur la synthèse formelle.
1970	A Munich, *Aktionraum 1;* l'artiste confectionne des sous-vêtements pour hommes et femmes.
1971-1973	Expositions à Milan, Galleria Borgogna, où il présente en 1971 des œuvres de 1963 à 1970 et la série des *Pieds,* et en 1973 quatre manières d'examiner la façade d'une église de Palladio à Venise.
1974-1976	Nombreuses expositions dans les galeries en Italie, notamment en 1975 à Pescara où il met en scène un spectacle réalisé au moyen d'un cube recouvert de miroirs, et à Turin, Galleria Stein, où il présente des œuvres de la série *Italie.*
1977	Présente ses portemanteaux au Framart Studio de Naples.
1978	Début de ses sculptures ovoïdales ouvertes, présentées notamment à Rome, Galleria Il Collezionista. Continue à exposer régulièrement dans les galeries italiennes.
1980	Rétrospective au Padiglione d'arte contemporanea à Milan en 1980 puis à Essen, Folkwang Museum, et à Rotterdam, Museum Boymans, en 1981.
1984-1985	Récemment, a participé aux expositions «Coerenza in coerenza dall'arte povera al 1984» à Turin, «Del arte povera a 1985» à Madrid, «European Iceberg» à Toronto, «Promenades» à Genève et «The Knot Arte Povera at P.S.1» à New York.

Vit et travaille à Milan.

Bibliographie
Luciano Fabro, *Attaccapanni,* Turin, Einaudi, 1978.
Milan, Padiglione d'arte contemporanea, *Letture Parallele IV Luciano Fabro,* 17 avril-19 mai 1980.
Essen, Museum Folkwang/Rotterdam, Museum Boymans-van Beuningen, *Luciano Fabro,* 1981.
Paris, Centre Georges Pompidou, Musée national d'art Moderne/Florence, Centro Di, *Identité italienne: l'art en Italie depuis 1959,* sous la direction de Germano Celant, 25 juin-7 sept. 1981.

Flavin
Dan

1933

	Né le 1er avril 1933 à New York. Selon le désir de ses parents, il prépare le séminaire de Brooklyn qu'il quitte en 1952 pour se tourner vers l'art.
1953-1955	Pendant son service militaire en Corée, étudie l'art grâce aux cours par correspondance de l'université du Maryland.
1956	Lors de son retour à New York, il fréquente quelque temps la Hans Hofmann School, puis fait ses études d'histoire de l'art à la New School for Social Research.
1957-1960	Suit les cours de dessin et de peinture à Columbia University (1957-1959). Il commence à faire des assemblages et des collages parallèlement à sa peinture qui reflète à ce moment-là l'influence de l'expressionnisme abstrait.
1961	Première exposition personnelle de constructions et d'aquarelles à la Judson Gallery de New York. Son art prend alors une nouvelle orientation: il réalise les «icônes», série de peintures dont les angles et les contours sont marqués par des ampoules électriques.
1963-1967	Commence son travail avec les tubes fluorescents qu'il expose pour la première fois à la Kaymar Gallery de New York en 1964. Dès lors, il développera ce système de tubes fluorescents pour créer des environnements lumineux de la dimension d'une pièce, qu'il appellera des «situations». Participe en 1966 à «Primary Structures» au Jewish Museum de New York avec Carl Andre, Sol LeWitt, Don Judd.
1967	Chargé de cours de design à l'université de Caroline du Nord à Greensboro. Exposition au Museum of Contemporary Art de Chicago où il présente l'une des premières «situations», *Pink and Gold.*
1968	Réalise pour la Documenta de Kassel une galerie entière en éclairage ultra-violet.
1969	Rétrospective à la Galerie nationale du Canada à Ottawa, présentée en 1970 au Jewish Museum de New York.
1973	Chargé d'enseignement à l'université de Bridgeport (Connecticut).
1974-1975	Exposition à la Kunsthalle de Cologne, puis au Museum Boymans-van Beuningen de Rotterdam et au Kunstmuseum de Bâle.
1976	Exécute de nombreuses commandes, notamment en 1976 quelques éclairages pour la Grand Central Station à New York. Exposition itinérante aux États-Unis en 1976-1977 (Fort Worth, Chicago, Berkeley).
1977-1985	Expositions à la Galerie nationale du Canada à Ottawa (1979), au Guggenheim Museum de New York (1982), au Museum of Contemporary Art de Los Angeles (1984). Participe à la Documenta de Kassel (1977), à «Westkunst» à Cologne (1981), «Skulptur im 20. Jahrhundert» à Bâle (1984), «Art minimal I» à Bordeaux (1985) et «Transformations in Sculpture» au Guggenheim Museum de New York (1985).

Vit et travaille à New York.

Bibliographie
Ottawa, Galerie nationale du Canada, *Dan Flavin,* 13 sept.-19 oct. 1969.
New York, The Guggenheim Museum, *Dan Flavin,* 1982.
Bordeaux, Capc, *Art minimal I,* sous la direction de J.L. Froment, 2 fév.-21 avril 1985.

Fontana
Lucio

1899-1968

Né à Rosario de Santa Fe (Argentine) le 19 février 1899. Son père est un sculpteur milanais et sa mère originaire d'Argentine.

1905	Revient avec son père à Milan, où il fréquentera en 1914-1915 l'école des maîtres constructeurs de l'Institut technique Carlo Cattaneo.
1917-1918	Participe à la Première Guerre mondiale où il est blessé.
1922-1926	Retourne à Rosario de Santa Fe où il ouvre en 1924 son propre atelier de sculpture. Participe au Salon Nexus en 1926.
1928	De retour à Milan, il s'inscrit à l'Académie des beaux-arts de Brera et suit les cours du sculpteur symboliste Adolfo Wildt.
1930	Première exposition personnelle à Milan, Galleria del Milione. Participe à la Biennale de Venise.
1931	Réalise de nombreux reliefs en terre cuite, ainsi que des tablettes en ciment portant des signes gravés.
1933	Participe à la Triennale de Milan.
1935	Avec Fausto Melotti et le groupe des abstraits italiens, rejoint le mouvement Abstraction-Création à Paris.
1936	Travaille comme céramiste à Albisola dans la manufacture de Tullio Mazotti.
1937	Réalise des céramiques au grand feu à la manufacture de Sèvres. Première exposition personnelle de céramiques à la galerie Jeanne Bucher, Paris, où il rencontre Miró, Tzara, Brancusi.
1939	Retourne en Argentine où il travaille surtout à Buenos Aires jusqu'en 1946.
1942	Premier prix de sculpture au 32e Salon national des beaux-arts de Buenos Aires.
1946	Organise à Buenos Aires l'académie privée d'Altamira. Publication du *Manifiesto blanco* élaboré par des étudiants et de jeunes artistes. Fontana, qui a joué un rôle important dans sa conception, ne le signe pas.
1947-1948	Revient à Milan. Co-signe en 1947 le premier manifeste spatial (*Évolutions et ambiances spatiales*) et en 1948 le *Second Manifeste Spatial*.
1949	Environnement spatial à la Galleria del Naviglio, Milan. Commence ses expériences sur les *Buchi* (les trous).
1950	*Troisième Manifeste spatial.*
1951	Présente son *Manifesto tecnico* à l'occasion de la Triennale de Milan.
1952	Premier prix ex æquo avec L. Minguzzi au concours pour la cinquième porte de la cathédrale de Milan. Publication du *Manifesto del movimento spaziale per la televisione.*
1954	Premiers *Gessi* (craies).
1956	Commence les *Inchiostri* (encres) en aniline, comportant quelquefois des collages et/ou des trous.
1958	Premiers *Tagli* (entailles) dans des peintures de la série des *Inchiostri*. Exposition personnelle à la XXIXe Biennale de Venise.
1959	Série des *Quanta*. Commence à Albisola les sculptures en terre cuite du cycle *Nature*.
1960-1961	Série des *Olii*, grandes peintures à l'huile présentées à l'exposition «Arte e contemplazione», Palazzo Grassi, Venise. Il se rend à New York où il conçoit un cycle consacré à la métropole américaine d'abord en peinture, puis, après son retour à Milan, en *Metalli*, tôles de métal gravées, coupées et trouées.
1962	Première exposition dans un musée à Leverkusen (rétrospective).
1964	Début des *Teatrini*, «petits théâtres».
1965-1967	Environnement spatial dans le cadre de la rétrospective au Walker Art Center de Minneapolis (1966), puis, en 1967, trois environnements à Amsterdam, Foligno et Gênes.
1968	S'installe à Comabbio où il meurt le 7 septembre.

Bibliographie
Guido Ballo, *Lucio Fontana, Idea per un ritratto*, Turin, ed. Ilte, 1970.
Enrico Crispolti et Jan van der Marck, *Lucio Fontana*, 2 vol., Bruxelles, La Connaissance, 1974.
Milan, Palazzo Reale, *Lucio Fontana*, 19 avril-21 juin 1972.
Varèse, Musei civici di Varese, Villa Mirabello, *Lucio Fontana - Mostra antologica*, mai-oct. 1985.

Gabo
Naum

1890-1977

Naum Neemia Pevsner est né en 1890 à Briansk (Russie).

1910-1911	Termine ses études secondaires au lycée de Koursk, puis commence ses études de médecine qu'il abandonne pour les sciences naturelles.
1912	Entre à l'Institut polytechnique de Munich. Assiste au cours d'histoire de l'art de Wölfflin.
1913	Voyage à Florence, Venise puis Paris.
1914-1915	A la déclaration de guerre, il se rend en Scandinavie avec son frère et s'installe en Norvège où il réalise ses premières constructions signées Gabo.
1917	Retourne en Russie, et rédige en 1920 l'important *Manifeste réaliste*. A cette occasion, grande exposition en plein air dans le parc Tverskoï à Moscou.
1922-1923	S'installe à Berlin et participe à l'exposition d'art russe (Erste russische Austellung) à la galerie Van Diemen.
1924	Expositions à Paris, galerie Percier, «Constructivistes russes: Gabo et Pevsner» (1924), et à New York, Little Review Gallery (1926).
1927	Réalise avec Pevsner les décors et costumes pour le ballet constructiviste de Diaghilev, *La Chatte* (musique de Henri Sauguet).
1930	Exposition à la Kestner Gesellschaft de Hanovre.
1932	Quitte l'Allemagne pour Paris où il adhère au groupe Abstraction-Création.
1935-1939	S'installe à Londres et publie en 1937 avec B. Nicholson et l'architecte Leslie Martin la revue *Circle, International Survey of Constructive Art*. Participe de 1936 à 1939 à des expositions à Londres, Chicago, New York, Hartford, San Francisco. S'installe en Cornouailles en 1939.
1944	Membre de la Design Research Unit, Londres.
1946	Part aux États-Unis où le Museum of Modern Art de New York présente une exposition «Gabo-Pevsner» en 1948.
1952	Prend la nationalité américaine.
1953	2e prix au concours international de sculpture organisé à Londres pour un monument au «prisonnier politique inconnu».
1953-1954	Professeur à l'École d'architecture de Harvard University.
1955-1957	Réalise ses premières sculptures monumentales pour le magasin Bijenkorf à Rotterdam puis un bas-relief pour le Rockefeller Center de New York.
1958-1977	Nombreuses expositions: Rotterdam (1958), Amsterdam, Mannheim, Duisbourg, Stockholm, Londres (1965-1966), Humlebæck, Oslo, Berlin, Hanovre, Grenoble, Paris, Lisbonne (1970-1972).
1977	Meurt à Waterbury (Connecticut) le 22 août.

Bibliographie
Herbert Read et Leslie Martin, *Naum Gabo*, Neuchâtel, ed. du Griffon, 1961.
Paris, Musée national d'art moderne, *Naum Gabo*, nov.-déc. 1971.
Dallas, Museum of Art, *Naum Gabo: Sixty Years of Constructivism*, sept.-nov. 1985; exposition organisée par les musées de Dallas et de Düsseldorf, présentée à Toronto, Art Gallery of Ontario (déc. 1985-fév. 1986), New York, Guggenheim Museum (mars-avril 1986), Berlin, Akademie der Künste (sept.-oct. 1986), Düsseldorf, Kunstsammlung Nordrhein-Westfalen (nov. 1986-janv. 1987), et Londres, Tate Gallery (fév.-avr. 1987); cat. sous la direction de Steven Nasch et Jörn Merkert, Dallas, Museum of Art / Munich, Prestel Verlag, 1985.

Gargallo
Pablo

1881-1934

Né le 5 janvier 1881 à Maella (Aragon).

1888	Ses parents s'installent à Barcelone.
1894	Entre dans l'atelier du sculpteur Eusebio Arnau, où il apprend le moulage et la taille de la pierre et collabore à la réalisation de quelques commandes.
1898-1902	Fréquente le cabaret Els Quatre Gats où se réunit la jeunesse intellectuelle et artistique de Barcelone. Entre en 1900 à l'École des beaux-arts de La Lonja où il apprend la technique du métal repoussé.
1903	Obtient une bourse et passe six mois à Paris où il se passionne pour les œuvres de Rodin. Prête pendant ce temps-là son atelier de Barcelone à Picasso.
1904	De retour à Barcelone, première exposition Sala Parès.
1905	Fait un séjour à Madrid chez le sculpteur médailleur A. Querol.
1906-1910	Revient à Barcelone où, tout en effectuant un deuxième voyage à Paris en 1907, il réalise jusqu'en 1910 de nombreuses commandes: hôpital San Pau, Palais de la musique, théâtre Bosque.
1912	De retour à Paris, s'installe dans un atelier rue Blomet, retrouve ses amis catalans Picasso, Manolo, Juan Gris et se lie d'amitié avec Max Jacob, André Salmon, Pierre Reverdy...
1914-1916	A la déclaration de guerre, retourne en Espagne. En 1915, atteint par une maladie pulmonaire et très affaibli, il réalise des œuvres de petite taille qu'il expose avec succès à la galerie Valentin, Barcelone.
1917-1920	Nommé professeur à l'École technique des métiers d'art de Barcelone. Exécute des masques et des figures en métal. Expose régulièrement dans les Salons de Paris rouverts depuis l'armistice.
1921	Exposition personnelle au Musée d'art moderne de Barcelone.
1922-1924	Réalise des premières œuvres en creux. Pour des raisons politiques, abandonne son poste de professeur et quitte l'Espagne pour s'installer définitivement à Paris.
1927	Se consacre essentiellement à la sculpture en métal.
1928	Participe à la Biennale de Venise.
1929-1931	Commande officielle de la ville de Barcelone de grandes sculptures en pierre et en bronze pour l'Exposition universelle (1929). Expose à la galerie Georges Bernheim, Paris.
1933-1934	Prépare simultanément deux expositions: l'une pour la galerie Brummer à New York, l'autre destinée à Barcelone et à Reus (province de Tarragone). Épuisé par sa maladie, meurt durant cette exposition à Reus, le 28 décembre 1934.

Bibliographie

Pierre Courthion, *L'Œuvre complète de Pablo Gargallo,* Paris, XXᵉ siècle, 1973.

Jean Anguera, *Gargallo,* Paris, éd. Carmen Martinez, 1979.

Paris, Musée d'art moderne de la Ville de Paris, *Pablo Gargallo 1881-1934,* 18 déc. 1980-1ᵉʳ mars 1981.

Gaudier-Brzeska
Henri

1891-1915

Né le 4 octobre 1891 à Saint-Jean-de-Braye, près d'Orléans.

1903-1909	Fait ses études à Orléans; il obtient deux bourses d'études pour des séjours à Londres (1906) et à Bristol (1908), puis une autre pour l'Allemagne (1909).
1909-1910	Se rend à Paris où il vit de traductions. Rencontre Sophie Brzeska, écrivain polonaise. Se met à sculpter.
1911	Se rend à Londres en janvier avec Sophie Brzeska; il s'y installe définitivement en juillet. Accepte divers travaux pour survivre jusqu'en 1913, ne pouvant consacrer à son art que ses moments de loisirs.
1912	Quelques-uns de ses dessins paraissent dans la revue *Rhythm* publiée par ses amis J. Middleton Murry et Katherine Mansfield. Commence à signer Gaudier-Brzeska. Rencontre le sculpteur Epstein qui lui fait découvrir la taille directe de la pierre, l'artiste Brodzky avec qui il se liera d'amitié et le critique MacFall.
1913	Se consacre totalement à son activité artistique. Rencontre Roger Fry, le romancier Frank Harris et l'écrivain américain Ezra Pound. Participe désormais aux manifestations du groupe des vorticistes. Présente des œuvres à l'exposition de l'Alpine Club Gallery organisée par R. Fry et, sous son impulsion, s'associe aux réalisations décoratives des ateliers Omega.
1913-1914	Participe à l'exposition annuelle de l'Allied Artists Association.
1914	En mars, fondation par Wyndham Lewis du Rebel Art Center, lieu privilégié des vorticistes, auquel il s'associe. Publie son premier «Vortex», sorte de manifeste de la sculpture, dans le numéro 1 de la revue vorticiste *Blast.*
1914-1915	Participe aux «London Group Exhibitions» de la Goupil Gallery.
1915	Publie un deuxième «Vortex» dans *Blast* nᵒ 2. Retourné en France en 1914 pour son service militaire, il part pour le front en 1915. Meurt au cours d'une attaque le 5 juin à Neuville-Saint-Vaast.
1916	Ezra Pound publie en hommage à son ami le livre *Gaudier-Brzeska, a Memoir.*

Bibliographie

Roger Cole, *Burning to Speak - the Life and Art of Henri Gaudier-Brzeska,* Oxford, Phaidon, 1978.

Bielefeld, Kunsthalle, *Henri Gaudier-Brzeska 1891-1915,* 1969.

Edimbourg, Scottish National Gallery of Modern Art, *Henri Gaudier-Brzeska,* 12 août-10 sept. 1972.

Cambridge, Kettle's Yard Gallery, *Henri Gaudier-Brzeska Sculptor 1891-1915,* 15 oct.-20 nov. 1983.

Lugano, Galleria Pieter Coray, *Henri Gaudier-Brzeska,* sept.-oct. 1984.

Gauguin
Paul

1848-1903

Né le 7 juin 1848 à Paris.

1851-1871	Après avoir séjourné pendant quatre ans à Lima (Pérou), il retourne en France en 1855 où il fait ses études à Orléans, puis s'engage dans la marine en 1865.
1871	Entre chez un agent de change où il poursuivra une brillante carrière jusqu'en 1883. Commence à peindre.
1873	Épouse une Danoise, Mette Gad.
1874-1886	Relations avec Pissarro, les impressionnistes et le peintre Emile Schuffenecker. Il expose pour la première fois au Salon de 1876 et participe aux dernières expositions impressionnistes de 1879 à 1886.
1883-1885	Partage sa vie entre Rouen et Copenhague où est partie sa famille. Revenu seul à Paris en juin 1885, il vit dans la misère.
1886-1887	Se rend pour la première fois en Bretagne à Pont-Aven. A son retour à Paris, rencontre Van Gogh. Premiers objets en céramique dans l'atelier d'Ernest Chaplet. Part avec son ami le peintre Charles Laval à Panama puis à la Martinique.
1888	Second séjour à Pont-Aven. Rencontre Sérusier et Emile Bernard. Naissance du synthétisme et du cloisonnisme. Rejoint Van Gogh à Arles en octobre et le quitte en décembre; retour à Paris.
1889-1890	Organise avec Schuffenecker une exposition collective au café Volpini dans le cadre de l'Exposition universelle. Puis séjour à Pont-Aven et au Pouldu.
1891	Se lie avec le milieu symboliste (Aurier, Morice, Redon...). Part en juin pour Tahiti où il reste jusqu'en juillet.
1893-1894	Retour à Paris en août. Travaille avec Charles Morice à la mise au point de son livre de souvenirs sur l'Océanie, *Noa Noa*. Réalise ses premiers bois sculptés. En 1894, nouveau séjour à Pont-Aven.
1895-1899	Retourne à Tahiti en juillet et connaît de nouveau la misère. Fait une tentative de suicide en 1898. En 1899, commence une nouvelle série de bois sculptés et illustre des journaux satiriques locaux.
1901-1903	Va aux îles Marquises et s'installe à Atuana (Hiva-Hoa). Très affaibli, il ne peint presque pas mais écrit *L'Esprit moderne et le catholicisme* (1902) et *Avant et après* (1903). Meurt à Atuana le 8 mai 1903.

Bibliographie

Françoise Cachin, *Paul Gauguin,* Paris, Livre de poche, 1968.

Paris, Orangerie des Tuileries, *Gauguin, exposition du centenaire,* 1949.

Toronto, Musée des beaux-arts de l'Ontario, *Gauguin to Moore - Primitivism in Modern Sculpture,* par Alan G. Wilkinson, nov. 1981-janv. 1982.

New York, The Museum of Modern Art, *Primitivism in 20th Century Art,* sous la direction de William Rubin, 1984 (vol. I, texte de Kirk Varnedoe, pp. 179-210).

Saint-Germain-en-Laye, musée du Prieuré, *Le Chemin de Gauguin,* oct. 1985-mars 1986.

Giacometti
Alberto

1901-1966

Né le 10 octobre 1901 à Borgonovo, près de Stampa (Suisse). Son père est le peintre post-impressionniste suisse Giovanni Giacometti et son oncle le peintre symboliste Auguste Giacometti.

1902	Naissance de son frère Diego qui sera lié à l'élaboration de son œuvre tout entière.
1906-1918	Sa famille s'installe à Stampa. Réalise dès 1914 ses premiers portraits peints et sculptés. De 1915 à 1918, études secondaires au collège de Schiers.
1919	Quitte l'École des beaux-arts de Genève au bout de trois jours et s'inscrit à l'École des arts et métiers pour y étudier la sculpture.
1920-1924	Voyage en Italie, à Venise puis à Rome, et arrive à Paris le 1er janvier 1922. Suit les cours de Bourdelle à la Grande-Chaumière.
1925-1926	Invité par Bourdelle, expose au Salon des Tuileries. Influence de Laurens, Lipchitz et Brancusi, de l'art africain et des statues cycladiques. Jusqu'en 1934, abandonne la figuration réaliste pour composer surtout des sculptures-objets.
1927-1928	S'installe avec son frère dans un petit atelier rue Hippolyte-Maindron qu'il ne quittera plus. Réalise des sculptures plates qui le conduisent ensuite aux sculptures ouvertes.
1929	Se lie d'amitié avec Masson, Leiris, Tériade, Miró, Ernst et de nombreux autres écrivains et artistes associés au surréalisme. Participe à une exposition de sculptures à la galerie Bernheim. Passe un contrat avec Pierre Loeb.
1930	Réalise avec son frère Diego des objets décoratifs et utilitaires pour le décorateur Jean-Michel Frank. Rencontre Aragon, puis Breton et Dalí. Adhère au surréalisme et participe aux activités du groupe. Réalise des sculptures ludiques, oniriques et érotiques dites «affectives».
1932-1933	Première exposition personnelle à la galerie Pierre Colle, Paris, en 1932. Fin de la période de l'imaginaire. Rupture avec les surréalistes.
1934	Retour de sa sculpture à la réalité et au modèle. Première exposition personnelle à New York, Julien Levy Gallery. Cesse d'exposer jusqu'en 1947.
1940-1941	Délaisse le modèle et revient au travail de mémoire. Ses figures deviennent minuscules. Liens avec Picasso, Sartre et Simone de Beauvoir.
1942-1945	Séjourne à Genève. Collabore à la revue de Skira *Labyrinthe.*
1946	Retour à Paris. Réalise des figures étirées et filiformes.
1948-1951	Exposition personnelle à la Pierre Matisse Gallery, New York, où il exposera en 1950, 1955, 1958, 1961 et 1964. Première rétrospective à la Kunsthalle de Bâle (1950) et première exposition chez Maeght, à Paris (1951).
1955-1965	Rétrospective à Londres (Arts Council of Great-Britain), New York (Guggenheim Museum, 1955), Berne (Kunsthalle, 1956), Zurich (Kunstmuseum, 1962), Bâle (galerie Beyeler, 1963), Londres (Tate Gallery), New York (Museum of Modern Art) et Humlebæk (Louisiana Museum, 1965).
1959	Commande d'un projet pour la Chase Manhattan à New York, abandonné en 1960.
1961-1962	Prix de sculpture pour l'Exposition internationale de peinture et de sculpture contemporaines de Pittsburgh puis, en 1962, grand prix de sculpture de la Biennale de Venise.
1965	Grand prix des arts de la Ville de Paris. Docteur *honoris causa* de l'université de Berne.
1966	Meurt le 11 janvier à Coire (Suisse). Inauguration de la fondation Alberto Giacometti à Zurich.

Bibliographie

Jacques Dupin, *Alberto Giacometti,* Paris, Maeght, 1962.

Raoul-Jean Moulin, *Giacometti: sculptures,* Paris, Hazan, 1964.

New York, The Guggenheim Museum, *Alberto Giacometti, A Retrospective Exhibition,* 1974 (texte de Reinhold Hohl).

Saint-Paul-de-Vence, fondation Maeght, *Alberto Giacometti,* 8 juil.-30 sept. 1978.

New York, Museum of Modern Art, *Primitivism in 20th Century Art,* sous la direction de W. Rubin, 1984 (vol. II, texte de Rosalind Krauss, pp. 503-534.).

González
Julio

1876-1942

Né à Barcelone le 21 septembre 1876.

1891	Commence à travailler le métal dans l'atelier de son père qui est artisan orfèvre.
1892	Avec son frère Joan, présente des œuvres en métal forgé à l'Exposition internationale de Chicago et à l'Exposition de Barcelone (elles remportent une médaille d'or).
1897-1899	Fréquente le café Els Quatre Gats à Barcelone où il rencontre Picasso, Torres-García... Première visite à Paris.
1900	Avec sa famille, s'installe à Paris où les deux frères se consacrent à la peinture. Il retrouve Picasso et se lie avec les artistes et écrivains habitués du Bateau-Lavoir (Manolo, Max Jacob, Maurice Raynal...). Nombreux pastels.
1902	Rencontre le sculpteur Pablo Gargallo à Paris, puis d'autres artistes espagnols.
1904	Rencontre Brancusi. Expose au Salon d'automne puis, en 1907, au Salon des Indépendants.
1908	Bouleversé par la mort de son frère Joan, il s'isole et ne voit plus que Picasso et Brancusi. S'oriente vers la sculpture. Dès 1910, il réalise ses premiers masques en métal repoussé.
1913	Expose régulièrement dans les Salons (Salon d'automne, Salon des Indépendants...) jusqu'en 1933.
1918	Travaille comme apprenti soudeur aux usines Renault: il apprend ainsi la soudure autogène qu'il utilisera plus tard pour des sculptures en fer. Jusqu'en 1926, il hésite entre la peinture et la sculpture.
1922	Première exposition personnelle, galerie Povolovsky à Paris.
1927-1928	Premières sculptures en fer forgé ou découpé. Début de sa collaboration avec Picasso qui se poursuivra jusqu'en 1931 pour la réalisation de sculptures en fer. Il évolue vers des sculptures plus abstraites.
1930-1937	Plusieurs expositions personnelles à Paris: galerie de France (1930), galerie Percier (1934), galerie des Cahiers d'art (1934, 1935, 1936 en groupe) et galerie Pierre (1937).
1932	Rejoint les groupes Cercle et Carré puis Abstraction-Création.
1933	Début de la construction de sa maison et de son atelier à Arcueil où il s'installera avec sa famille en 1936.
1936-1937	Participe à l'exposition du Museum of Modern Art de New York, «Cubism and Abstract Art», et à l'Exposition universelle de Paris.
1939	Pendant la guerre, part dessiner dans le Lot.
1941	Retour à Arcueil où, à cause de la guerre et des restrictions, il fait des sculptures plus figuratives en plâtre.
1942	Meurt subitement à Arcueil le 27 mars.

Bibliographie
Vicente Aguilera Cerni, *Julio González,* Madrid, 1971.
Jörn Merkert, *Julio González: Werkkatalog der Skulpturen* (catalogue raisonné), à paraître.
Josephine Withers, *Julio González, Sculpture in Iron,* New York, New York University Press, 1978.
New York, The Guggenheim Museum, *Julio González, a Retrospective,* par Margit Rowell, 1979.

Hausmann
Raoul

1886-1971

Né à Vienne le 12 juillet 1886.

1901	S'établit à Berlin. Initiation à la peinture par son père qui est peintre académique.
1905	Fait la connaissance de l'architecte Johannes Baader.
1912	Collabore à la revue *Der Sturm.*
1913	Rencontre régulièrement au Café des Westens Hans Richter, Arthur Segal, Emmy Hennings, Baader et Hugo Ball.
1915	Fait la connaissance de Hannah Höch.
1916	Collabore aux revues *Die Aktion* et *Die freie Strasse.*
1918	Adhère au mouvement dada de Berlin en créant le Club Dada avec Franz Jung et Richard Huelsenbeck. Participe à toutes les manifestations dada: au Café Austria, récite ses premiers poèmes phonétiques qu'il reproduit en affiches; crée le photomontage, publie son premier livre *Material der Malerei, plastik Architektur.* Rencontre Schwitters qui n'est pas accepté au Club Dada. Premier manifeste dadaïste publié à Berlin par Huelsenbeck.
1918-1919	Fait paraître cinq articles dans la revue *Erde* à Breslau.
1919	Fonde la revue *Der Dada* et organise la première exposition dada au Graphisches Kabinett J.B. Neumann, à Berlin. Devient membre du Novembergruppe, association d'artistes d'avant-garde.
1920	Foire internationale Dada, organisée avec Grosz et Heartfield. Il y expose des collages, reliefs et photomontages. Publie dans la revue *De Stijl* les manifestes «Dada est plus que Dada» et «Présentisme». Collabore aux revues *Mecano* et *Merz.* Se lie avec Otto Freundlich, Hans Arp, Viking Eggeling, László Moholy-Nagy.
1921	Organise avec Schwitters une soirée «Anti-Dada-Merz» à Prague et publie *Hurrah, Hurrah, Hurrah.*
1923	Abandonne la peinture pour se consacrer à l'optique. Organise une matinée *Merz* à Hanovre avec Schwitters.
1927	Invention de l'«Optophone» transformé en 1932 en machine à calculer.
1928-1932	Collabore à la revue *A bis Z.* Participe à la première exposition de photomontages à Berlin en 1931.
1933-1944	Inscrit sur la liste des «artistes dégénérés», il quitte définitivement l'Allemagne. Poursuit surtout une activité de photographe. Voyage en Europe; s'installe en France, à Peyrat-le-Château en 1939 puis à Limoges en 1944. Il reprend alors ses activités: gouaches, photographies, rayogrammes, pictogrammes, peinture.
1946	Correspondance avec Schwitters: ils élaborent ensemble la revue *Pin.* Ces documents ne seront publiés qu'en 1962 à Londres.
1971	Meurt à Limoges le 1er février.

Bibliographie
Stockholm, Moderna Museet, *Raoul Hausmann,* 21 oct.-19 nov. 1967.
Paris, Mnam, *Raoul Hausmann autour de «L'Esprit de notre temps»,* 22 nov. 1974-20 janv. 1975.

Hepworth
Barbara

1903-1975

	Née le 10 janvier 1903 à Wakefield (Yorkshire).
1920-1924	Obtient une bourse pour l'École d'art de Leeds où elle rencontre Henry Moore également étudiant, puis entre en 1921 au Royal College of Art de Londres pour y étudier la sculpture grâce à une autre bourse. Premier voyage à Paris où elle se rendra régulièrement jusqu'en 1939. Diplômée en 1924, elle obtient une bourse du West Riding qui lui permet de faire un voyage d'un an à l'étranger.
1924-1926	Séjour en Italie: à l'école anglaise de Rome, Ardini lui apprend à sculpter le marbre. Retour définitif en Angleterre en novembre 1926.
1927	Expose avec son mari le sculpteur John Skeaping dans leur atelier de St. John's Wood, à Londres.
1928	S'installe dans un autre atelier, à Londres, où elle peut travailler en plein air. Elle y restera jusqu'en 1939. Première exposition personnelle à la Beaux-Arts Gallery de Londres.
1930-1931	Réalise sa première sculpture creusée. En 1931, en vacances dans le Norfolk, elle rencontre Ben Nicholson qu'elle épousera en 1934. Se joint au groupe Seven and Five avec lequel elle exposera jusqu'à sa dissolution en 1936.
1932	Voyage en France avec Nicholson: rencontre Picasso, Braque, Brancusi, Sophie Taeuber-Arp, et visite l'atelier d'Arp. Expose avec Nicholson à Londres, Arthur Tooth and Sons Gallery.
1933	A Paris, revoit Brancusi et fait la connaissance d'Hélion et Herbin qui l'invitent à se joindre au groupe Abstraction-Création. Rencontre Mondrian.
1933-1934	A Londres, devient membre du groupe Unit One.
1935	A Paris, fait la connaissance de Gabo qui s'installe la même année en Angleterre.
1936	Rencontre Arp à Londres lors de l'International Surrealist Exhibition aux New Burlington Galleries.
1937	Publication de la revue *Circle — International Survey of Constructive Art* sur laquelle elle travaille depuis 1935 avec Ben Nicholson, l'architecte Leslie Martin et Naum Gabo.
1938	Mondrian s'installe dans un atelier voisin à Londres. Premières sculptures à cordes.
1939	Part avec sa famille pour St. Ives, en Cornouailles, juste avant la déclaration de guerre.
1943	Première exposition rétrospective à Temple Newsam, Leeds.
1950	Voyage à Venise où ses œuvres sont exposées à la XXVᵉ Biennale. Reçoit une commande de deux œuvres pour le Festival de Grande-Bretagne.
1951	Rétrospective à Wakefield.
1953	Obtient le 2ᵉ prix au concours pour le «monument au prisonnier politique inconnu».
1954	Rétrospective à la Whitechapel Art Gallery de Londres. Voyage en Grèce.
1956	Commence à travailler le métal (cuivre et bronze).
1959	Obtient le grand prix de la Biennale de Sao Paulo. Premier voyage à New York.
1962-1968	Rétrospectives à la Whitechapel Art Gallery de Londres (1962), au Kröller-Müller d'Otterlo (1965), et à la Tate Gallery de Londres (1968).
1970	Publie son autobiographie.
1975	Meurt dans l'incendie de son atelier à St. Ives le 20 mai.
1976	Ouverture du Barbara Hepworth Museum à St. Ives.

Bibliographie

Herbert Read, *Barbara Hepworth, Carving and Drawings,* Londres, Lund Humphries, 1952.
J.P. Hodin, *Barbara Hepworth,* Neuchâtel, Griffon, 1961.
A.M. Hammacher, *Barbara Hepworth,* Londres, Thames and Hudson, 1968.
Londres, Tate Gallery, *Barbara Hepworth,* 1968.

Herbin
Auguste

1882-1960

	Né à Quiévy (Nord) le 29 avril 1882; passe son enfance au Cateau-Cambrésis.
1899	Études à l'École des beaux-arts de Lille.
1901	S'installe à Paris, près de la butte Montmartre. Peintures impressionnistes.
1905-1907	Expose pour la première fois au Salon des Indépendants en 1905 et au Salon d'automne en 1907.
1905-1925	Nombreux voyages: à Meaux (1909), Bruges (1905-1908), en Corse (1907), en Hollande (1908). Séjourne au Cateau-Cambrésis (1909, 1910, 1917, 1921), à Créteil (1909, 1911), Céret (1913, 1920), Condé-sur-Aisne (1914), Sisteron (1924), Vaison-la-Romaine (1924-1925).
1908	Le Salon d'automne refuse son envoi ainsi que plusieurs toiles de Braque.
1909	S'installe au Bateau-Lavoir.
1912	Expose à la galerie Der Sturm à Berlin.
1913	Introduction de formes géométriques liées à la couleur dans le plan. Figure à l'Armory Show de New York.
1917-1921	Peintures, sculptures et fresques géométriques. A la suite du contrat avec Léonce Rosenberg en 1916, expose à la galerie de l'Effort moderne en 1918, 1921 et 1924.
1922-1926	Retour à une peinture figurative.
1926-1930	Seconde période abstraite. Expose à Amsterdam, galerie Mak, en 1927, et à Paris, galerie Braun, en 1930.
1931	Fonde avec Vantongerloo le mouvement Abstraction-Création. En 1933, compose le deuxième album annuel *Abstraction-Création.*
1934-1946	Expositions personnelles à Londres, Mayor Gallery (1934), à Paris, galerie Sambon (1936) et galerie Denise René (régulièrement à partir de 1946).
1940-1949	Élabore son «alphabet plastique» et publie en 1949 son livre *L'Art non figuratif non objectif.*
1946-1960	Expose au Salon des Réalités nouvelles.
1958	Première rétrospective dans un musée, au Kunstverein de Fribourg. Expose au Carnegie Institute de Pittsburgh.
1959	Rétrospective à la galerie Simon Heller, Paris. «Hommage à Herbin» à la Biennale de Turin. Expose à la Documenta II de Kassel.
1960	Meurt à Paris le 31 janvier.

Bibliographie

Anatole Jakovski, *Auguste Herbin,* Paris, éd. Abstraction-Création, 1933.
René Massat, *Auguste Herbin,* Paris, coll. Prisme, 1953.
Hanovre, Kestner Gesellschaft, *Herbin,* 1967-1968.

Hesse
Eva

1936-1970

	Née à Hambourg le 11 janvier 1936.
1939	Sa famille fuit l'Allemagne nazie et s'établit à New York. Eva Hesse y restera jusqu'à sa mort.
1945	Prend la nationalité américaine.
1952	Diplômée de la School of Industrial Arts de New York, elle entre au Pratt Institute de Brooklyn (1952-1953).
1953-1957	Suit les cours de l'Art Students League de New York (1953) puis de la Cooper Union (1954-1957) où elle fait de la peinture expressionniste abstraite.
1957	Après avoir obtenu une bourse pour les cours d'été organisés par la Yale University à Norfolk, elle est acceptée à la Yale University School of Art and Architecture où elle suit les cours de peinture de Josef Albers. Obtient son diplôme en 1959.
1960	De retour à New York, elle rencontre plusieurs artistes, dont Sol LeWitt et Claes Oldenburg.
1961	Première exposition «Drawings: Three Young Americans», à la John Heller Gallery de New York. Elle présente aussi un dessin à l'International Watercolour Biennale de Brooklyn. Se marie avec le sculpteur Tom Doyle.
1962	Passe l'été à Woodstock où elle réalise ses premières sculptures.
1963	Première exposition personnelle à New York, Allan Stone Gallery.
1964-1965	Séjourne à Kettwig-am-Ruhr (R.F.A.) et voyage en Italie, France et Suisse. Première exposition de sculptures au Kunstverein de Düsseldorf.
1965	Retourne à New York. Abandonne la peinture. Voit Keith Sonnier, Richard Serra, Robert Smithson, Carl Andre, Robert Morris et la critique Lucy Lippard.
1966	Participe à l'exposition «Abstract Inflationism and Stuffed Expressionism» à la Graham Gallery de New York.
1967-1968	Réalise ses premières sculptures en latex en 1967 et commence à utiliser en 1968 la fibre de verre. Grande exposition personnelle à la Fischbach Gallery, New York. Est atteinte d'une grave maladie.
1968-1970	Enseigne à la School of Visual Arts de New York et participe à plusieurs expositions d'art minimal et post-minimal.
1970	Meurt à New York le 29 mai.

Bibliographie

Lucy R. Lippard, *Eva Hesse*, New York, University Press, 1976.
New York, The Guggenheim Museum, *Eva Hesse: A Memorial Exhibition*, 7 déc. 1972-11 fév. 1973.
Londres, Whitechapel Art Gallery, Otterlo, Rijksmuseum Kröller-Müller, et Hanovre, Kestner-Gesellschaft, *Eva Hesse: Sculpture*, mai-sept. 1979.

Höch
Hannah

1889-1978

	Née à Gotha Thüringen le 1er novembre 1889.
1912	Fait ses études à l'École des arts décoratifs de Berlin.
1914	Visite l'exposition du Werkbund à Cologne.
1915	Poursuit ses études interrompues et fait la connaissance de Raoul Hausmann.
1917-1918	Réalise des collages abstraits avec dentelles et feuilles de patrons de mode, puis ses premiers photomontages. Travaille en collaboration avec Hausmann qui l'associe, sans l'intégrer, au groupe des dadaïstes. Fait des poupées dadaïstes.
1919	Participe à la première exposition dada au Graphisches Kabinett J.B. Neumann à Berlin. Membre du Novembergruppe. Voyage à Rome.
1920	Expose à la première foire internationale Dada.
1921	Tournée Anti-Dada-Merz avec Hausmann et les Schwitters à Prague.
1922	Se sépare de Hausmann. Réalise une première «grotte» pour le *Merzbau* de Schwitters.
1923	Hans Arp vient travailler dans son atelier à Berlin. Début de la série des photomontages «Portraits».
1924	Premier séjour à Paris où elle rencontre Mondrian dans l'atelier de Theo van Doesburg.
1925	Début de la série des photomontages «Dans un musée ethnographique».
1926-1928	Séjourne en Hollande où elle a des contacts avec le groupe De Stijl.
1929	Premières expositions personnelles à La Haye, Rotterdam, Amsterdam. Retourne à Berlin et participe avec de nombreux photomontages à l'exposition du Werkbund «Film und Foto», à Stuttgart.
1931-1934	Plusieurs expositions: «Fotomontages» à Berlin (1931), Exposition internationale de la photographie et du cinéma à Bruxelles (1932 et 1933), à Brno et à La Haye (1934).
1939	S'installe à Heiligensee, au nord de Berlin.
1947	Premiers montages de photos couleur.
1949-1975	Nombreuses expositions à Berlin mais aussi à Paris, New York, Düsseldorf, Kyoto...
1965	Nomination à l'Akademie der Künste de Berlin.
1978	Meurt le 31 mai à Berlin.

Bibliographie

Heinz Ohff, *Hannah Höch*, Berlin, Gebr. Mann Verlag, 1968.
Herbert Remmert, *Hannah Höch*, Berlin, 1982.
Paris, Arc-Musée d'art moderne de la Ville de Paris/Berlin, Nationalgalerie, *Hannah Höch*, janv.-mai 1976.

Jacobsen
Robert

1912

	Né le 4 juin 1912 à Copenhague, où il fait sa scolarité.
1926-1930	Exerce divers métiers: gérant de bar, marin, joueur de banjo...
1930	Crée ses premières sculptures en bois.
1931	Part aux États-Unis comme marin.
1932	A Copenhague, est fortement impressionné par une exposition de l'avant-garde allemande.
1933-1944	Suit l'enseignement d'un sculpteur et d'un tailleur de pierre et réalise ses premières sculptures en taille directe (granite, marbre, pierre calcaire).
1940-1945	Commence à exposer à Copenhague. Participe au Salon d'automne de 1940, et a plusieurs expositions personnelles. Collabore avec les artistes du futur groupe Cobra et se lie d'amitié avec Mortensen et Jorn.
1945-1946	Plusieurs expositions en Scandinavie, notamment à Tokanten avec Mortensen.
1947	Grâce à une bourse de l'État français, il vient vivre à Paris. Il s'installe avec Mortensen qui va l'introduire dans le groupe d'artistes de la galerie Denise René, où il exposera jusqu'en 1954.
1949	Premiers travaux en fer. Partage un atelier avec Asger Jorn. A partir de 1950, a son propre atelier à Paris.
1955-1965	Expose désormais à la galerie de France à Paris. Nombreuses expositions dans les musées de l'Europe du Nord: Amsterdam (Stedelijk Museum), Humlebæk (Louisiana Museum), Stockholm (Moderna Museet), Malmö, Aarhus, Copenhague...
1962	Devient professeur à l'Académie des beaux-arts de Munich. Première exposition aux États-Unis, à New York, Kootz Gallery.
1966	Obtient le grand prix de la Biennale d'arts plastiques de Venise avec Etienne Martin.
1967	Obtient la médaille Thorvaldsen.
1969	Achète une ferme à Tagelund, près d'Egtved, où il vit depuis lors.
1972	Continue à avoir de nombreuses expositions en Europe et aux États-Unis.
1976	Est nommé professeur à l'Académie royale des beaux-arts de Copenhague.
1984-1985	Rétrospective itinérante à Toulon, Rennes et Paris. Figure dans l'exposition «Sculptures» à Jouy-en-Josas.

Bibliographie

G. Jespersen, *Robert Jacobsen,* Oslo, JM Stenersens Forlag AS, 1978.

Kiel, Kunsthalle/Schleswig-Holsteinischer, Kunstverein, *Der Bildhauer Robert Jacobsen und seine Welt,* 1975.

Toulon, musée, *Robert Jacobsen, parcours,* 14 juil.-30 sept. 1984 (exposition présentée ensuite au Musée des beaux-arts de Rennes et au musée Rodin à Paris).

Judd
Donald

1928

	Né le 3 juin 1928 à Excelsior Springs dans le Missouri.
1946-1947	Sert en Corée dans l'armée américaine.
1948-1953	Études à l'Art Students League de New York, à l'université de Williamsburg en Virginie puis à Columbia University (New York) où il obtient son diplôme de philosophie.
1956-1958	Série de peintures abstraites.
1959	Installé à New York depuis 1954, il obtient sa maîtrise en histoire de l'art à Columbia University et commence à écrire des critiques pour *Art News* puis pour *Arts Magazine,* activité qu'il poursuivra jusqu'en 1965. Il publiera notamment «Local History» (1964) et «Specific Objects» (1965).
1960-1961	Abandonne la peinture pour les reliefs.
1962	Passe aux objets tridimensionnels. Rencontre Richard Bellamy, directeur de la Green Gallery à New York. Chargé de cours jusqu'en 1964 au Brooklyn Institute of Arts and Sciences.
1963	Participe à deux expositions de groupe à la Green Gallery avec Flavin, Morris, puis avec Stella, Kelly, Poons, Morris... Première exposition personnelle en décembre dans la même galerie.
1965	Bourse de l'Institut suédois pour se rendre en Suède. Participe à l'une des premières manifestations de l'art minimal, «Shape and Structure» à la Tibor de Nagy Gallery, New York, avec Carl Andre, Robert Morris, Larry Bell, Larry Zox.
1966	Expose chez Leo Castelli, New York. Il utilise exclusivement le métal (acier laminé, laiton, aluminium) et le plexiglas, en privilégiant la couleur rouge. Construit des structures géométriques et répétitives qui modifient l'espace environnant.
1967	Dirige un séminaire sur la sculpture à Yale University. Reçoit une subvention du gouvernement américain.
1968	Rétrospective au Whitney Museum de New York.
1973	Participe à la Foire de Bâle.
1975	Exposition à la Galerie nationale du Canada à Ottawa. Publication du catalogue raisonné de peintures, objets et planches en bois 1960-1974.
1976-1979	Exposition à la Kunsthalle de Berne (1976) et au Van Abbemuseum d'Eindhoven (1979).
1980-1985	Participe à la Biennale de Venise (1980), à «Westkunst» à Cologne (1981), à la Documenta de Kassel (1982), à «Skulptur im 20. Jahrhundert» à Bâle (1984), à «Art minimal I» à Bordeaux (1985). Figure dans «Contrasts of Form», MoMA, New York, «Transformations in Sculpture», Guggenheim Museum, et «Sculptures» à Jouy-en-Josas (1985).

Vit et travaille au Texas et à New York.

Bibliographie

Pasadena, Art Museum, *Don Judd,* 1971.

Ottawa, Galerie nationale du Canada, *Donald Judd* (catalogue raisonné de peintures, objets et planches en bois 1960-1974), par Brydon Smith, 24 mai-6. juil. 1975.

Bordeaux, Capc, *De la ligne au parallélépipède, Art minimal I,* 2 fév.-21 avril 1985.

Kirchner

Ernst Ludwig

1880-1938

	Né le 6 mai 1880 à Aschaffenburg (Allemagne).
1886-1903	Enfance à Francfort (1886-1887), à Lucerne (1887-1889) puis à Chemnitz où il passe ses examens. Il commence en septembre 1901 des études d'architecture à l'École supérieure technique de Dresde, qu'il interrompt pendant deux semestres en 1903 pour travailler dans l'atelier de Debschnitz et Obrist à Munich. Il obtiendra son diplôme en 1905.
1905-1911	Durant l'été 1905, avec ses trois compagnons d'étude Heckel, Schmidt-Rottluff et Bleyl, fonde le groupe Die Brücke dont il sera le chef de file. Premières peintures et sculptures. Max Pechstein et Emil Nolde rejoignent Die Brücke en 1906 ainsi qu'Otto Müller en 1910. Travaille à Dresde jusqu'en 1911.
1911	Avec Heckel et Schmidt-Rottluff, s'installe à Berlin. Fonde avec Pechstein l'Institut d'enseignement moderne de la peinture. Illustre par des gravures sur bois la revue d'avant-garde berlinoise Der Sturm. En décembre, formation du Blaue Reiter autour de Kandinsky et Marc.
1912	Die Brücke est présent à l'exposition du Blaue Reiter à Munich et à celle du Sonderbund à Cologne, où s'affirme clairement la notion d'expressionnisme.
1913	Première exposition personnelle au Folkwang Museum de Hagen et à la Gurlitt Galerie de Berlin. Rupture avec le groupe Die Brücke qui sera dissous la même année.
1914-1917	Service militaire à Halle-an-der-Saale et dépression nerveuse en 1914-1915. Séjourne en 1916-1917 dans les sanatoriums de Königstein, Berlin et Kreuzlingen. Convalescence dans les Alpes à Frauenkirch près de Davos, en mai 1917.
1918	Première grande exposition à Zurich. S'établit définitivement à Frauenkirch et se remet au travail. Réalise des reliefs sculptures-objets pour décorer cette maison ainsi que sa seconde maison (Wildboden) où il déménage en 1923.
1925	Première visite depuis 1917 en Allemagne dont les grandes villes exposent régulièrement ses œuvres depuis 1923.
1929-1932	Réalise des fresques pour le Folkwang Museum d'Essen.
1931	Nommé membre de l'Akademie der Künste de Berlin, il en est expulsé par les nazis en 1933.
1937	639 de ses œuvres conservées dans des collections allemandes sont confisquées par les nazis, et 32 sont montrées à l'exposition de l'art dégénéré de Munich.
1938	La maladie et la dépression le poussent à se suicider, à Frauenkirch le 15 juin.

Bibliographie

Will Grohmann, *E.L. Kirchner*, Stuttgart, éd. américaine New York, Thames and Hudson, 1961.

Donald E. Gordon, *Ernst Ludwig Kirchner*, Cambridge, Harvard University Press, 1968.

Los Angeles, County Museum of Art, *German Expressionist Sculpture*, oct. 1983-janv. 1984.

Klioun

Ivan Vassilievitch

1873-1942

	Né à Bolchye Gorki près de Kiev en 1873. Premières études artistiques à Kiev.
1890-1900	Etudes à l'Ecole de dessin pour l'encouragement des arts à Varsovie.
1900-1910	S'installe à Moscou où il étudie dans les ateliers privés de F. Rerberg, V. Fisher et I. Machkov. Rencontre en 1907 Malevitch dont il devient l'élève.
1910-1914	Participe au Salon de Moscou (1910-1913). Entre en contact avec l'Union de la jeunesse et participe à sa dernière exposition en 1913-1914 à Saint-Pétersbourg. Début de ses sculptures et reliefs d'inspiration cubo-futuriste.
1915	Ami de Malevitch et Matyouchine, il adhère au suprématisme, se joint au groupe Supremus et collabore à sa revue.
1915-1916	Participe aux expositions d'avant-garde russe « Tramway V » (1915) et « 0,10 » (1915-1916) à Petrograd, « Le Magasin » et « Le Valet de Carreau » (1916) à Moscou.
1917-1921	Dirige le Bureau d'exposition central du département des Arts plastiques du Narkompros.
1918-1921	Enseigne aux Svomas, ateliers libres d'Etat, puis aux Vkhoutemas de Moscou. Participe en 1919 à la Xe exposition d'Etat, « création non objective et suprématisme » à Moscou.
1921	Membre de l'Inkhouk. Contrairement à la plupart des avant-gardes russes il ne s'orientera jamais vers le design, restant fidèle à la peinture et à la sculpture.
1922	Participe à l'exposition d'art russe (Erste russische Ausstellung) à la galerie Van Diemen à Berlin.
1925	S'associe à des groupes d'artistes tels OST, société des stankovistes, le groupe des Quatre Arts qui à partir des années vingt s'éloigne du suprématisme pour se tourner vers un style de peinture plus traditionnelle et figurative.
1927	Adhère à la Société des sculpteurs russes.
1942	Meurt à Moscou.

Bibliographie

Christina Lodder, *Russian Constructivism,* New Haven et Londres, Yale University Press, 1983.

New York, Guggenheim Museum, *Art of the Avant-Garde in Russia : Selections from the George Costakis Collection,* par Angelica Rudenstine et Margit Rowell, 1981.

New York, Matignon Gallery, *Ivan Vassilievich Kliun,* 1983.

Kobro
Katarzyna

1898-1951

	Née le 26 janvier 1898 à Moscou.
1917-1920	Étudie à Moscou, à l'École de peinture, sculpture et architecture puis aux «Ateliers libres». En 1918, elle rencontre Wladyslaw Strzeminski qu'elle épouse un peu plus tard.
1920	Se lie avec l'avant-garde soviétique, notamment avec Medounetsky et Tatline, est en rapport avec l'OBMOKHU et entre à l'Unovis de Vitebsk dirigée par Malevitch et El Lissitsky.
1920-1922	Avec Strzeminski, dirige l'IZO à Smolensk.
1924	Après un court séjour à Riga, s'établit définitivement en Pologne et prend la nationalité polonaise. Réalise des sculptures proches du suprématisme, des constructions suspendues et des sculptures abstraites. Membre du groupe Blok.
1925-1926	Entame ses recherches sur la sculpture dans l'espace et construit des sculptures architectoniques. Membre du groupe Praesens. Commence son travail dans les écoles polonaises à Brzeziny et à Koluszka et à partir de 1931 à l'École industrielle des femmes de Łódź.
1929	Publie son premier manifeste artistique «La sculpture et le volume» dans la revue *Europa*. Membre du groupe «a.r.» avec Strzeminski, Stazenski, Brzekowski et Przybos.
1931	S'installe à Łódź. Publie un livre d'essais théoriques avec Strzeminski.
1932	Membre du groupe international Abstraction-Création. Corédactrice de la revue de l'Union des artistes de Łódź *Forma*, elle prend part aux expositions du groupe à Łódź, Cracovie, Varsovie et Luow.
1935	Invitée par le groupe de Cracovie, elle organise sa première et unique exposition personnelle avec Strzeminski.
1937	A partir de cette date, elle s'arrête pratiquement de faire de la sculpture.
1939-1945	Quitte Łódź en septembre 1939. Y revient durant l'occupation dans des conditions difficiles. Ses sculptures restées dans l'atelier sont détruites par les nazis qui les ont classées dans l'«art dégénéré».
1951	Affaiblie par une longue maladie, elle ne crée plus que quelques petites pièces. Meurt le 26 février.

Bibliographie
Essen, Folkwang Museum, *Konstruktivismus im Polen 1923-1936; Blok, Praesens, a.r.*, 12 mai-24 juin 1973.

W. Strzeminski et K. Kobro, *L'Espace uniste, écrits du constructivisme polonais*, Lausanne, L'Age d'homme, 1977.

Andrei Nakov, *Abstrait/Concret, art non objectif russe et polonais*, Paris, Transédition, 1981.

Paris, Centre Georges Pompidou, *Présences polonaises*, 23 juin-27 sept. 1983.

Janusz Zagrodski, «Katazyna Kobro et la composition de l'espace», *Cahier*, vol. 2/3, sept. 1984, Bruxelles, ICSAC.

Kounellis
Jannis

1936

	Né en 1936 au Pirée près d'Athènes où son enfance se déroule sur fond de guerre et de troubles civils.
1956	Il quitte la Grèce et s'installe à Rome où il entre à l'Académie des arts. Il découvre l'avant-garde artistique italienne.
1958	Élabore des ensembles de signes, lettres et chiffres qui rythment des surfaces abstraites. En 1963, ces éléments seront associés à une couleur et parfois à des notations musicales.
1960	La Galleria La Tartaruga à Rome présente sa première exposition personnelle, puis une deuxième en 1964.
1967	Introduit dans ses œuvres des éléments naturels comme le charbon, le coton, le café, le feu, des fleurs ainsi que des animaux vivants (oiseaux, chevaux) et crée ainsi des environnements, notamment la présentation de onze chevaux dans la galerie L'Attico à Rome. Outre ses expositions dorénavant régulières dans les galeries italiennes et à Berlin, New York et Paris, il participe aux expositions collectives d'Arte povera.
1969	Réalise sa première porte murée à San Benedetto del Tronto.
A partir de 1970	ses installations portent la marque d'une réflexion sur le passé, mythologique ou historique. Participe en 1972 à la Documenta de Kassel puis à la Biennale de Venise régulièrement jusqu'en 1980.
1975	Début de la série des stèles faites de fragments de sculpture classique associés au feu, à la suie ou à la peinture.
1976	Participe à la Biennale de Venise avec la présentation des onze chevaux.
1977	Expositions personnelles au Kunstmuseum de Lucerne et au Museum Boymans de Rotterdam.
1978	Évolution des portes murées. Elles deviennent des empilements ordonnés dans lesquels, en 1980, il introduira des fragments de sculpture classique puis en 1983 des tableaux muraux à fond de métal.
1978-1985	Expositions personnelles dans les musées à Mönchengladbach (Städtisches Museum, 1978), Essen (Museum Folkwang, 1979), Paris (ARC/Musée d'art moderne de la Ville de Paris, 1980), Eindhoven (Van Abbemuseum, 1981), Madrid (Caixa de Pensions), Londres (Whitechapel Art Gallery), Baden-Baden (Staatliche Kunsthalle, 1982), Rimini (Musei communali, 1983), Krefeld (Museum Haus Esters, 1984), Munich (Städtische Galerie im Lenbachhaus) et Bordeaux (Capc, 1985). Participe à de nombreuses expositions de groupe, notamment «Zeitgeist» à Berlin et la Documenta à Kassel (1982), «Skulptur im 20. Jahrhundert» à Bâle, «Coerenza in coerenza» à Turin (1984), «Ouverture» au Castello Rivoli à Turin, «European Iceberg» à Toronto, Nouvelle Biennale de Paris et «The Knot Arte Povera at P.S.1» à New York (1985).

Vit et travaille à Rome.

Bibliographie
Paris, ARC/Musée d'art moderne de la Ville de Paris, *Kounellis*, 17 avril-1er juin 1980.

Rimini, Musei communali, *Jannis Kounellis*, sous la direction de Germano Celant, 16 juil.-30 sept. 1983.

Bordeaux, Capc, *Jannis Kounellis*, 10 mai-8 sept. 1985.

Laurens
Henri

1885-1954

Né le 18 février 1885 à Paris.

1889-1910	Première formation dans un atelier de décoration; puis il fréquente les cours du soir du «père Perrin», sculpteur académique. S'installe à Montmartre en 1902. Subit l'influence de Rodin. A partir de 1905, travaille seul.
1911	Fait la connaissance de Braque: début d'une longue amitié. Celui-ci l'initie au cubisme mais il n'y adhérera que plus tard.
1913-1914	Expose au Salon des Indépendants. Amputé d'une jambe, il est réformé.
1915-1918	Réalise des constructions (petits personnages puis natures mortes) en bois, tôle et fer polychromes. Nombreux papiers collés. Se lie avec Juan Gris et Modigliani.
1916	Fréquente le groupe de la revue *Nord-Sud* et illustre le premier livre de poèmes de Pierre Reverdy. Picasso, rencontré en 1915, le présente à Léonce Rosenberg qui lui consacre deux expositions à la galerie de l'Effort moderne en 1916 et 1918, date à laquelle il devient son marchand.
1919	Premiers reliefs (terre cuite, bois et pierre généralement polychromes) et rondes-bosses dans l'esprit cubiste.
1920-1924	Comme Braque et Picasso, s'éloigne du cubisme: il retourne à la figuration. En 1921, Daniel-Henry Kahnweiler devient son marchand.
1924-1931	Parallèlement à la sculpture, nombreux travaux d'architecture et de décoration (commande du décor du *Train bleu* pour les Ballets russes, travaux pour J. Doucet, etc.).
1932-1933	Travaille et vit la moitié de l'année à L'Étang-La-Ville dans la région parisienne près de Maillol et du peintre Ker Xavier Roussel. Début de la dernière période de Laurens: œuvres plus monumentales.
1935-1936	Reçoit le prix Helena Rubinstein, puis réalise de nombreux travaux pour l'Exposition universelle.
1937	Premier séjour au bord de la mer.
1938	Importante exposition à Oslo, Stockholm et Copenhague avec Braque et Picasso.
1939-1944	Série de marbres du Pentélique qui sont exposés en 1945 à la galerie Louis Carré à Paris.
1948-1949	Participe à la Biennale de Venise puis expose au Palais des beaux-arts de Bruxelles.
1950	Invité à la Biennale de Venise, il n'y reçoit pas le prix de sculpture: Matisse partagera avec lui son prix de peinture.
1951	Rétrospective au Mnam, Paris.
1953	Grand prix de la Biennale de Sao Paulo.
1954	Séjour à Vence où il rend visite à Matisse et Picasso. Meurt à Paris le 5 mai.

Bibliographie

Marthe Laurens, *Henri Laurens, sculpteur,* Paris, Bérès, 1955.

Henri Hofmann et Daniel-Henry Kahnweiler, *The Sculpture of Henri Laurens,* New York, Abrams, 1970.

Paris, Grand Palais, *Henri Laurens,* exposition de la donation aux Musées nationaux, mai-août 1967.

Berne, musée des beaux-arts, *Henri Laurens,* 30 août-28 oct. 1985.

Paris, Musée national d'art moderne, *Henri-Laurens, le cubisme (1915-1920),* 18 déc. 1985-16 fév. 1986.

Lebedev
Vladimir Vassilievitch

1891-1967

Né à Saint-Pétersbourg en 1891.

1909	Suit des cours de dessin dans l'atelier d'A. Titov à Saint-Pétersbourg.
1910-1911	Fréquente l'atelier de scènes de bataille de F. Roubaud.
1912-1914	Etudes à l'Ecole de peinture, de dessin et de sculpture de M. Berstein et L. Sherwood. Jusqu'en 1916, il est auditeur libre à l'Institut supérieur d'art auprès de l'Académie des arts de Saint-Pétersbourg.
1912-1922	Membre de l'Association des nouveaux courants en art.
1918	Membre de l'Union de la jeunesse.
1928	Membre de la société des Quatre Arts.
1925-1931	Participe aux expositions d'arts plastiques soviétiques à Paris.
1928	Exposition personnelle à Leningrad. Fait partie du groupe des Quatre Arts.
1967	Meurt à Leningrad.

Bibliographie

V.N. Petrov, *V.V. Lebedev,* Leningrad, 1971.

Paris, Centre Georges Pompidou, *Paris-Moscou 1900-1930*, 31 mai-5 nov.1979.

Leoncillo
Leonardo

1915-1968

Né à Spolète (Italie) le 18 novembre 1915.

1926-1931	Études techniques; commence à travailler la terre cuite.
1932-1935	Études à l'Institut d'art de Pérouse où il exécute ses premières sculptures, puis à l'Académie des beaux-arts de Rome.
1939	S'installe à Umbertide où il travaille jusqu'en 1941 dans une fabrique de céramique, réalisant surtout des objets usuels mais aussi quelques sculptures.
1940	Expose ses céramiques à la Triennale de Milan.
1942	S'installe définitivement à Rome où il enseigne la céramique à l'Institut d'art. Commence à participer à des expositions collectives.
1943-1944	Expose avec un groupe d'artistes italiens à la Galleria dello Zodiaco à Rome. 1er prix de sculpture du ministère de l'Éducation nationale. S'engage dans la Résistance en 1944. Participe à l'exposition «L'arte contro la barbarie» à Rome, Galleria di Roma.
1945	Collabore aux revues *Mercurio* et *Settimana* dans lesquelles il publie de nombreux dessins.
1946	Signe le *Manifesto della nuova Secessione artistica italiana* à Venise avec Birolli, Cassinari, Guttuso, Morlotti, Pizzinato, Santomaso, Vedova et Viani.
1947	Avec le même groupe (moins Cassinari) qui s'appelle dorénavant Fronte nuovo delle arti, il expose à Milan, Galleria Cairola. Participe à la VIIIe Triennale de Milan où il obtient un diplôme d'honneur.
1948	Participe à la Biennale de Venise avec le groupe du Fronte nuovo.
1949-1950	Première exposition personnelle à Florence, Galleria del Fiore (1959) puis en 1950 à Rome, Galleria La Tartaruga.
1953	Expose à la IIe Biennale de sculpture au parc Middelheim à Anvers.
1954	Robert Longhi publie la première monographie sur Leoncillo.
1957	Traverse une crise idéologique et quitte le parti communiste italien. Exposition personnelle à Rome, Galleria La Tartaruga. Nombreuses recherches sur les techniques de la céramique qu'il présente d'abord dans l'exposition «Segno e materia» à la Galleria La Medusa à Rome puis en 1958 à la Galleria L'Attico à Rome.
1960	Exposition personnelle à Milan, Galleria Blu. Participe à la XXXe Biennale de Venise et à la Ve Biennale de sculpture, au parc Middelheim à Anvers.
1961-1968	Nombreuses expositions personnelles, surtout dans des galeries italiennes.
1964	Figure dans l'exposition du Carnegie Institute de Pittsburgh.
1967	Exécute un panneau monumental pour le pavillon italien à l'Exposition universelle de Montréal.
1968	Une salle lui est consacrée à la IVe Biennale de la céramique de Gubbio et à la XXXIVe Biennale de Venise. Meurt à Rome le 3 septembre.

Bibliographie
Giulio Carlo Argan et Maurizio Calvesi, *Leoncillo, opere recenti,* Rome, 1960.
Claudio Spadoni, *Leoncillo,* Rome, L'Attico-esse arte, 1983.
Rome, Galleria nazionale d'arte moderna, *Leoncillo,* par Bruno Mantura, 19 sept.-28 oct. 1979.

LeWitt
Sol

1928

	Né à Hartford dans le Connecticut le 9 septembre 1928.
1945-1949	Études à l'université de Syracuse (État de New York).
1951-1952	Service militaire au Japon et en Corée.
1953	S'inscrit à la Cartoonists and Illustrators School, connue plus tard sous le nom de School of Visual Arts, à New York.
1955-1960	Travaille comme dessinateur pour l'architecte I.M. Pei puis comme designer pour une firme commerciale.
1960-1965	Travaille au Museum of Modern Art de New York où il rencontre en 1960 la critique d'art Lucy Lippard, et les artistes Robert Mangold, Robert Ryman et Dan Flavin.
1963	Premières œuvres tridimensionnelles influencées par le Bauhaus, De Stijl et le constructivisme. A partir de cette époque, participe à des expositions de groupe, notamment à la Kaymar Gallery, New York (1964).
1965	Première exposition personnelle à la Daniels Gallery, New York, qui l'exposera régulièrement jusqu'en 1970. réalise des structures modulaires, cubiques et ouvertes.
1966	Participe jusqu'en 1970 aux expositions d'art minimal, notamment «Multiplicity» à l'Institute of Contemporary Art de Boston et «Primary Structures» au Jewish Museum de New York en 1966. Premières structures au mur ou au sol.
1967	Enseigne jusqu'en 1971 dans plusieurs écoles d'art de New York: Cooper Union (1967-1968), School of Visual Arts (1969-1970), New York University (1970-1971). Publie deux textes sur l'art conceptuel: «Paragraphs on Conceptual Art» dans *Artforum* (1967) et «Sentences on Conceptuel Art» dans *Art-Language* (1969).
1968	Réalise ses premiers *Wall Drawings* qui sont exposés chez Paula Cooper à New York: ils sont dessinés à partir d'un plan sommaire conçu par l'artiste et exécutés par des assistants. A partir de cette époque, nombreux voyages liés à son travail.
1969-1970	Participe aux expositions d'art conceptuel, notamment «Quand les attitudes deviennent forme» à la Kunsthalle de Berne (1969) et «Information» au Museum of Modern Art de New York (1970).
A partir de 1976,	réalise avec Lucy Lippard des livres d'artistes, notamment une monographie sur Eva Hesse (1976).
	Parmi les nombreuses expositions personnelles de l'artiste, citons les rétrospectives au San Francisco Museum of Art (1974) et au Museum of Modern Art de New York (1978), et l'exposition du Stedelijk Museum d'Amsterdam qui présentait l'ensemble de son œuvre graphique (1984). Il a participé à la Biennale de Venise (1980) et à «Art minimal I» à Bordeaux (1985), et figuré dans les expositions «Contrasts of Form» au MoMA de New York, «Transformations in Sculpture» au Guggenheim Museum de New York et «Sculptures» à Jouy-en-Josas (1985).

Vit et travaille à New York et à Spolète.

Bibliographie
New York, The Museum of Modern Art, *Sol LeWitt,* Textes de Lucy R. Lippard, Berenice Rose et Robert Rosenblum.
Amsterdam, Stedelijk Museum/Eindhoven, Van Abbemuseum/Hartford, Wadsworth Atheneum, *Sol LeWitt, Wall Drawings,* 1984.

Lipchitz
Jacques

1891-1973

	Né le 22 août 1891 à Druskieniki (Lituanie).
1902-1909	Après des études à Bialystok et à Vilna où il découvre la sculpture, il arrive à Paris en octobre 1909, s'inscrit à l'École des beaux-arts puis à l'académie Julian où il est l'élève du sculpteur Raoul Vernet.
1911-1912	S'installe à Montparnasse où il fait la connaissance de Diego Rivera, de Max Jacob et des autres peintres cubistes. Il rencontre Modigliani en 1912 et la même année expose au Salon d'automne.
1914-1915	Visite Majorque puis séjourne à Madrid où il expose avec Marie Blanchard et Diego Rivera. En décembre 1915, son retour à Paris marque le début d'une période d'intense création d'œuvres qui trahissent l'influence cubiste.
1916	Reprend l'atelier de Brancusi. Rencontre Juan Gris avec qui il nouera une profonde amitié.
1920	Première exposition personnelle à la galerie de Léonce Rosenberg. A cette occasion monographie par Maurice Raynal.
1922	Achat de sculptures et commande de bas-reliefs par la fondation Barnes près de Philadelphie.
1924	Prend la nationalité française.
1925	S'installe à Boulogne-sur-Seine dans la maison de Le Corbusier. Réalise ses premières sculptures à claire-voie qu'il appelle *Transparents*.
1930	Première grande rétrospective à la galerie de la Renaissance (Jeanne Bucher) de Paris, qui marque le début de sa réputation internationale.
1935	Première grande rétrospective à la Brummer Gallery de New York.
1940	Se réfugie à Toulouse lors de l'invasion allemande.
1941	Émigre à New York, s'installe dans un atelier à Madison Square et commence à exposer à la Buchholz Gallery.
1946	Retourne à Paris à l'occasion d'une exposition à la galerie Maeght.
1947	S'installe à Hastings-on-Hudson (État de New York).
1952	Un incendie dans son atelier de Hastings détruit beaucoup d'œuvres. Participe à la Biennale de Venise avec 22 sculptures exposées dans le pavillon français.
1953	Réalise à partir d'objets réels la série des *Semi-automatiques*.
1958	Approfondit cette recherche avec la série *A la limite du possible*.
1954	Grande rétrospective au Museum of Modern Art de New York.
1962	Visite l'Italie et décide de passer ses étés à Pieve di Camaiore, travaillant le bronze à une échelle monumentale et le marbre de Carrare.
1973	Meurt le 26 mai à Capri.

Bibliographie
H.H. Arnason, *Jacques Lipchitz, Sketches in Bronze*, Londres, Pall Mall Press, 1969.
Jacques Lipchitz, *My Life in Sculpture*, Londres, Thames and Hudson, 1972.
A.M. Hammacher, *Jacques Lipchitz, his Sculpture*, New York, Abrams, 1975.
Œuvres de Jacques Lipchitz (1891-1973), cat. établi par N. Barbier, Paris, Centre Georges Pompidou, coll. du Mnam, 1978.

Man Ray

1890-1976

	Né le 27 août 1890 à Philadelphie.
1897	Sa famille s'installe à New York. Il y fait ses études secondaires jusqu'en 1904.
1911	Première œuvre abstraite, *Tapisserie*, composée d'échantillons de tissus. Fréquente la Gallery of the Photo Secession («291») d'Alfred Stieglitz et y découvre l'avant-garde artistique.
1912	S'installe à Ridgefield dans le New Jersey.
1913	Visite l'Armory Show où il découvre les œuvres de Duchamp et de Picabia. Prend le nom de Man Ray.
1915-1916	Commence à photographier ses tableaux. Premiers objets. Première exposition personnelle à la galerie Daniel, à New York où il s'installe fin 1915. Début de son amitié avec Duchamp.
1917-1918	Commence une série d'aérographies. Décide de gagner sa vie comme photographe.
1919	Publie le seul et unique numéro de *TNT*, revue de tendance anarchique.
1920	Fonde avec Duchamp et Katherine Dreier la Société Anonyme.
1921	Arrive à Paris où il est admis dans le groupe dadaïste. Première exposition personnelle parisienne à la Galerie 6. Publie avec Marcel Duchamp *New York Dada*. Réalise ses premières rayographies.
1922	S'établit comme photographe professionnel tout en se considérant toujours comme un peintre.
1923	Réalise son premier film *Le Retour à la raison* et joue dans le film de René Clair *Entr'acte*.
1925	Participe à la première exposition surréaliste galerie Pierre.
1926-1929	Activité cinématographique: il prépare *Anémic Cinéma* avec Marc Allégret et M. Duchamp; réalise *Emak Bakia*, *L'Étoile de mer* et *Les Mystères du château de Dé*.
1931-1938	Premières photos solarisées. Participe à de nombreuses manifestations surréalistes dont «Fantastic Art, Dada, Surrealism» au Museum of Modern Art de New York (1936) et l'Exposition internationale du surréalisme, galerie des Beaux-Arts, Paris (1938).
1940	Quitte Paris. S'installe à Hollywood.
1946	Épouse Juliet Browner: double cérémonie avec Max Ernst et Dorothea Tanning.
1951	Retourne s'installer à Paris, rue Férou.
1961	Médaille d'or à la Biennale de photographie de Venise.
1966-1975	Rétrospectives à Los Angeles (1966), Rotterdam, Milan, Paris, Humlebæk (1971-1972), New York, Londres et Rome (1974-1975).
1976	Meurt à Paris le 18 novembre.

Bibliographie
Man Ray, *Selfportrait*, Londres, André Deutsch, 1963.
Paris, Musée national d'art moderne, *Man Ray*, 7 janv.-28 fév. 1972.
Man Ray photographe, intr. par Jean-Hubert Martin, Paris, Philippe Sers, et Londres, Thames and Hudson, 1982.

Manzoni
Piero

1933-1963

	Né à Soncino (près de Crémone) le 13 juillet 1933.
1951-1955	Peint des paysages des endroits où il vit dans un style figuratif et traditionnel.
1955-1956	Série de peintures à l'huile représentant l'empreinte d'objets préalablement plongés dans la peinture.
1956	Publie un manifeste à Milan, avec Sordini, Corvi-Morra et Zecca, *Per la scoperta di una zona di immagini,* complété par un texte de lui.
1957	Voit l'exposition de *Monochromes* d'Yves Klein à Milan et rencontre l'artiste. Peint avec du goudron. Écrit *L'arte non e vera creazione.* Rencontre Fontana. Membre fondateur du mouvement Nucleare (1957-1959) avec Sordini et Verga, il cosigne avec Sordini, Biasi, Colucci et Verga le manifeste *Per una pittura organica,* le *Manifesto d'Albisola marina* puis le *Manifesto contro lo stile.* Dès 1957, nombreuses expositions dans les galeries italiennes, notamment «Arte nucleare» à Milan, Galleria San Fedele. Réalise ses premiers *Achromes,* toiles enduites de plâtre qu'il veut «sans articulation».
1958	Exposition «Baj, Fontana et Manzoni» à la galerie Bergamo, Milan. Se consacre de plus en plus aux *Achromes* : ils sont en toile imprégnée de kaolin. Avec Baj et D'Angelo, publie le 3e numéro de la revue *Il Gesto,* dont la couverture est réalisée par Fontana.
1959	Rupture avec le groupe Nucleare. Réalise ses premières *Lignes,* puis les «sculptures vivantes». Expose avec Castellani et Bonalumi à la galerie Appia Antica à Rome. Fait un livre, *PMP* («Piero Manzoni parle»). Prépare une série de sculptures pneumatiques, des *Corps d'air* remplis de *Souffle d'artiste.*
1959-1960	Prépare avec Agnetti et Castellani la revue *Azimut,* puis inaugure à Milan la galerie Azimut avec les *Lignes.*
1960	Réalise des *Achromes* en ouate, en polystyrène expansé, etc., puis ses premières sculptures dans l'espace. Voyage à Copenhague où il expose ses *Lignes* à la Köpke Gallery. Exposition à la galerie Azimut, Milan, où il fait bouillir des œufs sur lesquels il appose son empreinte digitale. Vend des empreintes de ses pouces. Fermeture de la galerie Azimut.
1961	Construit la première *Base magique.* Produit les «merdes d'artiste». Expose avec Castellani à la galerie Tartaruga, Rome, où il présente ses «sculptures vivantes». Nouvelle exposition à Copenhague où il présente ses «sculptures vivantes» et «merdes d'artiste».
1962	Exposition à Bruxelles, galerie d'Aujourd'hui. A Amsterdam, entre en contact avec le groupe Zero et participe à son exposition au Stedelijk Museum. Expose ensuite à Berne, galerie Schindler. Retourne à Amsterdam pour l'édition avec Jes Petersen de son livre *Piero Manzoni, The Life and the Works.* Participe à l'exposition de groupe «Quelques réalisations, quelques expériences, quelques projets» à la Galleria Il Cenobio, Milan.
1963	Dernière exposition à la galerie Smith, Bruxelles. Meurt à Milan le 6 février.

Bibliographie
Germano Celant, *Piero Manzoni - catalogo generale,* Milan, Prearo editore, 1975.
Rome, Galleria nazionale d'arte moderna, *Piero Manzoni,* par P. Bucarelli et G. Celant, 6 fév.-7 mars 1971.
Londres, The Tate Gallery, *Piero Manzoni, Paintings, Reliefs and Objects,* 20 mars-15 mai 1974.
Paris, Centre Georges Pompidou, Musée national d'art moderne, *Identité italienne; l'art en Italie depuis 1959,* par G. Celant, 25 juin-7 sept. 1981.

Matisse
Henri

1869-1954

	Né au Cateau-Cambrésis (Nord) le 31 décembre 1869.
1882-1888	Études secondaires à Saint-Quentin, puis études de droit à Paris.
1889-1890	Après une longue convalescence, commence à peindre.
1891-1893	S'inscrit à Paris à l'académie Julian où il est l'élève de Bouguereau, puis en 1892 suit à l'École des beaux-arts les cours de Gustave Moreau qui l'encourage à travailler au Louvre.
1895	S'installe quai Saint-Michel et peint en plein air.
1896-1898	Voyages d'études en Bretagne. Découvre Van Gogh et les peintres impressionnistes. Rencontre Pissarro. Visite le Midi et la Corse en 1898.
1899-1900	Suit les cours du soir de sculpture de l'école communale de la rue Étienne-Marcel, puis travaille dans l'atelier de Bourdelle à la Grande-Chaumière.
1901-1904	Expose au Salon des Indépendants (1901), au Salon d'automne (1903), chez Berthe Weill et chez Ambroise Vollard. Premières gravures. Rencontre Maillol.
1905	Passe l'été à Collioure avec Derain. Expose des toiles «fauves» au Salon d'automne. Rencontre Gertrude et Leo Stein et, par eux, Picasso.
1906-1907	Voyage en Algérie, et nouveau séjour à Collioure. Découverte de l'art nègre. Puis voyage en Italie. De 1907 à 1911, il dirige à Paris sa propre école.
1908-1909	Première exposition aux États-Unis, à New York. Il publie les *Notes d'un peintre.* Expose treize sculptures au Salon d'automne (1908). Le collectionneur Chtchoukine lui commande deux décorations, *La Musique* et *La Danse* qu'il installera à Moscou en 1911. S'établit à Issy-les-Moulineaux.
1910	Première exposition chez Bernheim-Jeune, Paris.
1911	Premier séjour à Tanger.
1912	Première exposition de sculptures à New York, Gallery of the Photo-Secession («291»). Deuxième séjour à Tanger et au Maroc jusqu'au printemps 1913.
1913	Expose ses peintures et sculptures à la galerie Bernheim-Jeune, Paris. Participe à l'Armory Show à New York.
1914	S'installe avec sa famille à Collioure où il se lie avec Juan Gris.
1916-1918	Premier séjour à Nice. A partir de 1921, il partagera son temps entre Nice et Paris.
1920	Décors pour *Le Chant du Rossignol,* ballet de Diaghilev.
1924-1925	Importantes expositions à New York et à Copenhague. Puis voyage en Italie.
1927	Exposition organisée à New York par son fils Pierre. Reçoit le prix Carnegie à l'Exposition internationale de Pittsburgh.
1929	Se consacre avant tout à la sculpture et à la gravure.
1930	Exposition de sculptures à la galerie Pierre, Paris. Deuxième voyage aux États-Unis.
1931	Rétrospectives à Paris, Bâle et New York. Travaille à la décoration de la Barnes Foundation à Merion (Pennsylvanie) ainsi qu'à l'illustration des *Poésies* de Mallarmé.
1934-1941	Cartons de tapisseries; décors et costumes de *Rouge et noir* pour les Ballets russes. En 1938 il fait son premier séjour à Cimiez, et s'installe en 1940 à Nice. Gravement malade en 1941, il subit une opération qui l'oblige à rester longtemps alité.
1942	Rencontre Louis Aragon et Elsa Triolet et s'installe à Vence en 1943 pour ne revenir à Paris qu'en 1945.
1947	Publie *Jazz* auquel il travaillait depuis trois ans.
1948	Commence les vitraux et céramiques pour la chapelle des Dominicains de Vence qui sera inaugurée le 25 juin 1951. Exécute de grandes gouaches découpées.
1949-1951	Grande exposition au Mnam, Paris (1949). Lauréat de la XXVe Biennale de Venise en 1950. Il exécute en 1951 ses premiers tableaux depuis 1948.
1952	Inauguration du musée Matisse au Cateau-Cambrésis.
1953	Exposition de sculptures à Londres (Tate Gallery) et à New York (Curt Valentin Gallery).
1954	Meurt à Nice le 3 novembre.
1963	Inauguration du musée Matisse à Nice.

Bibliographie
Albert E. Elsen, *The Sculpture of Henri Matisse,* New York, Abrams, 1971.
Pierre Schneider, *Henri Matisse,* Paris, Flammarion, 1984.
Isabelle Monod-Fontaine, *The Sculpture of Henri Matisse,* cat. de l'exposition à Londres organisée par l'Arts Council of Great-Britain, 1984.

Medounetsky
Konstantin Konstantinovitch

1899-1935

Né à Moscou en 1899.

1914 Étudie à l'École Stroganov des arts appliqués et se spécialise dans le décor de théâtre.

1918-1919 Entre aux Svomas, ateliers libres d'État. Réalise la décoration de la rue Myasnitskaïa pour le 1er anniversaire de la révolution d'octobre.

1919 Membre fondateur de l'OBMOKHOU, avec Rodtchenko, Joganson et les frères Stenberg. Participe à sa première exposition de groupe à Moscou.

1920 Membre de l'Inkhouk (Institut de culture artistique). Participe à la seconde exposition de l'OBMOKHOU où il présente son travail expérimental.

1921 Participe à la troisième exposition de l'OBMOKHOU. Organise avec les frères Stenberg au Café des poètes à Moscou une exposition intitulée «Les constructivistes».

1922 Participe à la Erste russische Austellung, galerie Van Diemen, Berlin. Katherine Dreier y achète la *Construction n° 557* pour la Société Anonyme.

1924 Travaille avec les frères Stenberg à la conception des décors de *L'Orage* d'Alexandre Ostrovski pour le théâtre Kamerny d'Alexandre Taïrov. Accompagne une tournée du théâtre à Paris. Là, il participe à une série de conférences organisée par Illiazd. Expose des œuvres à la galerie Paul Guillaume. Dessine des affiches de cinéma.

1925 Participe à l'exposition internationale des Arts décoratifs à Paris.

1926-1935 Participe à de nombreuses expositions. On situe sa mort en 1935.

Bibliographie
John Milner, *Russian Revolutionary Art,* Londres, 1979.
The Société Anonyme and the Dreier Bequest at Yale University. A Catalogue Raisonné, New Haven et Londres, Yale University Press, 1984.
Christian Lodder, *Russian Constructivism,* New Haven et Londres, Yale University Press, 1983.
New York, The Guggenheim Museum, *The Planar Dimension, Europe 1912-1932,* par Margit Rowell, 1979.

Melotti
Fausto

1901

Né à Rovereto (près de Trente) le 18 juin 1901.

1915-1918 Sa famille s'installe à Florence où il termine ses études secondaires. S'inscrit en 1918 à la faculté de physique et mathématiques de l'université de Pise.

1924 Diplôme d'ingénieur électrotechnicien de l'École polytechnique de Milan. En même temps, suit des études musicales.

1928 Diplôme de l'École supérieure de sculpture de l'Académie de Brera. Début de sa longue collaboration avec Lucio Fontana.

1932-1933 Donne des cours de plastique moderne dans une école artisanale de design à Cantú et expose en 1933 à la Triennale de Milan, cinquième exposition internationale des Arts décoratifs et d'industrie.

1934-1935 Fait partie du mouvement Abstraction-Création. En 1935, exposition personnelle à la Galleria del Milione, Milan; il parcipe à la Première exposition collective d'art abstrait dans l'atelier de Casorati et Paolucci à Turin.

1937 Expose à la Triennale de Milan, section architecture d'intérieur, 12 éléments du *Costante domo,* premier exemple d'art multiple. A cause de l'hostilité et de l'incompréhension rencontrées dans les milieux officiels italiens, Melotti abandonne la sculpture pour se consacrer à la céramique. Participe toutefois à l'exposition «Venti firme» [20 signatures] à la Galleria Genova de Gênes. Prix international «La Sarraz».

1941 S'installe pour deux ans à Rome où il écrit et illustre des poésies qui seront publiées en 1944 par Giovanni Scheiwiller sous le titre *Il triste Minotauro.*

A partir de 1945, tout en continuant son activité de céramiste, recommence à peindre et réalise également des bas-reliefs en plâtre, témoins d'une recherche sculpturale qui aboutira aux *Teatrini.*

A partir des années soixante, son activité se concentre sur la sculpture.

1963 Participe à l'exposition «Aspects de l'art contemporain» à L'Aquila, Castello cinquecentesco.

1966 Participe à la XXXIIIe Biennale de Venise qui a pour titre: «Aspects de la première abstraction italienne Milan-Côme 1930-1940». Réalise des variations sur les thèmes de ses sculptures des années 1935-1937. Commence à exécuter des sculptures métalliques.

1967 Première exposition personnelle depuis trente ans, à la Galleria Toninelli de Milan. Dès lors expose régulièrement en Italie.

1971-1972 Rétrospectives au Museum am Ostwall de Dortmund (1971) puis à la Galleria civica d'arte moderna à Turin.

1973 Prix Rembrandt.

1974 Publication de son recueil de poèmes *Linee.*

1978 Prix Feltrinelli de l'académie de Lincei pour la sculpture.

Vit et travaille à Rome et à Milan.

Bibliographie
A.M. Hammacher, *Melotti,* Milan, Electa editrice, 1975, Parme.
Florence, fort du Belvédère, *Melotti,* avril-juin 1981.
Rome, Galleria nazionale d'arte moderna, *Melotti,* 28 avril-30 juin 1983.

Merz
Mario

1925

Né à Milan le 1er janvier 1925. Il passe son enfance à Turin.

1945 A la fin de la guerre, est emprisonné pour des raisons politiques.

1950-1960 Commence à peindre au début des années cinquante; poussé en vain par son père à entrer à l'université et entreprendre une carrière, il ne se consacrera totalement à l'art qu'à partir de 1960.

1954 Première exposition personnelle à Turin, Galleria Bussola.

1960-1966 Réalise des œuvres où sont confrontés des objets simples (parapluies, bouteilles). Commence à utiliser des néons dans ses structures en 1966. Se fait connaître comme le principal initiateur de ce qu'on appellera plus tard l'Arte povera.

1967 Apparition dans son œuvre de l'igloo qui en sera un des thèmes majeurs. Première exposition chez Gian Enzo Sperone à Turin, chez qui il exposera ensuite régulièrement. Les galeries en Italie, en Europe et aux États-Unis lui consacreront dès lors de nombreuses expositions. A partir de 1968, il voyage pour créer ses structures sur place.

1970 Introduit la série des nombres de Fibonacci dans son œuvre. Expose au Kunstverein de Hanovre.

1972 Apparition dans son œuvre des premiers journaux, d'animaux comme le crocodile, et du monde végétal. Exposition à Minneapolis, Walker Art Center. Participe à la *Documenta,* Kassel.

1973 Introduction du thème de la table.

1974 Retour à la peinture qu'il associe à ses structures. Importance croissante de la spirale dans son œuvre. Commence des variations sur les thèmes qu'il a introduits depuis 1967.

1975-1985 Expositions personnelles dans les musées: Kunsthalle de Bâle et Institute of Contemporary Art de Londres (1975), Museum Folkwang d'Essen (1979), Whitechapel Art Gallery de Londres et Stedelijk Museum d'Eindhoven (1980), ARC-Musée d'art moderne de la Ville de Paris et Kunsthalle de Bâle (1981), Kestner-Gesellschaft de Hanovre (1982), Moderna Museet de Stockholm, Israel Museum de Jérusalem et Galleria nazionale d'arte moderna à San Marino (1983), Albright Knox Art Gallery de Buffalo (1984) et Kunsthaus de Zurich (1985). Participe à de nombreuses expositions de groupe, notamment à la Biennale de Venise (1976), à «Coerenza in coerenza» à Turin, Mole Antonelliana (1984), «Dal arte povera a 1985» à Madrid, Palacio Velázquez, «European Iceberg» à Toronto, galerie d'art moderne de l'Ontario, et «The Knot Arte Povera at P.S.1» à New York en 1985.

Vit et travaille à Turin.

Bibliographie

Paris, ARC-Musée d'art moderne de la Ville de Paris et Bâle, Kunsthalle, *Mario Merz,* mai à sept. 1981.

Londres, Whitechapel Art Gallery, *Mario Merz,* 18 janv.-2 mars 1980, avec des textes de Germano Celant.

San Marino, Palazzo congressi, *Mario Merz,* par G. Celant, 18 nov.1983-22 janv. 1984.

Zurich, Kunsthaus, *Mario Merz,* 3 avril-27 mai 1985. Publication en deux volumes.

Miró
Joan

1893-1983

Né le 20 avril 1893 à Barcelone.

1907 Études à l'École de commerce de Barcelone. Suit en même temps des cours à l'École des beaux-arts de La Lonja.

1912 S'inscrit à l'école d'art de Francesc Galí.

1915-1918 Fréquente l'académie libre de dessin du cercle Sant-Lluc. Première exposition personnelle à la galerie Dalmau, Barcelone.

1919 Premier voyage à Paris, où il se lie d'amitié avec Picasso.

1920 Deuxième séjour à Paris où il loue rue Blomet l'atelier de Gargallo à côté de celui de Masson. Fait la connaissance de Reverdy, Tzara, Max Jacob. Désormais passe l'hiver à Paris et l'été à Montroig.

1921 Première exposition personnelle à Paris, galerie La Licorne.

1922 Constitution autour de Miró et Masson du «groupe de la rue Blomet».

1924-1925 Rencontre Breton, Aragon et Eluard. A partir de cette époque, participe aux expositions surréalistes.

1926 Collabore avec Max Ernst à *Roméo et Juliette* pour les Ballets russes.

1927 S'installe cité des Fusains à Montmartre, où séjournent Arp, Eluard, Ernst et Magritte.

1928 Voyage en Hollande. Exposition à la galerie Georges Bernheim, Paris. Premiers papiers collés et collages-objets.

1930 Première exposition aux États-Unis, à la Valentine Gallery, New York. Premières «constructions».

1931 Exposition de sculptures-objets à la galerie Pierre, Paris.

1932 Décors, costumes, «jouets», rideaux pour le ballet *Jeux d'enfants* de Leonide Massine. Première exposition à la Pierre Matisse Gallery, New York. S'installe à Barcelone.

1936-1940 Surpris par la guerre d'Espagne en 1936 à Paris, il y reste puis s'installe à Varengeville-sur-Mer en 1939. Là, commence la série des «constellations» qu'il achève lors de son retour en Espagne en 1940, à Palma.

1941-1942 Première grande rétrospective au Museum of Modern Art de New York (1941). En 1942, s'installe à Barcelone.

1944 Premières céramiques en collaboration avec Llorens Artigas. Premières sculptures en bronze.

1947 Premier séjour de neuf mois aux États-Unis où il exécute une peinture murale pour un hôtel à Cincinnati.

1948 Première exposition à la galerie Maeght, Paris.

1950 Peinture murale pour Harvard University.

1954 Grand prix de gravure à la Biennale de Venise. Consacre l'essentiel de son activité à la céramique.

1956 S'installe à Palma de Majorque dans l'atelier construit pour lui par Josep Lluis Sert.

1958 Inauguration de deux murs en céramique à l'UNESCO, Paris.

1959 Deuxième séjour aux États-Unis. Rétrospective au Museum of Modern Art de New York et à Los Angeles. Grand prix de la fondation Guggenheim.

1961 Troisième voyage aux États-Unis.

1962 Rétrospective au Musée national d'art moderne de Paris.

1965 Quatrième voyage aux États-Unis.

1966 Voyage au Japon à l'occasion de la rétrospective à Tokyo et à Kyoto. Premières sculptures monumentales en bronze.

1967 Prix Carnegie de peinture.

1974 Rétrospective de peintures, sculptures, objets, tapisseries et céramiques au Grand Palais à Paris.

1975-1976 Ouverture puis inauguration de la fondation Miró-Centre d'études d'art contemporain, construite par J.-L. Sert dans le parc Montjuic à Barcelone.

1983 Meurt à Palma de Majorque le 25 décembre.

Bibliographie

Jacques Dupin, *Joan Miró: la vie et l'œuvre,* Paris, Flammarion, 1961.

Alain Jouffroy et Joan Teixidor, *Miró: sculptures,* Paris, Maeght, 1974.

José Pierre et José Corredor-Matheos, *Céramiques de Miró et Artigas,* Paris, Maeght, 1974.

Margit Rowell, *Joan Miró: Selected Writings and Interviews,* Boston, GK Hall Co. (à paraître).

Paris, Grand Palais, *Joan Miró,* 17 mai-13 oct. 1974.

Moholy-Nagy

László

1895-1946

	László Nagy est né le 20 juillet 1895 à Bacsborsod, en Hongrie.
1913	Commence des études de droit à l'université de Budapest. Collabore à des revues d'avant-garde comme *Jelenkor*.
1914-1916	S'engage dans l'armée austro-hongroise: blessé sur le front russe, il fait ses premiers croquis durant sa convalescence.
1917	Adhère au groupe Ma fondé par Lajos Kassák.
1918	Retourne à Budapest où il termine ses études de droit puis se consacre entièrement à la peinture, sous l'influence de Malevitch et El Lissitzky.
1919-1920	Signe le manifeste révolutionnaire du groupe Ma. Fait un séjour à Vienne avant de se rendre à Berlin où il entre en contact avec le groupe dada. Début de ses expériences dans le domaine de la photographie.
1921	Présente pour la première fois ses œuvres dans un numéro de la revue *Ma*. Réalise des *Glas-Architekturen* qui marquent le début de son travail sur la transparence.
1922	Première exposition à la galerie Der Sturm à Berlin. Se rend au congrès des artistes progressistes à Düsseldorf en tant que représentant du groupe Ma; il y rencontre El Lissitzky et le groupe De Stijl.
1923-1928	Appelé par Gropius au Bauhaus de Weimar pour diriger l'atelier du métal et le cours préliminaire, il y enseigne jusqu'en 1928. L'école s'établit à Dessau en 1925: en collaboration avec Gropius, il dirige la publication des «Bauhaus-bücher».
1928-1934	En raison de pressions politiques, quitte le Bauhaus, retourne à Berlin et se consacre à la photographie expérimentale. Ses recherches entreprises depuis 1922 sur le dynamisme et la lumière aboutissent au *Modulateur d'espace et de lumière* exposé à Paris en 1930 au Salon des artistes décorateurs (Grand Palais). Réalise des décors de théâtre (pour l'Opéra Kroll, le théâtre de Piscator...) et des films, dont *Licht Spiel schwarz-weiss-grau* [Jeu de lumières en noir, blanc, gris], en 1930.
1932-1936	Membre du groupe Abstraction-Création à Paris.
1934-1935	Après un détour par la Hollande, émigre à Londres où il met au point les formes cinétiques qu'il appelle *space-modulators*.
1937-1944	S'installe aux États-Unis, à Chicago, où il dirige le New Bauhaus jusqu'à sa fermeture en 1938 puis ouvre la School of Design. Nouvelle série de *space-modulators* en plexiglas.
1945	Se consacre à la rédaction de son œuvre théorique *Vision in Motion* qui paraîtra en 1947.
1946	Meurt à Chicago le 24 novembre.

Bibliographie

Sybil Moholy-Nagy, *Moholy-Nagy, Experiment in Totality*, New York, Harper, 1950.

Krisztina Passuth, *Moholy-Nagy*, Paris, Flammarion, 1984.

Chicago, Museum of Contemporary Art et New York, Guggenheim Museum, *Laszlo Moholy-Nagy*, 1969-1970.

Paris, Centre Georges Pompidou, Centre de création industrielle, *Laszlo Moholy-Nagy*, 1976.

Moore

Henry

1898

	Né le 30 juillet 1898 à Castleford, près de Leeds (Yorkshire) où il fait ses études jusqu'au baccalauréat qu'il obtient en 1917.
1917-1918	Est envoyé sur le front français où il est blessé.
1919-1925	Suit pendant deux ans les cours de l'École des beaux-arts de Leeds puis, de 1921 à 1925, grâce à une bourse, ceux du Royal College of Art de Londres. Il découvre au British Museum la sculpture égyptienne et mexicaine. Influence de Gaudier-Brzeska et d'Epstein.
1923-1924	Premier de ses nombreux voyages à Paris. Travaille essentiellement en taille directe. Diplômé du Royal College of Art, il y enseignera la sculpture de 1925 à 1932. Première figure couchée.
1925-1926	Voyage d'étude en Italie et en France. Premières sculptures en ciment. Première exposition de groupe à la St. George's Gallery de Londres.
1928-1929	Première exposition personnelle à la Warren Gallery de Londres. Reçoit sa première commande officielle. Apparition du trou dans sa sculpture.
1930	Élu à la Seven and Five Society, groupe d'artistes d'avant-garde (Barbara Hepworth, Ben Nicholson). Expose à la Leicester Gallery de Londres. Premières formes abstraites.
1932	Entre à la Chelsea School of Art, où il crée une section de sculpture et enseigne jusqu'en 1939.
1933-1934	Rejoint le groupe Unit One et collabore à la revue *The Group* dirigée par Herbert Read. Réalise ses premières sculptures en plusieurs morceaux.
1936	Adhère au groupe surréaliste et participe à l'International Surrealist Exhibition de Londres.
1937	Premières figures à cordes (en bois).
1938	Participe à l'exposition d'art abstrait au Stedelijk Museum d'Amsterdam. Première fonte en plomb.
1940-1946	S'installe à Much Hadham. Première rétrospective à Leeds en 1941. Première exposition personnelle aux États-Unis à la Buchholz Gallery de New York en 1943 et rétrospective au Museum of Modern Art de New York en 1946.
1948	Prix international de sculpture à la XXIVe Biennale de Venise.
1949-1951	Premières rétrospectives à Paris, Mnam (1949), et à Londres, Tate Gallery (1951). Série d'expositions itinérantes en Europe.
1953	Prix international de sculpture à la IIe Biennale de Sao Paulo.
1952-1963	Projet pour le Time-Life Building à Londres (1952), grand relief pour le Bouwcentrum de Rotterdam (1954), commande par l'UNESCO d'une grande figure couchée (1956-1957) et d'une autre pour le Lincoln Center de New York (1963).
1957	Reçoit le prix Carnegie.
1960-1961	Rétrospectives à la Whitechapel Art Gallery, Londres, puis au musée Rodin, Paris.
1968	Prix Erasme. De très nombreuses rétrospectives, notamment à la Tate Gallery de Londres, à laquelle il fait ensuite une importante donation.
1974	Ouverture, grâce à sa donation, du Henry Moore Sculpture Center à Toronto.
1977	Rétrospective au Musée national d'art moderne à Paris. Vit et travaille à Much Hadham.

Bibliographie

David Sylvester (sous la dir. de), *Henry Moore, Volume 1: Sculpture and Drawings 1921-1948* (intr. Herbert Read), Londres, Percy Lund, Humphries & Co. Ldt, 1957.

Philip James, *Henry Moore on Sculpture*, Londres, MacDonald, 1966.

John Russell, *Henry Moore*, Harmondsworth, Penguin Books, 1973.

Paris, Orangerie des Tuileries/Mnam, *Henry Moore, sculptures et dessins*, 6 mai-29 août 1977.

Morris
Robert

1931

	Né à Kansas City, dans le Missouri, le 9 février 1931.
1948-1950	Fait à la fois des études d'ingénieur et des études artistiques à l'université de Kansas City.
1950-1952	A San Francisco, suit l'enseignement de la California School of Fine Arts.
1952-1955	Après avoir fait son service dans le génie militaire (1952-1953), il achève ses études d'ingénieur au Reed College de Portland (Oregon).
1955-1960	De retour à San Francisco, il pratique le théâtre improvisé, réalise des courts métrages expérimentaux et peint: il aura deux présentations à la Dilexi Gallery en 1957 et 1958. Il abandonne cependant la peinture l'année suivante.
1961	Arrive à New York où il réalise sa première sculpture. Mais il poursuit jusqu'en 1970 ses multiples activités: chorégraphie, cinéma, études d'histoire de l'art au Hunter College de New York (1962-1963) où il commence à enseigner en 1964. Dès 1961, participe aux happenings à New York.
1963	Première exposition personnelle à New York, Green Gallery, puis à Düsseldorf, Schmela Galerie, où il se produit dans une série de chorégraphies avec Yvonne Rainer.
1964-1965	Deux expositions successives à la Green Gallery où il présente d'abord des structures en contre-plaqué puis des reliefs en plomb. Compose cinq chorégraphies entre 1963 et 1965.
1966	Participe à «Primary Structures» au Jewish Museum de New York. Commence à publier dans Artforum le premier de quatre articles importants, «Notes on sculpture». Il est alors rattaché par la critique au mouvement minimaliste. Avec l'exposition de la Dwan Gallery à Los Angeles, il conclut sa production de grands polyèdres de contre-plaqué peints en gris. Début de son travail sur les earthworks.
1967	Expose chez Leo Castelli à New York des pièces permutables qui sont régulièrement changées. Commence les œuvres en feutre.
1968	Première exposition personnelle de musée, au Van Abbemuseum d'Eindhoven, suivie de nombreuses autres, notamment à Washington (Corcoran Gallery, 1969), New York (Whitney Museum 1970), Londres (Tate Gallery, 1971), Humlebæk (Louisiana Museum, 1977) et Houston (Museum of Contemporary Art, 1981).
	Participe à de nombreuses expositions collectives: Documenta de Kassel (1977), Biennale de Venise et «Carl Andre, Donald Judd, Robert Morris» à Rome, Galleria nazionale d'arte moderna (1980), «Zeitgeist» à Berlin (1982), «Skulptur im 20. Jahrhundert» à Bâle (1984), «Art minimal I» à Bordeaux (1985). Il figure aussi à l'exposition «Transformations in Sculpture» au Guggenheim Museum de New York (1985).

Vit et travaille à New York.

Bibliographie
Washington, Corcoran Gallery of Art, Robert Morris, 1969.
New York, Whitney Museum, Robert Morris, 9 avril-31 mai 1970 (texte de Marcia Tucker).
Londres, Tate Gallery, Robert Morris (textes de M. Compton et D. Sylvester), 28 avril-6 juin 1971.
Bordeaux, Capc, musée d'art contemporain, Art minimal I, 2 fév.-21 avril 1985.

Nevelson
Louise

1899

	Louise Berliawsky est née à Kiev le 23 septembre 1899.
1905	Sa famille émigre aux États-Unis et s'établit à Rockland (Maine). Elle est diplômée de la Rockland High Scholl en 1918.
1920	Épouse Charles Nevelson. Part à New York; étudie la peinture et le dessin mais aussi le chant et l'art dramatique.
1928	Étudie pendant trois ans à l'Art Students League de New York avec Kenneth Hayes Miller.
1931	Au cours d'un voyage en Europe, fréquente quelques mois l'école de Hans Hofmann à Munich.
1932	A son retour à New York, elle aide Diego Rivera à réaliser une œuvre murale pour la New Worker's School. Étudie la danse moderne avec Ellen Kearns. Se tourne alors vers la sculpture.
1933-1935	Participe à des expositions de groupe à New York, notamment au Brooklyn Museum en 1935, avec des œuvres figuratives.
1941	Première exposition personnelle à la Nierendorf Gallery, New York.
1942-1943	Commence ses Farms Assemblages dans lesquels elle incorpore bouts de bois et objets trouvés. Première exposition de ces œuvres à la Nierendorf Gallery.
1946	Figure pour la première fois à l'exposition annuelle du Whitney Museum, New York.
1947	Étudie la gravure à l'atelier «17», New York, avec Stanley William Hayter.
1949-1951	Travaille la terre cuite et le marbre au Sculpture Center, New York. Deux voyages au Mexique.
1953-1955	Série de sculptures en bois peint en noir.
1957	Réalise ses premiers reliefs et boîtes, et ses premières œuvres murales.
1958-1959	Premières expositions à Paris, galerie Jeanne Bucher (1958) et galerie Daniel Cordier (1959).
1959-1965	Participe aux expositions «Sixteen Americans» et «The Art of Assemblage» au Museum of Modern Art de New York (1959 et 1961), à la Biennale de Venise pour le pavillon américain (1962), à la Documenta III de Kassel, à «Painting and Sculpture of a Decade 54-64» à la Tate Gallery de Londres (1964) et à une exposition de sculpture américaine contemporaine à Paris, musée Rodin (1965).
1963	Travaille au Tamarind Workshop de Los Angeles où elle achève 26 éditions de lithographies. Présidente de l'Artist Equity, syndicat d'artistes.
1966	Premières sculptures en métal.
1967	Première rétrospective au Whitney Museum de New York.
1969	Première de ses nombreuses commandes, une œuvre monumentale pour l'université de Princeton. Importante rétrospective au Museum of Fine Arts de Houston.
1970	Présente des œuvres à l'Exposition universelle d'Osaka.
1972	Grande sculpture en acier corten, Night Presence IV, pour la ville de New York.
1973	Le Walker Art Center de Minneapolis organise une exposition rétrospective de ses sculptures en bois, qui sera ensuite présentée dans cinq musées américains.
1976	Participe à l'exposition du Whitney Museum «200 Years of American Sculpture» et à la Biennale de Venise.

Vit et travaille à New York.

Bibliographie
Paris, Cnac, Louise Nevelson, 9 avril-13 mai 1974.
Arnold B. Glimcher, Louise Nevelson, New York, E.P. Dutton & Co., 1972.
New York, Whitney Museum et Clarkson N. Potter Inc., Louise Nevelson: Atmospheres and Environments, intr. par Edward Albee, 1980.
Jean Lipman, Nevelson's World (intr. Hilton Kramer), New York, Hudson Hills Press et Whitney Museum, 1983.
Louise Nevelson, Dawns ands Dusks (conversations de Louise Nevelson avec Diana MacKown), New York, Charles Scribner's Sons, 1976. Trad. française: Aubes et crépuscules, Paris, Des femmes, 1983.

Noguchi
Isamu

1904

Né à Los Angeles le 17 novembre 1904 de père japonais et de mère américaine.

1906	Sa famille s'installe au Japon où il fait ses études primaires.
1918-1922	Envoyé aux États-Unis pour ses études secondaires, il devient l'assistant d'un scientifique qui le décourage de suivre cette voie.
1922-1925	Commence ses études de médecine à Columbia University. A partir de 1924 suit en même temps des cours de sculpture à l'école Leonardo da Vinci, New York. Quitte l'université pour se consacrer totalement à la sculpture. Expose régulièrement à la National Academy and Architectural League.
1926-1927	Fréquente les galeries de Stieglitz et de J.B. Neuman. Découvre Brancusi à la Brummer Gallery en 1926. Une bourse de la fondation Guggenheim lui permet de séjourner à Paris. Rencontre Brancusi avec qui il travaille pendant plusieurs mois, Calder et Giacometti. Il est aussi influencé par Picasso et le constructivisme.
1928-1929	Sa sculpture devient plus abstraite; il utilise la tôle ainsi que des matériaux plus solides. De retour à New York, expose pour la première fois des œuvres abstraites à la Eugene Schoen Gallery.
1930-1931	Retour à Paris d'où il entreprend un voyage en Extrême-Orient: il étudie le dessin au pinceau à Pékin puis gagne le Japon où il travaille avec un potier de Tokyo.
1932	Retour à New York où il expose dessins et terres cuites.
1935	Premier décor de ballet pour Martha Graham: *Frontier*. Il réalisera ensuite pour elle *Herodiade* et *Appalachian Spring* (1945), *Cave of the Heart* (1946), *Circe* (1963), *Cortege of Eagle* (1966). Séjour au Mexique où il réalise un relief mural sur l'histoire du Mexique.
1938	Gagne le concours de l'Associated Press Building au Rockefeller Center.
1940	Traverse les États-Unis en voiture avec Arshile Gorky.
1942-1944	De retour à New York, réalise des objets pour Herman Miller et Knoll.
1946-1947	Participe à l'exposition «Fourteen Americans» au Museum of Modern Art, New York, et en 1947 à l'Exposition internationale du surréalisme à Paris, galerie Maeght.
1949-1950	Obtient une bourse de la Bollinger Foundation, ce qui lui permet d'effectuer un voyage à travers le monde. Il se retrouve finalement au Japon. L'une de ses préoccupations essentielles, la place et l'espace de la sculpture, y trouve une réponse notamment dans ses aménagements de jardins.
1951-1952	Dessine deux ponts pour Hiroshima et réalise deux jardins au Japon dont celui de l'université de Keiyo.
1955	Décors et costumes pour *Le Roi Lear* à Londres (George Devine et John Gielgud).
1956	Conçoit les jardins pour les bâtiments de l'UNESCO à Paris.
1959	Expose à la Documenta de Kassel (et aussi en 1964).
1961	Installe son atelier dans une petite usine à Long Island.
1960-1965	Réalise le jardin de marbre pour Yale University, et des jardins pour l'Israel Museum de Jérusalem et pour la Chase Manhattan Bank Plaza de New York. A partir de cette période, a de multiples commandes publiques.
1964	Première exposition personnelle à Paris, galerie Cordier.
1968	Rétrospective au Whitney Museum, New York. Publie son autobiographie *Isamu Noguchi: A Sculptor's World*.
A partir de 1967, travaille à New York et au Japon. Expose régulièrement à la Cordier et Ekstrom Gallery, New York. Début de ses sculptures réalisées à l'extérieur. Réalise des fontaines (comme celle de l'«Expo 70» à Osaka).	
1978	Exposition itinérante «Imaginary Landscapes» organisée par le Walker Art Center de Minneapolis aux États-Unis.
1983	Crée sa propre fondation, qui abrite une exposition permanente de son œuvre, à Long Island City.

Bibliographie
Isamu Noguchi, *A Sculptor's World*, New York, Harper & Row, 1968.
New York, Whitney Museum, *Isamu Noguchi*, 17 avril-16 juin 1978.
Minneapolis, Walker Art Center, *Noguchi's Imaginary Landscapes*, 23 avril-18 juin 1978.
Sam Hunter, *Isamu Noguchi*, Londres, Thames and Hudson, 1979.

Oldenburg
Claes

1929

Né à Stockholm le 28 janvier 1929, dans une famille de diplomates suédois. Sa famille réside à New York jusqu'en 1933, puis à Oslo jusqu'en 1936.

1936-1956	Sa famille s'installe à Chicago. De 1946 à 1950, suit des cours de littérature et d'art à Yale University.
1950-1954	Reporter stagiaire au City News Bureau de Chicago de 1950 à 1952, il suit en même temps les cours du soir de l'Art Institute de Chicago. A partir de 1952, se consacre totalement à ses études artistiques.
1956	S'installe à New York. Jusqu'en 1961, travaille à temps partiel à la bibliothèque du Cooper Hewitt Museum. Dessins et croquis.
1959	Expositions à New York, à la Cooper Union Art School Library puis à la Judson Gallery. Commence à travailler sur des œuvres ayant pour thème les objets de l'environnement quotidien (vêtements, meubles, aliments...): premières œuvres de la période «The Street» et premiers dessins *Ray Gun*.
1960	Exposition «Ray Gun» à la Judson Gallery, New York. Participe à l'exposition «New Forms, New Media» à la Martha Jackson Gallery, New York.
1961	Première version du «Magasin» *(The Store)* à la Martha Jackson Gallery pour «Environments, Situations, Spaces».
1962	Exposition personnelle à la Green Gallery où sont présentées les sculptures molles géantes. Participe à l'exposition «New Realists» à la Sidney Janis Gallery, New York.
1963	Premières œuvres molles en vinyle. S'installe à Venice, Californie (sept. 1963-mars 1964).
1964	Voyage en Italie où il participe à la Biennale de Venise, à Paris où il expose à la galerie Sonnabend, en Hollande, puis retourne à New York. Première exposition sur le thème «The Home» à la Sidney Janis Gallery.
1965	Première présentation des dessins pour les «Colossal Monuments» lors de l'exposition de groupe «Recent Work» à la Sidney Janis Gallery. Début des productions multiples.
1966-1968	Se rend en Suède où il a une exposition à Stockholm, puis à Aspen dans le Colorado et à Chicago. Expose *Bedroom Ensemble* à la Biennale de Sao Paulo (1967). Réalise ses premières œuvres en métal en 1967 chez Lippincott Inc.; à partir de 1969, sculptures en métal de grandes dimensions. Réalise ses premières lithographies.
1969-1970	Rétrospective au Museum of Modern Art, New York en septembre 1969. Installe son atelier à New Haven, puis à Los Angeles. Exposition itinérante à Amsterdam, Stedelijk Museum, à Düsseldorf, Kunsthalle, et à Londres, Tate Gallery.
1971-1976	Atelier à New York. Fréquents voyages à travers les États-Unis et à l'étranger, qui coïncident la plupart du temps avec des expositions.
1971	Sa première sculpture de grandes dimensions en métal, *Giant Trowel*, est installée en Europe, à Otterlo.
1974-1977	Installation de sculptures-monuments: *Lipstick* à Yale University (1974), *Geometric Mouse Scale X* à Houston (1975), *Clothespin* à Philadelphie (1976) et *Batcolumn* à Chicago (1977).
1975-1976	Exposition itinérante de dessins à Tübingen, Bâle, Munich, Krefeld, Vienne, Hambourg, Francfort, Hanovre, Humlebæk et exposition de sculptures et dessins «Oldenburg: Six Themes» à Minneapolis, Denver, Seattle, Boston, Cambridge et Toronto.
1976-1978	Atelier en Hollande, à Deventer. Travaille exclusivement sur des projets à grande échelle à partir de 1976.
1978	S'installe à New York où il vit et travaille actuellement.

Bibliographie
New York, Museum of Modern Art, *Claes Oldenburg*, par Barbara Rose, 25 sept.-23 nov. 1969.
Minneapolis, Walker Art Center, *Oldenburg: Six Themes*, texte de Martin Friedman, 6 avril-25 mai 1975.
Coosje van Gruggen et Claes Oldenburg, *Claes Oldenburg: Large-Scale Projects 1977-1980*, et R.H. Fuchs, *Monuments*, New York, Rizzoli, 1980.

Oppenheim
Meret

1913-1985

Née à Berlin-Charlottenburg le 6 octobre 1913. Passe sa jeunesse en Suisse et fait ses études en Allemagne et à Bâle.

1930   Encore écolière, elle exécute un collage qui sera publié en 1957 dans la revue *Le Surréalisme même*, n° 2, sous le titre *Le Cahier d'une écolière.*

1931   Quitte le lycée et suit pendant quelque temps les cours de l'École des arts et métiers de Bâle.

1932   Se rend à Paris où elle travaille surtout seule: écrit des poèmes, fait des dessins qu'elle complète parfois par des objets collés.

1933   Après une visite de Giacometti et Arp dans son atelier, est invitée à exposer au Salon des Surindépendants. Fréquente le cercle d'André Breton au café de la Place Blanche et jusqu'en 1937 participe aux expositions du groupe surréaliste.

1936   Crée *Le Déjeuner en fourrure,* puis *Ma gouvernante.* Première exposition personnelle à Bâle, galerie Schulthess. Participe à l'Exposition surréaliste d'objets à Paris, galerie Charles Ratton, et à l'exposition «Fantastic Art, Dada, Surrealism» au Museum of Modern Art de New York.

1937   Retourne à Bâle où elle suit pendant deux ans les cours de l'École des arts et métiers. Début d'une remise en question qui durera dix-sept ans: elle continuera à travailler, mais détruira ou laissera inachevées beaucoup d'œuvres. Est en contact avec le «groupe 33» et participe aux expositions de l'association artistique suisse Allianz.

1939   Nouveau séjour à Paris où elle participe à une exposition de meubles fantastiques à la galerie René Drouin et Leo Castelli.

1940-1949   A Bâle, peint *Guerre et paix* (1941), crée les costumes pour les ballets *La Cendrillon* (1945), participe à l'exposition «12 Jahre Gruppe 33» (1947).

1948   Participe aux Réalités nouvelles à Paris. Début d'une crise qui l'empêche pratiquement de créer.

1949-1950   Vit à Berne, puis en 1950, pour la première fois depuis dix ans, séjour à Paris.

1954   S'installe dans un atelier à Berne. La période de crise est enfin terminée.

1956   Exposition personnelle à Paris, galerie A l'étoile scellée. Dessine les costumes et masques pour la pièce de Picasso *Le Désir attrapé par la queue.*

1959   Conçoit et organise à Berne un «Festin» sur le corps d'une femme nue, qu'elle répète lors de l'Exposition internationale du surréalisme à la galerie Daniel Cordier, Paris. C'est sa dernière exposition avec les surréalistes.

1960   Exposition à Milan, galerie Schwarz. Dans les années qui suivent, nombreuses expositions personnelles et participations à des expositions de groupe.

1967   Rétrospective au Moderna Museet de Stockholm. Installée à Berne, elle a également, à partir de 1972, un atelier à Paris.

1974-1975   Rétrospective itinérante dans les musées de Soleure, Winterthur et Duisbourg.

1975   A l'occasion de son prix artistique de la ville de Bâle, prend position sur le problème de l'«artiste féminin».

1981-1984   Publie un recueil illustré de ses poèmes en 1981, *Zanzibar,* aux éditions Fanal de Bâle, puis *Caroline* en 1984.

1982   Grand prix de la ville de Berlin. Participe à la Documenta à Kassel.

1984   Conçoit deux expositions imaginaires pour la Kunsthalle de Berne et l'ARC à Paris.

1985   Meurt à Berne le 15 novembre.

Bibliographie
Bice Curiger, *Meret Oppenheim,* Zurich, ABC Verlag, 1982.
Berne, Kunsthalle/Paris, Musée d'art moderne de la Ville de Paris-ARC, *Meret Oppenheim,* 1984.

Oteiza
Jorge de

1908

Né à Orio, dans le Pays Basque espagnol, en octobre 1908.

1931   Abandonne au bout de trois ans ses études à la faculté de médecine de Madrid.

1931-1933   Remporte deux premiers prix à la Biennale des artistes basques de Saint-Sébastien.

1935-1948   Part pour l'Amérique du Sud. Premières étapes: Buenos Aires (1935) et Santiago du Chili (1935-1936).

1937-1941   Retour à Buenos Aires où il devient professeur de l'École nationale de céramique en 1941.

1942-1946   Appelé par le gouvernement colombien pour s'occuper de l'enseignement de la céramique, il s'installe à Bogota.

1947-1949   A Quito, il enseigne dans une école d'ingénieurs. Part ensuite au Pérou, à Trujillo puis à Lima où il fonde le «groupe Espace» d'expérimentation, avec des sculpteurs, peintres et architectes. Retourne enfin à Buenos Aires.

1949   Revient en Espagne où il participe à plusieurs expositions du groupe et assure en 1951 et 1952 des cours d'été à l'université de Santander.

1951   Diplôme d'honneur à la Triennale de Milan.

1953   Il est le seul Espagnol à concourir pour le «monument au prisonnier politique inconnu» à Londres.

1954   Premier prix d'architecture pour un projet d'équipe à Madrid.

1955-1956   A Madrid, période expérimentale très intense qui se termine en 1958 avec des sculptures évidées.

1957   Grand prix international de sculpture à la IVe Biennale de Sao Paulo. Travaille comme architecte sur le pavillon espagnol de l'Exposition internationale de Bruxelles.

1958   A Aguiña, Lesaca, réalise avec l'architecte L. Vallet le monument à Donosti. Expose ses sculptures à Washington, à la Gres Gallery.

1959-1960   Séjours à Montevideo où il travaille et donne des conférences sur l'intégration de la sculpture dans l'architecture.

1960   Exposition de sculptures avec Basterrechea à Madrid, Galeria Neblí, puis à Bilbao, Galeria Illescas.

1960-1962   Séjour aux États-Unis et au Canada. Participe à l'exposition du Museum of Modern Art de New York, «New Painting and Sculpture in Spain» (1962).

1961   Participe à l'exposition d'art actuel à Saint-Sébastien. Publie son livre sur l'âme basque *Quousque Tandem...!*

1963-1964   Début de sa réflexion sur l'art basque qui aboutit notamment en 1966 à l'ouverture d'une école basque, à Saint-Sébastien, avec une exposition du groupe GAUR auquel s'associe ensuite le groupe EMEN. Dès lors il expose, souvent en groupe, au Pays Basque espagnol. En 1964, il propose à Madrid de procéder à la constitution d'un laboratoire international de recherches esthétiques comparées.

1968   Prépare *Txabi Etxebarricta,* étude-manifeste pour les artistes et les intellectuels basques. Achève à Aranzazu les sculptures sur la façade de la basilique. Premier prix du concours d'idées pour l'urbanisation de la Plaza Colón, Madrid. Représente l'Espagne et plus particulièrement le Pays Basque à la Biennale de Venise.

Vit et travaille au Pays Basque espagnol.

Bibliographie
Jorge de Oteiza, *Quousque Tandem...!,* col. Azkue de Auñamendi, 1963.
Miguel Pelay Orozco, *Oteiza,* Bilbao, ed. La gran enciclopedia vasca, 1978.
Escultura de Oteiza (cat. de la IVe Biennale de Sao Paulo), Madrid, 1957.

Pascali
Pino

1935-1968

Né à Bari le 19 octobre 1935. Passe une partie de la guerre (1940-1941) en Albanie, à Tirana. Il retourne ensuite à Bari où il commence ses études secondaires qu'il termine à Naples.

1955-1959　Suit des cours de scénographie à l'Académie des beaux-arts de Rome où il obtient son diplôme en 1959. Dès 1956, participe à des expositions de groupe avec de jeunes artistes.

1960-1964　Traverse une période d'isolement volontaire sans chercher à exposer ses œuvres néo-dada. Il commence à travailler sur des matériaux de récupération.

1964　Pour gagner sa vie, travaille dans la publicité et collabore à diverses réalisations scénographiques pour la télévision. Réalise cinq peintures murales pour le palais de la F.A.O. à Rome.

1965　Première exposition personnelle à Rome, Galleria La Tartaruga, où il présente ses premiers reliefs et certaines pièces de décor. Participe à «Revort 1» à Palerme. A partir de cette époque, expose régulièrement et participe à de nombreuses expositions de groupe.

1966　Expositions personnelles à Naples, Galleria Guido, à Turin, chez Sperone où il présente la série des canons qu'il traite comme des jouets. A la Galleria L'Attico de Turin, il présente «les animaux et la mer», série de sculptures au caractère ludique et dérisoire, réalisées en matière plastique blanche ou quelquefois noire. Participe à l'exposition «Aspects de l'art italien contemporain» de la Galleria nazionale d'arte moderna de Rome, présentée à Dortmund, Cologne, Bergen, Oslo, Belfast, Edimbourg (1966-1967) et à l'exposition internationale de sculpture contemporaine du musée Rodin à Paris.

1967　Exposition personnelle à Essen, galerie Thelen et à Milan galerie Iolas. L'exposition «Acqua Terra Fuocco» à Rome, Galleria L'Attico, présente les «elementi» (terre et eau). Participe à l'exposition «Arte povera e IM spazio» à Gênes, Galleria La Bertesca.

1968　Expositions personnelles à Cologne, galerie Arts Intermedia, à Paris chez Iolas et à Rome à L'Attica. A la Biennale de Venise, il a une salle personnelle dans laquelle il présente des œuvres en fourrure acrylique et en paille de fer. Participe à l'exposition «Arte povera» à Bologne, Galleria de Foscherani, et à l'exposition des jeunes artistes italiens à Boston, Institute of Contemporary Art. Participe au film de Luca Patella SKMP2 et à un film d'Alfredo Leonardi.
Meurt des suites d'un accident le 11 septembre à Rome.

Bibliographie
Milan, galerie Alexandre Iolas, Pascali, 1967.
Rome, Galleria nazionale d'arte moderna, Pascali, 31 mai-27 juin 1969.
Paris, Centre Georges Pompidou, Identité italienne, sous la direction de Germano Celant, 25 juin-7 sept. 1981.
Turin, Mole Antonelliana, Coerenza in coerenza dall'arte povera al 1984, sous la direction de Germano Celant, 12 juin-14 oct. 1984.
Germano Celant, The Knot Arte Povera, Turin, Umberto Allemandi & C., publié à l'occasion de l'exposition «The Knot Arte Povera at P.S.1», New York, oct-déc. 1985.

Peri
Laszlo

1889-1967

Né à Budapest en 1899.

1917　Se joint à l'équipe de la revue d'avant-garde hongroise Ma. Fait une tournée théâtrale en Tchécoslovaquie. Commence à dessiner dans une manière expressionniste.

1918-1919　Quitte la Hongrie après la chute du gouvernement communiste, fait un bref séjour à Vienne où se retrouvent de nombreux réfugiés hongrois qui continuent la publication de Ma, puis s'installe à Paris.

1920　Expulsé de France à cause de son engagement contre le nouveau régime nationaliste hongrois, s'installe à Berlin. Amitié avec Moholy-Nagy. Abandonne le style expressionniste pour s'orienter vers un style plus géométrique. Premiers reliefs constructivistes d'inspiration architecturale qu'il appelle les Raumkonstruktionen (constructions dans l'espace).

1921　Exécute beaucoup de constructions abstraites à grande échelle en béton. Expose quelque temps à la galerie Der Sturm.

1922　Participe au congrès international des artistes progressistes à Düsseldorf avec El Lissitzky et Theo van Doesburg.

1924　Important triptyque mural pour la grande exposition d'art de Berlin. Abandonne peinture et sculpture afin de travailler sur des projets architecturaux pour le conseil municipal de Berlin. Il aurait fait un voyage à Moscou à cette époque.

1928　Retour à la sculpture en deux et trois dimensions.

1933　Ses sympathies communistes le contraignent à quitter Berlin. Il émigre à Londres: là il s'adonne à la figuration réaliste.

1939　Devient citoyen britannique.

A partir de 1945 partage son temps entre les petites figurines (les Peri's People) et les reliefs à grande échelle ainsi que les sculptures commandées pour de nombreuses écoles, églises et autres bâtiments publics.

1967　Meurt à Londres.

Bibliographie
Cologne, Kölnischer Kunstverein, Laszlo Peri, Werke 1920-1924, mai 1973.
New York, Guggenheim Museum, The Planar Dimension, par Margit Rowell, 1979.
Londres, Arts Council of Great-Britain, The Hungarian Avant-Garde: The Eight and the Activists, fév.-avril 1980.

Pevsner
Noton [Antoine]

1884-1962

	Né à Orel (Russie) le 18 janvier 1884.
1902-1911	Fréquente successivement l'École des beaux-arts de Kiev et l'Académie des beaux-arts de Saint-Pétersbourg.
1911-1912	Premier séjour à Paris où il est impressionné par la tour Eiffel et déçu par le cubisme.
1913-1915	Deuxième séjour à Paris où il rencontre Modigliani et Archipenko. Visite de son frère Naum Gabo. Peint son premier tableau abstrait.
1915-1916	Rejoint Naum Gabo à Oslo: attiré vers la sculpture par son frère, jette avec lui les bases d'un art nouveau.
1917	Retour en Russie: il est nommé professeur à l'Académie des beaux-arts de Moscou où enseignent déjà Kandinsky et Malevitch.
1920	Signe l'important *Manifeste réaliste* avec Naum Gabo. A cette occasion, exposition en plein air dans le parc Tverskoï à Moscou.
1922-1923	Participe à l'exposition d'art russe organisée à Berlin, galerie Van Diemen. A cette occasion, il quitte la Russie, séjourne provisoirement en Allemagne puis s'installe définitivement à Paris en octobre 1923.
1924-1926	Expositions à Paris, galerie Percier, «Constructivistes russes: Gabo et Pevsner» (1924), et à New York, Little Review Gallery (1926). Il participe à des expositions à Hartford et à Brooklyn.
1927	Réalise avec Naum Gabo les costumes et décors pour le ballet constructiviste de Diaghilev *La Chatte* (musique de Henri Sauguet).
1930	Acquiert la nationalité française; participe à l'Exposition internationale de Stockholm.
1931	Il est l'un des fondateurs du groupe Abstraction-Création et publie en 1933 un manifeste dans la revue *Abstraction-Création, art non figuratif.*
1934-1936	Participation à des expositions à Amsterdam, Bâle, New York, Londres, Chicago, Brooklyn.
1946	Organise avec Gleize, Herbin, etc. le groupe des Réalités nouvelles qui tient en 1947 son premier Salon et dont il est élu vice-président en 1953 puis président honoraire en 1956.
1948	Exposition «Gabo-Pevsner» au Museum of Modern Art de New York.
1949-1956	Nombreuses expositions: Zurich (1949), Londres (1951), Paris et Londres (1952), Milan, Yverdon et Zurich (1954), Amsterdam, Kassel et Leverkusen (1956).
1953	Obtient avec Gabo le deuxième prix au concours international de sculpture organisé à Londres pour un «monument au prisonnier politique inconnu».
1957	Exposition au Musée national d'art moderne de Paris.
1958	Invité à participer à la XXIXe Biennale de Venise, il y présente quatorze sculptures.
1962	Meurt à Paris le 12 avril.

Bibliographie
Paris, Musée national d'art moderne, *Antoine Pevsner,* 21 déc. 1956-10 mars 1957.
Carola Giedion-Welcker, *Antoine Pevsner,* Neuchâtel, éd. du Griffon, 1961.

Peyrissac
Jean

1895-1974

	Né à Cahors le 29 septembre 1895.
1914-1918	Études de médecine interrompues par la guerre.
1920	Se fixe à Alger. Apprend la peinture et la sculpture en autodidacte, employant des matériaux divers. Nombreux voyages en Espagne, Italie, Allemagne.
1924	Réalise des constructions polychromes en fer, corde et bois à l'intérieur de boîtes.
1927	Exposition personnelle à la galerie des Quatre Chemins à Paris.
1928	Invité par Lionel Feininger, se rend au Bauhaus de Dessau où il rencontre Kandinsky et Klee.
1929-1932	Long séjour à Florence, puis en Espagne.
1934	Exposition personnelle galerie Pierre Colle, Paris.
1935	Abandonne la peinture pour se consacrer exclusivement à la sculpture. Par sa recherche sur les rythmes spatiaux et cosmiques, il suit une voie parallèle à celle de Calder.
1937-1947	Coupure avec Paris. La guerre le retient et l'isole à Alger.
1948	Expose un ensemble de mobiles, les «engins plastiques» ou «constructions dans l'espace», galerie Maeght, Paris.
1949	Participe en 1949 au Salon des Réalités nouvelles.
1958	Quitte Alger et vient se fixer à Paris. Délaissant les matériaux de caractère artisanal, il se met à utiliser principalement le fer forgé qui lui sert à exprimer les rythmes et les «équilibres statiques».
1959	Exposition à la galerie Claude Bernard, Paris.
1974	Meurt à Paris le 18 juin.

Bibliographie
Dijon, Centre culturel, *Jean Peyrissac 1895-1974,* 22 oct.-14 nov. 1983.
Paris, galerie Charley Chevalier, *Jean Peyrissac,* 5 au 31 mars 1985.

Picasso
Pablo

1881-1973

Né le 25 octobre 1881 à Málaga.

1895 Sa famille s'installe à Barcelone et il fait ses études à l'École des beaux-arts de La Lonja.

1897 Fréquente le café Els Quatre Gats où se réunit la jeunesse intellectuelle et artistique de la ville.

1900 Premier voyage à Paris.

1901 Deuxième voyage à Paris: se lie avec Max Jacob et expose quelques tableaux chez Vollard.

1902 De retour à Barcelone, modèle la *Femme assise,* sa première sculpture. Troisième voyage à Paris, exposition chez Berthe Weill.

1904 S'installe définitivement à Paris et loue un atelier au Bateau-Lavoir. Amitié avec Fernande Olivier.

1905-1906 Début de la période rose. Exécute le buste *Le Fou,* au départ un portrait de Max Jacob. Rencontre Apollinaire, Matisse, Braque, Kahnweiler...

1906-1907 Réalise des sculptures de plus grand format. Découvre la sculpture ibérique et l'art primitif africain. Sculptures en bois. Commence à travailler sur les *Demoiselles d'Avignon.*

1909 Réalise sa seule sculpture proprement cubiste, la *Tête de femme.* Plein essor du cubisme analytique. Été à Horta de Ebro. Quitte le Bateau-Lavoir. Première exposition en Allemagne, à Munich.

1911 Premières œuvres exposées aux États-Unis, à la Gallery of the Photo-Secession de New York.

1912 Premiers «papiers collés». Passage au cubisme synthétique : premières constructions en carton et métal. Au lieu de réduire les objets réels à leurs éléments formels abstraits, c'est le matériau lui-même qui va constituer l'objet. La couleur joue un plus grand rôle. Participe aux expositions du Sonderbund et du Blaue Reiter à Cologne et à Munich. Première exposition à Londres : exposition à la galerie Dalmau, Barcelone.

1913 Réalise jusqu'en 1920 des constructions, montages de matériaux divers. Participe à l'Armory Show de New York.

1914 Crée le *Verre d'absinthe,* premier cycle de variations de son œuvre plastique: intègre à l'objet modelé un objet trouvé.

1917-1920 Voyage à Rome avec Cocteau pour préparer le ballet *Parade,* monté par Diaghilev sur une musique de Satie. Fait la connaissance d'Olga Kokhlova qu'il épouse en 1918. Collaboration avec les Ballets russes: *Tricorne* (1919), *Pulcinella* (1920), *Mercure* (1924).

1920-1924 Période néo-classique. Après Miró en 1920, rencontre André Breton en 1923.

1925 Participe à la première exposition surréaliste galerie Pierre, Paris. Apparition dans sa peinture de formes aux volumes pleins, tendance qui sera prédominante dans sa sculpture ultérieure.

1928-1931 Travaille dans l'atelier de González sur une série de sculptures en fer soudé.

1931-1932 Achète le château de Boisgeloup dans l'Eure où il aménage un atelier de sculpture. Rencontre Marie-Thérèse Walter en 1932. Sculpte une suite de reliefs recouverts de matériaux divers, des figures féminines aux formes étroites et étirées, ainsi que des têtes et des baigneuses aux formes rebondies. Christian Zervos commence à publier le catalogue de l'œuvre. Premières rétrospectives à Paris, galerie Georges Petit, et à Zurich, Kunsthaus. Rencontre Dora Maar en 1936.

1937 Expose *Guernica* au pavillon espagnol de l'Exposition universelle de Paris.

1939 Rétrospective au Museum of Modern Art, New York.

1941 Écrit une petite pièce de théâtre, *Le Désir attrapé par la queue.*

1943-1944 Françoise Gilot devient sa compagne. Série de grandes sculptures faites de matériaux divers et d'«objets trouvés», qu'il reprendra en 1950. Adhère au parti communiste en 1944.

1945-1947 Début d'une intense activité de lithographe dans l'atelier de Mourlot à Paris, puis de céramiste à la fabrique Madoura chez les Ramié à Vallauris.

1948 1er Congrès mondial de la paix en Pologne auquel il participe.

1949 Curt Valentin expose ses œuvres à New York.

1953 Rencontre Jacqueline Roque, s'installe avec elle en 1954 et l'épouse en 1961.

1954 Se met à utiliser des feuilles de métal découpées et pliées pour ses sculptures.

1955 Acquiert «La Californie» à Cannes puis achète le château de Vauvenargues près d'Aix-en-Provence en 1958.

1957 Rétrospective au Museum of Modern Art de New York pour son 75e anniversaire.

1961 S'installe à Mougins. Plusieurs sculptures en tôle découpée sont réalisées en grand format.

1963 Ouverture officieuse du musée Picasso à Barcelone dans le palais Aguilar.

1965 Plusieurs sculptures en béton réalisées en collaboration avec Carl Nesjar.

1966-1967 Rétrospectives à Paris, Grand Palais et Petit Palais, puis au Museum of Modern Art de New York.

1973 Meurt le 8 avril à Mougins.

1985 Inauguration du musée Picasso à Paris.

Bibliographie

Christian Zervos, *Catalogue de l'œuvre de Picasso,* Paris, Cahiers d'art, vol. I à XXXIII, 1932-1978.

Werner Spies, *Les Sculptures de Picasso,* Lausanne, Clairefontaine, 1971.

New York, The Museum of Modern Art, *Pablo Picasso, a Retrospective,* 1980.

Berlin, Nationalgalerie/Düsseldorf, Kunsthalle, *Pablo Picasso, Das plastische Werk,* par Werner Spies, oct. 1983-janv. 1984.

Rodtchenko
Alexandre

1891-1956

Schmidt-Rottluff
Karl

1884-1976

Né à Saint-Pétersbourg le 23 novembre 1891.

1910-1914	Étudie à l'École des beaux-arts de Kazan (où il rencontre sa future femme Varvara Stepanova), puis à l'école Stroganov des arts appliqués à Moscou. Une soirée futuriste donnée à Kazan par Vladimir Maïakovski, David Bourliouk et Vassily Kaminski détermine l'orientation de son œuvre.
1915	S'installe à Moscou.
1916	Rencontre Vladimir Tatline, participe à son exposition «Magasin».
1917	Décore avec Tatline et Yakoulov l'intérieur du Café pittoresque à Moscou (réalise les lampes).
1918	Activité au sein du Département des arts plastiques du Narkompros (commissariat pour l'Éducation du peuple) où il est responsable de la sous-section art et production. Préside le comité d'achats du Musée de culture artistique.
1919	Expose ses constructions spatiales et le *Noir sur noir* (en réponse au *Carré blanc sur fond blanc* de Malevitch) à la X⁰ exposition d'État, «création non objective et suprématisme», à Moscou. Membre avec Vladimir Krinski, Ladovski (architectes), Chevtchenko (peintre) et Koroliev (sculpteur) du Zhivskulptarkh.
1920	Participe à la XIX⁰ exposition d'État. Réalise une série de constructions spatiales en bois. Organise l'exposition de la III⁰ Internationale.
1920-1930	Membre fondateur de l'Inkhouk (Institut de culture artistique). Enseigne aux Vkhoutemas et au Vkhoutein.
1921	Rédige le manifeste productiviste avec Stepanova. Participe à la 2⁰ exposition de l'OBMOKHOU avec des constructions suspendues. Participe à l'exposition «5 × 5 = 25» où il présente les trois monochromes: rouge pur, jaune pur, bleu pur.
1922	Participe à la Erste russische Austellung, galerie Van Diemen, Berlin.
1923-1928	Collabore aux revues *Lef* et *Novyi Lef*. Collabore au Kino-Glaz et à *Kino-Pravda* de Dziga Vertov. Travaille avec Maïakovski aux campagnes publicitaires d'État. Effectue les photomontages de *Pro Eto* de Maïakovski.
1924	Se consacre de plus en plus à la photographie. Expose des tableaux non objectifs à la Biennale de Venise.
1925	Conçoit le Club ouvrier présenté à l'exposition internationale des Arts décoratifs à Paris.
1926	Participe au film de Lev Kuleshov *Zhurnalistka (La Journaliste)*.
1927	Participe au film de Boris Barnet *Moskva v oktiabrie (Moscou en octobre)*. Exposition «Dix ans de photographie soviétique» à Moscou et Leningrad.
1928-1929	Membre du groupe Octobre.
1929	Réalise les décors et les costumes d'*Inga* d'A. Glebov et du dernier acte de *Klop (La Punaise)* de Maïakovski pour le théâtre Meierkhold.
1933	Collaboration artistique avec Stepanova à la revue *CCCP na stroïke* [«URSS en construction»]. Se consacre à la typographie, au graphisme et à la photographie.
1955	Dernière exposition à la Maison des journalistes de Moscou.
1956	Meurt le 3 décembre à Moscou.
1957	Exposition rétrospective à la Maison des journalistes.

Bibliographie

German Karginov, *Rodtchenko*, Paris, Chêne, 1977.
Christina Lodder, *Russian Constructivism*, New Haven et Londres, Yale University Press, 1983.
Oxford, Museum of Modern Art, *Alexandre Rodtchenko*, 10 fév.-25 mars 1979.
Duisbourg, Wilhelm Lehmbruck Museum/Baden-Baden, Kunsthalle, *Alexander Rodtchenko und Warwara Stepanowa*, 1982-1983.
Cologne, galerie Gmurzynska, *Sieben Moskauer Künstler 1910-1930*, 12 avril-15 juil. 1984.

Né le 1⁰ʳ décembre 1884 à Rottluff près de Chemnitz.

1897-1901	A partir de 1897, fait ses études au lycée de Chemnitz; se lie d'amitié avec Erich Heckel en 1901.
1905	Études d'architecture à Dresde; grâce à Heckel, rencontre Kirchner et Bleyl: ils fondent le groupe Die Brücke. Emil Nolde vient se joindre à eux en 1906.
1906-1909	Initie ses amis à la technique de la lithographie. C'est lui qui exécute le porte-folios de Die Brücke en 1909.
1910	Participe à l'exposition de la Nouvelle Sécession de Berlin et à celle de Die Brücke présentée par la galerie Arnold à Dresde.
1911	Première exposition personnelle à la galerie Commeter à Hambourg. Se fixe à Berlin ainsi que Kirchner et Heckel. Collabore à la revue d'avant-garde berlinoise *Der Sturm*. De 1911 à 1943, il passe ses étés sur la Baltique ou sur les côtes de la mer du Nord.
1912	Participe à l'exposition du Blaue Reiter à Munich et à l'exposition du Sonderbund de Cologne.
1914	Collabore à la revue expressionniste *Die Aktion* en envoyant de nombreux bois gravés. Première exposition personnelle à la galerie Gürlitt, Berlin.
1915-1918	Mobilisé, il fait la guerre à l'Est. C'est alors qu'il commence son activité de sculpteur et réalise ses plus belles pièces (1916-1917).
1920-1930	Après son premier séjour en Italie (1920), il voyage beaucoup: à Paris en compagnie de Kolbe (1924), en Dalmatie (1925), dans le Tessin (printemps 1928 et 1929). Il passe trois mois à l'Académie allemande de Rome.
1931	Nommé membre associé de l'Akademie der Künste de Berlin, il en est expulsé en 1933.
1937	600 œuvres de l'artiste sont saisies par les nazis, dont 61 figurent à l'exposition de l'art dégénéré de Munich.
1941	Les nazis lui interdisent de peindre et le placent sous surveillance.
	Après la guerre, retourne à Paris où il devient professeur à l'École des beaux-arts. Fonde en 1967 le musée Die Brücke à Berlin-Dahlem.
1976	Meurt à Berlin le 10 août.

Bibliographie

Will Grohmann, *Karl Schmidt-Rottluff*, Stuttgart, 1956.
Berlin, Brücke-Museum, *Karl Schmidt-Rottluff*, 1977.
Los Angeles County Museum of Art, *German Expressionist Sculpture*, oct. 1983-janv. 1984.
New York, Museum of Modern Art, *Primitivism in 20th Century Art*, sous la direction de W. Rubin, 1984.

Schwitters
Kurt

1887-1948

	Né le 20 juin 1887 à Hanovre.
1908-1914	Études à l'École des arts et métiers de Hanovre, à l'Académie de Dresde puis à l'Académie de Berlin.
1915-1917	S'installe à Hanovre, se marie avec Helma Fischer et fait son service militaire en 1917.
1918-1919	Premiers poèmes et premiers collages. Commence à peindre des tableaux abstraits et expose pour la première fois à la galerie Der Sturm. Par la suite, il participera régulièrement à ses diverses manifestations d'avant-garde. Rencontre Hans Arp et Raoul Hausmann, cofondateurs avec Huelsenbeck et Franz Jung du Club Dada à Berlin. Premiers tableaux «merz». Publie des poèmes dans la revue *Der Sturm,* notamment «Anna Blume».
1920	Ses liens privilégiés avec Der Sturm et ses différends politiques avec Huelsenbeck empêchent son admission au sein du Club Dada. Expose pour la première fois à New York, dans le cadre de la Société Anonyme. Commence à travailler au *Merzbau* dans sa maison de la Waldhausenstrasse à Hanovre; il y travaillera pendant seize ans.
1921	Cycle de conférences à Prague avec sa femme, Raoul Hausmann et Hannah Höch.
1922	Prend part au Congrès dada-constructiviste à Weimar. Rencontre Theo van Doesburg avec qui il participe à la campagne dada en Hollande.
1923-1924	Commence à publier la revue *Merz* dans laquelle paraîtront des textes des membres de De Stijl et du Bauhaus. Expose au salon artistique de Richter à Dresde puis au Kestner-Gesellschaft à Hanovre.
1925-1926	Exposition à la galerie Der Sturm de Berlin qui se transforme ensuite en «grande exposition Merz», partiellement présentée à Moscou, Dresde et Hanovre; la revue *Merz* publiera un catalogue fragmentaire en 1927.
1929	Participe à l'exposition de peintures et sculptures abstraites et surréalistes à Zurich. Premier voyage en Norvège où il ira de plus en plus fréquemment.
1932	Adhère au groupe Abstraction-Création. Dernier numéro de la revue *Merz.*
1936	Participe aux expositions «Cubism and Abstract Art» et «Fantastic Art, Dada, Surrealism» du Museum of Modern Art à New York.
1937	Treize de ses œuvres sont saisies par les nazis et présentées à l'exposition de l'art dégénéré. Quitte l'Allemagne et s'installe en Norvège où il commence le second *Merzbau* qui sera détruit dans un incendie en 1951.
1940-1941	Lors de l'invasion de la Norvège par les Allemands, s'enfuit avec son fils en Angleterre où ils restent dans un camp pendant dix-sept mois. A sa libération, s'installe à Londres.
1943	Un bombardement détruit le *Merzbau* de Hanovre.
1945	S'installe en Grande-Bretagne à Ambleside, dans le Lake District. Une bourse du Museum of Modern Art de New York lui permet de commencer un troisième *Merzbau* qui ne sera jamais terminé.
1948	Meurt le 8 janvier à Ambleside.

Bibliographie

Werner Schmalenbach, *Kurt Schwitters,* Cologne, DuMont-Schauberg, 1967.
Madrid, fondation Juan March, *Kurt Schwitters,* 28 sept.-5 déc. 1982.
John Elderfield, *Kurt Schwitters,* cat. de l'exposition à New York, Museum of Modern Art, 10 juin-1er oct. 1985, édité à Londres, Thames and Hudson, 1985.

Segal
George

1924

	Né le 26 novembre 1924 à New York, il fait ses études secondaires à la Stuyvesant High School de Manhattan.
1940	Part à South Brunswick dans le New Jersey avec sa famille.
1941	Suit des cours à la Cooper Union School of Art and Architecture de New York, mais retourne travailler dans la ferme de ses parents en 1942.
1942-1946	Étudiant à temps partiel à la Rutgers University de North Brunswick.
1947-1948	Fait ses études au Pratt Institute of Design, Brooklyn, et en 1948 suit les cours de la New York University avec comme professeurs Baziotes et Tony Smith.
1949-1958	Pour vivre, dirige un élevage de poulets à South Brunswick. Ses peintures figuratives qu'il réalise dès 1950 sont exposées à la Hansa Gallery, New York, en 1956 puis en 1957.
1953	Se lie d'amitié avec Allan Kaprow par qui il fait la connaissance de Hans Hofmann en 1956 à Provincetown (Massachusetts).
1956	Première exposition personnelle à la Hansa Gallery, New York.
1957	Participe à l'exposition de groupe «The New York School: Second Generation» au Jewish Museum, New York. Kaprow organise le premier happening dans la ferme de Segal.
1958	Abandonne l'élevage du poulet et se met à la sculpture. Troisième exposition personnelle à la Hansa Gallery.
1958-1961	Enseigne les arts appliqués à la Piscataway High School.
1959-1960	Expositions à la Hansa Gallery: premières figures en plâtre (1959); puis à la Green Gallery: premiers personnages en plâtre dans des environnements (1960).
1962	Exposition à la Green Gallery de ses premières sculptures d'après des moulages de modèles vivants. Participe à l'exposition «New Realists» à la Sidney Janis Gallery de New York, où il exposera régulièrement jusqu'en 1982.
1963	Premier voyage en Europe où il a sa première exposition à la galerie Sonnabend de Paris.
1966-1969	Premiers reliefs (1966) et premières figures fragmentaires (1969).
1967	Comme en 1963, participe à la Biennale de São Paulo.
1968-1969	Première exposition personnelle dans un musée, au Museum of Contemporary Art, Chicago. Maître de conférence sur la sculpture au Creative Arts Department de l'université de Princeton (New Jersey).
1971-1972	Exposition personnelle itinérante en Europe: Zurich, Paris, Munich, Cologne, Rotterdam, Leverkusen, et Tübingen.
1973	Première œuvre en bronze.
1976	Voyage en U.R.S.S. dans le cadre des échanges culturels organisés par les Affaires étrangères. Réalise sa première sculpture publique, *Le Restaurant,* pour la ville de Buffalo.
1978	Importante rétrospective itinérante aux États-Unis: Minneapolis, San Francisco, New York.
1979-1983	Réalise de nombreuses commandes: *Mémorial du 4 mai 1970, Kent State: Abrahams & Isaac* qui sera accepté finalement l'année suivante à l'université de Princeton et *Toutes directions* (1979), *Les Fondeurs d'acier* (1980), *Les Voyageurs* (1982), *L'Holocauste* et *Liberation Gay* (1983).

Vit et travaille à South Brunswick (New Jersey).

Bibliographie

William C. Seitz, *George Segal,* Londres, Thames and Hudson, 1972.
Jan van der Marck, *George Segal,* New York, Abrams, 1975.
Phyllis Tuchman, *Segal,* New York, Abbeville, 1983.
Sam Hunter et Don Hawthorne, *George Segal,* trad. française Paris, Albin Michel, 1984.
Minneapolis, Walker Art Center, *George Segal: Sculptures,* 29 oct. 1978-7 janv. 1979.

Serra Güell

Eudald

1911

Né à Barcelone le 1er mai 1911.

1929 Entre à l'École des arts et métiers et des beaux-arts de Barcelone où il suit les cours du sculpteur Angel Ferrant.

1932 Voyage à Paris, Berlin, Varsovie, Moscou et Leningrad.

1934 Première exposition personnelle de sculptures et dessins à la Sala Busquets de Barcelone. S'oriente vers une sculpture surréaliste et dada où il utilise des matériaux nouveaux et des objets trouvés.

1935 Participe à l'exposition «3 escultores» organisée par ADLAN, et à l'exposition collective de printemps à Barcelone. Voyage au Japon; il décide de rester et s'installe à Kobe où il continue à sculpter et va s'initier à la céramique.

1937-1943 Nombreuses expositions à Tokyo, Osaka et Kobe. La ville de Kobe lui décerne deux prix en 1942. Expose des céramiques à Kobe en 1943.

1945-1948 Lors de l'occupation du Japon par les Américains, devient professeur d'art à l'école centrale de l'armée américaine d'Osaka. En 1947, il fait un voyage à l'île d'Hokkaido pour mieux s'informer sur les populations Aïnus.

1948 Après un bref séjour sur la côte ouest des États-Unis, retourne en Espagne et s'établit définitivement à Barcelone. Il y expose à la Sala Busquets. Dès lors, nombreuses expositions en Espagne. S'oriente vers une sculpture plus synthétique utilisant les pleins et les vides.

1950-1951 Participe à l'Exposition nationale de Madrid, à l'exposition d'art espagnol du Caire et à l'exposition «4 escultores» avec Ferrant, Ferreira et Oteiza à la galerie Studio de Bilbao et à la galerie Buchhols de Madrid. Prend part à la Ire Biennale hispano-américaine d'art à Madrid et à la Triennale de Milan (1951). Exposition personnelle aux galeries Layetanes à Barcelone.

1952 Premier voyage au Maroc. S'intéresse de plus en plus à l'ethnologie.

1953-1956 Première exposition de sculptures en plein air à Madrid. Début de sa collaboration avec Llorens Artigas pour la céramique: la Sala Gaspar de Barcelone présentera chaque année, de 1953 à 1955, une exposition de leur travail. Enseigne jusqu'en 1956 à l'École des arts et métiers de Barcelone.

1956 Participe à la Biennale de Venise.

1957 Grand prix de sculpture à la Biennale d'Alexandrie. Enseigne à l'École des beaux-arts, et ensuite à l'école Massana de Barcelone (jusqu'en 1971). Dès lors, il va effectuer de très nombreux voyages et expéditions en Extrême-Orient, en Amérique du Sud, en Amérique centrale, en Australie, en Nouvelle-Guinée, en Afrique... rapportant des objets ethnographiques et organisant des expositions à Barcelone et à Madrid.

1964 Exposition de sculptures à l'Exposition universelle de New York.

1985 Participe à l'exposition «Escultura española 1900-1936» à Madrid.

Vit à Barcelone.

Bibliographie

Joan Teixidor, *Eudald Serra,* Barcelone, Galeria Trece, éd. Poligrafa, 1979.

Madrid, Palacio Velázquez, Palacio de Cristal, *Escultura española 1900-1936,* 23 mai-22 juil. 1985.

Serra

Richard

1939

Né le 2 novembre 1939 à San Francisco.

1957-1961 Études universitaires à Berkeley et à Santa Barbara. Travaille dans un atelier de laminage.

1961-1964 Étudie la peinture avec Josef Albers à Yale University. Rencontre Rauschenberg, Stella, Reinhardt.

1964-1966 Passe une année à Paris où il découvre l'œuvre de Brancusi, puis une année à Rome, grâce à des bourses. Première exposition à la Galleria La Salita, Rome (1966).

1966-1967 S'installe à New York. Se consacre à la sculpture. Série d'œuvres en caoutchouc et en néon. Rencontre Robert Smithson, Eva Hesse, Carl Andre, Don Judd, Jasper Johns, Michael Snow, Joan Jonas...

1968-1971 Série d'œuvres obtenues par projection ou moulage de plomb fondu (1968-1969), série des pièces découpées et dispersées (1968-1970), et séries des *Rolls* et *Props* (1968-1971). Participe à l'exposition «Nine at Castelli» chez Leo Castelli, New York (1969). Début des dessins linéaires. Premiers films: il en fera jusqu'en 1976, dont certains en collaboration avec Joan Jonas. Exposition au Pasadena Art Museum (1970). Rend visite à Robert Smithson pendant la réalisation de *Spiral Jetty.* Commence à utiliser la vidéo.

1969-1977 Série d'œuvres intérieures en grandes dimensions. Travaille en extérieur dans le Bronx et à Harlem (New York). Série d'œuvres de grandes dimensions insérées dans le paysage, dont *Spin Out* (1972-1975) dans le jardin du Rijksmuseum Kröller-Muller d'Otterlo, *Sight Point* (1971-1975) dans le jardin du Stedelijk Museum d'Amsterdam et *Terminal* (1976-1977), une œuvre réalisée pour la Documenta VI de Kassel, installée ensuite à Bochum.

1972 A la mort de Smithson, il aide Nancy Holt et Tony Shafrazi à terminer *Amarillo Ramp.*

1975 Reçoit le prix de la Skowegan School for Sculpture.

1977 Exposition au Stedelijk Museum d'Amsterdam, puis en 1978 à Tübingen et à Baden-Baden. Travaille en Allemagne sur le *Berlin Block for Charlie Chaplin* installé à Berlin en 1979.

1979 Reçoit la commande d'une sculpture pour la Federal Plaza, New York, *Tilted Arc,* qui sera installée en 1981.

1980 Installation de sculptures en plein air: *St-John's Rotary Arc* à New York et *TWU* à Riehen, Suisse. Exposition au Hudson River Museum de Yonkers (État de New York), et au Museum Boymans-van Beuningen de Rotterdam.

1982 Installation de *Twain* à Saint-Louis (Missouri). Projet de sculpture pour la ville de Barcelone.

1983 Exposition au Mnam à Paris. Présentation de *Clara-Clara* au jardin des Tuileries, avant son installation définitive au square de Choisy en 1985. Intallation de *Slat* à La Défense, inauguré en 1985.

1986 Rétrospective de sculptures au Musem of Modern Art de New York. Participe depuis 1969 à de très nombreuses expositions collectives internationales.

Vit et travaille à New York.

Bibliographie

Tübingen, Kunsthalle/Baden-Baden, Kunsthalle, *Richard Serra,* mars-mai 1977.

Yonkers, The Hudson River Museum, *Richard Serra: Interviews, Etc. 1970-1980,* par Clara Weyergraf, 1980.

Paris, Centre Georges Pompidou, Mnam, *Richard Serra,* 26 oct. 1983-2 janv. 1984.

New York, Museum of Modern Art, *Richard Serra/Sculpture,* par Rosalind Krauss, 27 fév.-13 mai 1986.

Servranckx

Victor

1897-1965

	Né à Diegem (près de Bruxelles) le 26 juin 1897.
1913-1917	Études à l'Académie royale des beaux-arts de Bruxelles, qu'il termine en 1917 en obtenant le «grand prix de l'Académie».
1917	Première exposition à la galerie Giroux, Bruxelles, où il montre sa première œuvre abstraite. Jusqu'en 1926, assume les fonctions de coloriste puis de dessinateur en chef et directeur artistique dans une fabrique de papiers peints en Belgique.
1918	Travaille au *Bulletin de l'Effort moderne* à Paris. Rencontre Marinetti, van Doesburg, Léger et Marcel Duchamp.
1922	Prend part à l'exposition du IIe Congrès pour l'art moderne à Anvers.
1924	Exposition à Bruxelles, galerie Royale, et à Bielefeld. Jusqu'en 1926, il participera à de nombreuses expositions et notamment au Salon des Indépendants.
1925	Projet d'architecture d'intérieur avec Hulb Hoste à l'exposition internationale des Arts décoratifs de Paris.
1926	Marcel Duchamp l'introduit aux États-Unis où il participe à l'exposition internationale de la Société Anonyme à Brooklyn. En Europe, il collabore à différentes revues, notamment *Les Sept Arts* et *Opbouwen*.
1928-1929	Expose à la galerie Der Sturm à Berlin, puis à la galerie Le Centaure à Bruxelles.
1932	Professeur à l'École des arts industriels et décoratifs d'Ixelles.
1935	Dessine les bureaux du pavillon belge à l'Exposition universelle de Bruxelles.
1946	Nommé membre de la Commission nationale des artisanats et des industries d'art. Crée d'importants cartons de tapisseries.
1947	Rétrospective au Palais des beaux-arts de Bruxelles.
1948	Expose à la Biennale de Venise (en 1954 également).
1948-1957	Participe à des expositions de groupe consacrées à l'art abstrait, notamment à Paris, galerie Denise René (1948) et galerie Creuze (1957).
1965	Meurt à Elewigt.

Bibliographie

Bruxelles, Galerie contemporaine, *Hommage à Servranckx* (préface de Maurits Bilcke), mai 1957.

Bruxelles, musée d'Ixelles, *Victor Servranckx*, nov.-déc. 1965.

Cologne, galerie Gmurzynska, *De Boek, Joostens, Servranckx*, juin-août 1973.

Smith

David

1906-1965

	Né le 9 mars 1906 à Decatur (Indiana).
1921-1924	S'installe avec sa famille à Paulding (Ohio) où il fait ses études secondaires. S'inscrit ensuite à l'université de l'Ohio à Athens.
1925	Travaille durant l'été comme soudeur dans l'industrie automobile, à South Bend (Indiana).
1926	A l'automne, s'installe à New York où il suit les cours du soir de Richard Lahey à l'Art Students League.
1927-1932	Se consacre totalement à ses études de peinture à l'Art Students League avec John Sloan en 1927, puis Jan Matulka qui lui fait découvrir le cubisme et le constructivisme en 1928.
1929	Achète une vieille ferme à Bolton Landing (État de New York). Rencontre John Graham qui lui fait découvrir l'œuvre de Julio González et lui fera connaître Gottlieb, Xceron, Arshile Gorky et Stuart Davis en 1933.
1931-1932	Lors d'un séjour dans les îles Vierges, réalise ses premières sculptures. Retourne à New York.
1934-1940	Loue un atelier au Terminal Iron Works à Brooklyn pour effectuer des soudures.
1935-1936	Part pour l'Europe. A Paris, il rencontre de nombreux artistes et visite l'atelier de Lipchitz. Il va ensuite en Grèce, puis à Londres au printemps 1936 et enfin à Leningrad et à Moscou.
1937	Travaille pour le Works Progress Administration Federal Art Project, à New York. Rencontre Wilhelm de Kooning et Jackson Pollock.
1938	Première exposition personnelle à l'East River Gallery, New York.
1939	Premières sculptures soudées à l'arc.
1940	S'installe définitivement à Bolton Landing.
1941	Première exposition dans un musée, au Walker Art Center de Minneapolis.
1942-1944	Travaille pendant la guerre comme soudeur à la Compagnie américaine de locomotives de Schenectady.
1944	Il retourne à Bolton Landing, et réalise un grand nombre de sculptures. Rencontre le critique d'art Clement Greenberg.
1946	Rétrospective de sculptures à New York, Willard and Buchholz Galleries. Commence la série de sculptures *Specter*.
1948-1950	Enseigne au Sarah Lawrence College de Bronxville.
1951	Commence la série *Agricola*.
1953-1955	Commence la série *Tank Totem*. Enseigne à l'université d'Arkansas à Fayetteville (1953), à l'université d'Indiana à Bloomington (1954) et à l'université du Mississippi à Oxford (1955). Sculpte la série des *Forgings*.
1957-1960	Rétrospective de son œuvre sculpté au Museum of Modern Art, New York. Séries de sculptures: *Sentinels* (1957), *Albany* (1959) et *Zig* (1960).
1958	Exposition personnelle dans le pavillon américain à la Biennale de Venise.
1962-1963	Invité en Italie à Spolète lors du IVe Festival des deux mondes, il réalise à l'usine Voltri 26 sculptures qui sont exposées en juin-juillet. Séries des *Voltri Bolton* et des *Voltron* (1962-1963).
1963	Commence les *Cubi*. Meurt accidentellement le 23 mai près de Bennington.

Bibliographie

Rosalind E. Krauss, *Terminal Iron Works, The Sculpture of David Smith*, Cambridge, Mass., The MIT Press, 1971.

Stanley E. Marcus, *David Smith, The Sculptor and His Work,* Cornell University Press, 1983.

Karen Wilkin, *David Smith,* New York, Abbeville Press, 1984.

Cambridge, Fogg Art Museum, Harvard University, *David Smith 1906-1965, Retrospective Exhibition,* 28 sept.-15 nov. 1966, présentée ensuite à Washington, Washington Gallery of Modern Art (7 janv.-26 fév. 1967).

New York, Guggenheim Musem, *David Smith,* par Edward F. Fry, 1969.

Washington, Hirshhorn Museum and Sculpture Garden, *David Smith, Painter, Sculptor, Draftsman,* 4 nov. 1982-2 janv. 1983, par Edward F. Fry et Miranda McClintic.

Düsseldorf, Kunstsammlung Nordrhein-Westfalen / Francfort, Städtische Galerie im Städelschen Kunstistitut / Londres, Whitechapel Art Gallery, *David Smith, Skulpturen Zeichnungen,* sous la direction de Jörn Merkert, éd. Munich, Prestel Verlag, 1986.

Smith
Tony

1912-1980

Né à South Orange (New Jersey) en 1912.

1933-1936   A New York, travaille comme outilleur et dessinateur et suit les cours du soir de l'Art Students League.

1937-1940   Étudie l'architecture au New Bauhaus de Chicago puis à partir de 1938 travaille aux côtés de Frank Lloyd Wright. Jusqu'en 1960, il exerce une activité d'architecte.

1946-1953   Enseigne à New York, à l'University School of Education jusqu'en 1950, puis à la Cooper Union et au Pratt Institute.

1957-1974   Enseigne à nouveau au Pratt Institute de Brooklyn (1957-1958), puis au Bennington College dans le Vermont (1958-1961) et au Hunter College de New York (1962-1974).

A partir de 1960, se consacre à la sculpture et à la peinture.

1964   Participe à l'exposition annuelle du Whitney Museum à New York.

1966   Première exposition personnelle au Wadsworth Atheneum de Hartford (Connecticut) et à l'Institute of Contemporary Art de Philadelphie. Dès lors, expose régulièrement, seul ou en groupe, surtout aux États-Unis mais aussi en Europe.

1968   Participe à la Biennale de Venise et à la Documenta de Kassel.

1971   Exposition au Museum of Modern Art de New York.

1975-1980   Enseigne à l'université de Princeton (1975-1978) puis au Hunter College de New York (1978-1980).

1979   Elu à l'Académie et Institut des arts et des lettres.

1980   Meurt à New York le 26 décembre.

Bibliographie

Lucy L. Lippard, *Tony Smith,* New York, Abrams, 1972.

New York, Museum of Modern Art, *Tony Smith,* par Kynaston McShine, 1971.

New York, Pace Gallery, *Tony Smith, Ten Elements and Throwback,* 27 avril-9 juin 1979.

New York, Pace Gallery, *Tony Smith, Paintings and Sculpture,* 23 sept.-22 oct. 1983.

Smithson
Robert

1938-1973

Né le 2 janvier 1938 à Passaic (New Jersey). Dès son enfance, s'intéresse aux sciences naturelles.

1953   Obtient une bourse pour l'Art Students League de New York, où il recevra son diplôme en 1956.

1956   Études à la Brooklyn Museum School.

1956-1958   Traverse les États-Unis en auto-stop.

1957   S'installe à Manhattan. Période de ses peintures expressionnistes abstraites.

1958   Première exposition personnelle à New York, Artists Gallery.

1962   Se détourne de la peinture pour réaliser des sculptures. Première exposition de ses assemblages à la Richard Castelline Gallery, New York.

1965   Lors de son exposition de sculptures à la John Daniels Gallery, il rencontre les sculpteurs minimalistes Carl Andre, Dan Flavin, Donal Judd et Sol LeWitt. Il participera à l'exposition minimaliste «Primary Structures» au Jewish Museum en 1966. A partir de cette époque, expose régulièrement et mène une activité d'auteur et critique d'avant-garde.

1966   Entre à la Dwan Gallery, New York, où il a quatre expositions de sculptures entre 1966 et 1970. Commence ses excursions, avec des amis ou seul, dans des sites urbains et industriels désaffectés de New Jersey.

1966-1967   Est engagé comme artiste-conseil par le cabinet d'architecture et de génie civil Tippetts, Abbett, McCarthy and Stratton, en vue de proposer des *earthworks* pour l'aéroport de Dallas-Fort Worth.

1968   Parallèlement à ces «sites», réalise de nombreux «non-sites».

1968-1972   Participe à plusieurs expositions, notamment «Minimal Art» à La Haye (1968), «Quand les attitudes deviennent forme» à Berne (1969), «Information» à New York (1970), Documenta à Kassel (1972).

1969-1970   Réalise des *earthworks* : *Asphalt Rundown* dans une carrière près de Rome en 1969 *Partially Buried Woodshed* à Kent (Ohio), et *Spiral Jetty* sur le Grand Lac Salé (Utah), en 1970. A partir de cette époque, voyage beaucoup afin de trouver des sites pour réaliser ses œuvres, notamment dans le Yucatan (1969), puis dans les mines (1971-1973).

1971   Crée le *land reclamation art* («art de récupération de la terre») dont la première œuvre, *Broken Circle/Spiral Hill,* est réalisée dans une carrière à Emmen, en Hollande.

1972   Entre à la John Weber Gallery, New York.

1973   Réalise avec sa femme Nancy Holt et Tony Shafrazi son dernier projet, *Amarillo Ramp,* lorsqu'il meurt dans un accident d'avion le 20 juillet. L'œuvre sera achevée avec l'aide de Richard Serra.

Bibliographie

The Writings of Robert Smithson, Essays with Illustrations, réunis par Nancy Holt et présentés par Philip Leider (conception graphique de Sol LeWitt), New York University Press, 1979.

Robert Hobb, *Robert Smithson : Sculpture,* Ithaca, Cornell University Press, 1981.

John Beardsley, *Earthworks and Beyond, Contemporary Art in the Landscape,* New York, Abbeville Press, 1984.

Paris, ARC/Musée d'art moderne de la Ville de Paris, *Robert Smithson : Retrospective,* par Robert Hobbs, éd. Herbert F. Johnson Museum of Art, Cornell University, Ithaca.

Stankiewicz

Richard

1922-1983

Né à Philadelphie le 18 octobre 1922. Sa famille s'installe à Detroit où il fait ses études.

1941   S'engage dans la marine américaine où il sert jusqu'en 1947 comme technicien en Alaska et à Hawaii. Commence à peindre et réalise ses premières sculptures.

1948-1950   S'installe à New York où il étudie surtout la peinture à la Hans Hofmann School of Fine Arts.

1950-1951   Vient à Paris où il fréquente les ateliers de Fernand Léger et de Zadkine à la Grande-Chaumière; s'oriente définitivement vers la sculpture.

1951-1952   Commence à incorporer des déchets dans sa sculpture. Il se met alors à souder des bouts de ferraille. Membre fondateur de la Hansa Gallery, galerie coopérative à New York, où il exposera régulièrement jusqu'en 1958.

1956-1968   Participe aux expositions annuelles du Whitney Museum en 1958, 1960, 1962, 1964 et 1966, à la Biennale de Venise et au Carnegie International de Pittsburgh en 1958, aux expositions «The Art of Assemblage» au Museum of Modern Art de New York (1961), «Recent American Sculptors» au Jewish Museum de New York (1964) et «The Machine» au MoMa de New York (1968).

1959-1965   Expose régulièrement à la Stable Gallery, New York.

1967-1982   Professeur à l'université de l'État de New York à Albany.

1969   Voyage en Australie : une usine met à sa disposition du métal neuf (barres métalliques, cylindres, plaques rectangulaires) et il crée ainsi des sculptures plus abstraites.

1972-1983   Expose régulièrement à la Zabriskie Gallery, New York.

1979   Rétrospective à l'université de l'État de New York à Albany, qui circule ensuite aux États-Unis. Se met à expérimenter le mélange du métal de récupération et de l'acier neuf. Ses œuvres deviennent plus aérées.

1980-1981   Représente les États-Unis à la Triennale de Belgrade (1980) et participe à l'exposition «Paris-Paris» au Centre Pompidou à Paris.

1983   Meurt le 27 mars à Huntington (Massachusetts).

Bibliographie

Irving Sandler, *The Sculpture of Richard Stankiewicz*, cat. de l'exposition, Albany (N.Y.), University Art Gallery, 1979.

New York, Zabriskie Gallery, *Richard Stankiewicz, Thirty Years of Sculpture 1952-1982*, 20 déc. 1983-21 janv. 1984.

Storrs

John

1885-1956

Né à Chicago le 28 juin 1885, il fait ses études à la Cook County Normal School puis à l'University High School de Chicago.

1905-1908   Voyage à Berlin et Hambourg où il étudie la sculpture, puis à Paris.

1908-1912   Poursuit ses études à l'Art Institute de Chicago avec Lorado Taft jusqu'en 1910, à la Museum School of Fine Arts de Boston puis à la Pennsylvania Academy of Fine Arts de Philadelphie où il suit les cours de Charles Grafly.

1912-1917   Se rend à Paris où il fréquente la Grande-Chaumière, l'École des beaux-arts, puis l'académie Colarossi. Travaille en relation étroite avec Rodin de 1913 à 1917.

1915   Retour en Amérique.

1917   Revient en France où il dirige le musée Rodin à Paris.

1920   Réalise le Wilbur Wright Memorial inauguré en mars 1920. Première exposition personnelle à New York, Folson Galleries, qui est ensuite présentée à l'Arts Club de Chicago. Expose au Salon d'automne à Paris.

1920-1927   Séjourne en France dans son château de Chantecaille, à Mer (près d'Orléans), avec de fréquentes visites en Amérique. En 1923, commence une série d'œuvres intitulées *Studies in Architectural Form* et *Forms in Space,* grandes formes architecturales réalisées soit en pierre soit en plusieurs métaux. En 1926, ses œuvres sont présentées à l'exposition internationale d'art moderne de la Société Anonyme au Brooklyn Museum de New York.

1927-1929   Retourne vivre à Chicago pour satisfaire les volontés testamentaires de son père mais vient régulièrement en France. Trois fois récompensé aux 40e, 42e et 44e expositions annuelles de peintures et sculptures américaines à l'Art Institute de Chicago (1927-1929-1931). En 1929, est invité à exposer à L'Effort moderne par Léonce Rosenberg.

1930-1937   En étroite relation avec la communauté architecturale de Chicago, réalise à sa demande plusieurs projets : en 1930, *Cérès*, déesse de la fertilité, pour la tour du Chicago Board of Trade; en 1933 la statue monumentale pour le pavillon des sciences à la «1933 Century of Progress Exhibition» et en 1937 le monument pour l'US Navy à Brest. A partir de 1931, se met sérieusement à la peinture.

1935   Figure dans l'exposition «Abstract Painting in America» au Whitney Museum de New York.

1938   Dernière visite aux États-Unis. Figure dans l'exposition «Exhibition of Contemporary American Sculpture» au Carnegie Institute de Pittsburgh.

1939   En France à la déclaration de guerre, il s'installe dans son château de Chantecaille. Arrêté une première fois en 1941, il passe six mois dans un camp de concentration, puis une seconde fois en 1944. Il ne s'en remettra jamais.

1956   Meurt le 23 avril à Mer.

Bibliographie

Washington, the Corcoran Gallery, *John Storrs : A Retrospective Exhibition*, 3 mai-8 juin 1969.

Chicago, Museum of Contemporary Art, *John Storrs,* 13 nov. 1976-2 janv. 1977.

Williamstown, The Clark Art Institute, *John Storrs & John Flannagan, Sculpture and Works on Paper,* 7 nov.-29 déc. 1980.

Taeuber-Arp
Sophie

1889-1943

Takis
Vassilakis

1925

	Sophie Taueber est née à Davos (Suisse) le 19 janvier 1889.
1908-1913	Étudie à l'École des arts appliqués de Saint-Gall (section textile) jusqu'en 1910, puis à l'Atelier d'art expérimental Von Debschitz à Munich en 1911 et à nouveau en 1913, après un passage à l'École des arts appliqués de Hambourg en 1912.
1915	Membre du Werkbund suisse (jusqu'en 1932). Rencontre Jean Arp.
1916	Enseigne à l'École des arts appliqués de Zurich, en classe de textile, jusqu'en 1929. École de danse Laban à Zurich.
1916-1920	Participe au mouvement dada à Zurich, notamment aux soirées du cabaret Voltaire.
1918	Exécute les figurines et décors du *Roi Cerf* pour le Théâtre suisse de marionnettes : la représentation a lieu dans le cadre de l'exposition du Werkbund suisse à Zurich.
1922	Mariage avec Jean Arp.
1925	Membre du jury de la section suisse de l'exposition internationale des Arts décoratifs à Paris.
1926	Voyage en Italie (Pompéi). Peinture murale et vitraux pour les frères Horn (architectes) à Strasbourg.
1926-1928	Aménagement et décoration avec Arp et Theo van Doesburg de l'Aubette à Strasbourg.
1928	Les Arp s'installent à Meudon-Val-Fleury dans une maison entièrement conçue par Sophie Taeuber.
1930	Membre du groupe Cercle et Carré à Paris.
1931-1934	Membre du groupe Abstaction-Création à Paris.
1937-1939	Fonde et dirige la revue *Plastique*.
1940-1942	A cause de la guerre, les Arp séjournent en Dordogne, puis en Savoie, avant de s'installer à Grasse (en 1941) avec Sonia Delaunay et Alberto Magnelli. Ils retournent en Suisse en 1942.
1943	Meurt à Zurich le 13 janvier.

Bibliographie

Georg Schmidt, *Sophie Taeuber-Arp*, Bâle, Holbein, 1948.

Margit Stäber, *Sophie Taeuber-Arp*, Lausanne, éd. Rencontre, 1970.

Paris, Musée national d'art moderne, *Sophie Taeuber-Arp*, 24 avril-22 juin 1964.

Strasbourg, Musée d'art moderne, *Sophie Taeuber-Arp*, 26 mars-12 juin 1977.

New York, Museum of Modern Art, *Sophie Taeuber-Arp*, par Carolyn Lanchner, 16 sept.-29 nov. 1981.

	Né à Athènes le 29 octobre 1925. Autodidacte, il réalise ses premières sculptures en 1946.
1954	S'installe à Paris.
1954-1958	Réalise ses premiers *Signaux*.
1955	Premières expositions personnelles à Londres puis à Paris.
1957	Fait des feux d'artifice dans les rues de Paris.
1958	Premières sculptures «télémagnétiques».
1959	Présentation à la galerie Iris Clert, Paris, de trois sculptures télémagnétiques et de *Antigravity* puis de *Télémagnétique*.
1960-1972	Nombreuses expositions dans les galeries Alexandre Iolas de New York (1960, 1961, 1963), Paris (1966, 1971, 1976) et Milan (1972).
1960	Exposition «L'impossible : un homme dans l'espace» à Paris, galerie Iris Clert.
1961	Publie un récit autobiographique, *Estafilade*.
1963	Première sculpture musicale.
1966	Exposition «Magnetic Sculptures and White Signals» à Londres, Indica Gallery.
1967-1969	Expositions à la Howard Wise Gallery de New York : «Takis' Magnetic Sculpture» (1967) et «Evidence of the Unseen» (1969).
1968-1969	Invité pour un an au Center for Advanced Visual Studies du Massachusetts Institute of Technology.
1969-1979	Rétrospectives à la Hayden Gallery du M.I.T., au Städtisches Museum de Leverkusen (1969), à Paris au CNAC (1972), et à Calais, musée de la ville (1979).
1973	Dans le cadre du Festival de Hollande, réalise le décor pour le ballet *Elkesis* (chorégraphie de Jaap Flier), et compose une musique électromagnétique.
A partir de 1974, nombreuses expositions et manifestations musicales.	
1974	«Takis : musicales» à Paris, Espace Cardin. «Takis' Musikalische Räume» au Kunstverein de Hanovre.
1975	Signe une partie de la musique du film de Costa-Gavras *Section spéciale*.
1978	«Takis : espace musical» au Musée d'art moderne de la Ville de Paris-ARC.
1981	«Trois totems : espace musical», Centre Georges Pompidou.
1985	Présent à la Biennale de Paris. Installation au Centre Pompidou du *Long Mur magnétique*.
	Vit à Paris et à Athènes.

Bibliographie

Héléna et Nicolas Calas, *Takis : monographie* (préface de Pierre Restany), Paris, éd. Galilée, 1984.

Cambridge, Hayden Gallery, Massachusetts Institute of Technology, *Takis, Evidence of the Unseen,* par Wayne Andersen, 15 nov.-8 déc. 1968.

Paris, CNAC, *Takis,* 22 sept.-6 nov. 1972.

Tatline

Vladimir Evgrafovitch

1885-1953

	Né à Moscou le 12 décembre 1885. Il passe son enfance à Kharkov où il fréquente un collège technique.
1902-1910	Études à l'École de peinture, sculpture et architecture de Moscou (1902-1904), puis à l'École d'art de Penza (1904-1910). A partir de 1903, plusieurs voyages en France, Syrie, Turquie et Maroc. Fait la connaissance de Larionov et Gontcharova en 1906-1907.
1911	Ouvre un atelier («La Tour») à Moscou. Rencontre les frères Vesnine et se lie d'amitié avec Alexandre, futur architecte.
1911-1914	Participe à Saint-Pétersbourg aux expositions de l'Union de la jeunesse dont il est membre en 1913 et 1914.
1912	Prend part à l'exposition de «La Queue de l'âne» à Moscou (organisée par Larionov et Gontcharova).
1912-1913	Membre du Valet de Carreau fondé en 1910.
1913-1914	Voyage à Berlin, puis à Paris où il rencontre Picasso et découvre ses constructions cubistes. A son retour à Moscou, expose ses premiers reliefs dans son atelier.
1915	Commence ses reliefs d'angle. Participe aux expositions d'avant-garde «Tramway V» et «0,10» à Petrograd.
1916	Organise à Moscou l'exposition «Magasin» à laquelle Malevitch est invité.
1917	Rénove le Café pittoresque avec Yakoulov et Rodtchenko.
1918-1921	Nommé à la tête de l'IZO (département des beaux-arts du Narkompros) en 1918-1919, il enseigne dans les «Ateliers d'art libre» de Moscou et aux ateliers libres (Svomas) de Petrograd. En 1919-1920, il travaille au projet du *Monument à la IIIe Internationale* dont la maquette est exposée en 1920 à Petrograd puis à Moscou.
1922	Professeur à l'Inkhouk (Institut de culture artistique) de Petrograd. Participe à la première exposition d'art russe à la galerie Van Diemen à Berlin (Erste russische Ausstellung).
1923	Réalise la mise en scène et la scénographie de *Zanguezi*, poème de Khlebnikov. Projets de meubles et de vêtements.
1924	Directeur de la section «Culture des matériaux» à l'Inkhouk.
1925	Présente à l'exposition internationale des Arts décoratifs à Paris la maquette du *Monument à la IIIe Internationale*. De 1925 à 1927, enseigne à l'Institut d'art de Kiev, section théâtre et cinéma.
1927	Professeur jusqu'en 1930 aux Vkhoutemas de Moscou (transformés en Vhoutein). Crée sa chaise en tubes métalliques.
1929-1932	Travaille au projet de machine volante *Letatline*.
1934-1952	Se consacre surtout à la décoration théâtrale.
1953	Meurt à Moscou le 31 mai.

Bibliographie

John Bowlt, «L'œuvre de Tatline», *Cahiers du Musée national d'art moderne*, n° 2, Paris, 1980.

Margit Rowell, «Vladimir Tatlin : Form, Faktura», *October* n° 7, Cambridge, (Mass.), hiver 1978.

John Milner, *Vladimir Tatlin and the Russian Avant-Garde*, New Haven, Yale University, 1983.

Stockholm, Moderna Museet, *Vladimir Tatlin*, juil.-sept. 1968.

Tinguely

Jean

1925

	Né à Fribourg le 22 mai 1925, il fait ses études primaires et secondaires à Bâle.
1941-1945	Suit irrégulièrement les cours de l'École des beaux-arts à Bâle tout en faisant un apprentissage de décorateur dans un grand magasin.
1945-1953	Premières constructions à moteur. S'installe en 1952 à Paris. Collabore avec Daniel Spoerri en 1952-1953 à une toile de fond cinétique pour le ballet *Prisme*.
1954	Première exposition personnelle à Paris, galerie Arnaud. Création des *Moulins à prière* suivis en 1956 des premiers *Métamatics*. En 1955, participe à l'exposition «Le mouvement» à la galerie Denise René, Paris.
1958	En collaboration avec Yves Klein, «Concert pour sept tableaux» puis «Vitesse pure et stabilité monochrome» à la galerie Iris Clert, Paris.
1959	Exposition des *Métamatics* à la galerie Iris Clert. Premier «happening» à Londres.
1960	Premier voyage à New York : exposition personnelle à la Staempfli Gallery puis *Hommage à New York*, happening au Museum of Modern Art au cours duquel la sculpture s'autodétruit. De retour à Paris, début des «déchets»; série des sculptures *Baluba* (jusqu'en 1963). Participe à la fondation du groupe des Nouveaux Réalistes le 27 octobre.
1961	Participe à l'exposition d'art cinétique «Movement in Art» au Stedelijk Museum d'Amsterdam, puis en 1962 à *Dylaby* (Dynamic Labyrinth). Début des nombreuses collaborations avec Niki de Saint Phalle.
1963-1964	Réalise *Eureka*, machine monumentale commandée pour l'exposition nationale de Lausanne (1964) et aujourd'hui installée à Zurich. Installe son atelier à Soisy-sur-École près de Paris. Réalise dès lors un grand nombre de sculptures monumentales.
1966	Réalise avec Niki de Saint Phalle *Elle*, une gigantesque «Nana» allongée, présentée au Moderna Museet de Stockholm.
1967	Réalise avec Niki de Saint Phalle, pour le pavillon français de l'Exposition universelle de Montréal, *Le Paradis* installé définitivement à Stockholm en 1972. Série des *Rotozazas*, machines avec lesquelles le public est invité à jouer.
1968	Participe à l'exposition «The Machine» au Museum of Modern Art, New York.
1970	Commence la construction du *Monstre*, un environnement monumental inachevé à ce jour. Réalise à Milan *La Vittoria*, machine autodestructrice.
1971	Rétrospective au CNAC, Paris, présentée ensuite à Bâle, Hanovre, Stockholm, Humlebæk et Amsterdam.
1977	Construit le *Crocrodrome* pour le Centre Georges Pompidou et des fontaines pour la ville de Bâle (1977 et 1980). Relief sonore *Meta-Harmonie I*.
1978	Rétrospective à Duisbourg.
1981	Est représenté aux expositions «Paris-Paris» au Centre Pompidou et «Westkunst» à Cologne.
1983	Réalise la fontaine de la place Stravinsky à Paris avec Niki de Saint Phalle.
1986	Participe à l'exposition «1960: les Nouveaux Réalistes» au Musée d'art moderne de la Ville de Paris.

Vit et travaille en Suisse et près de Paris.

Bibliographie

K.G. Pontus Hulten, *Jean Tinguely, «Meta»*. Paris, Pierre Horay, 1973.

Paris, Centre national d'art contemporain, *Machines de Tinguely*, mai-juil. 1971.

Londres, Tate Gallery, Bruxelles, Palais des beaux-arts, et Genève, Musée d'art et d'histoire, *Tinguely*, sept. 1982-avril 1983.

Torres-García
Joaquín

1874-1949

Zorio
Gilberto

1944

	Né le 28 juillet 1874 à Montevideo; son père est catalan et sa mère uruguayenne.
1891-1892	Sa famille retourne en Catalogne à Mataró, puis s'installe à Barcelone en 1892.
1893	Études à l'Académie des beaux-arts et à l'académie Baixas. Rejoint le cercle artistique de Sant-Lluc, groupe d'artistes conservateurs. Rencontre Joan et Julio González.
1900	Fréquente le café Els Quatre Gats où se réunit l'avant-garde catalane.
1904-1905	Réalise des vitraux et des décorations sculpturales avec Antonio Gaudí pour la cathédrale de Palma de Majorque et pour l'église de la Sagrada Familia à Barcelone. Jusqu'en 1913, fait de nombreux décors pour les églises de Barcelone.
1910	Voyage à Paris puis à Bruxelles où il décore le pavillon uruguayen de l'Exposition universelle.
1912	Voyage en Italie où il étudie les fresques. Exécute le cycle de fresques pour le salon Saint-Georges à Barcelone (jusqu'en 1916).
1914	Quitte Barcelone et s'installe à Tarrasa. Réalise à l'école du Mont d'or, où il enseigne, ses premiers jouets en bois.
1920	En mai, quitte l'Espagne. Après un séjour à Paris où il rencontre notamment Miró et les Arp, il part en juillet pour New York.
1920-1922	Fait la connaissance de Marcel Duchamp et de Xceron. Expose au Whitney Studio Club en 1921. Fabrique des jouets. Éprouve des difficultés à s'intégrer dans le milieu new-yorkais.
1922-1924	Retourne en Europe pour s'installer en Italie (Gênes, Fiesole, Livourne) puis en France (Villefranche-sur-Mer) à la fin de l'année 1924.
1926	S'installe à Paris où il vient d'avoir sa première exposition personnelle, à la galerie A. G. Fabre. Partage quelque temps l'atelier de Jean Hélion.
1928	Participe à l'«exposition des cinq refusés» à la galerie Marck.
1928-1930	Ses rencontres successives avec Theo van Doesburg, Michel Seuphor et Mondrian l'amènent à fonder en 1930 avec Seuphor le groupe Cercle et Carré. Réalise ses premières œuvres constructivistes.
1931-1932	Expositions chez Jeanne Bucher et galerie Percier.
1932	S'installe à Madrid et organise un groupe d'art constructiviste.
1934	Retourne à Montevideo. Écrit son autobiographie, *Historia de mi vida*, qui sera publiée en 1939.
1935-1936	Fonde l'Association d'art constructiviste qui publie en mai 1936 *Circulo y Cuadrado*, deuxième période de *Cercle et Carré*.
1938	Construit le *Monumento cosmico*, dans le parc Rodo de Montevideo, qui est une synthèse de son œuvre.
1944	Fonde un atelier, le *Taller Torres-García*, avec lequel il exécute les décorations murales pour l'hôpital Saint-Bois. Publication de la revue *Removedor*.
1949	Meurt le 8 août à Montevideo.

Bibliographie
Enric Jardi, *Torres-García*, Barcelone, éd. Poligrafa, 1973.
Providence, Museum of Art, Rhode Island School of Design, *Joaquín Torres-García 1874-1949*, 16 fév.-31 mars 1971.
Paris, Musée d'art moderne de la Ville de Paris, *Torres-García 1874-1949*, 11 juin-18 août 1975.
Londres, Hayward Gallery, *Torres-García*, par Margit Rowell, nov. 1985-fév. 1986; exposition présentée à Barcelone et à Düsseldorf.

	Né le 21 septembre 1944 à Andorno Micca dans le Piémont.
1963	Études à l'Académie des beaux-arts de Turin.
1967	Se joint aux artistes de l'Arte povera. Le thème de son travail: l'énergie, physique et mentale. Première exposition personnelle chez Sperone à Turin, où il exposera régulièrement puis au «Deposito» avec les artistes de l'Arte povera. A partir de cette date, expose fréquemment dans des galeries italiennes.
1968	Professeur au Lycée artistique de Coni et à partir de 1971 au Lycée artistique de Turin.
1969	Début de *Per purificare le parole,* titre générique d'une grande partie de ses œuvres. Utilise les acides.
1969-1973	Expose pour la première fois à Paris, chez Sonnabend (1969), et à Bruxelles, galerie MM (1973). Participe à l'exposition de la Kunsthalle de Berne. «Quand les attitudes deviennent forme» (1969).
1970-1974	Participe à la IIIe Biennale internationale de la jeune peinture à Bologne (1970), à la Biennale de Paris (1971), à la Documenta de Kassel (1972) et à «Projekt 74» à la Kunsthalle de Cologne (1974). Apparition du motif de l'étoile et des javelots.
1976-1979	Expositions personnelles à Lucerne, Kunstmuseum (1976), variations sur l'étoile en divers matériaux (cristal, cuir, javelots, terre cuite...), puis à Amsterdam, Stedelijk Museum (1979).
1978-1985	Participe à la Biennale de Venise (1978), à «Identité italienne: l'art en Italie depuis 1959» au Centre Pompidou (1981), à «Italian Art Now: an American Perspective» au Guggenheim Museum de New York, à «Arte povera Antiform: sculptures 1966-1969» au Capc de Bordeaux, à «Italian Art 1960-1982» à la Hayward Gallery de Londres (1982), à la Biennale de Middelheim à Anvers (1983), à «Ouverture» au Castello Rivoli de Turin où il présente ses premiers *canoes* (1984-1985) et à «The Knot Arte Povera at P.S.1» à New York (1985).
1983	Exposition personnelle à Chagny (France).
1986	Exposition rétrospective au Centre Georges Pompidou.

Vit et travaille à Turin.

Bibliographie
B. Merz et D. Zacharopoulos, *Gilberto Zorio*, Ravenne, ed. Essegi, 1982.
Amsterdam, Stedelijk Museum, *Gilberto Zorio*, 29 mars-13 mai 1979.
Bordeaux, Capc, *Arte povera-Antiform*, 12 mars-30 avril 1982.
New York, Guggenheim Museum, *Italian Art Now: An American Perspective*, printemps 1982.
Chagny, Au fond de la cour à droite, *Gilberto Zorio*, 21 janv.-25 mars 1984.
Turin, Mole Antonelliana, *Coerenza in coerenza*, sous la direction de G. Celant, 12 juin-14 oct. 1984.

Bibliographie sélective

Classée par ordre chronologique, cette bibliographie sélective comporte les principaux ouvrages ayant contribué à faire connaître la sculpture moderne au XXe siècle (1900-1970).
On y trouvera également les catalogues de certaines expositions, qu'elles soient consacrées à la seule sculpture ou que celle-ci y tienne une place prépondérante. De même, les manifestations régulières telles que les Biennales (Venise, Sao Paulo, Anvers, New York, Paris, Sydney...), la Documenta de Kassel, les expositions annuelles des grands musées ne sont citées que lorsqu'elles font une très large place à la sculpture. Enfin pour les expositions qui ont été présentées dans plusieurs lieux successifs, sont mentionnées d'abord l'institution organisatrice et ensuite les villes où l'exposition a circulé.

Cat. *Der blaue Reiter,* Munich, Galerie Hans Goltz, 1912.

Cat. *Sonderbund International,* Cologne, Städtische Ausstellungshalle, 1912.

Cat. *La Section d'or,* Paris, galerie La Boétie, 1912.

Cat. *Armory Show,* New York, Armory of the Sixty-Ninth Regiment, 1913.

Cat. *Esposizione libera internazionale futurista,* Rome, Galleria Sprovieri, 1914.

Cat. *Erste russische Kunstausstellung,* Berlin, Galerie Van Diemen, 1922.

Cat. *Grosse Berliner Kunstausstellung,* Berlin, 1923.

Cat. *Première Exposition surréaliste,* Paris, galerie Pierre, 1925.

Cat. de l'*Exposition internationale des Arts décoratifs,* Paris, 1925.

Cat. *An International Exhibition of Modern Art Assembled by The Société Anonyme,* New York, Brooklyn Museum, 1926-1927.

Adolph Basler, *La Sculpture moderne en France,* Paris, 1928.

Cat. *Peintures et sculptures abstraites et surréalistes,* Zurich, 1929.

Cat. *Fantastic Art, Dada, Surrealism,* par Alfred H. Barr, New York, Museum of Modern Art, 1936.

Cat. *The New York School : Second Generation,* New York, Jewish Museum, 1957.

Werner Hofmann, *Die Plastik des 20. Jahrhunderts,* Francfort-sur-le-Main, 1958.

Cat. *Cubism and Abstract Art,* par Alfred H. Barr Jr., New York, The Museum of Modern Art, 1936.

Cat. de l'*Exposition surréaliste d'objets,* Paris, galerie Charles Ratton, 1936.

Cat. *International Surrealist Exhibition,* Londres, Burlington Galleries, 1936.

Cat. *Exhibition of Contemporary American Sculpture,* Pittsburgh, Carnegie Institute, 1938.

Robert Goldwater, *Primitivism in Modern Art,* New York, Random House, 1938 (nouvelle édition 1966-1967).

L. Gischia, N. Védrès, *La Sculpture en France depuis Rodin,* Paris, 1945.

Cat. *Fourteen Americans,* par D.C. Miller, New York, The Museum of Modern Art, 1946.

Cat. de l'*Exposition internationale du surréalisme,* présenté par André Breton et Marcel Duchamp, Paris, galerie Maeght, 1947.

Bernard Dorival, « Sculptures de peintres », *Musées de France,* n° X, Paris, déc. 1949.

Cat. *Tradition and Experiment : An Exhibition of Modern Sculpture,* Washington, Watkins Memorial Gallery, The American University, 1951; exposition présentée à Pittsburgh, Grand Rapids, Seattle, Eugene (Oregon), San Francisco, Kansas City, Tulsa (Oklahoma), West Palm Beach, Louisville, 1951-1952.

Cat. *Sculpture of the Twentieth Century,* par Andrew Carnduff Ritchie, New York, Museum of Modern Art, 1952.

Eduard Trier, *Moderne Plastik,* Berlin, 1954.

Cat. *Sept pionniers de la sculpture moderne : Laurens, Duchamp-Villon, Brancusi, Arp, Chauvin, Pevsner, González,* Yverdon, hôtel de ville, 1954.

Cat. *Le Mouvement,* Paris, galerie Denise René, 1955.

Cat. de l'*Exposition internationale de sculpture contemporaine,* Paris, musée Rodin, 1956.

Michel Seuphor, *La Sculpture de ce siècle-Dictionnaire de la sculpture moderne,* Neuchâtel, éd. du Griffon, 1959.

Sam Hunter, *Modern American Painting and Sculpture,* New York, Dell Publishing Co., 1959.

Cat. *Recent Sculpture U.S.A.,* New York, Museum of Modern Art, 1959; exposition présentée à Denver, Tucson, Los Angeles, St. Louis, Boston.

Carola Giedion-Welcker, *Contemporary Sculpture. An Evolution in Volume and Space,* New York, George Wittenborn Inc., 1960 (édition revue et augmentée).

Edouard Jaguer, *Sculpture 1950-1960,* Paris, Le Musée de poche, 1960.

Cat. *Movement in Art,* Amsterdam, Stedelijk Museum, 1961; exposition présentée à Stockholm.

Cat. *The Art of Assemblage,* par William C. Seitz, New York, Museum of Modern Art, 1961; exposition présentée à Dallas et San Francisco, 1962.

Cat. de la *1913 Armory Show 50th Anniversary Exhibition 1963* organisée et présentée par le Munson-Williams-Proctor Institute, Utica, puis présentée à New York, 1963.

Cat. *Aspects de l'art contemporain,* L'Aquila, Castello cinquecentesco, 1963.

Cat. *Sculpture : Open-Air Exhibition of Contemporary British and American Works,* Londres, Battersea Park, 1963.

Jean Selz, *Découverte de la sculpture moderne,* Lausanne, Les Fauconnières, 1963.

Cat. *54-64 Painting and Sculpture of a Decade,* Londres, Tate Gallery, 1964.

Cat. *Recent American Sculpture,* par Hans van Weeren Griek, New York, Jewish Museum, 1964.

Cat. *Meisterwerke der Plastik,* Vienne, Museum des 20. Jahrhunderts, 1964.

Cat. *États-Unis : sculptures du XXe siècle*, Paris, musée Rodin, 1965.

Cat. *Shape and Structure*, par Henry Geldzahler, New York, Tibor de Nagy Gallery, 1965.

Cat. *Seven Sculptors*, Philadelphia, Institute of Contemporary Art, University of Pennsylvania, 1965.

Alan Bowness, *Modern Sculpture*, Londres, Studio Vista, et New York, Dutton, 1965.

William C. Seitz, « Contemporary Sculpture », *Arts Yearbook 8*, New York, 1965.

Cat. *Primary Structures : Younger American and British Sculptors*, par Kynaston McShine, New York, Jewish Museum, 1966.

Cat. *Multiplicity*, Boston, Institute of Contemporary Art, 1966.

Cat. *Contempory American Sculpture : Selection I*, New York, Whitney Museum, 1966.

Cat. *Eight Sculptors : The Ambiguous Image*, Minneapolis, Walker Art Center, 1966.

Cat. *Aspect de l'art italien contemporain*, Rome, Galleria nazionale d'arte moderna : exposition présentée à Dortmund, Cologne, Bergen, Oslo, Belfast, Edimbourg, 1966-1967.

« American Sculpture », *Artforum*, été 1967, numéro spécial : textes de Philip Leider, Michael Fried, Robert Morris, Barbara Rose, Robert Smithson, Max Kozloff, Sidney Tillim, James Monte, Wayne Andersen, Fidel A. Danieli, Jane Harrison Cone, Sol LeWitt, Robert Pincus-Witten, Charles Frazier.

Udo Kultermann, *Neue Dimensionen der Plastik*, Tübingen, Wasmuth, 1967.

George Rickey, *Constructivism. Origins and Evolution*, New York, George Braziller, 1967.

George Heard Hamilton, *Painting and Sculpture in Europe 1880 to 1940*, Londres, Penguin Books, 1967.

Fred Licht, *A History of Western Sculpture - 19th & 20th Centuries*, Londres et Greenwich (Connecticut), Michael Joseph, 1967.

Maurice Tuchman, *American Sculpture of the Sixties*, Greenwich (Conn.) et New York, Graphic Society, 1967.

Jean Laude, « Vingt ans de sculpture », *Revue d'esthétique*, T. XX, fasc. 4, oct.-déc. 1967.

Robert Morris, « Notes on Sculpture », *Artforum*, vol. 4, fév. 1966, vol. 5, oct. 1966, vol. 5, juin 1967, et vol. 7, avril 1969.

Cat. *Arte povera e IM spazio*, Gênes, Galleria La Bertesca, 1967.

Cat. *Contemp l'azione*, par Daniela Palazzoli, Turin, galeries Sperone, Stein et Il Punto, 1967.

Cat. *American Sculpture of the Sixties*, sous la direction de Maurice Tuchman, Los Angeles County Museum of Art; exposition présentée à Philadelphie, 1967.

Cat. *Sculpture : A Generation of Innovation*, Chicago, Art Institute, 1967.

Cat. *Guggenheim International Exhibition 1967: Sculpture from Twenty Nations*, sous la direction d'Edward F. Fry, New York, Guggenheim Museum, 1967; exposition présentée à Toronto, Ottawa, Montréal.

Cat. *Exposition internationale de sculpture contemporaine*, Montréal, Expo 67, 1967.

Dore Ashton, *Modern American Sculpture*, New York, Harry N. Abrams, 1968.

Eduard Trier, *Form and Space, Sculpture of the Twentieth Century*, New York et Washington, Frederick A. Praeger, 1962, réed. Londres, Thames & Hudson, 1968.

Udo Kultermann, *The New Sculpture, Environments and Assemblages*, New York et Washington, Frederick A. Praeger, 1968.

Herbert Read, *A Concise History of Modern Sculpture*, Londres, Thames & Hudson, 1968.

Minimal Art : A Critical Anthology, par Gregory Battcock, New York, 1968.

Jack Burnham, *Beyond Modern Sculpture : The Effects of Science and Technology on the Sculpture of This Century*, New York, George Braziller, 1968.

Wayne Craven, *Sculpture in America*, New York, 1968.

Cat. *The Machine as Seen at the End of the Mechanical Age*, par Pontus Hulten, New York, Museum of Modern Art, 1968-1969; exposition présentée à Houston et San Francisco.

Cat. *Dada, Surrealism and their Heritage*, par William Rubin, New York, The Museum of Modern Art, 1968; exposition présentée à Los Angeles et Chicago.

Cat. *Soft Sculpture*, par Lucy R. Lippard, American Federation of Arts, 1968-1969.

Cat. *Earthworks*, New York, Dwan Gallery, 1968.

Cat. *Anti-Form*, New York, John Gibson Gallery, 1968.

Cat. *Minimal Art*, sous la direction d'Enno Develing, La Haye, Gemeentemuseum, 1968; exposition présentée à Düsseldorf et Berlin.

Cat. *Documenta IV*, Kassel, 1968. Section sculpture organisée par Eduard Trier.

Cat. *Prospect'68*, sous la direction de Konrad Fischer et Haas Strelow, Düsseldorf, Städtische Kunsthalle, 1968.

Cat. *Arte povera*, Bologne, Galleria de' Foscherari, 1968.

Barbara Rose, *L'Art américain depuis 1900*, Bruxelles, La Connaissance, 1969.

Abraham Marie Hammacher, *The Evolution of Modern Sculpture : Tradition and Innovation*, New York, Harry N. Abrams, 1969.

Robert Goldwater, *What is Modern Sculpture ?*, New York, Museum of Modern Art, 1969 (éd. par New York Graphic Society Ltd., Greenwich, Connecticut).

Germano Celant, *Arte Povera : Conceptual, Actual or Impossible Art*, Londres, Studio Vista, 1969.

John Russell et Suzi Gablik, *Pop Art Redefined*, New York & Washington, 1969.

Cat. *Live in your Head. When Attitudes Become Form : Works-Concepts-Processes-Situations-Information*, sous la direction de Harold Szeeman, Berne, Kunsthalle, 1969; exposition présentée, à Krefeld, puis sous une forme légèrement différente à Londres.

Cat. *Op Losse Schroeven : situaties en crypostructuren*, sous la direction de Wim Beeren, Amsterdam, Stedelijk Museum, 1969.

Cat. *Prospect'69 : Internationale Vorschau auf die Kunst in den Galerien der Avantgarde*, Düsseldorf, Städtische Kunsthalle, 1969.

Cat. *Contemporary American Sculpture : Selection 2, assembled by the Howard and Jean Lipman Foundation*, New York, Whitney Museum, 1969.

Cat. *Anti-Illusion : Procedures/Materials*, par James Monte et Marcia Tucker, New York, Whitney Museum, 1969.

Cat. *New York Painting and Sculpture 1940-1970*, par Henry Geldzahler, New York, Metropolitan Museum, 1969.

Cat. *Fourteen Sculptors : The Industrial Edge*, Minneapolis, Walker Art Center, 1969.

Cat. *The Partial Figure in Modern Sculpture : From Rodin to 1969*, par Albert E. Elsen, Baltimore, Museum of Art, 1969.

James J. Kelly, *The Sculptural Idea*, Minneapolis, 1970.

Cat. *Processi di pensiero visualizzati : 15 italienische Künstler*, Lucerne, Kunstmuseum, 1970.

Cat. *Conceptual art, Arte povera, land-art*, sous la direction de G. Celant, Turin, Galleria civica d'arte moderna, 1970.

Cat. *Information*, par Kynaston McShine, New York, Museum of Modern Art, 1970.

Cat. *Annual Exhibition, Contemporary American Sculpture*, par James Monte et Marcia Tucker, New York, Whitney Museum, 1970.

New Dictionary of Modern Sculpture, par Robert Maillard et al., New York, 1971.

Klaus Honnef, *Concept Art*, Cologne, Phaidon Verlag, 1971.

Cat. *Biennale de Sculpture*, Anvers, Middelheimpark, 1971.

Cat. *Metamorphose de l'objet : art et anti-art 1910-1970*, Bruxelles, Palais des beaux-arts; exposition présentée à Rotterdam, Berlin, Milan, Bâle et Paris, 1971-1972.

Heinz R. Fuchs, *Sculpture contemporaine*, Paris, Albin Michel, 1972.

Ursula Meyer, *Conceptual Art*, New York, Dutton & Co., 1972.

Gregoire Müller, *The New Avant-Garde for the Art of the Seventies*, Londres, Pall Mall Press, 1972.

Harold Rosenberg, *The Re-Definition of Art : Action Art to Pop to Earthworks*, Londres et New York, 1972.

Willy Rotzler, *Objekt-Kunst von Duchamp bis Kienholz*, Cologne, 1972.

Cat. *Documenta V : Befragung der Realität, Bildwelten heute*, sous la direction d'Harold Szeeman, Kassel, Museum Fridericianum, 1972.

Cat. *XXXVI Esposizione biennale internationale d'arte. Scultura nella città*, Venise, 1972.

Cat. *World Cultures and Modern Art*, Munich, Haus der Kunst, 1972.

Idea Art : A Critical Anthology, sous la direction de Gregory Bottcock, New York, 1973.

Sam Hunter, *American Art of the 20th Century*, New York, Harry N. Abrams, 1973.

Lucy R. Lippard, *Six Years : The Dematerialization of the Art Object from 1966-1972*, Londres, Studio Vista, 1973.

William Tucker, *Sculpture 1970-1973*, Londres, Arts Council, 1973.

Cat. *Pioneers of Modern Sculpture*, par Albert E. Elsen, Londres, Hayward Gallery (exposition organisée par l'Arts Council of Great Britain), 1973.

Cat. *Sculptures de peintres*, Paris, musée Rodin, 1973.

Albert E. Elsen, *Origins of Modern Sculpture : Pioneers and Premises*, New York, Braziller, 1974.

Jack Burnham, *Great Western Salt Works : Essays on the Meaning of Post-Formalist Art*, New York, Braziller, 1974.

William Tucker, *Space, Illusion, Sculpture*, Londres, Mains, 1974.

William Tucker, *The Language of Sculpture*, Londres, Thames & Hudson, 1974 (paru à New York, Oxford University Press, sous le titre *Early Modern Sculpture*).

Julia M. Bush, *A Decade of Sculpture, the 1960s*, Philadelphia, the Art Alliance Press, et Londres, Associated University Presses, 1974.

Herbert Christian Merillat, *Modern Sculpture; The New Old Masters*, New York, Dodd, Mead & Company, 1974.

Dona Z. Meilach, *Soft Sculpture and Other Soft Art Forms*, Londres, George Allen & Unwin Ltd, 1974.

Cat. *American Pop Art*, par Lawrence Alloway, New York, Whitney Museum, 1974.

Cat. *Monumenta : A Biennal Exhibition of Outdoor Sculpture*, sous la direction de Sam Hunter, Newport, Newport County Arts Council, 1974.

Cat. *Pioneers of Modern Sculpture*, par Albert E. Elsen, Londres, Hayward Gallery (exposition organisée par l'Arts Council of Great Britain), 1975.

Wayne Andersen, *American Sculpture in Process : 1930/1970*, Boston, 1975.

Peter Bürger, *Theorie der Avantgarde*, Francfort-sur-le-Main, 1976.

Ellen H. Johnson, *Modern Art and the Object*, New York, 1976.

Edward Lucie-Smith, *Arte oggi : Dall'espressionismo astratto all'iperrealismo*, Milan, 1976 (éd. angl. : *Art Now : From Abstract Expressionism to Superrealism*, New York, 1977, 1981).

Cat. *Boîtes*, par Françoise Chatel et Suzanne Pagé, Paris, ARC/Musée d'art moderne de la Ville de Paris, et Rennes, Maison de la culture, 1976-1977.

Cat. *7 + 5 Sculptors in the 1950s*, par Phyllis Plous, Santa Barbara, The Art Galleries, University of California, 1976; exposition présentée à Phoenix.

Cat. *200 Years of American Sculpture*, New York, Whitney Museum, 1976.

Rosalind E. Krauss, *Passages in Modern Sculpture*, Londres, Thames and Hudson, 1977.

Hans Joachim Albrecht, *Skulptur im 20. Jahrhundert. Raumbewusstsein und künstlerische Gestaltung*, Cologne, DuMont Buchverlag, 1977.

Germano Celant, *Ambiente/Arte dal futurismo alla Body Art*, Venise, edizioni La Biennale di Venezia, 1977.

Marcel Jory, *Le Béton dans l'art contemporain*, Neuchâtel, éd. du Griffon, 1977.

Douglas Davis, *Artculture : Essays on the Post-Modern*, New York, 1977.

Cat. *Scale and Environment : Ten Sculptors*, Minneapolis, Walker Art Center, 1977.

Cat. *Skulptur : Ausstellung in Münster*, sous la direction de Klaus Bussmann et Kaspar König, Munster, Westfälisches Landesmuseum für Kunst und Kulturgeschichte, 1977.

Cat. *A View of a Decade*, Chicago, Museum of Contemporary Art, 1977.

Cat. *Europe in the Seventies : Aspects of Recent Art*, Chicago, Art Institute, 1977; exposition présentée à Washington, San Francisco, Fort Worth, Cincinnati, 1978 et 1979.

Cat. *Probing the Earth : Contemporary Land Projects*, par John Beardsley, Washington, Hirshhorn Museum and Sculpture Garden, 1977; exposition présentée à La Jolla et Seattle, 1978.

Cat. *Berlin/Hanovre, the 1920s*, Dallas, Museum of Fine Arts, 1977.

Cat. *Sculpture/Nature*, Bordeaux, Capc, 1978.

Cat. *Abstraction création 1931-1936*, par Gladys C. Fabre, Munster, Westfälisches Landesmuseum, et Paris, Musée d'art moderne de la Ville de Paris, 1978.

Artists in their Own Words : Conversations with 12 American Artists, par Paul Cummings et al., New York, 1979.

Harold Osborne, *Abstraction and Artifice in Twentieth Century Art*, Oxford, 1979.

Regards sur l'art américain des années soixante, anthologie critique établie par Claude Gintz, Paris, éd. Territoires, 1979.

Cat. *The Planar Dimension. Europe, 1912-1932*, par Margit Rowell, New York, Guggenheim Museum, 1979.

Cat. *Modern European Sculpture 1918-1945. Unknown Beings and Other Realities*, par Albert E. Elsen, New York, The Albright-Knox Art Gallery, 1979.

Cat. *Skulptur : Matisse, Giacometti, Judd, Flavin, Andre, Long*, Berne, Kunsthalle, 1979.

Cat. *Weich und Plastik : Soft-Art*, sous la direction d'Erika Billeter, Kunsthaus, Zurich, 1979.

Cat. *Vanguard American Sculpture 1919-1939*, New Brunswick, New Jersey, Rutgers University Art Gallery, 1979; exposition présentée à Chapel Hill (Caroline du Nord), Omaha (Nebraska), Oakland (Californie), 1979-1980.

Cat. *Carl Andre, Donald Judd, Robert Morris : sculture minimal*, Rome, Galleria nazionale d'arte moderna, 1980.

Cat. *Reliefs, Formprobleme zwischen Malerei und Skulptur im 20. Jahrhundert*, sous la direction d'Ernst-Gerhard Güse, Munster, Westfälisches Landesmuseum für Kunst, 1980.

Cat. *Skulptur im 20. Jahrhundert*, Bâle, Wenkenpark Riehen, 1980.

Cat. *Faszination des Objekts*, par Wolfgang Dreschler et Dieter Ronte, Vienne, Museum moderner Kunst, 1980-1981.

Cat. *Kunst in Europa na '68*, Gand, Museum van Hedendaagse Kunst, 1980.

Cat. *Pier + Ocean : Construction in the Art of the Seventies*, Londres, Hayward Gallery, 1980.

Cat. *Sculpture on the Wall : Relief Sculpture of the Seventies*, par H.M. Davies, Amherst, University Gallery, University of Massachusetts, 1980.

Walter Zanini, *Tendencias da escultura moderna*, Sao Paulo, ed. Cultrix, 1980.

« Spécial Sculpture », *ArtPress*, mars 1980, n°35.

Anthony Padovano, *The Process of Sculpture,* New York, Doubleday & Company, 1981.

John Beardsley, *Art in Public Places,* Washington, 1981.

Cat. *Sculpture du XXᵉ siècle 1900-1945, tradition et ruptures,* Saint-Paul-de-Vence, Maeght, 1981; exposition présentée à Madrid, 1981.

Cat. *Gauguin to Moore, Primitivism in Modern Sculpture,* par Alan G. Wilkinson, Toronto, musée des Beaux-Arts de l'Ontario, 1981-1982.

Cat. *British Sculpture in the Twentieth Century,* Londres, Whitechapel Art Gallery, 1981.

Cat. *Kounellis, Merz, Nauman, Serra : Arbeiten um 1968,* Krefeld, Museum Haus Lange, 1981.

Cat. *Westkunst : Zeitgenössische Kunst seit 1939,* Cologne, Museen der Stadt Köln, 1981.

Cat. *Mythos & Ritual in der Kunst der 70er Jahre,* sous la direction d'E. Billeter, Zurich, Kunsthaus, 1981.

Cat. *Identité italienne : l'art en Italie depuis 1959,* par Germano Celant, Paris, Musée national d'art moderne, Centre Georges Pompidou, 1981.

Dictionnaire général du surréalisme et de ses environs, sous la direction d'Adam Biro et de René Passeron, Paris, PUF, 1982.

Andreas Franzke, *Skulptur und Objekte von Malern des 20. Jahrhunderts,* Cologne, DuMont Bechverlag, 1982.

Ionel Jianou, Gérard Xuriguera et Aube Lardera, *La Sculpture moderne en France depuis 1950,* Paris, Arted, 1982.

Cat. *Arte povera-Antiform : sculptures 1966-1969,* Bordeaux, Centre d'arts plastiques contemporains, 1982.

Cat. *'60 '80 : Attitudes, Concepts, Images,* Amsterdam, Stedelijk Museum, 1982.

Cat. *Zeitgeist,* sous la direction de C.M. Joachimides et N. Rosenthal, Berlin, Martin-Gropius-Bau, 1982-1983.

Christina Lodder, *Russian Constructivism,* New Haven et Londres, Yale University Press, 1983.

Lucy R. Lippard, *Overlay. Contemporary Art and the Art of Prehistory,* New York, Pantheon Books, 1983.

Rodin et la sculpture contemporaine, actes du colloque organisé par le musée Rodin, oct. 1982, Paris, éd. du musée Rodin, 1983.

Alan Sonfist, *Art in the Land : A Critical Anthology of Environmental Art,* New York, 1983.

Howard J. Smagula, *Currents : Contemporary Directions in the Visual Arts,* Englewood Cliffs, New Jersey, 1983.

Contemporary Artists (deuxième édition), Londres, Macmillan, 1983.

Cat. *German Expressionist Sculpture,* sous la direction de Stephanie Barron, Los Angeles County Museum, 1983-1984; exposition présentée à Washington et Cologne, 1984.

Cat. *L'informale in Italia,* sous la direction de Renato Barilli et Francesco Arcangeli, Bologne, Galleria d'arte moderna, 1983.

Cat. *Leçons de choses,* par Jean-Hubert Martin, Berne, Kunsthalle, 1982; exposition présentée à Chambéry, 1983.

Cat. *De Statua,* Eindhoven, Stedelijk Museum, 1983.

Cat. *Skulptur und Macht,* Berlin, Akademie der Kunst, 1983.

Cat. *The Sculpture Show : Fifty Sculptors at the Serpentine and the South Bank,* Londres, Hayward Gallery et Serpentine Gallery, 1983.

Cat. *Sculpture : the Tradition in Steel,* New York, Nassau County Museum of Fine Art, 1983-1984.

Cat. *The First Show : Painting and Sculpture from Eight Collections 1940-1980,* Los Angeles, Museum of Contemporary Art, 1983.

Cat. *Beyond the Plane : American Constructions, 1930-1965,* Trenton, New Jersey State Museum, 1983; exposition présentée à l'université du Maryland, 1984.

John Beardsley, *Earthworks and Beyond : Contemporary Art in the Landscape,* New York, Abbeville Press, 1984.

The Société Anonyme and the Dreier Bequest at Yale University : A « Catalogue Raisonné », New Haven & Londres, Yale University Press, 1984.

Cat. *Primitivism in 20th Century Art : Affinity of the Tribal and the Modern,* sous la direction de William Rubin, New York, Museum of Modern Art, 1984.

Cat. *Skulptur im 20. Jahrhundert,* Bâle, Merian-Park, 1984.

Cat. *Coerenza in coerenza : dall'arte povera al 1984,* sous la direction de Germano Celant, Turin, Mole Antonelliana, 1984; exposition présentée à Madrid en 1985.

Cat. *The Third Dimension : Sculpture of the New York School,* par Lisa Phillips, New York, Whitney Museum, 1984-1985; exposition présentée à Fort Worth, Cleveland et Newport Beach, 1985.

Cat. *Blam ! The Explosion of Pop, Minimalism and Performance 1958-1964,* New York, Whitney Museum, 1984.

Cat. *An International Survey of Recent Painting and Sculpture,* sous la direction de Kynaston McShine, New York, Museum of Modern Art, 1984.

Cat. *Content : A Contemporary Focus 1974-1984,* Washington, Hirshhorn Museum and Sculpture Garden, 1984-1985.

Cat. *Citywide Contemporary Sculpture Exhibition,* par Sandra Wiseley, Toledo, Museum of Art, 1984.

Cat. *Histoires de sculpture,* par Bernard Marcadé; exposition présentée à Cadillac, Villeneuve-d'Ascq et Nantes, 1984-1985.

Rosalind E. Krauss, *The Originality of the Avant-Garde and Other Modernist Myths,* Cambridge (Mass.) et Londres, 1985.

Cat. *Art minimal I, de la ligne au parallélépipède,* sous la direction de Jean-Louis Froment, Bordeaux, Capc, 1985.

Cat. *The Knot Arte Povera at P.S.1,* sous la direction de Germano Celant, New York, P.S.1., et Turin, Società editrice Umberto Allemandi & C.

Cat. *The European Iceberg : Creativity in Germany and Italy Today,* sous la direction de Germano Celant, Toronto, Art Gallery of Ontario, 1985.

Cat. *Promenades,* Genève, Centre d'art contemporain, 1985.

Cat. *Sculptures : première approche pour un parc,* Jouy-en-Josas, fondation Cartier, 1985-1986.

Cat. *German Art in the 20th Century : Painting and Sculpture 1905-1985,* sous la direction de C.M Joachimides, N. Rosenthal et W. Schmied, 1985; exposition présentée à Stuttgart, 1986.

Cat. *Transformations in Sculpture : Four Decades of American and European Art,* par Diane Waldman, New York, Guggenheim Museum, 1985-1986.

Cat. *Contrasts of Form,* New York, Museum of Modern Art, 1985-1986; exposition présentée à Madrid, 1986.

Cat. *Carnegie International,* Pittsburgh, Museum of Art, Carnegie Institute, 1985.

Cat. *Escultura española 1900-1936,* Madrid, Palacio de Cristal, 1985.

Cat. *Spuren, Skulpturen und Monumente ihrer präzisen Reise,* par Harold Szeeman, Zurich, Kunsthaus, 1985-1986.

Cat. *1960: Les Nouveaux Réalistes,* Paris, Musée d'art moderne de la Ville de Paris, 1986.

Cat. *In Tandem, The Painter-Sculptor in the Twentieth Century,* Londres, Whitechapel Art Gallery, 1986.

Cat. *Futurismo e futurismi,* sous la direction de Pontus Hulten, Venise, Palazzo Grassi, 1986.

Cat. *Entre el objeto y la imagen : Escultura britanica contemporanea,* Madrid, Palacio Velázquez, 1986.

Index des artistes exposés

446

Crédit photographique

Claudio Abato, Rome, p. 220; Blaise Adilon, p. 221; Annely Juda Fine Art, Londres, p. 68; Art Council, Londres, p. 140; E. Baranoff-Rossiné, Paris, p. 397; Bayerische Staatsgemaldesammlungen, Munich, p. 82; Bérard / Musée Matisse, Nice-Cimiez, pp. 21, 22, 23, 24; Hans Bolliger et Roman Norbert Ketterer, p. 417; Brücke Museum, Berlin, p. 147; Rudolph Burckhardt, New York, pp. 177, 294; Daniel Buren, p. 327; Leo Castelli, New York, pp. 272, 387; Català-Roca, Barcelone, pp. 424, 434; Yvonne Chevalier, Paris, p. 419; Chrysler Museum, Norfolk (Virginie), p. 19; P. Citroën, Paris / Service photo Mnam, p. 425; Geoffrey Clements, Staten Island, p. 299; Geoffrey Clements / Washburn Gallery, New York, p. 293; Geoffrey Clements / Xavier Fourcade Inc., Paula Cooper Gallery, New York et Margo Leavin Gallery, Los Angeles, p. 306; Geoffrey Clements / Richard L. Feigen, New York, pp. 128, 178, 201, 203; John Cliett / Dia Art Foundation, Quemado (Nouveau-Mexique), p. 310; J. Corta, Lérida, p. 174; George Costakis, New York, p. 75; Coster, Londres, p. 425; M.E. Coutarel, Paris, pp. 356, 357; Crouaille / musée de l'Homme, p. 234; Prudence Cumming Ass., Londres, pp. 76, 175; Alex Darrow, p. 410; Galleria Museo Depero, Rovereto, p. 47; Dumage / Studio Littré, Paris, p. 96; Dominique Évrard, Pouancé par Châlon-sur-Saône, p. 405; Jacques Faujour / Centre Georges Pompidou, Paris, pp. 69, 168, 170, 191, 192, 295; Jesse Fernandez, Paris, p. 401; Finarte, Milan, p. 48; Xavier Fourcade Inc., New York, p. 206; David Gahr, p. 303; Galleria nazionale d'arte moderna, Rome, p. 218; Claude Gaspari / galerie Maeght, Saint-Paul, p. 148; Sidney Geist, New York, p. 249; Hans Georg Gessner, Bielefeld, p. 97; Giraudon, Paris, p. 247 (en haut); Galerie Claude Bernard, Paris, p. 163; Galleria Blu, Milan, p. 216; Galerie Gmurzynska, Cologne, pp. 63, 64, 84, 86, 435; Gomez-Vidal, Lérida, p. 403; Gianfranco Gorgoni / John Weber Gallery, New York, pp. 228, 437; D. Gorton / Xavier Fourcade Inc., New York, p. 231; Carmelo Guadagno et David Heald, New York, p. 160; Béatrice Hatala / Mnam Centre Georges Pompidou, Paris, p. 56; Michael Heizer / Xavier Fourcade Inc., New York, p. 309; E.M.J. Henker of Hoek, p. 220; Carl L. Howard / galerie Zabriskie, Paris, p. 437; Jacqueline Hyde, Paris, pp. 101, 169; Bill Jacobson Studio, New York, p. 193; Sidney Janis Gallery, New York, p. 183; Karsten Greve Galerie, Cologne, p. 204; Mikhail Kaufman, p. 432; Kim Keever, New York, p. 229; Kunsthaus, Zurich, pp. 44, 48, 53; Kunstmuseum, Bâle, p. 35; Kunstmuseum, Krefeld (R.F.A.), p. 315; Bernd Kurtz. BFF, p. 200; Landshoff / Xavier Fourcade Inc., New York, p. 415; Nicole Lejeune, Paris, p. 400; Barbara Leppert, Munich, p. 216; Galleria L'Isola, Rome, pp. 89, 196; Archives Lista, Paris, pp. 338, 396, 398, 404; Louisiana Museum, Humlebaek (Danemark), p. 307; galerie Maeght, Paris, pp. 182, 183, 184, 185, 195; Man Ray, pp. 57, 58, 399, 404, 407, 408, 428, 431; Marlborough-Gerson Gallery, New York, p. 301; Carmen Martinez et Viviane Grimminger, p. 413; Robert Mates et Mary Donlon, New York, pp. 40, 71; Pierre Matisse Gallery, New York, p. 207; Willy Maywald, Paris, p. 397; Minneapolis Institute of Art, p. 144; Miyashiro / Leo Castelli Gallery, New York, p. 136; J.V. Monzó, p. 105; Peter Moore, New York, p. 227; André Morain, Paris, pp. 196, 395, 406, 409, 410, 416, 418, 421, 424, 433, 434, 438, 439, 440; Ugo Mulas, Milan, p. 92; Musée des beaux-arts, Rennes, p. 124; musée départemental du Prieuré, Saint-Germain-en-Laye, p. 412; musée de l'Homme, Paris, p. 239; Service photo du Musée national d'art moderne, Centre Georges Pompidou, Paris, pp. 15, 32, 34, 35, 50, 51, 54, 55, 56, 59, 72, 73, 81, 84, 85, 91, 113, 114, 115, 121, 122, 134, 141, 142, 143, 154, 156, 157, 158, 160, 161, 166, 169, 176, 186, 187, 197, 218, 222, 272, 310, 311, 399, 407; Fonds Brancusi, Mnam, Centre Georges Pompidou, Paris, p. 159, 248; Documentation musée Picasso, pp. 94, 247; Musée de Tel-Aviv, pp. 37, 38; Musées de la Ville de Paris, photothèque, p. 34; Museo provinciale d'arte, Trente, p. 46; Museum Boymans-van Beuningen, Rotterdam, p. 273; Museum für moderne Kunst, Francfort, p. 116; Museum of Modern Art, New York, pp. 30, 45, 49, 59, 70, 74, 90, 97, 108, 123, 173, 263, 268, 296; Museum Sztuki, Łódź, pp. 74, 77, 79; Hans Namuth, New York, pp. 302, 403; National Gallery of Canada, Ottawa, p. 306; Öffentliche Kunstsammlung Kunstmuseum, Bâle, p. 210; J. Oster / musée de l'Homme, p. 239; Pace Gallery, New York, p. 426; Krisztina Passuth, Paris, p. 429; Penwith Photo Press, Lee Sheldrak, p. 414; Alain Peyrissac, Paris, p. 430; Philadelphia Museum of Art, p. 140; Eric Pollitzer, New York, pp. 88, 179, 226, 246; Vladimir Popovič, Belgrade, p. 39; Pozzi-Bellini, Paris, p. 412; Sergio Pucci, Rome, p. 402; Réunion des musées nationaux, Paris, pp. 15, 16, 20, 27, 31, 32, 33, 99, 100, 102, 139, 152, 190; Rijksmuseum Kröller-Müller, Otterlo, pp. 219, 224; Friedrich Rosenstiel, Cologne, p. 146; Routhier / Studio Lourmel, Paris, p. 15; Collection M. et Mme Robert A. Rowan, Pasadena (Californie), p. 386; A.S.C. Rower, New York, p. 167; Adam Rzepka / Musée national d'art moderne, Centre Georges Pompidou, Paris, pp. 42, 43, 97, 104, 127, 143, 191, 192, 223, 227, 315, 328; Onni Saari, New York, p. 302; Saatchi Collection, p. 132; Schroeter, Hommer & Trog, Zollikon, p. 103; Lothar Schnepf, Cologne, p. 394; Harry Shunk / Leo Castelli, New York, pp. 271, 401, 427; Robert Smithson / John Weber Gallery, New York, p. 251; Solomon R. Guggenheim Museum, New York, pp. 160, 225, 304; galerie Sonnabend, New York, p. 193; Staatsgalerie, Stuttgart, pp. 146, 199; Städtisches Museum Abteiberg, Mönchenghadbach, p. 212; Stedelijk Museum, Amsterdam, pp. 145, 224; Photo Studio Casali, Milan, p. 162; Studio St. Ives, Ltd, St. Ives (Cornouailles), p. 162; Succession David Smith, p. 129; Tate Gallery, Londres, p. 144; Jerry Thompson, New York, p. 87; Van Abbemuseum, Eindhoven, p. 82; Serge Vandercam, p. 414; Malcolm Varon, New York, p. 179; Marc Vaux / Centre Georges Pompidou, Paris, p. 411; André Viller, p. 430; Roger-Viollet, Paris, p. 250; Wolfgang Volz, New York, p. 402; Walker Art Center, Minneapolis, p. 117; Washburn Gallery, New York, p. 299; John Webb, Cheam (Surrey), pp. 108, 195; Étienne Bertrand Weill, Courbevoie, p. 61; Kunsthandel Wolfgang Werner, Brême, p. 78; Westpark Studios, Leeds, p. 151; Whitney Museum, New York, pp. 296, 297; Wilhelm-Lehmbruck Museum, Duisbourg, p. 140; J.F. Willumsens Museum, Frederikssund (Danemark), p. 18; Dick Wolters, Ovezande (Pays-Bas), p. 116; Yale University Art Museum, New Haven (Connecticut), p. 74.

Achevé d'imprimer le 30 juin 1986
sur les presses de l'Imprimerie moderne du Lion, S.N., Paris

Photocomposition et photogravure noire : Bussière A.G., Paris
Photogravure couleur : France Photogravure, Lyon
Brochage : S.I.R.C., Marigny-le-Chatel